UNIEBOEK FOCUS

Film

RONALD BERGAN

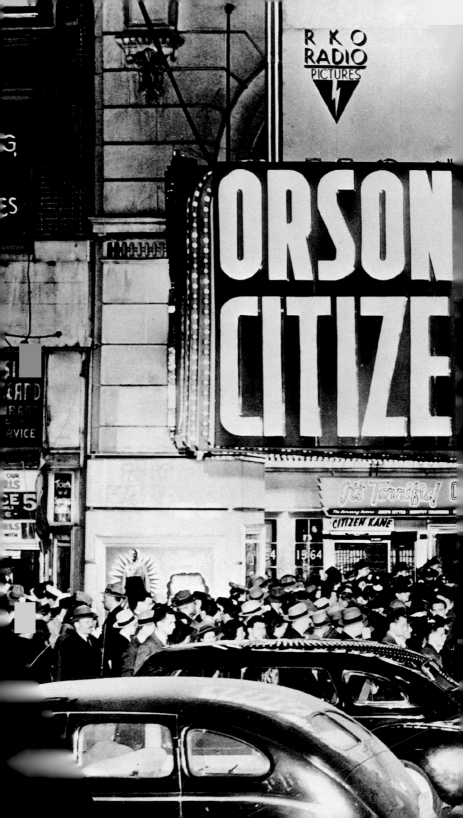

Oorspronkelijke titel:
Eyewitness Companions – Film
© 2006 Oorspronkelijke uitgave:
Dorling Kindersley Limited, Londen
A Penguin Company
Text copyright © 2006 Ronald Bergan

© 2007 Nederlandstalige uitgave:
Focus/Unieboek bv
Postbus 97
3990 DB Houten
www.unieboek.nl
www.focusgids.nl

1ste druk 2007

Redactie: Sarah Larter
Eindredactie: Phil Hunt, Carey Scott,
Marion Broderick

Boekverzorging: Asterisk*, Amsterdam
Vertaling: Henk van Bakel,
Laurens van Mastrigt,
Wybrand Scheffer

Druk: Leo Papers, China

ISBN 978 90 475 0026 1
NUR 652

INHOUD

In de VS waren in de jaren '90 van de 19e eeuw de eerste films te zien in winkels met kinetoscopen. Je gooide een cent in een gleuf en kon door een kijkgat Fatima, de buikdansende sensatie van de Wereldtentoonstelling van 1896, zien bewegen. Wie had ooit kunnen denken dat dit nieuwe medium uiteindelijk de omvangrijkste amusementsindustrie ter wereld zou worden en tot de nieuwe kunstvorm van de 20e eeuw zou uitgroeien?

Vanaf het allereerste begin heeft de film miljoenen mensen over de hele wereld romantiek en escapisme geboden. Als op een vliegend tapijt voerde de film hen weg uit de harde realiteit. Het was een wondermiddel tijdens de depressie in de VS, opium voor het volk gedurende de Tweede Wereldoorlog, en ook de decennia daarna bleef het een middel om aan de werkelijkheid te ontsnappen. Uiteindelijk zou Hollywood uitgroeien tot de 'droomfabriek' die het meeste 'materiaal waaruit onze dromen bestaan' ging leveren.

Zoals uit de volgende bladzijden blijkt heeft Hollywood vanaf de jaren '20 van de 20e eeuw de filmindustrie wereldwijd gedomineerd. Toch is het niet de enige 'speler' op de mondiale filmmarkt. Dat film bij uitstek een internationale kunstvorm is, blijkt wel uit het grote aantal films uit ruim 50 landen; films die net zo divers zijn als de culturen waar ze uit voortkomen. Uit landen die lange tijd als filmlanden werden genegeerd komen steeds vaker films die in het internationale circuit meedraaien.

Vooral de afgelopen decennia heeft de filmkunst zich vanuit de VS en Europa verbreid naar Midden- en

Oost-Azië en naar de ontwikkelingslanden, met Iran als misschien wel het meest verbazingwekkende voorbeeld. Regisseurs met een unieke verbeeldingskracht, zoals Ousmane Sembene en Souleymane Cissé, zijn uit Afrika afkomstig. China, Hongkong, Taiwan en Korea hebben films voorgebracht met spectaculaire visuele effecten en een fascinerende inhoud. In Spanje en in de Latijns-Amerikaanse landen heeft een enorme heropleving plaatsgevonden. In Denemarken, dat sinds de belangrijke regisseur Carl Dreyer filmisch amper nog meetelde, kwam eind jaren '80 van de 20e eeuw een vernieuwingsbeweging op gang.

De grenzen tussen de Engelstalige films en die uit de rest van de wereld vervagen steeds meer, zoals blijkt uit de culturele kruisbestuiving tussen sterren en regisseurs. Een kind in de VS heeft evenveel kans een Japanse animatiefilm te zien als een Walt Disney tekenfilm en westerse jongeren zijn even bekend met Aziatische vechtsportfilms of Bollywoodfilms als het publiek in het Oosten met Amerikaanse films.

Maar de film voorziet de wereld niet alleen maar van amusement, ze staat ook bekend als de 'zevende kunst'. Al in 1916 beschreef de Duitse psychiater Hugo Münsterberg onder meer het unieke vermogen van de film om met tijd en ruimte te spelen. In

Gene Kelly *op een publiciteitsfoto voor* Singin' in the Rain *(1952), een musical waarin de beginjaren van de geluidsfilm liefdevol op de hak worden genomen.*

onderstreept door de montagetheorie van de grote Russische filmmakers uit de jaren '20 van de 20e eeuw. Deze weken af van de geijkte chronologie en zochten naar nieuwe manieren om de gedachtestroom van hun personages te verbeelden, waarbij een eenduidig verteld verhaal werd vervangen door fragmentarische beelden vanuit meerdere gezichtspunten.

Wat ernst en diepgang betreft begon de film de andere kunsten naar de kroon te steken, niet alleen door de zogenoemde 'artistieke film', maar ook door belangrijke films van pioniers als D.W. Griffith, Fritz Lang, Charlie Chaplin, Walt Disney, Jean Renoir, Orson Welles, John Ford en Alfred Hitchcock. Met nieuwe technieken zoals de snelle film, geluid, technicolor, cinemascope en lichtgewichtcamera's werd gezocht naar nieuwe uitdruk-

'Weer een fijne puinhoop!' *Komisch duo Stan Laurel en Oliver Hardy in een karakteristieke, hachelijke pose in een van hun vele korte stomme films.*

1926 meende de uit Italië afkomstige Franse criticus Riccioto Canudo dat de film het realisme moest ontstijgen en naast de emoties van de filmmaker ook de psychologie van de personages en zelfs hun onderbewustzijn moest uitdrukken. Dit vermogen van de film werd uitgewerkt door Franse 'impressionistische' cineasten en theoretici als Louis Delluc en Jean Epstein en

Maggie Cheung als Vliegende Sneeuw in het spectaculaire Hero *(2002) van Zhang Yimou. Dit type Aziatische vecht-sportfilm behoort meer en meer tot de heersende stroming in de westerse cinema.*

Edmund (Skandar Keynes) *staat oog in oog met de computergegenereerde leeuw Aslan in* De Kronieken van Narnia: de leeuw, de heks en de kleerkast *(2005).*

kingsmogelijkheden. In de jaren '90 van de 20e eeuw werd deze zoektocht voortgezet met behulp van CGI (computergegenereerde beelden), terwijl door de komst van de digitale camera – en sinds kort het mobieltje – nog nooit zo veel mensen een speelfilm konden maken. Door de opkomst van video en dvd en het downloaden van films van het internet, kunnen films nu op allerlei manieren bekeken worden. Of zoals de Britse regisseur Peter Greenaway het zei: 'Tegenwoordig gaan er meer films naar de mensen toe dan mensen naar de film.' Regisseurs leren omgaan met deze nieuwe manieren om films te bekijken. Maar op welke wijze een film ook tot ons komt, op een mobiele telefoon of op een reusachtig scherm, als intiem drama in zwart-wit of een spectaculair epos in technicolor, het blijft ondanks de technische vooruitgang een fundamentele kwaliteit van films – regie, scenario, camerawerk en acteurs – dat ze het publiek weten te verbazen en in vervoering te brengen.

We hebben geprobeerd om deze filmleidraad zo objectief mogelijk samen te stellen en films en regisseurs op te nemen die voor de film van belang zijn, waarbij enige subjectiviteit uiteraard niet te vermijden viel.

Eén opmerking nog: vaak geven we de Engelse of, indien vertaald, de Nederlandse titel van een film. Is een film in het Nederlands taalgebied beter bekend onder zijn oorspronkelijke titel (bijv. *La Dolce Vita* i.p.v. *Het zoete leven*), dan wordt die originele naam gebruikt. Is een film hier voornamelijk bekend onder zijn Engelse titel (bijv. *In the Mood For Love* i.p.v. *Fa yeung nin wa*), dan vermelden we alleen die.

GESCHIEDENIS VAN DE FILM

1895–1919 De geboorte van de film

In 1995 vierde de wereld het honderdjarig bestaan van de film en herdacht daarmee het moment waarop de gebroeders Lumière een apparaat patenteerden dat bewegende beelden toonde. De liefde voor de film, die eind 19e eeuw was begonnen, nam begin 20e eeuw alleen maar toe.

Waarom vierde de wereld in 1995 het eeuwfeest van de film? Thomas Alva Edison had in 1891 patent gekregen op de door hem bedachte kinetoscoop. In deze kijkkast, die in 1893 voor het eerst in het openbaar werd getoond, werd op een filmstrook van 1,5 m lengte een ononderbroken film vertoond. De eerste beelden bestonden uit dansende meisjes, optredende dieren en werklieden. Maar daar bleef het niet bij. Op basis van vindingen die afwisselend aan de gebroeders Hyatt (1865), Hannibal Goodwin (1888) en Henry M. Reichenbach zijn toegeschreven, had de laatste in 1889 voor de firma Kodak van George Eastman de film ontwikkeld (fotografische beelden op een buigzame, halfdoorzichtige ondergrond van celluloid in stroken).

Dit betrof echter eerder de conceptie en niet zozeer de geboorte van de film zoals we die thans kennen.

Aankomst van een trein bij het station van Ciotat (L'Arivée d'un Train en Gare de la Ciotat, 1895) was een door Louis Lumière gefilmde opname van 50 seconden. De toeschouwers doken weg omdat ze dachten dat de trein echt was.

De eerste voorstelling van de Cinématographe Lumière trok weinig belangstelling, maar dat veranderde en weldra stonden dagelijks ruim 2000 mensen in de rij.

	1895	1899	1903	1905
	Gebroeders Lumière demonstreren de *cinématographe*.	Geboortejaar Humphrey Bogart, Fred Astaire, James Cagney, Noel Coward en Alfred Hitchcock.	*The Great Train Robbery* komt uit, het begin van de western als genre.	In Pittsburg (VS) wordt de eerste *nickelodeon* geopend (100 stoelen).
	1895		**1900**	**1905**
	1897	1900		1905
	Méliès bouwt een studio in Montreuil-sous-Bois, niet ver van Parijs, waar hij uiteindelijk meer dan 500 films zal maken.	Op de Wereldtentoonstelling in Parijs vergapen 1,5 miljoen mensen zich aan een reusachtige *cinématographe*.		*Variety*, vakblad voor de amusementsindustrie, verschijnt voor het eerst.

1895–1919

NICKELODEONS

De eerste bioscopen werden *nickelodeons* genoemd. Een kaartje kostte maar een 'nickel' (vijf dollarcent) en 'odeon' is het Griekse woord voor theater. Ze hadden ca. 100 zitplaatsen en vertoonden continu films voor een steeds wisselend publiek. De eerste werd in 1905 in de VS gebouwd en rond 1907 gingen dagelijks zo'n twee miljoen Amerikanen naar de film. Na deze kortstondige hausse werden de *nickelodeons* rond 1910 vervangen door theaters met meer zit-plaatsen waarin langere films vertoond konden worden.

In 1908 waren er *in de Verenigde Staten in totaal ca. 8000* nickelodeons. *Het Comet Theatre in New York was er daar een van.*

DE GEBROEDERS LUMIÈRE

In Frankrijk werkten de gebroeders Auguste en Louis Lumière in Lyon in de fotostudio van hun vader Antoine. In 1894 werd in Parijs de kinetoscoop van Edison getoond, waarop Louis in diezelfde stad direct aan het ontwerp van een concurrerend apparaat begon. Op 13 februari 1895 kregen de gebroeders patent op de *cinématographe*, aanvankelijk camera en projector in één.

De cinématographe werd op 28 december 1895 voor het eerst aan het publiek getoond in de Salon Indien van het Grand Café aan de Parijse Boulevard des Capucines. Het programma van 20 minuten bestond uit 10 films die waren opgenomen met een af en toe meedraaiende camera op statief. De eerste film is waarschijnlijk *La sortie des usines Lumière* (1895) waarin een paar honderd mensen de poorten uit stromen, inclusief een man met een fiets, een hond en een paard. Volgens sommigen is de film geënsceneerd omdat geen enkele arbeider naar de camera kijkt of ernaartoe loopt.

Een van de andere films van de gebroeders Lumière op deze eerste filmvoorstelling was *Démolition d'un mur* (1895), waarin de film werd teruggespoeld om een muur te 'herbouwen': de eerste film met special effects.

De reis naar de maan (Le voyage dans la lune, 1902) *was een van Georges Méliès' fantasievolle films.*

De film *L'arroseur arrosé* (1895) geldt als de eerste komedie. Hierin krijgt een tuinman een straal water in zijn gezicht als een kwajongen eerst op een tuinslang gaat staan en vervolgens weer wegstapt.

Onder het publiek bij deze voorstelling bevond zich ene Georges Méliès. Als goochelaar, karikaturist, uitvinder en technicus was hij razend

1906	1908	1910	1911	1913	1914	1914	1915	1915
Première in Melbourne (Austr.) van *The Story of the Kelly Gang*, die met 70 min. als eerste lange speelfilm wordt beschouwd.	De eerste filmster, Florence Lawrence, treedt op in 38 films.		Eerste credits verschijnen aan het begin van films.	'Hollywood' krijgt officiële status en groeit uit tot hét centrum van de filmindustrie.	Op Times Square (New York) eerste 'filmpaleis' geopend: The Strand, met 3300 zitplaatsen.	Charlie Chaplin treedt voor het eerst op als 'kleine zwerver' in de film *Kid Auto Races at Venice* van de Keystone Studios.	Drie uur durend epos *The Birth of a Nation* van D.W. Griffith gaat in première.	

DE EERSTE KASSUCCESSEN

1	FR	La sortie des usines Lumière, 1895
2	FR	Démolition d'un mur, 1895
3	FR	L'arroseur arrosé, 1895
4	FR	Le voyage dans la lune, 1902
5	VS	The Great Train Robbery, 1903
6	FR	Le Mélomane, 1903
7	FR	Vingt mille lieues sous les mers, 1907
8	FR	Le tunnel sous la Manche, 1907
9	VS	The Squaw Man, 1913
10	VS	The Birth of a Nation, 1915

enthousiast was over wat hij zag. Op 4 april 1896 opende Méliès zijn eigen bioscoop Théatre Robert Houdin. In 1898 haperde de sluiter van zijn camera terwijl hij een straatscène filmde. Dit voorval bracht hem op het idee om via trucage magische effecten te bereiken. Hij ontwikkelde allerlei technieken, zoals de meervoudige belichting en stopmotion. In *Le Mélomane* (1903) speelt hij bijvoorbeeld een dirigent die telkens zijn hoofd verwijdert om het door een ander te vervangen. Hij gooit elk hoofd op een telegraafdraad en laat ze samen een reeks muzieknoten vormen.

FANTASIE EN REALITEIT

Filmkenners hebben erop gewezen dat uit de films van de gebroeders Lumière en die van Méliès duidelijk het verschil blijkt tussen een documentaire en een fictieve film. De gebroeders Lumière namen cameralieden in dienst om de wereld rond te reizen, terwijl Méliès in zijn studio bleef om zijn fantasiefilms te maken. Van de ongeveer honderd films van Méliès die nog bestaan, zijn er twee verfilmingen van romans van Jules Verne, *Le voyage dans la lune* (1902) en *Vingt mille lieues sous les mers* (1907).

GEBOORTE VAN DE HOLLYWOODFILM

De Amerikaanse filmproductiebedrijven waren begin 20e eeuw in New York gevestigd. Biograph Studios (opgericht in 1896) vormde de creatieve bakermat voor menig creatieve kracht uit de stomme film. Slapstickpionier Mack Sennett was hier werkzaam, evenals bij Keystone (opg. in 1912), een andere

The Squaw Man (1913), *een door Cecil B. DeMille geregisseerde, op een toneelstuk gebaseerde western, was de eerste in Hollywood geproduceerde speelfilm.*

New Yorkse studio. Ook Charlie Chaplin maakte daar films, tot hij er in 1915 werd weggekocht door het in1907 opgerichte Essanay.

Degene echter die de filmkunst het meest beïnvloedde was David Wark (D.W.) Griffith. Na zijn eerste film, *The Adventures of Dollie* (1908), zou het medium nooit meer hetzelfde zijn. Als acteur was hij via zijn werkgever Edwin S. Porter met film in aanraking gekomen. Deze had met *The Great Train Robbery* (1903) als eerste een afgerond verhaal verteld en werkte met totaalopnames en een afsluitende close-up (van een op het publiek afgevuurd schot). Tussen 1908 en 1913 regisseerde Griffith 450 films waarin hij filmtaal en camerastandpunt verder uitwerkte en zijn acteurs natuurlijk acteren bijbracht. Het Bijbelse spektakel *Judith of Bethuliu* (1914) was de eerste Amerikaanse vierakter, en *The Birth of a Nation* (1915) het eerste Amerikaanse meesterwerk.

Vlak voor de Eerste Wereldoorlog verhuisde een aantal onafhankelijke producenten naar een kleine voorstad ten westen van Los Angeles, waar het huidige Hollywood vorm begon te krijgen. Vanwege de ruimte en vrijheid die de omgeving bood, werden hier steeds vaker films opgenomen; in 1913 regisseerde Cecil B. DeMille er *The Squaw Man*, en in maart 1915 opende Carl Laemmle er voor 165.000 dollar de Universal Studios. Een pioniersrol vervulde Thomas Ince, die het geijkte studiosysteem ontwierp met de in en rond enorme, fabrieksmatige studio's geconcentreerde filmproductie.

Cleopatra (1917) *met in de hoofdrol Theda Bara, oftewel Theodosia Goodman uit Cincinnati. Haar artiestennaam was een acroniem van 'Arab Death'*

Tegelijkertijd werd het sterrensysteem ontwikkeld en verfijnd. De eerste 'filmster' was Florence Lawrence, 'The Biograph Girl'. Theda Bara verwierf als eerste via een publiciteitscampagne de status van ster. Haar komaf werd toegesneden op haar rol als exotische 'vamp'. Ook de ster van anderen begon te rijzen. Vooral Mary Pickford, Douglas Fairbanks en Charlie Chaplin genoten wereldwijd bekendheid. Pickford maakte naam als 'kleine Mary' en verdiende kapitalen met films als *Little Rich Girl* en *Rebecca of Sunnybrook Farm* (beide uit 1917). In 1920 trouwde ze met Fairbanks, die populair was geworden met een aantal satires op het Amerikaanse leven. Op 15 januari 1919 richtten Chaplin, Pickford, Fairbanks en D.W. Griffith de United Artists Corporation op omdat ze zich door de toenmalige contracten te veel aan banden gelegd voelden. In tegenstelling tot de concurrentie bezat United Artists geen eigen studio, zodat voor elke productie studioruimte moest worden afgehuurd. Bij gebrek aan een eigen bioscoopketen moest tevens onderhandeld worden over de distributie. Ondanks dit alles wist United Artists toch te overleven.

Deze stommefilmcamera *op stevig statief werd met de hand aangezwengeld.*

1920–1929 **Zwijgen is goud**

Tijdens het tijdperk van de stomme film werd het studiosysteem, dat tot in de jaren vijftig standhield, geconsolideerd. In de jaren '20 spetterden de eerste grote sterren, onder wie Garbo en Dietrich, van het scherm. Tot door een technologische vernieuwing rond 1929 alles anders werd.

Tijdens de economische hausse die volgde op de Eerste Wereldoorlog verstevigden filmbonzen als Carl Laemmle, Adolph Zukor, William Fox, Louis B. Mayer, Sam Goldwyn en Jack Warner met zijn broers Harry, Albert en Sam (allen Joodse emigranten uit Europa) hun grip op de filmindustrie.

GENRES EN STERREN

De studio's begonnen verhalen te produceren met terugkerende thema's en structuren die later 'genres' werden genoemd. In de jaren '20 groeide de western

Rudolph Valentino (1895-1926), *de ultieme latin lover, in een scène uit een van zijn grootste successen,* Blood and Sand *(1922), waarin hij een vurige stierenvechter speelt.*

Filmaffiche, *1926*

1920
Het 'huwelijk van de eeuw' is dat tussen Douglas Fairbanks en Mary Pickford. Hij koopt voor haar een buitenhuis dat Pickfair heet.

1922
Robert Flaherty brengt *Nanook of the North,* uit, een film over het leven van een eskimofamilie en de eerste documentaire.

1920

1922

1924

1921
Fatty Arbuckle vrijgesproken van de verkrachting van en moord op Virginia Rappe.

1922
Rin Tin Tin, de eerste hond die een filmster wordt, behoedt Warner Bros. voor een bankroet.

1924
Metro-Goldwyn-Mayer (MGM) onstaat uit de fusie van drie productiebedrijven.

uit tot het belangrijkste product van de studio's, waarbij de Californische locaties goede diensten bewezen. Tot de cowboysterren die zelden van hun vaste rol op het witte doek afweken behoorden W.S. Hart, Tom Mix en Hoot Gibson. In *The Covered Wagon* (1923) van James Cruze en *The Iron Horse* (1924) van John Ford werden de epische en artistieke mogelijkheden van het genre ten volle benut.

Toch trok de Amerikaanse komedie in het tijdperk van de stomme film wereldwijd het meeste publiek, mede dankzij het komisch genie van met name Charlie Chaplin, Buster Keaton, Harold Lloyd, Harry Langdon en Stan Laurel en Oliver Hardy, die allen in de jaren twintig hun top bereikten.

Ook zagen de studio's al snel de waarde in van typecasting, zodat het publiek door de rol die de ster speelde snel diens personage kon thuisbrengen. Een van de grootste sterren was Rudolph Valentino, die als tiener in 1913 vanuit Italië naar de VS was gekomen. Hij verdiende als danser in de cafés van New York zijn brood, tot hij in 1917 naar Californië vertrok. In 1921 speelde hij de playboyheld in *The Four Horseman of the Apocalypse* van Rex Ingram en werd als een soort mannelijke vamp de ongeëvenaarde latin lover van het witte doek. Met *The Sheik* (eveneens uit 1921) vestigde hij definitief zijn verleidelijke imago.

Tijdens het optimisme en materialisme van de jaren '20 vertegenwoordigde Hollywood zowel

> "Collectieve waanzin die op tragikomische wijze een nieuw fetisjisme belichaamt."
>
> **HET VATICAAN**, 1926, *in reactie op de massale rouw na het overlijden van Rudolph Valentino*

KASSUCCESSEN VAN DE JAREN '20

1	VS	The Big Parade, 1925
2	VS	The Four Horsemen of the Apocalypse, 1921
3	VS	Ben-Hur, 1925
4	VS	The Ten Commandments, 1923
5	VS	What Price Glory, 1926
6	VS	The Covered Wagon, 1923
7	VS	Way Down East, 1920
8	VS	The Singing Fool, 1928
9	VS	Wings, 1927
10	VS	The Gold Rush, 1925

1925
The Phantom of the Opera wordt uitgebracht met in de hoofdrol Lon Chaney.

1925
The Gold Rush van Charlie Chaplin uitgebracht.

1926
Warner Bros. brengt *Don Juan* uit, met geluidseffecten en muziek maar zonder dialoog.

1926
Rudolph Valentino (31) overlijdt. Zo'n 100.000 fans wonen zijn begrafenis bij en er zijn berichten over zelfmoorden.

1927
Movietone bioscoopjournaal, de eerste nieuwsfilm met geluid, komt uit.

1928
Mickey Mouse treedt voor het eerst op, in *Steamboat Willie*.

1929
De eerste Oscaruitreiking vindt plaats in Hollywood.

1929
George Eastman demonstreert zijn eerste technicolorfilm.

glamour als een uitdaging voor de traditionele moraal. Uit bezorgdheid over de zedeloosheid van de filmwereld op én buiten het witte doek werd als zelfregulerend lichaam in 1921 de Motion Picture Producers and Distributors of America (MPPDA) opgericht. Voormalig minister van Posterijen Will H. Hays werd de eerste voorzitter en bleef dat tot aan zijn pensioen in 1945. Hays wilde het product Hollywood omvormen tot een onschuldige vorm van familievermaak. Door zijn enorme macht kreeg het MPPDA de bijnaam Hays Office en werd de Productie Code ook wel aangeduid als Hays code.

Pola Negri (1894-1987)
begon haar carrière in Duitsland voor zij in de jaren '20 met Ernst Lubitsch naar Hollywood kwam.

GERAFFINEERD ZONDIGEN

Niettemin werden 'It Girl' Clara Bow en de vrijgevochten Joan Crawford als relaxte symbolen van het jazztijdperk gezien, die het postvictoriaanse ideaal van vrouwelijkheid vervingen zoals dat belichaamd werd door Mary Pickford, Lillian en Dorothy Gish en Bessie Love. De melodrama's *Broken Blossoms* (1919) en *Way Down East* (1920) sloten een tijdperk af terwijl Cecil B. DeMille een aantal gewaagde huiselijke komedies maakte. In zes van deze moralistische verhalen, zoals *Male and Female* (1919), was de hoofdrol voor de extravagant geklede Gloria Swanson tegen wie

meer werd gezondigd dan ze dat zelf deed. Europees raffinement bood Erich von Stroheim, die voor *Foolish Wives* (1921) bijna heel Monte Carlo nabouwde op het studioterrein van Universal. Ernst Lubitsch regisseerde huwelijkskomedies bij Warner Bros., zoals *The Marriage Circle* (1924) en *Lady Windermere's Fan* (1925). Later gaf Lubitsch toe dat hij geïnspireerd was door *Woman of Paris* (1923) van Charlie Chaplin waarin Edna Purviance, de hoofdrolspeelster in bijna 30 komedies van Chaplin, een maîtresse speelt. Nu de studio's zich stevig in Hollywood hadden gesetteld, begonnen ze getalenteerde regisseurs uit Europa aan te trekken. Zoals Ernst Lubitsch en F. W. Murnau uit Duitsland, Michael Curtiz uit Hongarije en Mauritz Stiller en Victor Sjöström uit Zweden. Ook hoofdrolspelers kwamen het sterrenstelsel verrijken, zoals de uit Polen afkomstige Pola Negri, de eerste Europese ster die de volledige sterrenbehandeling van Hollywood onderging. Een andere ster uit Europa was de imponerende Zwitser Emil Jannings die in 1927 uit Duitsland naar Hollywood kwam. Hij won als eerste twee keer de Oscar voor beste acteur, voor *The Way of All Flesh* (1927) en *The Last Command* (1928).

FILMPALEIZEN

De filmpaleizen beleefden hun bloeiperiode ruwweg tussen beide wereldoorlogen. Destijds werden er over de hele wereld vele honderden filmhuizen gebouwd, met prachtige foyers, imponerende trappen en kolossale Wurlitzerorgels. In deze filmpaleizen, met gemiddeld zo'n 2000 zitplaatsen, vonden drie à vier voorstellingen per dag plaats. Vaak waren het ware meesterwerken van art-deco-architectuur. Deze weelderige amusementspaleizen boden het publiek beschutting tegen de harde buitenwereld en droegen evenzeer bij aan het naar de film gaan als de film zelf. Eind jaren '30 hielden de winsten geen gelijke tred meer met de fikse investeringen die de studio's voor deze luxueuze filmpaleizen moesten doen.

Afbeelding *van de Regal Cinema in Londen (1929).*

GARBO EN GILBERT

De Zweedse Greta Gustafsson
(1905-1990) werd in 1925 door Louis
B. Mayer naar Hollywood gehaald,
samen met haar mentor Mauritz
Stiller die haar de naam Garbo had
gegeven, 10 kilo had laten afvallen en
een mystieke uitstraling had gegeven.
Toch mocht Stiller niet haar eerste
Amerikaanse film, *The Torrent* (1925),
regisseren en werd hij tijdens haar
tweede film, *Flesh and the Devil* (1926),
al na tien dagen vervangen door
Clarence Brown (1890-1987).

De indringende liefdesscènes met
John Gilbert, met wie zij buiten de set
een verhouding had, drukte een
volwassen, kwetsbare seksualiteit uit
die niet eerder in Amerikaanse films
was vertoond. Cameraman William
Daniels, die bijna al haar Hollywoodfilms draaide, ontwikkelde voor haar
een subtiele, romantische belichting
om haar imago extra te benadrukken.

Garbo en Gilbert speelden voor het
laatst samen in *Queen Christina* (1933).
Hoewel deze film Garbo een reeks
tragische rollen opleverde waarmee ze

Flesh and the Devil (1926) *was de eerste en meest
memorabele van de drie stomme films waarin Greta Garbo
en haar minnaar samen speelden. Garbo speelt hierin een
uiterst verleidelijke femme fatale.*

haar naam als actrice vestigde, maakte
Gilbert nog maar één film, waarna hij
als gevolg van overmatig drankgebruik
aan een hartaanval bezweek.

ACTIE EN HORROR

In Hollywood was ook talent van
eigen bodem te vinden. Lon Chaney
stond terecht bekend om zijn grimeer-
talent en werd 'de man met de
duizend gezichten' genoemd. Maar
zijn uitbeelding van een aantal
groteske figuren in films als *The
Hunchback of Notre Dame* (1923) en
The Phantom of the Opera (1925) was
gebaseerd op gevoelig acteerwerk
dat zelfs aan de meest verknipte,
afschrikwekkende personages een
zekere menselijkheid verleende.

Erg populair was ook de waaghal-
zerij van Douglas Fairbanks, die het
ene succes na het andere behaalde
met *The Mark of Zorro* (1920), *Robin
Hood* (1922), *The Thief of Bagdad*

(1924) en *The Black Pirate* (1926), films die stuk voor stuk rond deze atletisch gebouwde ster draaiden. Fairbanks bemoeide zich met elk aspect van het filmen en was vooral ook geïnteresseerd in decorbouw.

EUROPA EN RUSLAND

Na de Eerste Wereldoorlog werd de bloei van de filmindustrie in Frankrijk en Italië overschaduwd door de toenemende import van Amerikaanse films. Ondanks de grote hoeveelheid Hollywoodfilms bleef Europa echter films van grote artistieke kwaliteit produceren, met meesterwerken als *Napoléon* (1927) van Abel Gance, *La passion de Jeanne d'Arc* (1928) van Carl Dreyer uit Frankrijk, *Die Büchse der Pandora* (1929) van G.W. Pabst, en *Metropolis* (1926) van Fritz Lang uit Duitsland. Het uitkomen van *De staking* (1924) van Sergei Eisenstein leidde in de Sovjet-Unie tot een van de spannendste perioden van experimentele en creatieve vrijheid uit de geschiedenis van de Sovjetfilm.

EN TOEN WAS ER GELUID

Hollywood zelf leverde eind jaren '20 maar weinig opmerkelijke films af, met als opvallende uitzonderingen *Sunrise* (1927) van F.W. Murnau, *Seventh Heaven* (1927) van Frank Borzage, die drie van de allereerste Oscars won, en *The Crowd* (1928) van King Vidor. Tijd dus voor radicale vernieuwing. In augustus 1926 kwam het noodlijdende Warner Bros. met het eerste gesynchroniseerde programma op grond van een systeem met geluid op grammofoonplaten. Dit vitaphonesysteem moest bioscoop-eigenaren een alternatief bieden voor de artiesten die in hun programma's optraden, met name in het bioscoop-

In de laatste scène van *het spectaculaire* The Thief of Bagdad *(1924) van Raoul Walsh vliegen hoofdrolspeler Douglas Fairbanks en zijn prinses (Julanne Johnston) op een vliegend tapijt over de daken.*

orkest en de bühneact. Vandaar dat hun eerste speelfilm met geluid, *Don Juan* (1926), met in de hoofdrol John Barrymore, helemaal geen sprekende film was: de op grammofoonplaten opgenomen filmmuziek begeleidde de verder stomme beelden, wat het inhuren van een orkest uitspaarde.

De doorbraak kwam in oktober 1927 toen Warner Bros. *The Jazz Singer* uitbracht. Deze eerste succesvolle speelfilm met geluid, met ditmaal nagesynchroniseerde opnames van liedjes en wat dialoog, gaf de aanzet tot de installatie van geluids- en projectieapparatuur in studio's en bioscopen.

In mei 1928 besloten bijna alle studio's, na gedegen bestudering van de verschillende geluidstechnieken, het flexibelere opnameproces van geluid op film van Western Electric te gaan gebruiken. Dit was het einde voor Vitaphone van Warner. Rond 1929 waren duizenden bioscopen uitgerust met geluid en was aan tientallen stomme films spraak toegevoegd. Tijdens het filmen van *Queen Kelly*

Het Duitse affiche *voor* Die Büchse der Pandora (1929) *met de aantrekkelijke Louise Brooks.*

(1928) van Von Stroheim, met Gloria Swanson in de hoofdrol, zetten de producers (onder wie Swanson zelf en Joseph P. Kennedy, de vader van de toen toekomstige president) de film stil. Die kon volgens hen niet opnieuw met geluid opgenomen worden, omdat eenderde ervan al zónder opgenomen was en daardoor niet bruikbaar meer was. De ware reden was dat Swanson en Kennedy het onderwerp van de film te schokkend vonden. *Queen Kelly* werd overhaast gemonteerd en kreeg een willekeurig slot plus aanvullende muziek. Swansons fraaie carrière overleefde de komst van de geluidsfilm, maar *Queen Kelly*, die wel in Europa uitkwam, is in de VS nooit commercieel uitgebracht.

Tweeëntwintig jaar later werkten Swanson en Von Stroheim weer samen in *Sunset Boulevard* van Billy Wilder, een film over een vergeten ster van de stomme film. De scènes die Norma Desmond (Swanson) hierin thuis

Een werkloze man *vraagt in de zielloze grote stad om hulp in het aangrijpende meesterwerk* The Crowd *(1928) van King Vidor.*

New Yorkers staan in de rij *voor* The Jazz Singer *(1927) omdat ze graag het nieuwtje van de geluidsfilm ('talkie') willen beleven.*

bekijkt zijn uit *Queen Kelly* afkomstig, en zo zijn er meer toespelingen op het onvoltooide en grotendeels ongeziene sadomasochistische meesterwerk van Von Stroheim.

MGM bemoeide zich met de montage van *The Wind* (1928), de beste film van Sjöström in de VS, en voegde een soundtrack toe. Lillian Gish, een van de grootste sterren van de stomme film, speelt hierin met verve de hoofdrol. Sommige regisseurs pasten de nieuwe technologie creatief toe. Zo werkte Rouben Mamoulian in zijn eerste film, *Applause* (1929), bij bepaalde scènes met twee microfoons, waarna het geluid later werd gemixt.

DE GEBOORTE VAN RKO
Geluid leidde in 1928 tot de oprichting van een nieuwe grote studio, Radio-Keith-Orpheum, oftewel RKO, met als handelsmerk een mast die op een aardbol radiosignalen uitzendt. Dit leidde tevens tot een nieuw genre, de musical. *The Broadway Melody* (1929)

van MGM won de Oscar voor de beste film en maakte de weg vrij voor een golf van andere musicals, waarvan er voor het einde van het decennium tientallen uitkwamen.

The Broadway Melody (1929) *was de eerste film waarin 'voor de volle 100% gesproken, gezongen en gedanst' werd.*

HET GEVECHT OM GELUID

Voor andere landen was de komst van het geluid net zo ingrijpend als voor de VS. In Groot-Brittannië leidde het succes van de geluidsfilm uit de VS tot een fel gevecht om de bioscopen en studio's geschikt te maken voor de nieuwe technieken. Andere landen stelden als eis dat er in hun eigen taal gesproken werd, wat leidde tot versnippering van de internationale filmmarkt die ruim tien jaar door Hollywood was gedomineerd.

Er vonden experimenten met meertalige films plaats, zoals *Atlantic* (1929) van E.A. Dupont. Deze film werd met drie verschillende casts in het Engels, Frans én Duits opgenomen – een wel erg kostbare oplossing. Door het geluid veranderde de film niet alleen stilistisch en inhoudelijk, maar werd ook de structuur van de industrie beïnvloed, met als artistiek gevolg een stilstaande camera en het beperken van de actie tot de studio.

"En dit is nog maar het begin!"

AL JOLSON, 1927, *The Jazz Singer*

De eerste geluidsfilms waren meestal succesvol, al liet de kwaliteit vaak te wensen over. Het waren bewerkingen van toneelstukken met de nadruk op de dialoog, stijf acteerwerk (door veelal onervaren acteurs) en een stilstaande camera of microfoon. (De overgang naar de geluidsfilm in Hollywood wordt grappig verbeeld in *Singin' in the Rain*, 1952, zie ook blz. 436.)

Van scenarioschrijvers werd meer oog voor de personages in hun script geëist en tekstkaartenschrijvers raakten hun baan kwijt. Vaak was nog sprake van letterlijke bewerkingen van Broadway-shows voor het witte doek. Beetje bij beetje echter leerden de regisseurs en studiotechnici het camerageluid te maskeren en vrijer en mobieler met de camera, microfoon en opname-apparatuur om te gaan. De techniek raakte ondergeschikt aan de regie en niet andersom, en voortaan werd er vooruit- en niet achteromgekeken. De geluidsfilm bleek een blijvertje.

1930–1939 De film wordt volwassen

Door de komst van het geluid veranderde niet alleen de filmindustrie, maar werd ook de carrière van menig regisseur en acteur beïnvloed. In de jaren '30 werd het ene succes na het andere geboekt en een nieuwe generatie sterren, onder wie Fred Astaire en Ginger Rogers, Joan Crawford, Spencer Tracy en Clark Gable, fascineerde de kijkers.

Van de vier oprichters van United Artists hadden er drie – Douglas Fairbanks, Mary Pickford en D.W. Griffith – geen succes in de geluidsfilm. Griffith, toonaangevend in de filmgeschiedenis, werd vrijwel direct hopeloos ouderwets. De enige keer dat Fairbanks en Pickford samenspeelden, in *The Taming of the Shrew* (1929), schoten ze vocaal tekort en de film flopte. Alleen Chaplins overstap naar de geluidsfilm verliep voorspoedig. Pas in *The Great Dictator* (1940) paste hij de dialoog toe. Hij voelde perfect aan dat het gesproken woord afbreuk zou doen aan de effectiviteit en internationale aantrekkingskracht van zijn humor. Vandaar dat hij in *City Lights* (1931), waarschijnlijk het hoogtepunt van zijn carrière, alleen muziek en realistische geluidseffecten toepaste. Midden en

Garbo spreekt! *De Zweedse ster stapte probleemloos over naar de geluidsfilm in* Anna Christie *(1930).*

> "Een whisky en een ginger ale met cola, schat, en niet te zuinig graag."

GRETA GARBO, *Anna Christie*, 1930

eind jaren '20 was de Hongaarse Vilma Banky een van Hollywoods sterren die alom volle zalen trokken, maar haar Hongaars accent bleek voor de geluidsfilm te zwaar. Norma Talmadge hield er na *Du Barry, Woman of Passion* (1930) mee op nadat critici gevallen waren over haar Brooklyn-accent dat geen pas gaf bij de 18e-eeuwse kostuums. Ook John Gilbert, die samen met Greta Garbo de hoofdrol in een aantal films had gespeeld, ging aan het geluid ten onder. Toen aan *His Glorious Night* (1929) dialoog werd toegevoegd, dreven critici de spot met zijn hoge stem. Zijn pogingen om terug te komen faalden en ondanks zijn inzet als hoofdrolspeler naast Garbo in *Queen Christina* (1933) van R. Mamoulian was

Het ultieme danspaar *Fred Astaire en Ginger Rogers in actie in* Top Hat *(1935). Van hun negen zwart-wit-musicals is deze waarschijnlijk de populairste.*

1930–1939

1930
Verschijning eerste nummer van het intussen tot een instituut uitgegroeide vakblad *The Hollywood Reporter*.

1932
De 4-jarige Shirley Temple krijgt een contract bij 20th-Century Fox.

1933
Eerste drive-inbioscoop geopend in New Jersey (VS).

| 1930 | 1932 | 1934 |

1930
Filmindustrie gaat bij films voor buitenlandse markt nasynchronisatie toepassen.

1931
Première van *M* van Fritz Lang; eerste, invloedrijke psychodrama over een seriemoordenaar.

1933
King Kong komt uit met het special effect 'stop-motion'.

1934
Nieuwe filmproductie-code, de Hays-code, wordt vastgesteld.

1935
It Happened One Night (1934) legt als eerste film beslag op vijf belangrijke Oscars, een prestatie die pas in 1975 wordt geëvenaard.

1937
De eerste avondvullende tekenfilm *Sneeuwwitje en de Zeven Dwergen* van Disney komt uit.

1939
Gone With the Wind gaat in première.

1936

1938

1934
Warner Bros. sluit zijn Duitse distributie-kantoor uit protest tegen het antisemitische beleid van de nazi's.

1936
Modern Times, Chaplins commentaar op de crisisjaren, komt uit.

1938
Afro-Amerikaanse leiders roepen het Hays Office op om zwarten ook andere rollen dan die van knecht of bediende aan te bieden.

Jean Gabin *speelt een even tragische als fascinerende rol in* Le Jour se lève *(1939), het 'poëtisch-realistische' meesterwerk van Marcel Carné.*

Grande Illusion (1937) en *La Règle du Jeu* (1939), twee van de belangrijkste films uit deze vruchtbare periode van de Franse film. In 1936 richtten Henri Langlois, Jean Mitry en Georges Franju de Cinémathèque Française op, met als belangrijkste doelstelling de teloorgang van oude films te voorkomen.

Met steun van Mussolini verrees in 1935 aan de rand van Rome de beroemde studio Cinecittá, al was de kwaliteit van de hoogdravende propagandafilms en 'witte telefoon'-films – onwerkelijke glamourverhalen in een gelikte omgeving – bar slecht. Voordat de nazi's aan de macht kwamen, sprak uit de Duitse film een sociale en politieke bewogenheid, met name uit *Westfront 1918* (1930) en *Kameradschaft* (1931) van G.W. Pabst, en *M* (1931) van Fritz Lang. In de Sovjet-

de seksuele spanning verdwenen. Garbo zelf had nauwelijks moeite met de overstap. Haar lage stemgeluid met accent werd direct geaccepteerd toen ze in *Anna Christie* (1929) haar eerste zinnen sprak. Ook de beroemde hese alt van Marlene Dietrich klonk door in de zes barokke erotische drama's die Josef von Sternberg in Hollywood regisseerde. Von Sternberg had haar van de ene dag op de andere beroemd gemaakt met *Der blaue Engel* (1930), de eerste Duitse geluidsfilm.

Sommige regisseurs braken met de geluidsfilm door: Frank Capra en Howard Hawks met hun staccato-achtige dialogen, George Cukor met zijn gepolijste literaire films bij MGM, en Ernst Lubitsch die zijn cynische humor en intellect kwijt kon in films als *Trouble in Paradise* (1932) en in musicals met Maurice Chevalier in de hoofdrol.

DE EUROPESE FILM IN DE JAREN '30
In Frankrijk maakten René Clair en Jean Renoir volop gebruik van geluid. In *Sous les Toits de Paris* (1930) de eerste geluidsfilm van Clair, waren liederen en straatgeluiden te horen, naast wat schaarse dialogen. In *La Chienne* (1931) werd briljant gebruikgemaakt van direct geluid. Renoir maakte ook *La*

Unie vierde in de jaren '30 het socialistisch realisme hoogtij, met zijn streng ideologische interpretatie van de geschiedenis en zijn fantasieloze, rechtlijnige verteltrant waar iedere kunstenaar zich conform de partijlijn maar in te schikken had.

In Groot-Brittannië viel vooral de Hongaarse emigrant Alexander Korda op. Hij was in 1931 naar Engeland gekomen en had zijn eigen productiemaatschappij London Films opgericht. In een poging Hollywood te evenaren, verrezen de Denham Studios.

HAUSSE EN CRISIS

Intussen had het Hollywood studiosysteem zijn top bereikt. Nadat het zich van de Wall Street-krach van 1929 had hersteld en na een hausse van de geluidsfilm eind jaren '20, beleefde de

KASSUCCESSEN UIT DE JAREN '30		
1	VS	Gone With the Wind, 1939
2	VS	Sneeuwwitje en de Zeven Dwergen, 1937
3	VS	The Wizard of Oz, 1939
4	VS	Frankenstein, 1931
5	VS	King Kong, 1933
6	VS	San Francisco, 1936
7=	VS	Hell's Angels, 1930
=	VS	Lost Horizon, 1937
=	VS	Mr. Smith Goes to Washington, 1939
8	VS	Maytime, 1937

Amerikaanse filmindustrie in 1930 zijn allerbeste jaar ooit: de prijzen van een bioscoopkaartje en de studiowinsten stegen naar recordhoogten. In 1931 echter haalde de crisis de filmindustrie in en liepen de winsten drastisch terug.

Direct gevolg van deze crisis was de snelle opkomst van twee hoofdfilms met een goedkoop gemaakte tweede of B-film. Om in deze moeilijke tijden toch bezoekers te trekken boden de meeste bioscopen in elk programma

De beroemde gevechtsscène op het ijs uit Alexander Nevsky (1938) van Sergei Eisenstein. Binnenvallende Germaanse ridders worden door de Russische strijdkrachten het ijs op gelokt, waarna dit smelt en ze verdrinken. De opzwepende muziek van Prokofjev versterkt het effect nog eens.

twee hoofdfilms aan en wijzigden ze hun programma twee à drie keer per week. Het gevolg was dat 'Poverty Row'-studio's als Republic en Monogram zich konden specialiseren in B-films, veelal westerns of actiefilms.

BELANGRIJKE HOLLYWOODSTUDIO'S

Onder de dictatoriale leiding van Harry Cohn (1891-1958) groeide Columbia Pictures uit van een B-filmstudio tot een gevestigde speler op de markt. Belangrijkste troef in de jaren '30 was regisseur Frank Capra. Deze maakte een aantal films op rij die door de critici goed werden ontvangen en hem veel vrijheid verschaften, zoals *It Happened One Night* (1934), *Mr. Deeds Goes to Town* (1936), en *Mr. Smith Goes to Washington* (1939).

Met *Frankenstein* (1931) van James Whale kwam de horrorfilmproductie van Universal Pictures op gang.

Universal Pictures begon het decennium goed met de beroemde antioorlogsfilm *All Quiet on the Western Front* (1930) van Lewis Milestone, en verwierf faam als horrorfilmstudio door van dit genre alle eerste klassiekers te produceren, zoals *Frankenstein* (1931) en *The Bride of Frankenstein* (1935), beide geregisseerd door James Whale en beide met Boris Karloff (in Londen geboren als William Henry

Pratt) als het monster. Deze studio produceerde ook *Dracula* (1931) van Tod Browning, met in de hoofdrol de Hongaar Bela Lugosi in een rol die hij de rest van zijn carrière zou blijven spelen. Midden jaren '30 redde de bevallige tienersopraan Deanna Durbin vrijwel in haar eentje de studio van een faillissement met tien goedkope, vrolijke musicals, geproduceerd door de Hongaar Joe Pasternak (1901-1991), succesvol leverancier van klassieke populaire films.

RKO, dat tegelijk met de geluidsfilm opkwam, produceerde negen stijlvolle musicals met Fred Astaire en Ginger Rogers, van *Flying Down to Rio* (1933) tot *The Story of Vernon and Irene Castle* (1939), evenals de eerste films met Katharine Hepburn, waaronder *Bringing Up Baby* (1938) van Howard Hawks, een van de vier films die ze maakte met Cary Grant. Het baanbrekende *King Kong* (1933) was ook een monsterhit voor RKO *(zie blz. 410).*

20th Century Fox kwam, als 'nakomertje' onder de grote Hollywoodstudio's, voort uit een fusie tussen twee bedrijven: Twentieth Century Pictures en Fox Film Corporation. Twentieth Century was in 1933 opgericht door Darryl F. Zanuck (1902-1979), een van de weinige Hollywood filmbonzen die uit Amerika afkomstig was, en Joseph Schenck (1877-1961), die met actrice Norma Talmadge getrouwd was. De Fox Film Corporation bestond al sinds 1915, maar was in financiële problemen geraakt sinds men in 1930 William Fox zelf had weggestuurd.

Bioscoopbezoek werd in de jaren '30 voor veel stedelingen een vast, wekelijks ritueel in een tijd waarin elke studio zijn eigen, kenmerkend product uitbracht.

Leo de leeuw *poseert voor het studiologo van MGM dat nog steeds gebruikt wordt, rond Leo stond het motto van MGM: 'Ars Gratia Artis' (kunst omwille van de kunst).*

Het indrukwekkende handelsmerk van het bedrijf (zoeklichten die de hemel aftasten boven futuristische, wolkenkrabberachtige letters die de naam van het bedrijf vormen) werd synoniem voor groots filmamusement. Al zou het bedrijf pas na 1940 echt van zich doen spreken.

Warner Bros. werd geassocieerd met gangsterfilms met veelal James Cagney, Edward G. Robinson en George Raft in de hoofdrol. Tot de 'stal' van WB behoorden ook Bette Davis, Humphrey Bogart (destijds meestal nog als schurk) en Errol Flynn. De laatste was op zijn stoerst in *Captain Blood* (1935), *The Charge of the Light Brigade* (1936) en *The Adventures of Robin Hood* (1938), alle drie geregisseerd door de Hongaar Michael Curtiz. Een andere Europese emigrant was de Duitser Wilhelm Dieterle, die twee succesvolle 'biopics' (filmbiografieën,

(zie blz. 123) maakte, met Paul Muni als Louis Pasteur en Emille Zola.

De musicals van Warner Bros. oogden dan misschien wat losser dan die van de andere studio's, ze bevatten wel de meest fantastische nummers die ooit voor film zijn geschreven. Deze waren van de hand van dansregisseur Busby Berkeley *(zie blz. 259)*, wiens meest kenmerkende werk, de fameuze calcidoscopische effecten, tussen 1933 en 1937 bij Warner tot stand kwam.

Waar Warner Bros. vooral voor de gewone man was, daar kon MGM, met zijn logo van een brullende leeuw, worden beschouwd als voor de bourgeoisie. Onder leiding van Louis B. Mayer en, tot diens voortijdige dood, 'Boy Wonder' Irving Thalberg (1899-1936), werkte MGM met een ruim budget aan 'mooie films voor mooie mensen'. Naast Garbo had MGM Jean Harlow, Norma Shearer (vrouw van Thalberg), Joan Crawford, Clark Gable, Spencer Tracy, William Powell en Myrna Loy onder contract.

Powell en Loy waren razend populair als detective-echtpaar in de 'Thin Man'-serie waar zes films van werden gemaakt. Olympisch zwemkampioen Johnny Weissmüller maakte zijn debuut voor MGM als lianenslingerende held in *Tarzan the Ape Man* (1932), dat een reeks vervolgen kreeg.

MGM ontwikkelde een formule voor idealistische populaire films over Amerikaanse zaken, en glamoureus-prestigieuze romantische filmklassiekers als *David Copperfield* (1934) van George Cukor. Andere kaskrakers van deze studio waren *Mutiny on the Bounty* (1935), *The Great Ziegfeld* (1936), met 2 uur en 59 minuten de langste geluidsfilm tot dan toe, *Captains Courageous* (1937) en *Boys Town* (1938). Beide laatste films leverden Spencer Tracy de Oscar voor beste acteur op.

Waar MGM al voor bourgeois-waarden stond, hield Paramount er aristocratische pretenties op na. Het werd geleid door Adolph Zukor en had de elegantie van Lubitsch, het exotische van Sternberg en de extravagantie van DeMille in huis. Naast Dietrich stonden bij Paramount Gary Cooper, Claudette Colbert, de Marx Brothers (tot 1933), W.C. Fields en Mae West onder contract, wier uitdagende humor mede aanleiding gaf tot de instelling van het 'Legion of Decency' in 1934.

OFFICIEEL KEURMERK

In september 1931 werd de Production Code aanzienlijk verscherpt. Voortaan moest ieder scenario verplicht aan het Hays Office worden voorgelegd. Rond 1934 beloofden de leden in overleg met het grotendeels katholieke Legion of Decency dat men 'alle films behalve die welke niet kwetsend zijn voor het fatsoen en de christelijke moraal' zou afkeuren. De PCA (Production Code Administration) werd opgezet om elke film die uitkwam officieel te keuren, en de meeste studio's stemden erin toe films zonder dit keurmerk niet uit te brengen. Hierdoor moest een aantal films drastisch worden aangepast. Zo sprong de omzetting van *It Ain't No Sin* in het onschuldige *Belle of the Nineties* (1934) met Mae West nogal in het oog. Zelfs het tekenfilmfiguurtje Betty Boop werd immoreel geacht en moest minder sexy worden. Verboden waren onder meer: godslastering, naaktheid, perversie, rassenvermenging en

Tarzan the Ape Man *(1932) met Johnny Weissmüller, de meest succesvolle Tarzan van allemaal. Jane werd gespeeld door Maureen O'Sullivan.*

Clark Gable en Claudette Colbert *delen een motel-kamer in It Happened One Night (1934), de onverwacht succesvolle screwball-comedy die vijf Oscars won.*

bevallingsscènes. De Code eiste ook respect voor de vlag. Waardering voor misdadigers werd taboe en man en vrouw mochten, zelfs als ze getrouwd waren, niet meer samen in bed worden getoond. De Code, in feite een vorm van censuur die sommige filmmakers flink aan banden legde, leidde overigens wel tot een constante stroom van hoogwaardig familieamusement.

Films uit het voor Hollywood gouden jaar 1939 waren onder meer *Mr. Smith Goes to Washington*, *The Wizard of Oz*, de a-typische western *Stagecoach* van John Ford, *Dark Victory* met Bette Davis, *Goodbye Mr. Chips* met in de hoofdrol Robert Donat (Oscar beste acteur), *Of Mice and Men* van L. Milestone, Lubitsch' *Ninotchka* (affiche: 'Garbo lacht!') en *Gone With the Wind*. Het type film dat niet meer gemaakt wordt.

FRAAI IN TECHNICOLOR

Technicolor was rond 1930 tot zo'n succesvol cinematografisch procedé uitgegroeid dat het woord ondertussen synoniem was voor kleurenfilm. Walt Disney (1901-1966) had van 1932 tot 1935 de exclusieve rechten in handen voor het maken van tekenfilms in kleur en maakte met een Oscar bekroonde korte films als *Flowers and Trees* (1932) en *De drie Kleine Biggetjes* (1933). Midden jaren '30 was kleur niets nieuws meer en werd bijna 20 procent van alle Hollywoodfilms in kleur opgenomen. Eind jaren '30 bereikte Technicolor zijn hoogtepunt met twee dure MGM-films, *The Wizard of Oz* en *Gone With the Wind*, beide geregisseerd door Victor Fleming.

Van technicolor-camera's *werd vooral in de studio gebruikgemaakt.*

Hollywoods *eerste volledig in driekleuren-technicolor opgenomen lange speelfilm was Becky Sharp (1935) van Rouben Mamoulian, een bewerking van de in de napoleontische tijd spelende roman Vanity Fair van W.M. Thackeray.*

BECKY SHARP

A ROUBEN MAMOULIAN PRODUCTION

1940–1949 De film op oorlogspad

Het uitbreken van de Tweede Wereldoorlog in Europa maakte een eind aan de economische problemen van de jaren '30 in de VS. De werkgelegenheid én het filmbezoek namen fors toe. In de naoorlogse jaren werden de studio's geplaagd door vakbondsproblemen en stakingen en door de beruchte anticommunistische 'heksenjacht' in Hollywood.

In oktober 1940 schreef de *New York Herald Tribune:* 'De unieke Charles Chaplin is met een geweldige film terug op het scherm. *The Great Dictator* is een uitermate komisch commentaar op een dolgedraaide wereld. Op een stevig fundament van onweerstaanbare humor loopt de film over van verontwaardiging.' Chaplins eerste geluidsfilm was een nauwelijks verholen satire op nazi-Duitsland en bracht meer op dan al zijn andere films. Hij en de wereld hadden dan ook wel wat om verontwaardigd over te zijn.

William Wylers Mrs. Miniver *(1942),* toont een Engels middenklassegezin dat zich tijdens de Tweede Wereldoorlog kranig weert.

FILM VERSUS FASCISME
Hoewel de VS zich afzijdig hielden totdat Japan op 7 december 1941 Pearl Harbor bombardeerde, leek Hollywood de oorlog te voorvoelen met een aantal oorlogsfilms die aan die aanval voorafgingen. *Sergeant York* van Howard Hawks (met Gary Cooper) was een aanval op het isolationisme, al speelde de film zich af in de Eerste Wereld-

oorlog. Andere films die de VS opriepen de wapens op te nemen en die de democratische waarden boven die van een fascistisch regime stelden, waren *Mrs. Miniver* van W. Wyler, *Casablanca* (die speelde in het Marokko van 1941) van Michael Curtiz, en *To Be or Not To Be* van Ernst Lubitsch. Hoofdrolspeelster Carole Lombard van laatstgenoemde film beleefde de première ervan niet mee. Ze kwam tijdens een rondreis om geld op te halen voor de oorlog begin 1942 op 34-jarige leeftijd tragisch om het leven bij een vliegtuigongeluk.

Het uitbreken van de oorlog in Europa dreigde de onmisbare buitenlandse handel van Hollywood te ruïneren. De export van de studio's naar de asmogendheden (vooral Duitsland, Italië en Japan) viel in 1937 en 1938 vrijwel stil. Toch haalde Hollywood nog steeds een derde van de totale winst uit de buitenlandse markt, met name

1940
Eerste Amerikaanse film van Hitchcock, *Rebecca*, komt uit en wint de Oscar voor de beste film.

1941
Bette Davis eerste vrouwelijke voorzitter van de Motion Picture Academy of Arts and Sciences.

1942
Paul Robeson verlaat filmindustrie vanwege gebrek aan kwaliteitsrollen voor zwarte acteurs.

1940

1942

1944

1941
Citizen Kane van Orson Welles, een van de meest gewaardeerde films uit de filmgeschiedenis, wordt uitgebracht.

1941
The Maltese Falcon, geregisseerd door John Huston, is de eerste klassieke film noir.

1944
Paramount zendt eerste tv-reclame voor een film uit.

1940–1949

uit Groot-Brittannië dat eind 1940 nog de enige grote buitenlandse markt voor Hollywood was. In Groot-Brittannië werd ruim de helft van de studioruimte besteed aan propagandafilms voor de regering, zoals *London Can Take It* (1940), *The Foreman Went to France* (1941) en *The First of the Few* (1942). De poëtische documentairemaker Humphrey Jennings kwam met *Listen to Britain* (1941) en *Fires Were Started* (1943), die een goed beeld gaven van de oorlogssfeer in Engeland. In *Henry V* (1944) van Laurence Olivier, vlak voor de landing in Normandië gemaakt, klinkt het vurig patriottisme door van Shakespeares toneelstuk. Tussen 1939 en 1945 verdrievoudigde het filmbezoek in Groot-Brittannië.

In Frankrijk kwam de Franse filmindustrie in handen van de nazi's

KASSUCCESSEN IN DE JAREN '40		
1	VS	Bambi, 1942
2	VS	Pinokkio, 1940
3	VS	Fantasia, 1940
4	VS	Song of the South, 1946
5	VS	Mom and Dad, 1945
6	VS	Samson and Delilah, 1949
7	VS	The Best Years of Our Lives, 1946
8	VS	The Bells of St. Mary's, 1945
9	VS	Duel in the Sun, 1946
10	VS	This is the Army, 1943

en werden alle Engels gesproken films verboden. René Clair en Jean Renoir vertrokken naar Hollywood. Om de censuur te omzeilen kozen regisseurs niet politieke onderwerpen, hoewel *Les Visiteurs du Soir* (1942) door de Fransen werd gezien als een allegorie van hun situatie, waarbij de duivel (enthousiast vertolkt door Jules Berry) voor Hitler stond. *Le Corbeau* (1943) van Henri-Georges Clouzot was door een Duits bedrijf gemaakt en werd na de bevrijding tijdelijk verboden. Andere films waren meer expliciet voor de asmogendheden. *L'Eternel Retour* (1943), met een scenario van Jean Cocteau, was een bewerking van de Tristan en Isolde-legende met Arische geliefden, wat de bezetter wel beviel. In totaal werden in Duitsland onder het naziregime 1100 films gemaakt, waarvan vele onschuldig vermaak, maar ook troep als antisemitische propagandafilms. Emil Jannings was

Humphrey Jennings' *bijzonder fraai gefilmde documentaire* Fires Were Started *(1943), toont de brandweer aan het werk tijdens de blitzkrieg.*

1945
Realistisch meesterwerk *Roma, città aperta* van R. Rossellini uitgebracht.

1946
Aan Franse Rivièra wordt voor het eerst filmfestival van Cannes gehouden.

1947
Na onderzoek van de HUAC worden de 'Hollywood Tien' in de gevangenis gezet als ze weigeren mee te werken.

1946

1948

1945
Einde beperkte toewijzing van filmmateriaal na beëindiging van de oorlog.

1946
The Jolson Story, populaire biopic over Al Jolson, wordt uitgebracht.

1949
Amerikaans hooggerechtshof ontzegt Hollywood-studio's hun monopolie in Amerikaanse filmwereld; dit luidt het einde in van het studiosysteem.

uit Hollywood naar Duitsland teruggekeerd om er met Marlene Dietrich in *Der blaue Engel* te spelen en in 1940 kreeg hij de leiding over UFA, de grootste studio van het land. Het jaar daarop speelde hij de titelrol in *Ohm Krüger*, een anti-Britse film die tijdens de Boerenoorlog speelt. Hij werd vanwege zijn medewerking aan het nazi-ministerie van Propaganda door de geallieerden op de zwarte lijst gezet en bracht de laatste jaren van zijn leven in Oostenrijk door.

STUDIOTARIEF

Om aan de groeiende vraag naar topfilms te kunnen voldoen, richtten de studio's in Hollywood zich op on-afhankelijke producers, van wie er in de jaren '40 al snel meer kwamen, of gaven het talent dat ze onder contract hadden meer productievrijheid. Bij Paramount kreeg Cecil B. DeMille de status van 'intern onafhankelijke' producent, waardoor hij een deel van

de winst van zijn films opstreek. Begin jaren '40 werden de onafhankelijke filmmakers en het toptalent in vaste dienst nog machtiger door de opkomst van de talentgildes (The Screen Writers Guild, The Screen Directors Guild, The Screen Actors Guild). Dit was een forse bedreiging voor de macht van de studio's, vooral wat betreft de rechten van kunstenaars op hun eigen werk. Bovendien ging het toptalent in vaste dienst freelancen, wat het bestaande contractsysteem, dat cruciaal was voor de hegemonie van de studio, nog meer ondermijnde.

Ondanks het succes van *Fantasia* van Walt Disney en *Rebecca*, de eerste Amerikaanse film van Hitchcock (beide uit 1940) zat RKO flink in de financiële problemen. De distributie van RKO werd ernstig bedreigd toen Disney, David O. Selznick (hij haalde Hitchcock naar Hollywood) en Sam Goldwyn hun eigen productiebedrijf oprichtten. Op zoek naar snelle winst waagde RKO het erop met *Citizen Kane* (1941) van de 26-jarige Orson Welles, wat weliswaar flink wat prestige maar amper geld opbracht. Meer succes had men met Val Lewton die een aantal subtiele en goedkope psychologische thrillers produceerde, zoals *Cat People* (1942) van Jacques Tourneur.

OORLOGSINSPANNINGEN

Voor Hollywood verliepen de oorlogsjaren ironisch genoeg vrij voorspoedig. Nu de VS plotseling bij een wereldoorlog betrokken waren geraakt, veranderden Hollywoods sociale, economische en industriële vooruitzichten ingrijpend. Volgens de regering was de 'nationale film' bij uitstek geschikt om voor afleiding te zorgen, informatie te verschaffen, de moraal op te krikken en propaganda te verzorgen. Binnen

Simone Simon *speelt in* Cat People *(1942) van Jacques Tourneur de katachtige heldin die bang is in een panter te veranderen als ze seksueel geprikkeld wordt.*

DE TROEPEN VERMAKEN

Bekende sterren die in het Amerikaanse leger dienden waren James Stewart en Clark Gable, anderen traden op voor troepen op de militaire bases of droegen op andere wijze hun steentje bij aan de oorlogsinspanningen. Sommige van de beste Hollywoodregisseurs (John Ford, Frank Capra, John Huston en William Wyler) maakten oorlogsdocumentaires of instructiefilms. In 1942 werd het Office of War Information (OWI) opgericht, dat tijdens de Tweede Wereldoorlog als belangrijk propagandabureau dienst deed en dat zijn inspanningen afstemde op die van de filmindustrie.

Marlene Dietrich *werd wat minder mysterieus toen ze voor de geallieerde zaak Amerikaanse troepen vermaakte.*

een jaar na Pearl Harbor had bijna een derde van de Hollywoodfilms met de oorlog te maken. De studio's gingen de industrie weer beheersen en behaalden recordwinsten met hun bijdragen aan de oorlogsinspanningen.

De rijke en machtige Amerikaanse filmindustrie was in de jaren '40 uiterst productief, terwijl die in Europa onder het krijgsgeweel leed. De filmproductie in Hollywood bereikte tussen 1943 en 1946 zijn top en het bioscoopbezoek kwam weer op het niveau van voor de crisistijd. De vijf grote studio's brachten hun productie van gemiddeld 50 terug naar 30 films per jaar, waarbij ze zich op grotere films met een langere looptijd richtten.

Bioscoopfilms vormden voor de massa een goedkope, toegankelijke manier om aan de lange werktijden, de schaarste en het gruwelijke nieuws uit het buitenland te ontsnappen. Western, musical en subtiele comedy vormden een perfect kalmeringsmiddel. Als gebaar naar de actualiteit werd in bekende genres als de gangsterfilm en thriller de traditionele onderwereldfiguur vervangen door een nazi of lid van de vijfde colonne. Maar het publiek ging natuurlijk ook naar de film om

moed te putten, zodat drama's als *Casablanca* (1942) en *Mrs. Miniver* (1942) immens populair waren.

DE TAAK VAN DE VROUW

Het feit dat Amerika in 1942 aan de oorlog ging deelnemen, leidde tot een ingrijpende verandering van de plaats van de vrouw in de samenleving. De geijkte man-vrouwrelatie stemde niet meer overeen met de dagelijkse realiteit waarin vrouwen de functies van mannen overnamen en in hun eentje

De zaterdagochtendmatinee *was in de jaren '40, '50 en '60 een geliefd kinderuitje dat vooral uit tekenfilms, vervolgseries en B-westerns bestond.*

het huishouden runden terwijl hun mannen aan het front streden. In menige film uit die tijd is dit terug te zien aan daadkrachtige vrouwelijke sterren als Barbara Stanwyck, Bette Davis en Joan Crawford in melodrama's als *Now, Voyager* (1942) en *Mildred Pierce* (1945).

VALLENDE STERREN

Hoewel onder anderen Gable dienst nam en Garbo op haar 36e met pensioen ging, kon MGM nog altijd pochen met 'meer sterren dan er aan de hemel staan'. In de jaren '40 had Arthur Freed (1894-1973) de

Michael Curtiz' Mildred Pierce *(1945) leverde Joan Crawford, als zichzelf op-offerende moeder, haar enige Oscar op.*

leiding over de topafdeling van MGM die de studio de naam bezorgde van beste filmmusicalproducent. Freed verzamelde talenten om zich heen als Gene Kelly, Fred Astaire, Frank Sinatra, Judy Garland en June Allyson, de regisseurs Vincente Minnelli, Stanley Donen, George Sidney en Charles Waters, en tekstschrijvers als Betty Comden, Adolph Green en Alan Jay

Lerner. Freed contracteerde ook Lena Horne, de eerste Afro-Amerikaanse vrouw met een langlopend contract bij een belangrijke studio. Ze bedong een clausule waarin stond dat ze geen oerwoudbewoner, bediende of ander raciaal stereotype hoefde te spelen. Desondanks werd ze zodanig ingezet dat scènes met haar konden worden weggemonteerd voor bioscopen in de zuidelijke staten.

Columbia had het geluk de roodharige seksbom Rita Hayworth onder contract te hebben. De Hongaarse regisseur Charles Vidor haalde het beste in haar naar boven in *Cover Girl* (1944) en *Gilda* (1946). In de laatste 'zingt' ze (nagesynchroniseerd door Anita Ellis) 'Put the Blame on Mame', waarbij ze haar lange handschoenen uittrekt terwijl Glenn Ford (en met hem miljoenen opgewonden mannen) haar begeert. De grootste ster in oorlogstijd

John Mills (rechts) als Pip en Alec Guinness als Herbert Pocket in Great Expectations *(1946) van David Lean, misschien wel de beste van alle Dickens-verfilmingen.*

bij 20th Century Fox was de blonde, langbenige Betty Grable, een geliefde pin-up van de troepen, die in een aantal musicals met veel technicolor optrad. Totdat studiohoofd Darryl F. Zanuck uit de oorlog terugkeerde en de productie van Fox serieuzer werd.

NAOORLOGSE HAUSSE

In de jaren '40 bedroeg het bioscoop-bezoek in Groot-Brittannië gemiddeld 1.462.000 per jaar. In 1947 hief de nieuwe Labourregering 75 procent belasting op de buitenlandse film-import; de VS antwoordden met een embargo op de export van films naar

> ## "Elke man die ik kende was verliefd op Gilda en werd wakker naast mij."
>
> **RITA HAYWORTH**, 1946, *Gilda*

Groot-Brittannië. Het plotselinge tekort aan Amerikaanse films vormde een uitdaging voor de Britse film industrie. In 1948 kwam het tot een vergelijk, waarna er een stortvloed aan Amerikaanse films op de Britse markt kwam en de Amerikanen tegelijkertijd verplicht waren om 75 procent van hun Britse verdiensten te gebruiken voor het maken van Amerikaanse films in Britse studio's. Eind jaren '40 bezat de Rank Organization beide grootste studio's in Engeland, Pinewood en Denham, plus nog een aantal kleinere.

Het einde van de oorlog leidde tot ingrijpende veranderingen voor de industrie, vooral door de anti-trust-wetgeving die het einde van het oude Hollywood inluidde. De wet dwong de grote studio's afstand te doen van het financieel beheer over de bioscopen. Hierdoor raakten de grote studio's de gegarandeerde afzetmarkt voor hun producten kwijt, net op het moment

Rita Hayworth *in Gilda (1946) van Charles Vidor, de rol waar ze het meest mee werd vereenzelvigd en dé belichaming van de Hollywoodglamour uit de jaren '40.*

'How Would You Like To Tussle With Russell?' *Aldus luidde de door Jane Russells ontdekker, producent/ regisseur Howard Hughes, bedachte slogan voor* The Outlaw *(1943).*

veel censuurtumult. Toen de film, die al in 1941 af was, uiteindelijk in 1946 uitkwam, stelde producent Hughes het juridisch gezag van de Production Code ter discussie nadat hij alsnog was afgekeurd wegens 'het romantiseren van misdaad en immoraliteit' – al ging

dat de bezoekersaantallen terugliepen. Frankrijk verscherpte het quotasysteem voor Amerikaanse films en initieerde tevens coproducties tussen Frankrijk en Italië, wat bijdroeg tot de financiering van onafhankelijke producties.

De in esthetisch opzicht belangrijkste vernieuwing in de toenmalige film was het Italiaanse neorealisme, een term die voor het eerst werd gebruikt voor *Ossessione* (1942) van Luchino Visconti die destijds alleen clandestien vertoond werd, maar die veel invloed had op andere jonge Italiaanse regisseurs als Roberto Rossellini en Vittorio De Sica en veel regisseurs in andere landen.

Duitsland was in Oost en West opgedeeld en kende twee afzonderlijke filmindustrieën. Regisseurs zoals Leni Riefenstahl die in de nazitijd hadden gewerkt kwamen op een zwarte lijst terecht. In Oost-Duitsland draaiden veel Russische films, terwijl in West-Duitsland vooral Amerikaanse films te zien waren om denazificatie te bevorderen. Ook Japan werd met Amerikaanse films overspoeld om de Japanners een moderne, democratische maatschappij voor te houden.

AUTORITEITJE PESTEN

Het uitbrengen van de 'Billy the Kid'-western *The Outlaw* door onafhankelijk miljonair Howard Hughes, leidde tot

het waarschijnlijk meer om de push-upbeha van Jane Russell die Hughes speciaal voor haar had laten maken.

In het film-noirgenre kregen seksueel en psychopathologisch gedrag een realistischer behandeling, evenals in films als *Gentleman's Agreement* van Elia Kazan en *Crossfire* van Edward Dmytryk (beide 1947) over antisemitisme in de VS. *Pinky* van Kazan en *Intruder in the Dust* van Clarence Brown (beide 1949) gingen over raciaal vooroordeel, *The Lost Weekend* (1945) van Billy Wilder over alcoholisme.

Deze neiging om sociale problemen en religieus en raciaal fanatisme serieus te behandelen kwam net op toen het House UnAmerican Activities Committee (HUAC) op aandringen van senator Joseph McCarthy op zoek ging naar mogelijke communistische infiltratie binnen de filmindustrie. Nadat het HUAC had verklaard dat Hollywood door middel van 'subtiele technieken in films het communistisch systeem verheerlijkt', hield het in oktober 1947 openbare hoorzittingen om 'gunstig' (d.w.z. aan de doelstellingen van de commissie) gezinde getuigen als Adolph Menjou, Ronald Reagan, Robert Taylor en Gary Cooper te horen. Ook tien 'ongunstig' gezinde getuigen werden gedagvaard. Deze 'Hollywood Tien' werden gevangengezet nadat ze hadden verklaard dat ze volgens het Fifth Amendment van de Amerikaanse grondwet geen antwoord hoefden te geven op de vraag of ze ooit communist waren geweest. Een van hen, regisseur Edward Dmytryk herriep later zijn verklaring. Uiteindelijk kwamen ruim 300 filmkunstenaars en -technici op de zwarte lijst terecht. Ze kregen ontslag en hun carrière was voorbij. Sommigen gingen onder een andere naam aan de slag of vertrokken naar het buitenland. Anderen, zoals Larry Parks (van de populaire biopic *The Jolson Story*), Lee J.

> ## "Bent u nu of bent u ooit lid van de communistische partij geweest?"
>
> **HUAC 1947**

Cobb, Budd Schulberg en Elia Kazan waren zo bang om naar de gevangenis te moeten dat ze de namen noemden van mensen die tot linkse groeperingen hadden behoord. Een uiterst bezoedeld Hollywoodtijdperk kortom, dat zijn weerslag op de jaren '50 zou hebben.

In Groot-Brittannië kwam midden jaren '40 de Ealing Studios op, een team van regisseurs, schrijvers en technici die meenden de internationale markt te kunnen veroveren door het Britse karakter met al zijn eigenaardigheden en humor te vangen en uit te venten. Een manier van filmmaken die met recht inheems kan worden genoemd.

__Humphrey Bogart__ en zijn vrouw Lauren Bacall voeren een rij kunstenaars, scenarioschrijvers en regisseurs aan die tegen de heksenjacht van McCarthy protesteren.

1950–1959 De film vecht terug

In de jaren '50 kreeg de film concurrentie van de tv en liep het bioscoopbezoek terug omdat men in de woonkamer voor een klein zwart-witscherm ging zitten. De grote Hollywoodstudio's reageerden met de ontwikkeling van een aantal nieuwe apparaten en kunstgrepen om het publiek weer naar de bioscoop te lokken.

Het House UnAmerican Activities Committee (HUAC) kende begin jaren '50 zijn 'finest hour'. Het ondervroeg Amerikanen over hun communistische relaties en verspreidde onder het Amerikaanse publiek miljoenen folders met titels als 'Honderd dingen die u over het communisme moet weten'. De tweede golf hoorzittingen van het HUAC begon in 1951 onder leiding van de republikeinse senator Joseph McCarthy. De drie daaropvolgende jaren dagvaardde McCarthy een aantal van de bekendste artiesten uit die tijd. Maar in 1954 kon het publiek uit de ongemonteerde opnames van Edward Murrow van de hoorzittingen (onderwerp van *Good Night and Good Luck*, 2005, van George Clooney) opmaken dat het McCarthyisme in feite een heksenjacht was.

Terwijl senator McCarthy onder elk bed een communist vermoedde, beschouwden de filmmagnaten het kastje in de huiskamer als de ware boosdoener. Hoewel het

bioscoopbezoek al in 1947 was gaan dalen, werd de drastische vermindering van de kaartjesverkoop in de VS vooral toegeschreven aan het aantal televisies dat in de huizen verscheen. In de helft van de Amerikaanse huishoudens stond begin jaren '50 een tv en dat aantal zou nog

Ernest Borgnine *speelde een slager uit de Bronx in* Marty *(1955), een film waarin hij zijn zachte kant liet zien en die een trend zette voor drama's over gewone mensen.*

	1950	1952	1953
	Gloria Swanson en andere acteurs van de stomme film spelen aspecten van zichzelf in *Sunset Boulevard*.	*A Streetcar Named Desire* krijgt als eerste film drie Oscars voor de beste acteur, voor Vivien Leigh, Karl Malden en Kim Hunter.	Contracten voor een of meer films vervangen 7-jarig acteurscontract.
	1950	**1952**	**1954**
	1951 Gloria	**1952**	**1953**	**1954**

1951	1952	1953	1954
HUAC begint met een tweede ronde hoorzittingen en zet 212 mensen op de zwarte lijst.	MGM brengt *Singin' in the Rain* uit, een van de meest geliefde filmmusicals aller tijden.	De Oscaruitreiking wordt voor het eerst op tv uitgezonden.	Akira Kurosawa's epos *The Seven Samurai* komt uit.

1950–1959

NAAR DE DRIVE-IN

Openlucht drive-inbioscopen, die in 1933 in de VS verschenen, hadden succes in de jaren '50. Klanten bekeken een film vanuit hun eigen auto, geparkeerd in een halve cirkel voor een reusachtig scherm. Het geluid kwam van kleine luidsprekers die in elke auto werden aangebracht. Drive-inbioscopen trokken jonge stellen en gezinnen met kleine kinderen, zodat ze geen oppas nodig hadden. Vanwege de jonge stellen vertoonden veel drive-inbioscopen 'B'-horrorfilms, die 'drive-in-voer' werden genoemd.

Ongeveer 4000 drive-ins werden er in heel Amerika gebouwd, tot in de jaren '60 hun populariteit afnam. Nu zijn er nog maar een paar over, voor een nostalgisch publiek.

spectaculair stijgen. Of zoals Samuel Goldwyn zei: 'Waarom zou je uitgaan en geld voor een slechte film betalen als je thuis kunt blijven en voor niks naar slechte tv kunt kijken?'

Jack Warner bepaalde dat er in een film van Warner Bros. geen tv-toestel te zien mocht zijn. In films werd de tv aan de lijst van taboes toegevoegd en zelden genoemd, behalve in satirisch verband zoals in de MGM-musical *It's Always Fair Weather* (1955) en in *A Face in the Crowd* (1957) van Elia Kazan, een felle aanval op de manipulatie van de massa door de tv.

Sidney Lumet's 12 Angry Men *(1957) speelt zich grotendeels af in een jurykamer, wat tot een intieme, claustrofobische sfeer leidt.*

Ironisch genoeg leverde deze aartsvijand van Hollywood enkele van de beste scenario's van dit decennium op, plus de eerste generatie regisseurs die van de tv-studio overstapte naar de film. Zoals John Frankenheimer, de maker van *The Manchurian Candidate* (1962), evenals Sidney Lumet, Robert Mulligan (het bekendst van *To Kill A Mockingbird*, 1962) en Delbert Mann. *Marty* (1955) van Mann, gebaseerd op een tv-spel van Paddy Chayefsky over een eenzame, onaan-trekkelijke slager uit de Bronx (de atypisch gecaste filmzwaargewicht Ernest Borgnine, die met deze rol de Oscar voor beste acteur won), was hét onverwachte succes van dit decennium. Met als gevolg dat andere intieme, realistische tv-drama's zoals *12 Angry Men* (1957) van Lumet met succes voor het witte doek werden bewerkt.

EEN LEEUW OP UW SCHOOT

Deze financiële concurrentie voor Hollywood leidde tot allerlei innovaties op filmgebied. Een nieuwtje met

wisselend resultaat was de 3D-film. De eerste Hollywoodspeelfilm in kleur die in Natural Vision (dat al snel 3D ging heten) gemaakt werd, was *Bwana Devil* (1952), met als reclameslogan 'Een leeuw op uw schoot'. Arch Oboler, die de film produceerde, regisseerde én schreef, maakte met een relatief klein budget fors winst met deze nieuwe opnametechniek. Deze films, die alleen met een goedkope polaroidbril konden worden bekeken, waren nog erg simpel, met beelden van wisselende kwaliteit en 'spookbeelden'. Toch werden in

Hollywood zo'n dertig 3D-films per jaar gemaakt, waarbij het publiek allerlei projectielen op zich af zag komen. Uiteindelijk gingen de brillen storend werken en menig goede film die in 3D was geproduceerd, zoals *Kiss Me Kate* (1953) van MGM en *Dial M*

Het enige opmerkelijke *van Bwana Devil (1952), een in de heuvels van Californië opgenomen 'Afrikaanse' avonturenfilm, was het vernieuwende 3D.*

De 3D-ervaring *was niet echt prettig voor iemand die een bril droeg. Het leidde vaak tot hoofdpijn en het nieuwtje was er al snel af.*

For Murder (1954) van Hitchcock, werden als gewone, 'platte' film uitgebracht.

HET UITGEREKTE SCHERM

In 1952 kwam een film uit die moest aantonen dat films realistischer werden als ze van ons perifere gezichtsveld gebruikmaakten. *This is Cinerama* hield het publiek voor dat je, hoewel je naar een filmdoek keek, door deze techniek 'in de film wordt ondergedompeld, omgeven door beeld en geluid'. Waarna korte items volgden met beelden van een achtbaan, een stierengevecht en de Niagarawatervallen. Hiervoor waren drie 35-mm projectoren, drie gebogen schermen die samen een hoek van 140 graden bestreken en stereogeluid nodig. De bioscopen die films op deze nieuwe manier vertoonden moesten echter wel flink investeren in drie operateurs en duizenden dollars aan apparatuur.

De populariteit van cinerama was dan ook van korte duur.

Todd-AO werd begin jaren '50 ontwikkeld om een breed beeld te krijgen door op 65 mm te filmen en dit op 70 mm film af te drukken. De 5 mm aan de zijkant van de

How To Marry A Millionaire *(1953) moest aantonen dat cinemascope niet zo geschikt was voor comedy's als voor spektakelfilms.*

film liet ruimte voor zes stereofonische klankstroken. Dit door de American Optical Company (vandaar AO) voor producent Mike Todd ontwikkelde procedé werd met succes toegepast bij *Oklahoma!* (1955) en *Around the World in Eighty Days* (1956). In 1956 huwde Todd Liz Taylor, maar hun stormachtige huwelijk duurde niet lang omdat hij omkwam bij een vliegtuigongeluk.

In 1953 kwam 20th Century Fox met cinemascope. Bij dit procedé werd van een anamorfe (vertekenende) lens gebruikgemaakt om de omvang van het beeld te vergroten. Bijbelepos *The*

Richard Burton en Jean Simmons *speelden de hoofdrollen in het cinemascopespektakel* The Robe *(1953) van Henry Koster. Het vervolg kwam in 1954 uit.*

Robe, met de Britse acteur Richard Burton, was de eerste film in cinemascope. Met uitzondering van Paramount, dat het rivaliserende Vista-Vision-procedé had met een 35-mm film die horizontaal in plaats van verticaal draaide, maakte eind 1953 elke grote studio films in cinemascope.

De omvang van het scherm bepaalde voor een belangrijk deel de inhoud van de films, zodat *Knights of the Round Table* (1953), *Land of the Pharaohs* (1955) en *Helen of Troy* (1955) de schermen en liefst ook de bioscopen vulden. De drang om ieder stukje van het scherm te vullen met spektakel maakte het tot een dure operatie en cinemascopefilms verdienden dan ook zelden de investering terug. Uitzonderingen waren *East of Eden* (1955) van Elia Kazan, *Rebel without a Cause* (1955) van Nicholas Ray, *Lust for Life* (1956) van Vincente Minnelli en *River of No Return* (1954) van Otto Preminger.

'VOLWASSEN' ONDERWERPEN

Er was een nog interessantere manier om de mensen vanachter hun tv naar de bioscoop te lokken: controversiële

Carroll Baker *speelt de maagdelijke bruid in* Baby Doll *(1956) van Elia Kazan, een film die met provocerende houdingen als deze het puriteinse Amerika choqueerde.*

en volwassen onderwerpen die door de tv-adverteerders ongeschikt werden geacht voor de gezinnen thuis. Dus wie de woorden 'maagd' en 'verleiden' wilde horen, moest naar de bioscoop om *The Moon is Blue* (1954) van Preminger te gaan zien. Deze kwam uit zonder de goedkeuring van de Production Code en droeg er mede toe bij dat Hollywood bevrijd raakte van de puriteinse waarden die haar al zo lang in hun greep hielden.

Onafhankelijke producenten doorbraken tevens de macht van de grote studio's en roerden gedurfde thema's aan die Hollywood tot dan toe had vermeden. Films als *Baby Doll* (1956) van Kazan leidde tot een herziening van de Production Code, waarna

'volwassen' onderwerpen als prostitutie, drugsverslaving en rassenvermenging getoond konden worden 'binnen de grenzen van de goede smaak'.

HOLLYWOODTHEMA'S

Ondanks de communistische heksenjacht bleef Hollywood vrijzinnige thema's onderzoeken. Indianen werden voor het eerst sympathiek behandeld in films als *Broken Arrow* (1950) van Delmer Daves en *Apache* (1954) van Robert Aldrich. Rassenhaat werd onderzocht in *No Way Out* (1950) van Joseph Mankiewicz en *The Defiant Ones* (1958) van Stanley Kramer. Jeugdcriminaliteit was te zien in *The Blackboard Jungle* (1955) van Richard Brooks, de eerste grote Hollywoodfilm met rock-'n-roll in de soundtrack. *The Man with the Golden Arm* (1955) van Preminger en *A Hatful of Rain* (1957) van Fred Zinnemann pakten met een tot dan toe onbekende openheid het thema drugsverslaving aan. Omdat de Koreaanse Oorlog voorbij was en de wonden begonnen te helen, kon Stanley Kubrick *Paths of Glory* (1957) maken,

KASSUCCESSEN VAN DE JAREN '50		
1	VS	Lady en de Vagebond, 1955
2	VS	Peter Pan, 1953
3	VS	Assepoester, 1950
4	VS	The Ten Commandments, 1956
5	VS	Ben-Hur, 1959
6	VS	Doornroosje, 1959
7	VS	Around the World in Eighty Days, 1956
8	VS	This is Cinerama, 1952
9	VS	South Pacific, 1958
10	VS	The Robe, 1953

een van de felste antioorlogs-
verklaringen op het witte doek.

De scherpe daling in het wekelijkse
bioscoopbezoek dwong studio's ertoe
op creatieve wijze geld te verdienen
aan het nieuwe
medium. In
omgebouwde
Hollywoodstudio's
werd meer uren film
voor tv dan voor
speelfilms gemaakt.
De grote studio-
structuur brokkelde
af, al hadden de
studio's nog wel een
bepaalde signatuur
en bleven ze onder
hun eigen naam
goede films afleveren.

Klassiek affiche van Saul Bass voor The Man
With The Golden Arm (1955) van Otto Preminger,
met in de hoofdrol Frank Sinatra die een
drugsverslaafde professionele gokker speelde.

Bij MGM werd de artistieke status
van de musical verhoogd door *An
American in Paris* (1951) van Vincente
Minnelli en *Singin' in the Rain* (1952)
van Gene Kelly en Stanley Donen.
Hoewel Republic Pictures een aantal
succesvolle films produceerde – *Johnny
Guitar* (1954) van Nicholas Ray en *Rio
Grande* (1950) en *The Quiet Man* (1952)
van John Ford – stopte het bedrijf in
1958 met het maken van films. RKO,

dat in 1948 voor 9 miljoen dollar was
gekocht door zakenman Howard
Hughes, die later 23 miljoen zou
betalen voor de dochtermaatschap-
pijen, stopte de productie in 1953. In
1957 werd de
studio verkocht
aan Lucille Balls
tv-bedrijf Desilu
Productions.

Columbia kwam
begin jaren '50
terug met behulp
van onafhankelijke
producenten als
David Lean (*The
Bridge on the River
Kwai*, 1957), Elia
Kazan (*On the
Waterfront*, 1954) en Fred Zinnemann
(*From Here To Eternity*, 1953). De laatste
maakte furore door het casten van de
gewoonlijk gedistingeerde Deborah
Kerr voor een overspelige affaire met
Burt Lancaster en door het reactiveren
van de kwijnende carrière van Frank
Sinatra. Lancaster was samen met
Kirk Douglas de veelzijdigste en

Alec Guinness (links) als koppige Engelse
krijgsgevangen kolonel in de met zeven Oscars
bekroonde The Bridge on the River Kwai (1957).

avontuurlijkste ster van de jaren '50. Ze behoorden tot de acteurs die grotere onafhankelijkheid verwierven door te gaan freelancen en zelf producent te worden. Andere sterren, zoals Bette Davis, wisten zich met succes te vernieuwen.

> "Het kan er bij mij niet in dat je naar de bioscoop gaat om iemand te zien die naast je woont."
>
> **JOAN CRAWFORD**, 1950

NIEUWE STERREN

Toen in de jaren '50 de jongerencultuur de film binnendrong, kon de jeugd zich met bepaalde sterren gaan identificeren. Joan Crawford, toonbeeld van voorbije glamour, sprak vol minachting over de 'gewone' personages in films die bij de jeugd populair werden. Maar juist door hun jeugdigheid kon het publiek zich de nieuwe sterren als hun buren voorstellen en dat maakte hen aantrekkelijk.

Marlon Brando beeldde een nonconformist uit, met name in *The Wild One* (1954), de film die befaamd is om het soort dialoog dat zijn houding karakteriseert. 'Waar kom je tegen in opstand?' krijgt Brando te horen. 'Wamotje?' luidt diens antwoord.

James Dean (1931-1955), die slechts in drie films schitterde, *Rebel without a Cause* (1955), *East of Eden* (1955) en *Giant* (1956), vormde de personificatie van de opstandigheid en wanhoop van de adolescent. Op 20 september 1955 stierf Dean toen de zilveren Porsche Spider waarin hij reed frontaal op een ander voertuig botste. Het veroorzaakte een hysterie die sinds de vroegtijdige dood van Rudolph Valentino in 1926 niet meer was voorgekomen. Sindsdien is Dean een van

The Wild One *(1954) van Laslo Benedeck maakte van Marlon Brando het idool van de erotische, anarchistische motorcultuur door zijn rol als onweerstaanbaar motorpersonage.*

die sterren van wie de populariteit sinds hun dood onverminderd voortduurt. Brando en Dean wisten een nieuw type jongere naar de bioscoop te trekken dat zijn helden liever als non-conformist zag dan als het netto, in de studio gevormde idool van de jaren '30 en '40.

DE ERFENIS VAN DE JAREN '50
Ver van de nieuwe golf 'anarchisten' waren er nog altijd de sterren uit de glamoreuze Hollywoodtraditie, zoals Ava Gardner, Elizabeth Taylor, Susan Hayward, Grace Kelly, Rock Hudson en Audrey Hepburn. Drie beroemdheden uit een eerder tijdperk beleefden een sensationele comeback: Bette Davis als verlopen actrice in *All About Eve* (1950), Judy Garland met haar beste rol in *A Star is Born* (1954) en de naar Hollywood teruggekeerde Ingrid Bergman die een Oscar won voor *Anastasia* (1956). Maar dé filmsymbolen van de jaren '50 blijven de in leer geklede Marlon Brando op zijn motorfiets in *The Wild One*, de jongensachtige trekken van de rebellerende James Dean en de wijdopen ogen van pin-upidool Marilyn Monroe, die niet lang daarna stierf. De geesten van de jaren '50 waren nog altijd rond.

James Dean, Elizabeth Taylor en Rock Hudson, *drie van de grootste sterren uit de jaren '50, hier op de set van* Giant *(1956) van George Stevens, de laatste film waarin Dean speelde*

'THE METHOD'

Een 'The Method'-sessie *bij de door Elia Kazan en Cheryl Crawford opgerichte Actors Studio. De bekendste docent ervan was Lee Strasberg.*

'The Method' werd in 1948 ontwikkeld door een groep acteurs en regisseurs van de Actors Studio in New York. Dit onder invloed van de leer van de Russische toneelregisseur Konstantin Stanislavsky, die een instinctievere benadering van het acteren voorstond dan tot dan toe gebruikelijk was. Marlon Brando (1924-2004) was een typisch voorbeeld van deze manier van acteren. Velen vonden 'The Method' maar idioot en het werd met zijn gemompelde voordracht, schouderophalen, friemelen en krabben de meest bespotte acteerstijl. Humphrey Bogart reageerde er als volgt op: 'Ik ging gekleed in een overhemd en iedereen zei dat ik er als een zwerver uitzag. Twintig jaar later trekt Marlon Brando alleen een T-shirt aan en de hele stad dweept met hem. Ziedaar de progressie die Hollywood heeft gemaakt.'

From Here To Eternity *(1953) bracht het publiek in vervoering – met name tijdens de bekende erotische strandscène – omdat de tot dan toe keurige Deborah Kerr er een overspelige vrouw van een militair in speelt die verwikkeld is in een affaire met Burt Lancaster.*

1960–1969 Nieuwe wegen

Met de komst van het nieuwe decennium veranderde er veel. In Amerika werd John F. Kennedy de dynamische nieuwe leider en in Europa drongen vrijere opvattingen over seks, mode en politiek door in de beeldende kunst, de literatuur en in de film – te beginnen met de Franse nouvelle vague, waarvan de invloed tot in Hollywood reikte.

Begin jaren '60 ging het Writers' Guild of America in staking voor eerlijkere contracten en een aandeel in de winst van films die aan de tv waren verkocht. Het Screen Actors' Guild eiste een verhoging van de minimumsalarissen en een aandeel in bijproducten van de tv. Zowel de schrijvers als de acteurs wonnen hun zaak, wat ertoe bijdroeg dat Hollywood er economisch gezien bijzonder slecht voor kwam te staan.

Wegens allerlei risico's en financiële problemen werden de studio's al snel overgenomen door multinationals. Paramount werd gered door Gulf+ Western Industries. Warner Bros. fuseerde met tv-bedrijf Seven Arts Ltd en werd Warner Bros.-Seven Arts. MGM ging zich richten op onroerend

Shirley MacLaine en Jack Lemmon *in de comedy* The Apartment *(1960) van Billy Wilder, de laatste zwartwitfilm die, tot aan* Schindler's List *(1993) van Steven Spielberg, een Oscar won voor de beste film.*

goed en MCA (Music Corporation of America) verwierf Universal-International Studios. De Bank of America slokte United Artists op via zijn dochtermaatschappij Transamerica Corporation. Zelfs zonder hoge overheadkosten en sterrensalarissen bleef deze studio belangrijke onafhankelijke producenten en regisseurs als Stanley Kramer aantrekken. Deze had zijn allergrootste succes met *It's a Mad, Mad, Mad, Mad World* (1963) dat tien miljoen dollar opbracht. United Artists had ook de regisseurs Billy Wilder (*The Apartment*, 1960), Norman Jewison (*In the Heat of the Night*, 1967),

KASSUCCESSEN VAN DE JAREN '60		
1	VS	101 Dalmatiërs, 1961
2	VS	Jungle Boek, 1967
3	VS	The Sound of Music, 1965
4	VK	Thunderball, 1965
5	VS	Goldfinger, 1964
6	VS	Doctor Zhivago, 1965
7	VK	You Only Live Twice, 1967
8	VS	The Graduate, 1967
9	VS	Butch Cassidy and the Sundance Kid, 1969
10	VS	Mary Poppins, 1964

1960–1969

1961
West Side Story krijgt elf Oscarnominaties en wint er uiteindelijk tien.

1962
Eerste James Bondfilm, *Dr No*, wordt uitgebracht.

1963
De eerste videorecorder wordt verkocht voor 30.000 dollar.

1960

1962

1964

1960
Alfred Hichcock laat met *Psycho* het publiek voor het eerst griezelen.

1962
Marilyn Monroe wordt dood aangetroffen in haar appartement in Los Angeles.

1963
Sidney Poitier wint als eerste zwarte acteur een Oscar voor beste acteur, en wel voor *Lilies of the Field*.

John Sturges (*The Great Escape*, 1963) en Blake Edwards. De laatste begon aan een slapstick/comedyreeks, *The Pink Panther* (1963), met Peter Sellers als de incompetente inspecteur Clouseau.

De studio's werden beheerscentra voor het regelen van financiën en de distributie en raakten hun individuele stempel min of meer kwijt. Om deze leemte te vullen werden steeds vaker onafhankelijke producenten ingeschakeld. Deze kwamen naar de studio met een heel pakket met daarin regisseur, scenario, schrijvers en sterren die goed in de markt lagen.

Hoewel de bedrijfstak drastisch veranderd was, bleven de meeste films toch binnen het genrepatroon zoals dat door de studio's in hun hoogtijdagen was vastgelegd: met musicals als *West Side Story* (1961) van Robert Wise en Jerome Robbins, *My Fair Lady* (1964) van

In de filmversie *uit 1961 van de oorspronkelijke Broadwaymusical* West Side Story *wordt door straatbendes heel wat met de vingers geknipt en in de lucht gesprongen.*

Steve McQueen, *die hier de motor van een nazisoldaat in beslag heeft genomen en ermee over omheiningen leert springen, droeg veel bij aan de aantrekkingskracht van* The Great Escape *(1963).*

1965
The Sound of Music overtreft *Gone with the Wind* als het grootste kassucces aller tijden.

1966
Door herzieningen in de Hays Code worden sommige films geschikt voor 'volwassen' kijkers.

1967
Bonnie and Clyde van Arthur Penn wordt uitgebracht met de slogan: 'Ze zijn jong. Ze zijn verliefd. Ze vermoorden mensen.'

1966
Paramount wordt gekocht door de multinational Gulf + Western Industries.

1967
Mike Nichols ontvangt als eerste regisseur een miljoen dollar voor een film, *The Graduate*.

1968
Het vernieuwende *2001: A Space Odyssey* van Stanley Kubrick wordt uitgebracht.

George Cukor en *Funny Girl* (1968) van William Wyler, alle bewerkingen van Broadwayshows, met westerns van oudgedienden als John Ford en Howard Hawks, met respectievelijk *The Man Who Shot Liberty Valance* (1962) en *El Dorado* (1966) en nieuwkomer Sam Peckinpah met *Ride the High Country* (1962), en romantische comedy's als de populaire cyclus met Doris Day en Rock Hudson.

REGELMATIG BIOSCOOPBEZOEK
Omdat men niet meer geregeld naar de bioscoop ging moest elke film zijn eigen publiek trekken, dus begeleidden extravagante reclamecampagnes de miljoenen dollars kostende spektakels als *El Cid* (1961) en *The Fall of the Roman Empire* (1964) van Anthony Mann, *King of Kings* (1961) en *55 Days at Peking* (1963) van Nicholas Ray en *The Greatest Story Ever Told* (1965) van George Stevens. Deze waren alle in Spanje of Italië opgenomen, zodat Hollywood als productiecentrum nog verder afgleed. Films die in de jaren '50 op locatie in Europa waren

Richard Burton (Marcus Antonius) *en Elizabeth Taylor (Cleopatra) waren beiden met iemand anders getrouwd toen ze een schandaal veroorzaakten met hun in de pers breed uitgemeten verhouding buiten de set van* Cleopatra *(1962).*

gefilmd, zoals *Roman Holiday*, waren een nieuwtje en daarom succesvol; voor deze latere films gold dit niet.

Cleopatra werd in Rome opgenomen en kostte 20th Century Fox bijna de kop. De film, waarin Elizabeth Taylor als toch al bestbetaalde artiest uit de geschiedenis van Hollywood voor 1 miljoen dollar de koningin van Egypte speelt met haar toekomstige echtgenoot Richard Burton als Marcus Antonius, kostte het recordbedrag van 44 miljoen dollar. Waarna Fox alsnog scoorde met *The Sound of Music* (1965) en daarna alles weer verloor met *Dr Dolittle* (1967) van Richard Fleisher en *Star!* (1968) van Robert Wise.

Het falen van Fox en het succes van meer op de jeugd georiënteerde films, vormde een belangrijk keerpunt in de geschiedenis van Hollywood. Midden jaren '60 kreeg men te maken met een nieuw publiek in de leeftijd van 16 tot 24. Deze jongere generatie had een

MEGABIOSCOPEN

Vanaf midden jaren '60 werden de traditionele bioscopen met één filmzaal veelal vervangen door megabioscopen. Deze bestonden uit een groot gebouw, opgedeeld in een aantal bioscopen en zo'n zes à acht filmdoeken (waarvan de meeste kleiner dan die van de oude filmzalen). Ze boden distributeurs meer afzetmogelijkheden en het publiek een ruimere keus aan films en tijden. In de jaren '90 groeiden ze uit tot mega-complexen met 20 of meer schermen, met op sommige schermen dezelfde film.

Deze Virgin Megaplex-bioscoop in Groot-Brittannië is in het trotse bezit van 20 zalen en 5000 zitplaatsen.

andere smaak dan haar ouders en toonde een groeiende aversie tegen de traditionele waarden. Hollywood moest wel op dit nieuwe publiek en zijn volwassen smaak ingaan. In plaats van enorme bedragen te betalen aan gerespecteerde, ervaren regisseurs als Robert Wise en Richard Fleischer, leek het verstandiger met jongere, eerder experimentele regisseurs in zee te gaan.

SEKS EN GEWELD

Met het verdwijnen van de Production Code in de VS werden de marges voor taalgebruik, thematiek en gedrag zozeer verruimd dat bijna aan de smaak van het naar seks en geweld hunkerende jonge publiek kon worden voldaan. Geweld werd grover en expliciter verbeeld, met name in *The Dirty Dozen* (1966) van Robert Aldrich, *Bonnie and Clyde* (1967) van Arthur Penn en *The Wild Bunch* (1969) van Peckinpah.

Hoewel *The Graduate* (1967) van Mike Nichols geen toespelingen op Vietnam of de burgerrechten bevatte, werd de film als een symbool van de tegencultuur gezien. Titelpersonage Benjamin Braddock (gespeeld door Dustin Hoffman) oefende een enorme aantrekkingskracht uit op studenten uit de middenklasse, en het gebruik van Simon & Garfunkel-songs als

Als hoofdrolspeler van The Graduate (1967), staat Dustin Hoffman op het punt verleid te worden door een vriendin van zijn ouders, Mrs. Robinson (Anne Bancroft). De openhartige behandeling van seks in de film trok het jonge publiek aan.

'Mrs. Robinson' droeg bij aan de aantrekkingskracht op jongeren en zette een trend voor filmmuziek met popsongs.

Pas na Hoffman doken de namen en gezichten op van filmsterren die de diversiteit aan etnische groeperingen in Amerika beter weergaven, wat de weg baande voor onder meer Barbra Streisand, Elliott Gould, Al Pacino, Robert De Niro en Richard Dreyfuss.

Roger Corman, die sinds 1953 'Z-films' (films met een heel klein budget in afgehuurde studio's) had gemaakt, richtte American International op. Dit produceerde *The Wild Angels* (1966), een goedkope motorfilm, en *The Trip* (1967), waarvan de titel verwijst naar een psychedelische lsd-trip. In beide films speelde Peter Fonda (zoon van Henry, broer van Jane en vader van Bridget) de hoofdrol. Hij schreef mee aan *Easy Rider* (1969), een goedkope motorfilm van Dennis Hopper die ongeveer 35 miljoen dollar opbracht.

"Hun credo is geweld... Hun God is haat..."

THE WILD ANGELS 1966

ANGRY YOUNG MEN

Eind jaren '50, begin jaren '60 kwam er in Engeland een beweging op gang van filmmakers en schrijvers die zich de 'Angry Young Men' noemden. In veel van hun werk wordt het leven van de arbeidersklasse op een openhartige, onverbloemde wijze behandeld en wordt de 'we hadden het nog nooit zo goed'-filosofie van de conservatieve regering vaak ongenadig bekritiseerd. *Saturday Night and Sunday Morning* (1960) van Karel Reisz, *A Taste of Honey* (1961) en *The Loneliness of the Long Distance Runner* (1962) van Tony Richardson, en *This Sporting Life* (1963) van Lindsay Anderson kwamen onder meer uit deze beweging voort.

In tegenstelling tot deze grimmige, realistische drama's werd de 'levendigheid' van 'swingend Londen' verbeeld in een hele reeks films waarin hippe jonge mensen in een welvarende omgeving te zien zijn. De uitdrukking 'swingend Londen' komt van de New Yorkse tv-recensent John Crosby, die in 1964 teleurgesteld Amerika had verlaten en naar Londen was gekomen om daar werk te zoeken. In een artikel voor de kleurenbijlage van *The Daily Telegraph* gebruikte hij deze uitdrukking voor het eerst: Londen was volgens hem swingender dan New York.

In Tony Richardsons The Loneliness of the Long Distance Runner *(1962), speelt Tom Courtenay een recalcitrante jongen op een tuchtschool die opzettelijk de finale verliest om de school in diskrediet te brengen.*

Sean Connery en *Ursula Andress in* Dr. No *(1962), geheel volgens de succesvolle Bondreceptuur van seks, geweld en gekunstelde humor.*

De eerste, *Dr. No* (1962), werd voor nog geen 1 miljoen dollar gemaakt. Naarmate ze meer succes hadden werden de Bond-films steeds duurder. Met een opbrengst van bijna 26 miljoen dollar werd *Thunderball* (1965) de film die in de jaren '60 op vijf na het meeste opbracht. De Bondproducenten met de gouden vingers waren de Amerikaanse landbouwkundige Albert R. 'Cubby' Broccoli en de in Canada geboren Harry Saltzman. Ze zetten in Engeland Eon productions op waar alle Bondfilms vandaan komen, al kunnen de opnames in principe overal plaatsvinden.

Vreemd genoeg was het *Tom Jones* (1963), een bewerking van de klassieke 18e-eeuwse roman van H. Fielding, geregisseerd door Tony Richardson en geschreven door toneelschrijver John Osborne (van *Look Back in Anger*), dat tot de populariteit van deze films over 'swingend Londen' leidde. Indrukwekkend hoogtepunt van deze films was *Blow-Up* (1966) van de Italiaan Michelangelo Antonioni, die swingend Londen door buitenlandse ogen bekijkt.

BOND EN SPAGHETTI

Omdat het produceren en maken van films in Hollywood erg duur was en de studio's kleiner werden, schroefden veel studio's hun interne productie terug en trok men naar het buitenland, vooral Engeland (een voordelige productieplek), om er films met een ruim budget te maken.

Een voorbeeld is de creatie van de meest bestendige reeks uit de film-geschiedenis, de 007-James Bondfilms.

Thunderball *was de vierde film in de serie James Bondfilms, met Sean Connery in de hoofdrol.*

Het duurde drie jaar alvorens de Italiaanse western *A Fistful of Dollars* (1964) van Sergio Leone in 1967 in de VS in de distributie werd opgenomen, hoewel hij in Italië een succes was. Dit was het begin van een hele reeks spaghetti-westerns en maakte van Clint Eastwood, na wat kleine rollen in tien films en zeven jaar in de tv-serie *Rawhide*, op zijn 37e een internationale superster. De plot was ontleend aan *Yojimbo* (1961) van regisseur Akira Kurosawa, wiens *The Seven Samurai* (1954) door John Sturges omgewerkt werd tot *The Magnificent Seven* (1960).

DE FRANSE NOUVELLE VAGUE

De belangrijkste aanzet tot een nieuwe wijze van filmen kwam waarschijnlijk van de Franse nouvelle vague.

'La Nouvelle Vague' blies de Franse film nieuw leven in toen deze totaal verstard dreigde te raken. Een aantal jonge critici van het invloedrijke tijdschrift *Cahiers du Cinéma* besloot actie tegen de saaie inhoud van de Franse producties te ondernemen door zelf films te gaan maken. Toonaangevende figuren waren François Truffaut, Jean-Luc Godard, Alain Resnais, Claude Chabrol, Jacques Rivette, Eric Rohmer en Louis Malle.

De Franse nouvelle vague-regisseurs zetten de conventionele manieren van filmen overboord en gingen met een klein team de straat op om met draagbare camera's te filmen. Ook maakten ze gebruik van niet-logische overgangen, improvisatie, grote sprongen in de tijd en citaten uit andere films. De jonge regisseurs, producenten en acteurs legden het leven van begin jaren '60 in Frankrijk (vooral Parijs) vast zoals dat destijds door jongeren werd beleefd.

Hoewel de films radicaal afweken van de traditionele film en zich op een jong en intellectueel publiek richtten, vielen ze vaak goed bij de kritiek en hadden ze ook in financieel opzicht

Blow-Up (1966) was *het eerste internationale commerciële succes van regisseur Michelangelo Antonioni, met David Hemmings als modefotograaf.*

veel succes bij het grote publiek in Frankrijk en elders. Hun benadering en onderwerpkeuze werden door jonge regisseurs in vooral Groot-Brittannië en Tsjechoslowakije opgepikt en bereidden uiteindelijk de weg voor de onafhankelijke film in Amerika.

Alleen al in 1960 maakten zo'n 18 regisseurs hun eerste film in Frankrijk. Tegelijkertijd beleefde de Italiaanse film zijn eigen 'nieuwe golf' met Federico Fellini, Luchino Visconti, Pier Paolo Pasolini, Michelangelo Antonioni en Bernardo Bertolucci. Winnaars op het filmfestival van Cannes waren onder andere *La Dolce Vita* (1960) van Fellini, *Kagi* (1959) van Ichikawa, *L'Avventura* (1959) van Antonioni, *Jungfrukällan* (1960) van Ingmar Bergman en *La Joven* (1960) van Luis Buñuel, stuk voor stuk moedige films die zich op onbekend terrein durfden wagen.

Aan het eind van het decennium begon de stemming echter om te slaan. Tijdens het filmfestival van Cannes van mei 1968, toen Franse arbeiders gingen staken en in Parijs

Affiche *voor* A Fistful of Dollars *(1964), met Clint Eastwood als de voortdurend sigaren rokende, ongevoelige, laconieke en ponchodragende solist.*

studenten auto's in brand staken, met straatstenen gooiden en slaags raakten met de oproerpolitie, nam de leiding van de Franse film een motie aan die verzocht het festival uit solidariteit met de arbeiders en studenten te annuleren. 'We laten ons niet gebruiken door een nietsontziende kapitalistische maatschappij die we ter discussie stellen,' aldus de verklaring. Demonstranten onder aanvoering van Louis Malle, François Truffaut en Jean-Luc Godard verhinderden met steun van de regisseur en hoofdrolspeelster Geraldine Chaplin de vertoning van *Peppermint Frappé* van Carlos Saura. De jury trok zich terug en het festival werd afgelast. Frankrijk en de Franse film waren voorgoed veranderd.

Na 1968 werden de experimentele elementen van de Franse nouvelle vague al snel overgenomen door de populaire film. Veel van de technische en conceptuele ontwikkelingen van de nouvelle vague verwerden tot filmclichés. Truffaut nam weer meer traditionele elementen op in zijn films, Godard werd steeds politieker en radicaler in zijn films en Chabrol bleef genrethrillers van wisselende kwaliteit maken terwijl Rohmer doorging met zijn obsessie voor het gedrag van jongeren.

CENSUUR

In datzelfde jaar 1968 haalde de Russische inval in Praag een streep door de creatiefste filmperiodes die dat deel van de wereld tot dan toe had gekend. Starre censuur keerde terug in Oost-Europa. In Polen werd de film door de zuiveringen die volgden op de studentendemonstraties van maart 1968 harder getroffen dan welke kunstsector of bedrijfstak ook. Elk onderdeel van de film werd van officiële zijde aangevallen.

Ook in Latijns-Amerika nam de repressie toe, en de bekendste Cinema Novo-regisseur van Brazilië ging uit protest in ballingschap. In de VS nam het protest tegen de Vietnamoorlog toe. Toch zou Hollywood deze thema's pas tien jaar later aan de orde stellen.

Sami Frey, Anna Karina *en Claude Brasseur, drie kleine criminelen in* Bande à Part *(1964) van Jean-Luc Godard, voeren spontaan een synchroon dansje uit in een café, een scène waaraan Quentin Tarantino later in* Pulp Fiction *(1994) een hommage zou brengen.*

1970–1979 Op eigen benen

In 1960 gingen iedere week ongeveer 43,5 miljoen Amerikanen naar de film. Tien jaar later waren dat er nog maar 15 miljoen. Kwamen er echter films uit die het publiek echt heel graag wilde zien, zoals *Star Wars* en *Jaws* en andere kaskrakers, dan schoten het bioscoopbezoek en de winst direct omhoog.

Gevolg was dat sommige films een fortuin opbrachten, terwijl andere vaak nauwelijks uit de kosten kwamen. De stijgende productiekosten maakten van filmen een riskante onderneming.

Maar Hollywood wist zich zoals altijd te herstellen en kwam andermaal met een aantal belangrijke films die qua verscheidenheid en intelligentie niet onderdeden voor die van voorheen, te beginnen met het succes van Francis Ford Coppola's *The Godfather* (1972). In zijn kielzog volgden Martin Scorsese, Steven Spielberg,

Spookpiraten *op een spookschip maken zich op om een kuststadje te terroriseren in John Carpenters thriller* The Fog *(1979).*

George Lucas, Michael Cimino, Brian de Palma, Peter Bogdanovich, Paul Schrader, John Milius, John Carpenter en vele anderen. Deze regisseurs luidden het nieuwe Hollywood in.

DE 'MOVIE BRATS'

Veel van deze 'movie brats' (filmvlegels) kwamen van filmscholen, een nieuw fenomeen. Ze waren in de jaren '40 geboren, met film opgegroeid en

hadden een passie voor klassieke Hollywoodfilms. Ook hadden ze vaak de meesters van de buitenlandse film bestudeerd en waren ze door hen beïnvloed. Zo was *Star Wars* (1977) van George Lucas geïnspireerd op Akira Kurosawa's *The Hidden Fortress* (1958). De gelijkenis tussen de twee clowneske boeren uit *The Hidden Fortress* en de twee praatgrage robots C-3PO en R2-D2 uit *Star Wars* is evident. Zelfs de naam van Ben Obi-Wan Kenobi (Alec Guinness) klinkt Japans. Dergelijke details voor cinefielen hadden uiteraard niets te maken met de enorme populariteit van de film, en *Star Wars* bracht in de VS in nog geen twee jaar ruim 164 miljoen dollar op. Ook de merchandising van de film verliep zeer lucratief. Spielbergs *Jaws* (1975) en *Star Wars* brachten als eerste elk ruim 100 miljoen dollar aan videoverhuur op.

'Ga niet het water in' *luidde een van de reclameslogans voor* Jaws *(1975). Steven Spielbergs ongekend succesvolle griezelfilm deed badgasten overal ter wereld aarzelen het water in te gaan.*

| 1970–1979 | 1970 CBS vertoont in New York een video-opname in kleur. | 1971 Laatste film van The Beatles, *Let It Be*, komt uit. | 1972 Twee jaar na *Airport* wordt de rampenfilmtrend voortgezet met *The Poseidon Adventure*. | 1973 *The Exorcist*, gebaseerd op een waar verhaal over een bezeten meisje, schokt het publiek. |
| | 1970 Première van het IMAX wide-screenformaat in Japan. | 1971 *Sweet Sweetback's Baad Asssss Song* van Melvin Van Peebles is het begin van het blaxploitation-genre. | 1973 Universal wijst het idee af voor *Star Wars* van George Lucas, en Fox pakt het op. | 1974 De thriller *Chinatown* met Jack Nicholson is een enorm succes. |

1972   1974

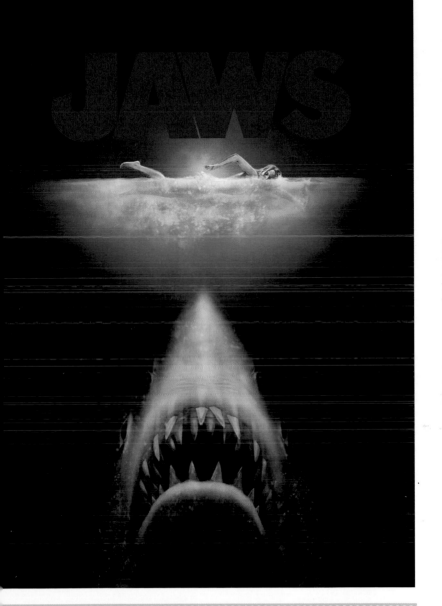

1975
Jaws komt uit en trekt wereldwijd volle zalen.

1976
Dolby stereo wordt gebruikt bij films.

1977
Close Encounters of the Third Kind wordt uitgebracht.

1978
Annie Hall (1977) van Woody Allen wint Oscar voor beste film.

1979
Broers Bob en Harvey Weinstein richten Miramax Films op.

1976

1978

1975
Robert Altmans complexe, epische schets van de Amerikaanse cultuur, *Nashville*, komt uit.

1977
Star Wars brengt ruim 200 miljoen dollar op en krijgt 10 Oscarnominaties.

1978
Marlon Brando krijgt ruim 3 miljoen dollar (excl. royalty's) voor een optreden van 4 min. in *Superman*.

American Graffiti (1973) van George Lucas was het startsein voor veel films over 'overgangsriten'. Deze dromerige, door rock-'n-roll gedreven visie op het tienerleven in een Californisch stadje in 1962, nog voor de Vietnamoorlog en de drugsscene, kostte 750.000 dollar

en bracht 55 miljoen dollar aan de kassa op. Hij kwam de carrières van Harrison Ford, Richard Dreyfuss en Ron (gecast als Ronny) Howard ten goede. Het succes van de film bracht producent Garry Marshall ertoe een zwakke proefaflevering te heroverwegen van een tv-serie die uiteindelijk *Happy Days* zou gaan heten, met de 20-jarige Howard in de hoofdrol. Harrison Ford werd Han Solo in de *Star Wars*-cyclus. En Dreyfuss' faam nam toe door twee kaskrakers van Spielberg: als ichtholoog in *Jaws*, zij het ietwat overspeeld door 'Bruce', de haaimachine, en in *Close Encounters of the Third Kind* (1977) waarin hij als gewone man uit de Mid-West door groene mannetjes wordt uitgenodigd in hun vliegende schotel mee te gaan.

Woody Allen en Diane Keaton, *destijds ook in het echt geliefden, in* Manhattan *(1979), de romantische comedy waarin Allen in elke scène zijn ziel en zaligheid kwijtkon.*

Waren Spielbergs films veelal voor tieners bedoeld, die van Woody Allen

waren meer op volwassenen gericht. Zijn grote doorbraak, *Annie Hall* (1977), die inspeelde op de belangstelling voor seksuele problemen en de neiging tot introspectie, veelal op de bank bij de psychiater, leverde hem Oscars voor voor beste film én regie op.

ANGST EN MACHISMO
Waar Allen voor de New Yorkse joodse levensangst stond, onderzocht Scorsese de Italiaans-Amerikaanse gemeenschap met haar onderliggende starre, sentimentele codes van mannelijkheid, zoals die ook in *The Godfather* van Coppola te zien zijn. Door deze twee Italiaans-Amerikaanse regisseurs werden Al Pacino en Robert De Niro twee van de belangrijkste

Close Encounters of the Third Kind *(1977) was Steven Spielbergs eerste scioncofictionfilm, een favoriet genre van deze regisseur.*

sterren van dit decennium. Hun acteerstijl ontleenden ze aan hun 'Method'-voorbeelden, zoals Marlon

Marlon Brando *speelt de gek geworden kolonel in* Apocalypse Now *(1979) van Francis Coppola.*

Brando, die in *The Godfather II* (1975) Don Corleone speelt, wiens jongere versie ironisch genoeg door De Niro wordt gespeeld. Met *Last Tango in Paris* (1972) van Bertolucci en *The Godfather* en *Apocalypse Now* (1979) van Coppola bewees Brando dat hij nog steeds meetelde.

De laatste film was er een van een hele reeks over de oorlog in Vietnam. Aanvankelijk aarzelde Hollywood nog om de oorlog, die in

Dustin Hoffman en Robert Redford *als*
onderzoeksjournalisten van de Washington Post *in*
All the President's Men *(1976) van Alan J. Pakula.*

1975 was beëindigd, aan te pakken. Waarschijnlijk omdat het onderwerp het land verdeeld hield en ongetwijfeld veel toeschouwers voor het hoofd zou stoten en verwarren. De filmwereld splitste zich op in haviken als John Wayne, wiens *The Green Berets* (1968) tegen de tijdgeest in ging, en duiven als Jane Fonda die uit naam van de antioorlogsbeweging de docu *Vietnam Journey* (1974) maakte.

VIETNAM: PRO EN CONTRA

Hollywood kon niet meer om het beladen thema van de Vietnamoorlog heen. In 1978 kwamen zowel *The Deer Hunter* van Michael Cimino als *Coming Home* van Hal Ashby uit. Beide lieten de fysieke en mentale littekens zien die de oorlog had achtergelaten en toonden aan hoezeer de oorlogservaringen tot het nationale bewustzijn waren gaan behoren. Tijdens de Oscaruitreiking van dat jaar ontving Cimino uit handen van Francis Ford Coppola de Oscar voor beste regisseur. *The Deer Hunter* kreeg die voor de beste film, Jon Voight en Jane Fonda voor *Coming Home* die voor beste acteur en actrice.

Aangrijpend die avond was het moment waarop het oude Hollywood plaatsmaakte voor het nieuwe. John Wayne, die zijn laatste gevecht met kanker streed, gaf Cimino de Oscar voor de beste film. Wayne kreeg het grootste applaus van de avond toen hij, uitgemergeld door zijn ziekte, de trap op wankelde en zei: 'Oscar verscheen voor het eerst in Hollywood in 1928, net als ik. We zijn allebei enigszins verweerd geraakt, maar we zijn er nog steeds en willen nog heel lang blijven.' Een paar maanden later stierf Wayne.

Coming Home (1978) ontstond op initiatief van Jane Fonda die fel tegen de oorlog in Vietnam was. Het toont de ontluikende romance in een ziekenhuis voor Vietnamveteranen tussen een vrijwilligster (Fonda) en een ex-soldaat die door zijn oorlogsverwondingen aan een rolstoel gekluisterd is (Jon Voight). De Vietnamoorlog en het Watergate-schandaal uit 1974 droegen bij aan de

Amerikaanse malaise, wat werd weerspiegeld in een stroom van zogenaamde 'samenzweringsfilms' die de donkere kant van de natie onderzochten, zoals *The Parallax View* (1974) van Alan J. Pakula, *Three Days of the Condor* (1975) van Sydney Pollack en *All the President's Men* (1976), die allemaal doofpotten van de regering blootlegden. *The Conversation* (1974) van Coppola was een post-Watergate thriller over een professionele afluisteraar (Gene Hackman) die zelf wordt afgeluisterd.

Warner Bros. *haalde op Kubricks verzoek* A Clockwork Orange *in Engeland uit de bioscoop.*

zichzelf The Festival of Light noemde, vond het een 'walgelijk weerzinwekkende' film en probeerde de vertoning ervan tegen te houden. Een reeks navolgers in het echte leven en bedreigingen tegen Kubricks gezin dwongen de regisseur om zelf om een verbod te vragen. Tot de plotse dood van Kubrick in 1999 was de film 27 jaar lang niet meer in Britse bioscopen te zien.

De discussie over *A Clockwork Orange* verliep in de VS wat minder fel, al sneed Kubrick er zo'n 30 seconden uit

GEWELD OP HET SCHERM

Vietnam was de eerste oorlog waarvan op tv constant verslag werd gedaan. Mede hierdoor nam het geweld in films toe (rassenonlusten en studentenrellen waren twee andere redenen). De tweeslachtige moraal van *Dirty Harry* (1971) van Don Siegel – de eerste keer dat Clint Eastwood de rol van deze keiharde schurksmeris vertolkte – *Deliverance* (1972) van John Boorman, *Taxi Driver* (1976) van Scorsese en *The Texas Chainsaw Massacre* (1974) van Tobe Hooper verontrustten velen. Stanley Kubricks *A Clockwork Orange* (1971), 'het verhaal van een jongeman met als belangrijkste interessen verkrachting, megageweld en Beethoven', hielp niet mee om deze ongerustheid weg te nemen.

The British Board of Film Classification gaf de film een X-rating, met de kanttekening dat het om '...een belangrijk sociaal document van uitzonderlijke virtuositeit en kwaliteit' ging. Maar een groep die

In Don Siegels Dirty Harry (1971), speelt Clint Eastwood de hoofdrol als Harry Callahan, een toegewijde smeris die niet al te veel tijd heeft voor de maniers van de wet.

weg alvorens de film in 1973 in de VS uitkwam om een R-status te krijgen. In 1968 verving Motion Picture Producers and Distributors of America de Production Code en stelde een reeks beoordelingen voor films vast, zoals G voor alle leeftijden, M voor volwassenen, R voor 17 jaar en ouder en X voor alleen boven de 18. Deze classificatie werd vervolgens in 1970, 1972, 1984 en 1990 her en der nog licht aangepast.

Brooke Shields en Susan Sarandon in Pretty Baby *(1978) van Louis Malle over het tragikomische leven van prostituees in een bordeel.*

SEKS OP HET WITTE DOEK

In de jaren '70 nam de vraag naar populaire films met seksscènes toe. Ook werd seks explicieter behandeld in films die vanuit het buitenland naar de VS kwamen: *Last Tango in Paris* (1972) met zijn expliciete seksscènes; *Emmanuelle* (1974) van Just Jaeckin, waarin de vervelende Sylvia Kristel alle mogelijkheden van seks onderzoekt; *Salo* (1975) van Pier Paulo Pasolini, een eigentijdse versie van Markies de Sades roman, en *Ai No Corrida* (1976) van Nagisa Oshima, waarin een gangster en een geisha hun seksuele fantasieën uitleven. *Pretty Baby* (1978), de eerste Amerikaanse film van Louis Malle, heeft een 12-jarig meisje (Brooke Shields) in de hoofdrol dat in een bordeel in het New Orleans van rond

de eeuwwisseling opgroeit. Dit leidde tot luide protesten en de discussie over censuur laaide weer op. Dit terwijl in Europa de censuur in Portugal, Spanje en de communistische landen juist versoepelde. Veel van de technische en thematische vernieuwingen in de Franse, Italiaanse, Tsjechische, Britse en andere nouvelle vague-bewegingen doken al snel op in de meer gangbare film. Rainer Werner Fassbinder, Werner Herzog en Wim Wenders zorgden in de jaren '70 voor een korte golf van vernieuwing in de Duitse film. Andrei Tarkovsky en Sergei Paradjanov in de Sovjet-Unie en Andrzej Wajda en Krzysztof Kieslowski in Polen waren invloedrijke figuren in Oost-Europa, al raakte de film daar geleidelijk de weg kwijt. Milos Forman was in 1968 uit Tsjechoslowakije naar Amerika gevlucht, waar zijn carrière vooruit schoot met *One Flew Over the Cuckoo's Nest* (1975). Dit was na 41 jaar de eerste film die (sinds *It Happened One Night*) alle vijf de belangrijke Oscars in de wacht sleepte en hij bracht 56,5 miljoen dollar op.

STALLONE EN TRAVOLTA

Bijna eenzelfde bedrag bracht *Rocky* (1976) op, het archetypische 'van krantenjongen tot miljonair'-verhaal van dit decennium. Producent Irwin Winkler: 'Komt er zo'n grote gozer van bijna 100 kg binnen die niet goed kan praten en zich een beetje verward gedraagt. Zegt ie dat ie een idee

Jack Nicholson *vrolijkt zijn psychiatrische medepatiënten op in* One Flew Over the Cuckoo's Nest *(1975) van Milos Forman.*

KASSUCCESSEN VAN DE JAREN '70		
1	VS	Star Wars, 1977
2	VS	Jaws, 1975
3	VS	Grease, 1978
4	VS	Close Encounters of the Third Kind, 1977
5	VS	The Exorcist, 1973
6	VS	Superman, 1978
7	VS	Saturday Night Fever, 1977
8	VS	Jaws 2, 1978
9	VK	Moonraker, 1979
10	VK	The Spy Who Loved Me, 1977

heeft voor een boksscript en daarin de hoofdrol wil spelen'. Die 'gozer' was Sylvester Stallone. Met slechts 106 dollar op de bank en drie slechte films op zijn naam wees hij een eenmalige uitbetaling van 265.000 dollar af en bedong in plaats daarvan 70.000 dollar, een percentage van de winst plus de hoofdrol. *Rocky* werd een enorm succes en won Oscars voor beste film (de eerste sportfilm die dat lukte) en beste regisseur (John G. Avildsen).

Een ander uit de Italo-Amerikaanse lichting die in de jaren '70 succes had was John Travolta, die in *Saturday Night Fever* (1977) op het hoogtepunt van de disco-rage het dansen door mannen nieuw leven inblies.

Van groot belang was ook de komst van de videorecorder, die in 1975 door Sony op de markt werd gebracht. Het apparaat kostte rond de 2000 dollar en kon tot een uur opnemen. Het zou de kijkgewoontes ingrijpend veranderen.

In *Saturday Night Fever* (1977) paarde John Travolta de acrobatische uitbundigheid van Gene Kelly aan een loopje dat deed denken aan Fred Astaire, wat overigens niets afdeed aan zijn unieke, opwindende dansstijl.

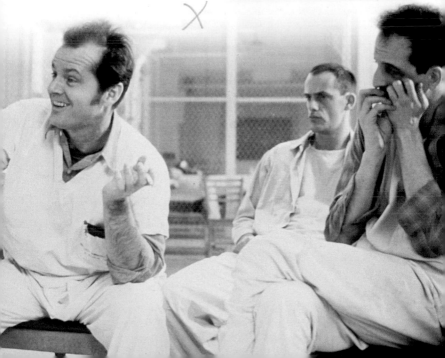

1980–1989 De internationale jaren

In de jaren '80 kwam de Hollywoodmachine weer op gang. De *filmbrats*, de 'jonge honden' van de film, raakten op een dood spoor doordat de studio's alles benutten wat ze van het fenomeen *Star Wars* hadden geleerd. Grote publieksfilms werden via tv-reclame gepromoot, de marketingbudgetten stegen en er werd überhaupt meer geïnvesteerd.

Martin Scorsese kwam begin jaren '80 met *Raging Bull* (1980) en begin jaren '90 met *GoodFellas* (1990). Het hoge niveau van Scorsese vormde echter een uitzondering en zelfs hij wilde er in de jaren '80 mee stoppen. De 'wedergeboorte' van Hollywood uit de jaren '70 zette niet door. De macht van de *filmbrats* liep uiteindelijk stuk op de epische western *Heaven's Gate* (1980),

Om voor Raging Bull *(1984) Jake LaMotta op leeftijd te kunnen spelen, kwam Robert De Niro bijna 30 kg aan; desondanks leverde de film maar twee Oscars op.*

waarvan het budget door regisseur Michael Cimino met maar liefst 500 procent werd overschreden zodat het op 44 miljoen dollar uitkwam – een bedrag dat nu bescheiden lijkt, maar dat destijds United Artists op de rand van de financiële afgrond bracht.

Misschien ging deze antiheroïsche, trage western in zijn revisionisme wel het verst van allemaal. Tot hij bij de voorvertoning 219 minuten bleek te duren en de Amerikaanse critici hem neersabelden. De studio raakte in paniek en bracht *Heaven's Gate* terug tot 149 minuten, net zo'n soort verminking als RKO veertig jaar daarvoor had toegepast op Orson Welles' *The Magnificent Ambersons* (1942). Commercieel maakte de inkorting echter niets uit. De film bracht amper 1,5 miljoen dollar op en het fameuze United Artists was bankroet. De studio werd in 1981 verkocht en fuseerde met MGM, een andere gevallen reus.

Met *Heaven's Gate* kwam er een voorlopig einde aan de western; de eerstvolgende wezenlijke bijdragen aan dit genre, *Lonesome Dove* (1989) voor tv en *Dances with Wolves* (1990) van Kevin Costner, lieten tien jaar op zich wachten. De filmtitel *Heaven's Gate*

	1980	1981	1981		1984
1980–1989	Alfred Hitchcock (80), de meester van de suspense, overlijdt.	Ronald Reagan is de eerste filmster die president wordt.	Eerste gezamenlijke project van Steven Spielberg en George Lucas, *Raiders of the Lost Ark*.		Amerikaans hooggerechtshof: thuis video opnemen is geen schending van auteursrecht.
	1980		1982		1984
	1980	1981	1982	1982	
	Sherry Lansing wordt de eerste vrouwelijke directeur van een grote studio (20th Century Fox).	Katharine Hepburn ontvangt voor *On Golden Pond* haar vierde Oscar.	*Blade Runner* van Ridley Scott in première.	Prinses Gracia van Monaco, voormalig actrice Grace Kelly (*High Noon*), komt om bij auto-ongeluk.	

werd zelfs synoniem voor de mateloze megalomanie die menig regisseur eind jaren '70, begin jaren '80 aankleefde (en die fraai beschreven wordt in *Easy Riders, Raging Bulls* van Peter Biskind).

Ondanks een enorme budgetoverschrijding was Francis Ford Coppola nog weggekomen met *Apocalypse Now*. Toen echter het vernieuwende maar geldverslindende digitale experiment *One from the Heart* (1982) bij critici en publiek niet aansloeg, was het uit met zijn grote droom, Zoetrope. Coppola raakte in de schulden en moest stoppen met deze studio voor filmmakers, waar ooit Wim Wenders, Jean-Luc Godard, Gene Kelly, Michael Powell en Tom Waits emplooi hadden gevonden.

Door deze en andere spectaculaire mislukkingen namen de artistieke ambities van de Amerikaanse film af. En kwam er al eens een gedurfde film

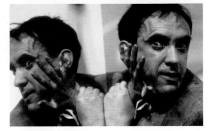

Jonathan Pryce *speelt in* Brazil *(1985) van Terry Gilliam de dagdromende bureaucraat Sam Lowry die in een vreemde, totalitaire toekomst zijn ideale vrouw najaagt.*

uit, dan leek Hollywood die het liefst te dwarsbomen. Sergio Leones schitterende gangsterepos *Once Upon a Time in America* (1984), dat het in Europa goed deed, werd in de VS voor vertoning teruggebracht van 229 naar 139 minuten. Universal zat al een jaar te broeden op een versie van *Brazil* (1985) van Terry Gilliam toen de filmmaker dan maar met zijn eigen versie kwam.

Sergio Leones *gangsterepos* Once Upon a Time in America *(1984) was een requiem voor de immigrantendroom en vormde tevens Leones laatste film.*

Het motto van RKO nadat het zich in de jaren '40 van Orson Welles had ontdaan, was ruwweg ook van toepassing op de jaren '80: 'Niet geniaal doen, publiek trekken'.

De macht lag nu niet langer bij de regisseurs (waarbij de pedante genotzucht van de groten onder hen zeker meespeelde) en ook bij de studio's rommelde het. Het aandeel van de grote studio's in de kaskrakers liep door de toenemende concurrentie van onafhankelijke productiebedrijven als Cannon, DEG, Orion en Tri-Star terug naar 64 procent.

De feitelijke macht kwam bij de talentenbureaus te liggen, met als belangrijkste Creative Artists Agency (CAA) dat veel van de beste acteurs, schrijvers en regisseurs onder zijn hoede had. Deze begonnen de studio's all-inovereenkomsten aan te bieden: scenario's met daaraan gekoppeld hun cliënten. Directeur Michael Ovitz van CAA werd de meest gevreesde (en gevlijde) man van Hollywood en de gages van de sterren rezen de pan uit. Dat de gemiddelde film hierdoor steeds duurder werd, terwijl de toegangsprijzen bleven dalen, deerde niet: voor de impresario's telde alleen het contract.

Niet dat er geen kassuccessen meer waren. Met *Raiders of the Lost Ark* (1981) en *E.T. The Extra-Terrestrial* (1982) brak Steven Spielberg definitief door als man die alles in goud verandert. In de jaren '80 investeerde Hollywood steeds meer in de promotie van succesvolle

In de jaren '80 *kwam het 'popcornamusement' weer in de mode. Indiana Jones and the Temple of Doom (1984) van Steven Spielberg belichaamde de terugkeer naar de populaire kassuccessen.*

KASSUCCESSEN VAN DE JAREN '80

1	VS	E.T. The Extra-Terrestrial, 1982
2	VS	Return of the Jedi, 1983
3	VS	The Empire Strikes Back, 1980
4	VS	Indiana Jones and the Last Crusade, 1989
5	VS	Rain Man, 1988
6	VS	Raiders of the Lost Ark, 1981
7	VS	Batman, 1989
8	VS	Back to the Future, 1985
9	VS	Who Framed Roger Rabbit, 1988
10	VS	Top Gun, 1986

'evenementenfilms', die meestal in een vakantieweekend in première gingen. Deze overweldigende publiciteitscampagnes legden op hun beurt weer een inflatoire druk op de hele filmwereld.

De revenuen waren gigantisch, niet alleen door de kaartverkoop, maar ook door de bijkomende merchandising. Wel bleef er hierdoor steeds minder ruimte over voor volwassen drama, de tot dan toe belangrijkste pijler van Hollywood. Het publiek bestond meer en meer uit tieners; de groep van 12 tot 20 jaar vormde in 1980 bijna de helft van de bezoekers.

Slasher-horrorfilms en gewaagde tienercomedy's waren de nieuwe hoofdproducten: *Friday the 13th* (1980) kende ruim tien vervolgen en *Porky's* (1982) werd talloze keren geïmiteerd.

Sylvester Stallone *als John Rambo, die van underdog in First Blood (1982) uitgroeit tot een moordmachine in de gelijknamige vervolgfilms.*

Terwijl gevestigde sterren als Robert Redford en Clint Eastwood hun eigen lijn trokken, koesterde het tienerpubliek zijn eigen sterren. Dit zogenoemde 'bratpack' bestond uit Rob Lowe, Charlie Sheen, Molly Ringwald, Emilio Estevez en Andrew McCarthy. Ook andere acteurs uit de jaren '80, zoals Tom Cruise, Demi Moore, Matt Dillon en John Cusack, mogen zich sindsdien verheugen in een lange filmcarrière, al is het sommigen dan wat minder vergaan.

DE GEBOORTE VAN DE ACTIEHELD

Verhalen over een aan video gewend publiek ('tape-heads') dat 'Snel doorspoelen!' naar het witte doek riep, zijn misschien ongeloofwaardig, maar wel staat vast dat films met actiescènes in de jaren '80 uitgroeiden tot een nieuw genre: de actiefilm. In 1982 speelde Sylvester Stallone nog de hoofdrol in een tamelijk serieuze thriller over een Vietnamveteraan die thuis niet meer kan aarden (*First Blood*). Drie jaar later is hij in *Rambo: First Blood, Part II* (1985) veranderd in een onkwetsbaar eenmansleger waarvan de realiteitswaarde ver te zoeken is. In *Rambo III* (1988) vecht Stallone tegen de Russen in Afghanistan; het levert hem 20 miljoen dollar op. Eenzelfde soort verloop kennen Stallones *Rocky*-films. Is hij in de eerste film nog een geloofwaardige underdog, in de latere delen wordt hij een opgepompte Amerikaanse held die al strijdend volledig opgaat in het patriottisme van Reagans regeerperiode.

Toch was er één actieheld die Stallone nog zou overtroeven: voormalig bodybuilder Arnold Schwarzenegger, waarschijnlijk de meest aansprekende ster uit die tijd, die sinds begin jaren '70 in Hollywood rondhing. Met zijn zware Oostenrijkse accent, te verwaarlozen acteertalent en een lichaamsbouw die door journalist Clive James treffend is omschreven als 'een walnoot met een condoom eromheen', werd hij een ongelooflijke superster. John Milius gaf hem de hoofdrol in *Conan the Barbarian* (1982), waarna hij de zwijgzame robotmoordenaar speelde in *The Terminator* (1984) van James Cameron. Hoewel dat een schurk en letterlijk een moordmachine was, sloeg de film enorm aan en zat Schwarzenegger gebeiteld.

Met uitzondering van Sigourney Weaver in *Alien* (1979) en *Aliens* (1986), speelden vrouwen destijds slechts een ondersteunende bijrol in dit filmgenre, dat gekenmerkt wordt door een bombastisch soort machismo met veel geknal, vuurzuilen en achtervolgingen van het type sloopautorace.

Tom Cruise weet *Kelly McGillis voor zich te winnen in* Top Gun *(1986), een typisch 'snelle' film van de Amerikaanse superproducenten Jerry Bruckheimer en Don Simpson.*

Het genre richtte zich vooral op jonge mannen en deed het uitstekend op de buitenlandse markt, mede ook omdat er nauwelijks interessante dialoog in voorkomt. De beste actiefilms hebben een stimulerende filmische dynamiek: *Robocop* (1987) van Paul Verhoeven, *Die Hard* (1988) van John McTiernan en de *Terminator*-films (1984 en 1991) van James Cameron zijn net zo kundig gemaakt als de slapstick uit de jaren '20 en musicals uit de jaren '50.

Regisseurs hadden actiescènes altijd al vanuit verschillende standpunten gedraaid en omdat die scènes nu

> **"Je hebt twintig seconden om te gehoorzamen."**
>
> **ROBOCOP** 1987

langer en gedetailleerder werden, had deze esthetiek invloed op de beeldtaal van Hollywood. De opnames op zich werden korter en visuele continuïteit werd verkregen door middel van achtergrondbelichting en design. Deze esthetiek wordt meestal toegeschreven aan de invloed van MTV. Het non-stopbombardement van popvideo's van deze tv-zender met zijn razendsnelle montage werd populair toen begin jaren '80 de kabel-tv opkwam en regisseurs van muziek-video's soms tot speelfilmregisseur promoveerden. Nog meer invloed had de tv-reclame, waarin visueel vernuft vertaald werd in spots van 30 seconden. Heel wat regisseurs waren uit de advertentiewereld afkomstig, zoals

DE VIDEOREVOLUTIE

In 1982 verklaarde de woordvoerder van Motion Picture Association of America voor een senaatscommissie dat 'de videorecorder hetzelfde is voor de Amerikaanse filmproducent en het Amerikaanse publiek als de wurger van Boston voor een vrouw die alleen thuis is'. De bezorgdheid over schending van het auteursrecht die Hollywood zou ruïneren, bleek echter misplaatst. VHS versloeg Betamax in de videobandenoorlog doordat het flirtte met Hollywood. De verhuur van video's bleek voor filmproducenten een geschenk uit de hemel. Videotheken deden het goed en boden het publiek ongekende controle over wat en hoe het keek: snel terug- en vooruitspoelen vormden de eerste stap op weg naar de interactieve kijker.

Bijverschijnsel van het succes van video was dat de bioscopen kleiner werden. Bioscopen met één scherm werden opgedeeld voor een flexibelere programmering. In heel Amerika werden steeds meer drive-inbioscopen gesloten en vervangen door megabioscopen in randstedelijke winkelcentra. En talloze films verschijnen alleen nog maar op video, voor het publiek thuis.

Tony Scott en Adrian Lyne, die samen *Flashdance* (1983), *Top Gun* (1986), *9½ Weeks* (1986), *Beverly Hills Cop 2* (1987), en *Fatal Attraction* (1987) regisseerden, enorme publiekstrekkers die in amper 30 woorden beschreven en aan de man gebracht konden worden.

BUITEN HOLLYWOOD

Een vergelijkbare trend kende Frankrijk, waar Jean-Jacques Beineix pionierde met wat criticus Serge Daney 'le cinéma du look' noemde, zoals het flamboyante *Diva* (1981) en *Betty Blue* (1986). Het verst hierin gingen Luc Besson (*Subway*, 1985) en voormalig criticus Leos Carax (*Boy Meets Girl*, 1984), de eerste een uitgeproken populist, de tweede een eigenzinnig intellectueel. Ook

Designfilms voerden zelfs de boventoon in Frankrijk, waar in films als Betty Blue *(1986)* van Jean-Jacques Beineix de stilering het van de inhoud won.

oudere beoefenaren van de Nouvelle Vague bleven actief: Jean-Luc Godard keerde na een flirt met video terug naar de film, net als Maurice Pialat, wiens intense authenticiteit in de jaren '90 heel wat filmmakers zou beïnvloeden. In 1981 werd de Franse filmwereld opgeschrikt door de zelfmoord van regisseur Jean Eustache. De nieuwe Duitse film werd al evenzeer opgeschrikt door de dood in 1982 van zijn meest productieve talent, Rainer Werner Fassbinder (36). Wim Wenders had het aanvankelijk als Hollywoodcineast zwaar met *Hammett* (1982), maar herstelde zich met *Paris, Texas* (1984). Hij keerde naar Berlijn terug voor *Der Himmel über Berlin* (1987), waarna hij zich in een aantal ambitieuze, warrige projecten verloor.

Een deel van de beste internationale films van die tijd kwam van verder weg, uit het Oosten, met zijn vijfde generatie filmmakers uit China (Chen Kaige en zijn vroegere cameraman Zhang Yimou), uit Hongkong (waar Tsui Hark, John Woo en Stanley Kwan furore maakten) en vooral uit Taiwan, waar Hou Hsaio-hsien en Edward Yang druk doende waren het complexe zelfbeeld van Taiwan te verbeelden. De films van Hou, een soort antithese van de almaar 'snellere' benadering van Hollywood, zijn sentimentele meditaties over het recente verleden, met scènes die veelal vanuit een onnadrukkelijk totaalshot zijn gefilmd.

1990–   Van celluloid naar digitaal

Na een eeuw van celluloid deed begin jaren '90 met de digitale film een ingrijpende technologische vernieuwing zijn intrede. Terwijl de studio's zich steeds meer concentreerden op het maken van kassuccessen als *Titanic*, bereikten onafhankelijke filmmakers met intelligent gemaakte, volwassen drama's als *Pulp Fiction* een groter publiek dan ooit.

Honderd jaar nadat Pierre en Auguste Lumière in Parijs hun eerste eenakters vertoonden, namen 40 vooraanstaande filmmakers de uitdaging aan om met de originele cinematograaf zonder montage en met natuurlijk licht een stomme, monochrome film van hooguit 52 seconden op te nemen. *Lumière and Company* (1996) toonde aan hoe veel én hoe weinig er bij de film tijdens zijn korte bestaan was veranderd. Ondanks alle innovaties van geluid en kleur, de verfijning van filmopslag en filmgrootte, bleef de techniek in wezen gelijk: stroken celluloid die door een sluiter werden getrokken om gedurende een fractie van een seconde aan licht te worden blootgesteld.

Rond het begin van de 21e eeuw werd die technologie verdrongen door de overgang van analoge naar digitale systemen. De montage ging het eerst 'om' door computers in plaats van montagetafels te gaan gebruiken. Deze

Tom Hanks' *Forrest Gump kruist dankzij het magische CGI het pad van JFK, president Nixon en Elvis Presley.*

overstap was mede ingegeven door de steeds nerveuzer montagetechnieken die populair werden door filmmakers als Martin Scorsese met films als *GoodFellas* (1990) en diens oud-leerling Oliver Stone in *JFK* (1991) en *Natural Born Killers* (1994). De eerste 35 mm speelfilm met digitale soundtrack was *Dick Tracy* (1990).

De baanbrekende animatiefilm *Toy Story* (1995) was de eerste volledig op de computer gemaakte speelfilm, al werd in *Jurassic Park* (1993) en *Forrest Gump* (1994) ook al 'computer-generated imagery' (CGI) met echte filmbeelden samen-gevoegd. Deze techniek maakte de weg vrij voor latere spectaculaire historische epossen als *Titanic* (1997) en *Gladiator* (2000) en voor fantasyfilms als de *Lord of the Rings*-trilogie (2001-2003) en de *Harry Potter*-serie (2001-). Deze films zetten de toon in de bioscoop en brachten wereldwijd miljarden op.

1990–2006			
1990 Macaulay Culkin wordt kindsterretje door zijn rol in *Home Alone*.	**1993** Disney koopt voor 80 miljoen dollar Miramax Films, wat als een koopje wordt beschouwd.	**1994** Eerste nieuwe grote studio in meer dan 50 jaar, Dreamworks SKG, aangekondigd door Steven Spielberg, Jeffrey Katzenberg en David Geffen.	
1990		1993	1996
1990 *Cyrano de Bergerac*, met in de hoofdrol Gérard Depardieu, wint het recordaantal van tien Césars.		**1993** Brandon Lee (zoon van Bruce) komt om door defect nepgeweer bij opname van *The Crow* (1994).	**1994** Spielbergs *Schindler's List* uit 1993 over de holocaust wint zeven Oscars.

De wat geleidelijker overgang naar de digitale camera werd versneld door een nieuwe generatie verbeterde licht-gewichtvideocamera's. Hoewel deze vooralsnog niet konden tippen aan de esthetische kwaliteit van film, hadden ze één belangrijk voordeel: ze waren een stuk goedkoper in gebruik.

In tegenstelling tot het sensationele CGI *was* The Shawshank Redemption *(1994) een traag, ouderwets gevangenisdrama dat waar dan ook in de afgelopen 30 jaar gemaakt had kunnen worden. Merkwaardig genoeg had de film in de bioscoop nauwelijks succes, terwijl hij op video en dvd uitgroeide tot een absolute topper.*

DIGITAAL FILM MAKEN

Slimme lowbudgetfilmmakers buitten begin jaren '90 de beperkingen van de digitale camera uit en de uit de hand opgenomen cinéma vérité-stijl werd een trend door onder meer *Husbands and Wives* (1992) van Woody Allen, *La Haine* (1995) van Mathieu Kassovitz en

1998	1999		2002
Spielberg wint met *Saving Private Ryan* zijn tweede Oscar voor beste regisseur.	Eerste van drie prequels, *Star Wars: Episode I – The Phantom Menace*, brengt in recordtijd van vijf dagen 100 miljoen dollar op.		Halle Berry eerste zwarte actrice die Oscar voor beste actrice wint. Zwarte acteur Denzel Washington wint Oscar voor beste acteur.

	1999		2002	
1997 De duurste film aller tijden, *Titanic*, brengt ook het meeste op.	**2000** *Crouching Tiger, Hidden Dragon* eerste Aziatische actiefilm die in VS bij publiek én kritiek succes oogst.	**2001** Laatste episode van enthousiast ontvangen *Lord of the Rings*-trilogie uitgebracht.	**2003** Arnold Schwarzenegger wordt gouverneur van Californië.

Door in zwart-wit te filmen *voegde de getalenteerde jonge Franse regisseur Mathieu Kassovitz een realistisch tintje toe aan zijn film over opstandige jongeren in La Haine. De film verbeeldt de raciale tegenstellingen die tien jaar later in Frankrijk tot uitbarsting zouden komen.*

Breaking the Waves (1996), van Lars von Trier, evenals door tv-programma's als *NYPD Blue*. Binnen dit idioom stond slechte beeldkwaliteit voor korrelig realisme. Het beste voorbeeld hiervan is *The Blair Witch Project* (1999), zogenaamd ontdekt materiaal dat met een camcorder op 16 mm film zou zijn geschoten door een team van studenten die in een bos verdwalen en tijdens hun onderzoek naar een plaatselijke legende ver-dwijnen. Dit simpele scenario werd uitvergroot door een uitgebreide internetcampagne die suggereerde dat de film eigenlijk een documentaire was. *The Blair Witch Project* kostte zo'n 35.000 dollar en bracht wereldwijd maar liefst 248 miljoen dollar op. Het vervolg van twee jaar later flopte.

William H. Macy *speelt de hoofdrol in de komische maar bijtend moralistische fabel Fargo (1996) van de gebroeders Coen.*

DOGMA 95

Deze ontwikkelingen, die een rijkere fantasie én een basaler realisme toelieten, werden door vier Deense regisseurs aangegrepen om met het Dogma 95-manifest te komen. 'Er woedt momenteel een technologische storm die zal leiden tot een ultieme democratisering van de film,' zo beweerden zij. 'Voor het eerst kan iedereen films maken...' Ook benadrukten ze het belang van de avant-garde en stelden ze de oppervlakkigheid van de Hollywoodfilms aan de kaak.

Het document, dat ondertekend is door de controversiële regisseur Lars von Trier, eindigt met een tienvoudige 'Eed van zuiverheid', waardoor de film zijn oorspronkelijke realisme moet terugkrijgen: filmmakers dienen op locatie te filmen, alleen ter plekke voorhanden rekwisieten te gebruiken, genrefilms te vermijden, 'oppervlakkige actie' en optische effecten te mijden, met handcamera's te werken en geen achteraf opgenomen muziek te gebruiken.

Emily Watson *als wispelturige, eigentijdse heilige in het duizelingwekkende* Breaking the Waves *(1996) van Lars von Trier.*

Hoewel Dogma 95 in zijn tegendraadsheid voor een deel ironisch bedoeld was, raakte het manifest wel een gevoelige snaar. De eerste officiële Dogmafilm, *Festen* van Thomas Vinterberg, kwam in 1998 uit en won de Juryprijs van Cannes. Overigens was deze film, net als *The Idiots* van Von Trier die datzelfde jaar uitkwam, in strijd met de regels op video opgenomen.

DE ONAFHANKELIJKEN

Tegen 2005 waren er ruim 50 officiële Dogmafilms gemaakt, al was dat nog niets bij wat er bij de onafhankelijke filmmakers in de VS plaatsvond.

Titanic (1997) van James Cameron *kostte 200 miljoen dollar en bracht – ondanks negatieve kritieken – als eerste film meer dan een miljard dollar op. Hij bezorgde Leonardo DiCaprio en Kate Winslet de sterrenstatus*

The Usual Suspects *(1995) was een onafhankelijke film met een klein budget die een kassucces werd. De gestileerde thriller kent fraai acteerwerk van de hier opgestelde criminelen en een plot die alle kanten op gaat.*

De invloed van de digitale video-camera was direct merkbaar nadat deze technologie beschikbaar kwam; in 2000 werden er twee keer zo veel onafhankelijke speelfilms gemaakt als het jaar daarvoor.

Mike Figgis, een van de eerste grote filmmakers die op digitaal overging, liet vier camera's tegelijk lopen en deelde het scherm in vieren voor het 'real time' film-drama *Timecode* (2000). Spike Lee paste de digitale techniek toe voor zijn gewaagde rassensatire *Bamboozled* (2000), terwijl Eric Rohmer Frankrijk tijdens de Revolutie liet herleven door digitale achtergrondschilderingen te gebruiken in *The Lady and the Duke* (2001). Het digitale *Atanarjuat: The Fast Runner* (2001) van Zacharias Kunuk was de eerste inheemse Inuitspeelfilm, en Michael Mann mengde digitaal met celluloid in *Ali* (2001) en buitte het perfecte digitale nachtzicht uit in *Collateral* (2004). Ondertussen liet David Fincher met het anarchistische *Fight Club* (1999) zien hoe door met de computer vervaardigde beelden naadloos in traditioneel filmdrama kunnen worden geïntegreerd.

De hausse van onafhankelijke filmmakers ontstond in de jaren '80, gedeeltelijk door de snelle groei van filmfestivals als Sundance en wellicht ook omdat de Hollywoodfilm te conservatief en voorspel-baar werd en daardoor te

David Fincher sloot de eeuw op zijn manier af *met de subversieve black comedy* Fight Club *(1999) met Brad Pitt en Edward Norton. Critici schrokken terug voor de film, maar op dvd werd hij een culthit.*

ver van het echte Amerikaanse leven af kwam te staan. Geleidelijk ontstond er een beweging rond rolmodellen als John Sayles (liberalisme met een sociaal geweten) die *Silver City* (2004), *Casa de los Babys* (2003) en *Sunshine State* (2002), opnam, en Jim Jarmusch (minimalisme), de regisseur van *Coffee and Cigarettes* (2003), *Ghost Dog: The Way of the Samurai* (1999) en *Mystery Train* (1989).

De onafhankelij-ke filmmakers, die zich vooral aan de Amerikaanse oostkust bevonden, produceerden roldoorbrekende films over Afro-Amerikanen (*She's Gotta Have It* van Spike Lee, 1986), homo's en lesbiennes (*Lianna* van Sayles,1983, en *Mala Noche* van Gus Van Sant, 1985) en over vrouwen (*Desperately Seeking Susan* van Susan Seidelman, 1985). Deze films kregen goede kritieken en

De tachtigjarige Eric Rohmer *gaf in* The Lady and the Duke *(2001) met behulp van de nieuwste technologie Frankrijk weer tijdens de Revolutie als een tot leven gewekt schilderij.*

Dvd's

De techniek verandert *voortdurend en daardoor ook de manier waarop we naar films kijken. Met draagbare dvd-spelers als deze kunnen films overal bekeken worden.*

Vrijwel overal is het bioscoopbezoek gedaald doordat breedbeeld-hdtv, TiVoRecorders en dvd-spelers het thuis kijken aantrekkelijker maken. De dvd (digital versatile disc) werd eind 1997 geïntroduceerd en werd met zijn superieure beeld en geluid, duurzaamheid en geringe afmeting een doorslaand succes bij de consument. Tegen 2005 was de dvd-markt de belangrijkste inkomstenbron van de filmindustrie geworden en was zij daarmee de video en bioscoop voorbijgestreefd. De dvd heeft tevens de oude filmvoorraad van de studio's nieuw leven ingeblazen. Voor Hollywood vormen deze inkomsten een welkome compensatie voor de hoge productie- en marketingkosten (gemiddeld 30 miljoen dollar per film) en het verminderde bioscoopbezoek.

genereerden hun eigen filmhuis-publiek. *Sex, lies, and videotape* (1989) van Steven Soderbergh was een mijlpaal die in de VS 24,7 miljoen en daarbuiten 30 miljoen dollar opbracht. Het was de tot dan toe grootste hit voor Miramax, het New Yorkse distributiebedrijf in 'specialiteiten', en de eerste Amerikaanse onafhankelijke film die vanuit het filmhuiscircuit doorbrak naar de megabioscopen.

Soderbergh, die onmiddellijk een studiocontract aangeboden kreeg en een van de succesvolste regisseurs van zijn tijd werd, sleepte in 2000 twee Oscarnominaties in de wacht voor *Erin Brockovich* en *Traffic*. Hij was niet de enige die van de populaire film profiteerde, want voor de meesten was 'onafhankelijkheid' een tussenstation op weg naar een Hollywoodcarrière. Een uitzondering was Jim Jarmusch, die in Japan fondsen wist aan te boren en daardoor het patent hield op zijn coole, tegendraadse schetsen. Ook Hal Hartley was zo iemand die nog liever goedkoop werkte dan afbreuk te doen aan zijn Godardachtige comedy's als *Flirt* (1995) en *Henry Fool* (1997). Soderbergh zelf week regelmatig van het populaire Hollywoodpad af om zich creatief op te laden met avant-garde-experimenten als *Schizopolis* (1996). En Gus Van Sant switchte van filmhuis (*My Own Private Idaho*, 1991) naar mega-bioscoop (*Good Will Hunting*, 1997) en weer terug (*Elephant*, 2003). De meesten echter konden prima naast de studio's bestaan – het was hoe dan ook geen tijd van confronterende politieke films of uitdagende vormvernieuwing.

WEER ONAFHANKELIJK

Vrij veel van de nieuwe, jonge, getalenteerde film-makers die uit de onafhan-kelijke filmwereld afkomstig kwamen, beperkten zich tot

Na twee Hollywoodflops *keerde Alfonso Cuarón naar Mexico terug en kreeg daar zijn carrière weer op de rails met de sekscomedy* Y Tu Mamá También *(2001).*

knappe, ironische variaties op klassieke Hollywoodgenres. Zo voegden Joel en Ethan Coen enige ethische verdieping toe aan een reeks stijlvolle pastiches op de wereld van James M. Cain, Dashiell Hammett, Raymond Chandler, Clifford Odets en Preston Sturges.

QUENTIN TARANTINO

De culthelden Coen werden op hun beurt ruw afgetroefd toen Quentin Tarantino in 1992 zijn ongebreidelde filmliefde losliet op *Reservoir Dogs*. Tarantino (1963) was opgegroeid in het videotijdperk en was zelfs in een videotheek werkzaam voordat Harvey

Keitel belangstelling toonde voor zijn scenario over een geheim agent die in een bende juwelendieven infiltreert. Tarantino heeft bij menigeen leentje-buur gespeeld: bij Hongkongthrillers (*Reservoir Dogs* ontleent het nodige aan de thriller *City on Fire* uit 1987 van Ringo Lam) en bij Jean-Luc Godard, Stanley Kubrick, Jean-Pierre Melville en Sam Fuller.

Door deze samen te voegen schiep Tarantino iets nieuws: een populair postmodernisme dat het opnam voor de jongeren die auteur Douglas Coupland omschreef als 'Generatie X' en die van cineast Richard Linklater het predikaat 'slacker' (lijntrekkers) meekregen. Deze generatie van non-conformistische maar gretige media-adepten was ironisch over relaties en cynisch over de politiek, maar tevens geneigd tot liberaal multiculturalisme.

De tweede film van Tarantino, *Pulp Fiction* (1994) schudde Hollywood op met een gedurfde verhaalstructuur, buitensporig en bijna terloops geweld en brutale, grappige dialogen. Het werd de eerste 'onafhankelijke' (door Miramax geproduceerde) film die in de bioscoop meer dan 100 miljoen dollar opbracht. Tot ongenoegen van de oude

KASSUCCESSEN JAREN '90-BEGIN 2000		
1	VS	Titanic, 1997
2	VS	The Lord of the Rings: The Return of the King, 2003
3	VS	Harry Potter en de Steen der Wijzen, 2001
4	VS	Star Wars: Episode 1 – The Phantom Menace, 1999
5	VS	The Lord of the Rings: The Two Towers, 2002
6	VS	Jurassic Park, 1993
7	VS	Harry Potter en de Vuurbeker, 2005
8	VS	Shrek 2, 2004
9	VS	Harry Potter en de Geheime Kamer, 2002
10	VS	Finding Nemo, 2003

garde pikte hij in Cannes zelfs de Gouden Palm in, waardoor de Pool Krzysztof Kieslowski voor de derde opeenvolgende keer de festivaloverwinning misliep met zijn trilogie *Trois Couleurs*.

Het succes van Tarantino (en de onevenredige invloed die dit Miramax verschafte) kreeg als kritiek dat het de onafhankelijke en filmhuisfilm 'populariseerde'. Wat niet wegneemt dat het de grenzen van de commerciële film heeft verlegd en de weg heeft geeffend voor eigenzinnige kunstenaars als Richard Linklater, Paul Thomas Anderson, David O. Russell, Spike Jonze en Sofia Coppola, die als eerste Amerikaanse vrouw een Oscarnominatie voor beste regisseur kreeg voor *Lost in Translation* (2003). Tarantino was de belangrijkste Amerikaanse cineast van de jaren '90.

In Lost in Translation *(2003) speelt Bill Murray de depressieve filmster Bob Harris in Tokyo.*

WERELDCINEMA

Buiten Amerika bleef Hollywood stevig grip houden op de filmmarkt in Europa (Frankrijk uitgezonderd), in Azië en op het zuidelijk halfrond, al wisten India, China, Hongkong en Zuid-Korea een sterke lokale industrie te behouden. Aanvankelijk had Hongkong de meeste internationale invloed met een reeks prestigieuze filmhuisfilms van Wong Kar Wai (*Chungking Express*, 1994) en een reeks stijlvolle, sensationele stedelijke misdaadthriller zoals *A Better Tomorrow* (1986) van John Woo, *Full Contact* (1993) van Ringo Lam, en

Met zijn effectieve, stilistisch sterke variaties *op de klassieke politie- en misdaadfilm was de thriller* Infernal Affairs *(2002) in en buiten Hongkong een enorm succes. Al snel kwamen er twee even inventieve vervolgen.*

Infernal Affairs (2002) van Wai Keung Lau en Siu Fai Mak. Woo en Lam begonnen allebei aan een Hollywoodcarrière terwijl Martin Scorsese Leonardo DiCaprio regisseerde in een remake van *Infernal Affairs* (*The Departed*, 2006).

Hollywood blijft vers bloed van de bloeiende Aziatische horrormarkt aantrekken, nieuwe versies van Japanse hits als *Ring* (1998) en *The Grudge* (2003) maken en regisseurs als Hideo Nakata en Takasha Shimizu naar Amerika lokken.

Verder kwamen uit Mexico het opwindende *Amores Perros* (2000) en *Y Tu Mamá También* (2001) en uit Brazilië het *favela*-verhaal *City of God* (2002, *zie blz. 490)*. Geïsoleerd van de Amerikaanse cultuur leverde Iran een poëtische kijk op het neorealisme met cineasten als Mohsen Makhmalbaf, Jafar Panahi en de minimalistische meester Abbas Kiarostami (*A Taste of Cherry*, 1997).

Omdat de Europese film geen stevige thuismarkt voor genrefilms kent en niet kan concurreren met de productiekwaliteit van Hollywood, gaan deze films meestal aan het grote publiek voorbij. Met uitzondering van een paar arthouse-adepten als Pedro Almodóvar (*Todo sobre mi madre*, 1999), Michael Haneke (*Caché*, 2005) en Lars

De populariteit van de Harry Potterboeken *van J.K. Rowling vertaalde zich in een mega-kassucces voor Warner Bros. Het recept? Trouw blijven aan de bron, uitstekend acteerwerk en verbluffende computertrucages.*

von Trier (*Dogville*, 2003) moet men het hier, buiten het festivalcircuit en de dvd om, meestal zonder uitgebreide internationale distributie stellen.

DIGITAAL DOWNLOADEN

De bedrijfstak wacht nu de volgende grote uitdaging: het internet. Digitaal downloaden van speelfilms en streamed video on demand leveren het schrikbeeld op van omvangrijke piraterij en de ineenstorting van het bioscoopwezen. Maar Hollywood heeft dit soort bedreigingen al vaker overleefd door zich aan de nieuwe technologie aan te passen en er zijn voordeel mee te doen.

Want het wereldwijde web biedt ook kansen, zoals een video-jukebox met oneindig veel keuzemogelijkheden, minimale bezorgkosten en een publiek dat omvangrijker is dan ooit in de geschiedenis van deze kunstvorm.

Crash (2005) *en niet* Brokeback Mountain *(2005) werd tijdens de Oscaruitreiking van 2006 verrassend tot beste film uitgeroepen. De film speelt in Los Angeles en legt de vinger op raciale spanningen en op de vooroordelen over en weer van mensen die elkaar niet kennen.*

sandra bullock don cheadle
matt dillon jennifer esposito
brendan fraser
terrence howard chris "ludacris" bridges
thandie newton
ryan phillippe
larenz tate
michael peña

crash

Moving at the speed of life, we are bound to collide with each other.

www.crashfilm.com

HOE FILMS GEMAAKT WORDEN

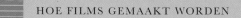

Een filmaftiteling duurt soms minutenlang. En terecht, want tussen het eerste idee en de vertoning zit heel wat creatief, technisch en publicitair vernuft. Aan *The Godfather* (1972) werkten crews op verscheidene continenten mee en voor *Gone With the Wind* (1939) werden meerdere filmploegen in de studio ingeschakeld. Toch komen productiestadia en type medewerkers voor de meeste films in grote lijnen overeen.

Ongeacht budget of cast kent iedere filmproductie ruwweg dezelfde stadia. De preproductie wordt gevolgd door de productie en de postproductie. Tijdens de preproductie- en productiefases spelen de producent, regisseur, scenarioschrijver(s) en acteurs een belangrijke rol. Zij staan 'above-the-line' (bovenaan in de hiërarchie) en hebben veelal een hogere status, zij het tegen een zeer uiteenlopend salaris. Onder hen ('below-the-line') bevinden zich de productieafdeling, cameralieden, editors, componisten, production designers, kostuumontwerpers, stuntlieden en de geluidscrew. Deze verdienen meestal (veel) minder en hun kosten zijn vooraf beter in te schatten.

Nadat de film opgenomen is, volgt de postproductiefase. Hier komen met name de editor, sound editor, componist en special-effectscrew in beeld. Waarna de film nog naar het publiek moet. Daar zorgen de distributeur en bioscoopexploitant voor: de eerste beslist wanneer de film uitkomt en distribueert deze, de tweede verzorgt de daadwerkelijke vertoning.

Er doen talloze anekdotes de ronde over de samenwerking tussen acteurs, regisseurs, producenten en scenario-schrijvers. Een film kan vrij ongecom-

pliceerd op gang komen, zoals bij *It's a Wonderful Life* (1946) waarvan Frank Capra het concept overbracht op James Stewart, maar het kan ook een slepende kwestie worden, zoals bij het zoeken naar de nieuwe James Bond, Daniel Craig. Al even gecompliceerd is het werk van de technische afdelingen, zoals dat van de kostuumontwerpers die voor *Gladiator* (2000) de authenticiteit van de Romeinse kledij bewaakten. Of als geavanceerde computeranimatie en special effects gecombineerd moeten worden met 'ouderwetse' trucage om het verhaal over een enorme gorilla of verafgelegen melkwegstelsel te vertellen.

Is de film eenmaal af, dan bepalen distributeur en bioscoopexploitant de aanvangstijd en vertoningsduur en stellen die al naar gelang het succes van de film bij. Ook worden er deals gesloten met het buitenland, waar gerenommeerde sterren een film kunnen redden die in het thuisland is geflopt. Waarna er altijd nog de video-annex dvd-markt is, waar iedere film eindigt en waar vaak (zoals bij klassieke kinderfilms) flink winst wordt gemaakt.

Kortom, het maken van een film is een complex gebeuren; dit in tegenstelling tot wat Norma Desmond, de ster van de stomme film, in *Sunset Boulevard* (1950) bij monde van Gloria Swanson beweerde: 'Ik ben groot; het zijn de films die klein zijn geworden.'

The Perils of Pauline *(1914) maakte een ster van boerendochter Pearl White en legde de ingrediënten van de actiefilm vast: stunts, spanning en sensatie.*

Preproductie

De preproductiefase van een film begint meestal met een gesprek dat op iedere willekeurige plek kan plaatsvinden en waarin de producent, scenarioschrijver(s) en studiobonzen voor het eerst het concept en de eventuele acteurs voor hun film bespreken.

DE 'PITCH' EN DE PRODUCENT

Zoals de filmtraditie wil, en in *The Player* (1992) van Robert Altman stevig bekritiseerd wordt, is een filmpitch een bondig geformuleerd filmidee dat hopelijk een studiobons of ander machtig persoon zal aanspreken. Soms krijgt zo'n 'verkoopverhaal' het groene licht om vervolgens te floppen, zoals bij de remake van *Sabrina* (1995). Andere ideeën, zoals James Camerons voorstel om van *Titanic* (1997) toch vooral een liefdesgeschiedenis te maken, leiden soms tot een klassieker.

Bij de totstandkoming van een film speelt de producent van oudsher een cruciale rol. Dit kan een krachtig creatief persoon zijn, of iemand die deel uitmaakt van een groep investeerders en die wat verder van de filmindustrie af staat maar de ster kent. Wat de functie van een producent precies inhoudt, is er sinds de dagen van Hollywoods studiosysteem niet duidelijker op geworden en menigeen is dan ook naarstig op zoek naar een nauwkeuriger functieomschrijving. In elk geval zorgt hij voor de financiering van de film.

Het geld voor de film is veelal van de studiobonzen afkomstig. Hun invloed mag dan net als bij de producent variëren, ze verschaffen in elk geval geld en houden tijdens het daaropvolgend stadium in de totstandkoming van de film nauw contact met de scenarioschrijver en producent.

Regisseur Nicholas Ray *(links) bediscussieert een project met scenarioschrijver Philip Jordan. Ze werkten in 1954 samen aan Johnny Guitar.*

DE ONTWIKKELINGSFASE

Op kantoor en in restaurants wordt door de producent en andere betrokkenen menig idee geopperd en bediscussieerd.

In dit stadium is vaak ook al een scenario-schrijver bezig met een eerste versie van het script. Meestal kennen de producent en de filmbonzen de scenarist van eerder of soortgelijk werk, wat niet wegneemt dat in dit stadium het script nog meerdere

Een filmscript *wordt voor en tijdens het filmen vaak herschreven. Dit is het geannoteerde script van Harold Pinter voor* The Servant *(1963).*

keren herschreven zal worden om aan de eisen van producent en studio te voldoen. Deze zogenoemde ontwikkelingsfase loopt dan ook niet zelden uit op een ware martel-gang. Is het script eenmaal klaar en ziet men er nog steeds brood in, dan geeft de studio het groene licht en kan de preproductie beginnen.

Ook de acteurs worden soms bij dit ontwikkelingsproces betrokken, zeker als het script op het lijf van een bepaalde acteur geschreven is of aan een bekend koppel van een acteur en een regisseur/producent opgehangen is (zoals bij James Cameron en Arnold Schwarzenegger in de jaren '80 en '90 van de 20e eeuw) of als een acteur tevens zelf de regisseur is (zoals Clint Eastwood of Mel Gibson). Zeker bij 'grote' films worden belangrijke sterren vaak al in dit vroege stadium bij het project betrokken om voldoende geld voor de film te genereren.

In Amerika kan een top-acteur wel 30 miljoen dollar per film vragen, plus meestal nog een percentage van de brutowinst. Minder bekende acteurs worden vaak pas gecontracteerd in de preproductiefase.

In die fase vinden dus alle activiteiten plaats om de film voor de productie, oftewel het daadwerkelijke filmen, klaar te stomen. Deze activiteiten behelzen casting, het zoeken van locaties, historisch onderzoek en het vervaardigen van een storyboard.

In een storyboard *als dit voor* The Wizard of Oz *(1939) kan de regisseur al ruwweg iedere scène zien.*

PRODUCENT EN PRODUCTIECREW

Afhankelijk van zijn betrokkenheid is de producent verantwoordelijk voor de locatiekeuze, het draaischema, de budgettering en het inhuren van de crew, te weten een cameraman, een art director, kostuumontwerper, componist en editor. In de preproductiefase maakt de productieafdeling een inschatting van de kosten van de voorbereidingen voor en het opnemen van de film. Ook gaat in dit stadium de locatiescout op zoek naar geschikte locaties voor de film. Dit kan de echte omgeving zijn, zoals New York voor *On the Town* (1949), maar ook een geschikte vervangende locatie, zoals Italië voor de straten van het 19e-eeuws New York in *Gangs of New York* (2002). Om het

WIE DOET WAT OP DE SET

Geluidsassistent	Richt/bedient de microfoon	**Mixer** (sound recordist)	Eindverantwoordelijke voor geluidsopname
Chief/key/head grip	Verplaatst de camera	**Productiemanager** (line producer)	Houdt dagelijks toezicht op het budget
Script supervisor (continuïteit)	Zorgt ervoor dat make-up, kledij e.d. gelijk blijft, d.w.z. tussen scènes niet verandert	**Tweede assistent cameraman** (clapper loader)	Vult de filmcassettes, bedient het klapbord en verricht andere camerataken
Cameraman (cinematograaf/ eerste cameraman/ lighting cameraman)	Heeft leiding over camera en licht (keuze camera, belichting, lens, type film) – technisch directeur over hoe film 'oogt'	**Decorbouwer**	Zoekt decorstukken uit en richt decor in
Eerste assistent- cameraman (focus puller)	Onderhoudt de camera, verwisselt lenzen en filmcassettes, regelt/controleert scherpstelling	**Decorontwerper**	Ontwerpt het decor met behulp van schetsen en maquettes
Gaffer	Hoofd lichttechniek	**Stillsfotograaf**	Maakt niet-bewegende beelden (stills) van productie
Best boy	Assistent van de gaffer	**Kleding** (wardrobe)	Verantwoordelijk voor onderhoud en reparatie van kostuums tijdens de productie.
Grip	Verplaatst apparatuur op de set		
Locatiescout	Zoekt geschikte locaties en regelt huur/betaling daarvan		

The Living Daylights (1987), *waarin Timothy Dalton debuteert in de rol van James Bond, werd in Europa, in Amerika én in de studio opgenomen. Hier verschaft de crane de camera een riant uitzicht over de set.*

CREATIEVE CREW

Om acteurs te contracteren, splitst de casting director het script op in delen om te zien welke rollen gecast moeten worden. In de VS verleent de onafhankelijke firma Breakdown Services daarvoor goede diensten door dagelijks lijsten van beschikbare rollen ('breakdowns') te verschaffen aan de Screen Actors Guild (SAG, de belangrijkste acteursvakbond), vertegenwoordigende agenten en privé-managers, die vervolgens eventueel voor de rol geschikte acteurs uit hun bestand lichten. Na de audities en uiteindelijke selectie, onderhandelt de casting director met de acteur over het contract.

Vervolgens worden de cinematografie, productieopzet en montage van de film bepaald. Regisseur en cameraman overleggen over de gewenste 'look' van de film en hoe die te realiseren. Ook wordt overlegd over de positie en benodigde bewegingsruimte voor de camera's op de set. De scènes worden niet in volgorde in de opnameplanning opgenomen. Als er op dezelfde locatie meerdere handelingen plaatsvinden, worden die alle gefilmd, ook al zitten ze op verschillende plekken in de eindversie. De editor voegt een en ander in de postproductiefase logisch samen.

16e-eeuwse feodale Japan in *Throne of Blood* (1957) te verfilmen gaf regisseur Akira Kurosawa opdracht voor de bouw van een kasteel. Het 19e-eeuwse liefdesverhaal *The French Lieutenant's Woman* (1981) werd door regisseur Karel Reisz voor een deel op locatie opgenomen in het amper door de tijd aangetaste Engelse kustplaatsje Lyme Regis.

De Poolse regisseur Andrzej Wajda *in 1999 tijdens een casting voor de film* Pan Tadeusz: The Last Foray in Lithuania.

Productie

Zoals fraai verbeeld in een 'film over film' als *Singin' in the Rain* (1952), behelst de productie het daadwerkelijk opnemen van de film. Deze fase volgt op de preproductiefase en omvat acteren, het filmen zelf, kostuumontwerp, regie, belichting en vormgeving.

CINEMATOGRAFIE

Het belichten en opnemen van een film wordt ook wel cinematografie genoemd en valt onder de verantwoordelijkheid van de cameraman (ofwel cinematograaf of eerste cameraman). Deze staat niet zelf achter de camera of het belichtingspaneel. Dat doen onder zijn supervisie de leden van de opnameploeg. De camera operator bedient de camera, en de belichtingscrew staat onder leiding van de gaffer (hoofd lichttechniek).

Tijdens alle fasen van het maken van een film is de eerste cameraman tegelijk vakman én artiest, die technische kennis op velerlei gebied (zoals soorten film en afdrukprocedés, camera's, lenzen en

In Girl with a Pearl Earring *(2003) probeerde cinematograaf Eduardo Serra de esthetische sfeer van Johannes Vermeer te benaderen.*

Regisseur David Lean *besprak de algehele indruk van een afzonderlijk shot vaak met zijn cinematografen, zoals hier bij* Ryan's Daughter *(1970).*

filters) paart aan een artistiek oog voor het juiste camerastandpunt en de beste beelduitsnede. Hij bekijkt bijna dagelijks de 'rushes' (het gefilmd materiaal) van die

Alex McDowell heeft *in de set voor* Sjakie en de Chocoladefabriek *(2005) zowel de fantasieën van kinderboekenschrijver Roald Dahl als die van regisseur Tim Burton proberen te vangen.*

dag en neemt dat met de regisseur door om er zeker van te zijn dat het aan diens wensen beantwoordt.

In de VS krijgen cinematografen soms het lidmaatschap aangeboden van de beroepsorganisatie American Society of Cinematographers (ASC). In dat geval staat er in de filmaftiteling de vermelding ASC achter hun naam.

PRODUCTION DESIGN

De fysieke, tastbare wereld in een film is het werk van de production designer. Deze dient architect, decorateur en visionair tegelijk te zijn en ontwerpt alles, van compleet uitgewerkte decors tot kleine attributen met een soms totemachtige uitstraling zoals de lichtzwaarden in *Star Wars* (1977). Tot de taken van de production designer behoren het plannen van en toezien op de inrichting van decors en locaties, het ontwerpen van rekwisieten en de huur of aanschaf daarvan, en het overleg met de kostuumontwerper om de kledij van de acteurs te laten aansluiten bij de 'look' van de film. Production designers zijn meestal goed op de hoogte van techniek, architectuur, beeldende kunst, theater en film. Dit gebruiken ze bij het bestuderen van de historische periode waarin de film zich afspeelt en de leefwereld van de mensen uit die tijd, of ze creëren een denkbeeldige cultuur. Dit kan variëren van een Elizabethaans theater als dat in *Shakespeare in Love* (1998) tot de futuristische wereld van *Gattaca* (1997).

De production designer is actief in de preproductie- en de productiefase en maakt samen met de regisseur en producent schetsen van de sets. Het realiseren van deze ideeën is strikt aan tijd en geld gebonden en dient tevens aan te sluiten bij de visie van de regisseur. Vandaar de noodzaak van een ondersteunende creatieve afdeling, het art department, met onder meer een artdirector, decorontwerper, decorbouwer, decorschilder, rekwisiteur en landschapsarchitect.

Een lid van het art department *schildert een achtergrond voor een imaginaire historische locatie. Deze afdeling valt onder de production designer.*

ACTEREN

Nadat acteurs hebben getekend, begint de voorbereiding op hun rol. Ze cultiveren de typische kenmerken van hun personage, bijvoorbeeld door flink in gewicht toe te nemen zoals Robert De Niro deed om in *Raging Bull* (1980) Jake LaMotta te spelen, of door het zoeken naar een 'loopje' zoals Alec Guinness voor al zijn rollen schijnt te hebben gedaan. Ook verdiepen sommigen zich in de tijd waarin de film zich afspeelt. Vrijwel alle serieuze acteurs hebben echter een acteer-opleiding gevolgd. Een van de bekendste acteerscholen was de in 1947 opgerichte en door Lee Strasberg geleide Actors Studio in New York, waar de acteurs probeerden zo diep mogelijk in de huid van hun personage te kruipen. Bekende acteurs die deze 'Method'-stijl van acteren toepasten waren Marlon Brando, Robert De Niro, Dustin Hoffman en Marilyn Monroe. Een toonaangevende acteeropleiding op academisch niveau in de VS is de Yale School of Drama, terwijl ook The Royal Academy of Dramatic Arts in Londen menig bekend acteur heeft voortgebracht. Ook veel andere landen hebben ondertussen hun eigen acteeropleidingen, zoals het Conservatoire

Clint Eastwood nam acteerles *toen hij in 1955 naar Hollywood kwam; de tv-serie* Rawhide *vormde zijn eerste doorbraak.*

National Supérieur d'Art Dramatique in Parijs, de Universität der Künste in Berlijn en de Septima Ars Escuela de Cine y Televisión in Spanje. In het Nederlands taalgebied is vooral de Toneelacademie in Maastricht 'hofleverancier' van acteurs.

Hoewel het publiek er niet echt meer van opkijkt als een acteur een personage speelt dat niet strookt met zijn imago, zoals nog wel het geval was met James Stewart in *Anatomy of a Murder* (1959), kan een acteur met het oog op zijn carrière maar beter vasthouden aan de verwachtingen die hij in eerdere films heeft gewekt. Vandaar dat Tom Hanks waarschijnlijk wel de nette doorsneeman zal blijven spelen en Julia Roberts ongetwijfeld zal vasthouden aan haar rol van toegankelijke, nuchtere doorsneevrouw.

ACTEUR IN ACTIE

Filmacteurs moeten leren omgaan met de typische voor- en nadelen van hun vak. Anders dan bij het toneel is er geen publiek aanwezig dat van zijn waardering of afkeuring blijk geeft. Al kan de acteur

Joseph Fiennes, *zelf een klassiek geschoold acteur, speelt de titelrol in* Shakespeare in Love *(1998), dat is opgedragen aan de acteurs ten tijde van Elizabeth I.*

wel een zin of scène waar hij
of zij niet tevreden over is,
overdoen. Bij de film worden
kleine nuances in de gelaats-
uitdrukking zichtbaar; op het
toneel wordt een personage
met bewegingen en gebaren
neergezet. Ook
werkt de film-
acteur constant
samen met
allerlei technici
die de muziek,
het camerawerk
en de montage
doen. Samen
proberen ze een zo goed mogelijke
acteerprestatie neer te zetten. Zo krijgt in
The Ten Commandments (1956) de Mozes
van Charlton Heston extra gewicht door
het felle kleurgebruik en door de regie van
Cecil B. DeMille die de kracht van dit personage met weidse gebaren onderstreept.

Acteurs in de VS zijn lid van het
Screen Actors Guild dat een minimum-
gage voor zijn leden heeft bedongen.
Hoewel de meer gevestigde of gewilde
acteurs vaak veel meer verdienen, geldt
voor de meeste acteurs de vastgestelde
gage plus tien (10 procent voor de agent).

STUNTLIEDEN

Stuntmensen vervangen de hoofdrolspelers bij het gevaarlijke werk. Deze
getrainde mannen en vrouwen mogen
dan bij het grote publiek amper bekend
zijn, ze zijn onmisbaar bij branden,
explosies en achtervolgingsscènes. Ze
worden op hun gelijkenis met de ster
geselecteerd en zodanig gekleed dat ze zo
veel mogelijk op hem of haar lijken.

Hoewel sommige acteurs altijd wel een
paar van hun eigen stunts doen, vervangt
de dubbelganger de acteur zodra de stunt
voor een ongetraind persoon te gevaarlijk
wordt. Van stuntlieden wordt mede om
financiële redenen gebruikgemaakt: de
acteur haalt ongeschonden het eind van
de film en verdient daarmee de investering
terug. Is de stunt sowieso te gevaarlijk,
dan wordt een en ander digitaal of met
behulp van oude opnametrucs opgelost.
Het gebruik van stuntlieden voorkomt het
soort ongelukken dat de komische acteur
van de stomme film, Harold Lloyd,
overkwam toen hij tijdens de opnames

Jackie Chan staat erom bekend *dat hij zijn eigen
stunts doet, zoals hier in* Rush Hour *(1998). Ander stuntwerk van Chan is te zien in* Rumble in the Bronx *(1995)
en het oudere meesterwerk* Drunken Master *(1978).*

voor *Haunted Spooks* (1920) een duim en
een wijsvinger kwijtraakte.

Stuntlieden in de VS hebben hun
eigen vakbond en zijn lid van het Screen
Actors Guild. Een van de meest gewaardeerde van hen was western- en actiefilm-
stuntman Yakima Canutt (1895-1986).
Hij werkte nog mee aan *Stagecoach* (1939)
en ontving in 1966 een speciale Oscar
voor zijn buitengewone stuntwerk.

die voor zijn eerste grote bioscoop-film, *Lassie Come Home* (1943), een Oscarnominatie kreeg, en de orka Willy, die vriendschap met een jongetje sluit in het hartverwar-mende *Free Willy* (1993).

Ook kinderen doen het goed bij bioscoopbezoekers die van knus en gezellig houden, al leveren ze op de set vaak dezelf-de problemen op als dieren. Ook hier worden die vaak opgelost door voor een rol meerdere acteurs te selec-teren (zoals twee- of drielingen voor een film met een baby) en deze maar voor bepaalde tijd in te zetten. In de meeste landen ziet de wet erop toe dat een kind-acteur niet te lang op de set verblijft. Ook krijgen leerplichtige kinderen vaak tussen de opnames door les.

Kind of dier, de niet-volwassen acteur zal de ervaren acteur altijd wel voor de voeten blijven lopen door het sspeelse gemak waarmee hij of zij de aandacht van de toeschouwer op zich weet te vestigen.

DIEREN EN KINDEREN

Hoewel dieren ook digitaal of via 'anima-tronics' (mechanische poppen) vervaardigd of op de gewenste plek gezet kunnen worden, vormen echte dieren nog steeds een geliefd onderdeel van met name de familiefilm. Om de omgang met hen te vergemakkelijken, worden soms 'look-alike'-dieren ingezet, die elk een aantal scènes doen, eventueel daartoe aangezet door een trainer die ze voedsel voorhoudt. In sommige films is het dier zelf de ster. Bekende voorbeelden daarvan zijn Lassie,

GELUID

Een film heeft geluid nodig om, zoals bij *Jaws* (1975), de juiste sfeer te scheppen.

Het geluid van een film bestaat uit drie componenten – dialoog, geluids-effecten en muziek – en is het resultaat van het werk van drie vaklui: de mixer, de sound editor en de componist. De geluids-componenten worden gescheiden op afzonderlijke sporen opgenomen, maar wel alle drie tegelijk met de film afge-draaid. De geluidscrew houdt zich tijdens de productie- én de postproductiefase met het filmgeluid bezig.

In de productiefase worden de meeste dialogen en sommige geluidseffecten opgenomen. Verantwoordelijk hiervoor is de floor mixer, die beoordeelt of een opname helder en evenwichtig is. De dialogen zijn daarbij belangrijker dan de achtergrondgeluiden, want de laatste kun-nen later altijd nog toegevoegd worden. Een *guide track* dient om desgewenst achteraf dialoog na te synchroniseren of achtergrondgeluiden toe te voegen.

De vele activiteiten die leiden tot de uiteindelijke geluidsband zijn het werk van de geluidscrew. Naast de sound mixer

Met haar voice-over *voor prinses Fiona in Shrek (2001) zette Cameron Diaz de traditie voort om in animatiefilms gebruik te maken van de stemmen van bekende acteurs uit de toneel-, radio- en tv-wereld.*

(of floor mixer of recordist) die verant-woordelijk is voor de geluidsopnames op de set en die leiding geeft aan de rest van de crew, behoren daartoe de sound recor-der, de boom (microfoonhengel) operator, de kabelleggers en de playback operators.

Met Racing Stripes *(2005) betreedt de dieren/-animatiomiesfilm de 21e eeuw met het klassieke verhaal van een 'onmogelijke' wens die in vervulling gaat als een zebra, die denkt dat hij een renpaard is, het tegen ervaren volbloeds opneemt.*

KOSTUUMS, GRIME EN HAAR

Zoals de production designer op de set of filmlocatie een eigen wereld schept, zo creëren de costume designer, make-up artist (grimeur) en hairstylist een beeld van de acteurs: ze passen de kleding van de acteur en de rest van diens uiterlijk zodanig aan dat dit aansluit bij de wereld die op het witte doek wordt opgeroepen.

Bij het ontwerpen van een garderobe werkt de kostuumontwerper nauw samen met de regisseur, de eerste cameraman en de production designer. Daartoe doet hij onder meer onderzoek naar de kledingstijl, pasvorm, kleurstelling en samenstelling van de stoffen ten tijde van de periode waarin de film speelt. Dit arbeidsterrein omvat tevens beroepen als stylist(e), kleermaker/naaister en pruikenmaker. Confectiekleding die normaal in de winkel verkrijgbaar is wordt eventueel door de stylist(e) aangeschaft.

Robert Englund verandert in Freddy Krueger, het afgrijselijke monster uit A Nightmare on Elm Street (1984) en de vervolgen daarop. Dit soort grimeerwerk vergt ettelijke uren per dag voor het aanbrengen en verwijderen van latex hulpstukken.

Veel kostuumontwerpers zijn beroemd geworden door de *look* die ze ontwierpen, de acteurs die ze kleedden of de verhalen die ze rondvertelden. De breedgeschouderde, door Adrian voor Joan Crawford ontworpen look werd (enigszins aangepast) overgenomen in de damesmode van de jaren '40 van de 20e eeuw. Givenchy was de man die Audrey Hepburn kleedde, Travis Banton kleedde Marlene Dietrich. En de gerenommeerde ontwerpster Edith Head kleedde zowat iedereen, met alle roddels van dien over haar beroemde clientèle, zoals de wespentaille van Barbara Stanwyck en het gedrag van Paul Newman en Robert Redford.

Iemand die zo mogelijk nóg dichter bij de acteurs staat dan de kostuumontwerper is de grimeur of make-up artiest. Deze is verantwoordelijk voor het uiterlijk van de acteurs en grimeert daartoe hun gezicht, nek, onderarmen en handen. Dit karwei wordt minstens een keer per dag herhaald en het resultaat dient er tijdens de verschillende shots telkens hetzelfde uit te zien. Het make-upteam bestaat uit de make-up artiest en zijn of haar assistent(e).

Eventueel wordt er ook nog een body make-up artist bij de film betrokken om speciale make-upeffecten te verzorgen.

Sinds 1981 is er een aparte Oscar voor grime. Deze is sindsdien toegekend aan uiteenlopende films als *Frida* (2002) en *The Chronicles of Narnia: The Lion, the Witch and the Wardrobe* (2005).

Elizabeth Taylor in haar kostuum voor Cleopatra (1963). Irene Sharaff ontwierp kostuums voor latere Taylor-films als The Taming of the Shrew (1967).

Een enorme replica van Mount Rushmore diende in de studio als sinistere achtergrond voor Cary Grant en Eva Marie Saint in North by Northwest (1959). De regering verbood het gebruik van het echte monument.

In Jaws (1975) werd *met behulp van een mechanisch model de haai uit Peter Benchley's roman tot leven gewekt. Het zag er op het doek heel realistisch uit.*

niet verfilmd zouden kunnen worden. Zoals het zinken van de *Titanic* in de spectaculaire gelijknamige film van James Cameron, of de metamorfose van de gestoorde wetenschapper Seth Brundle (Jeff Goldblum) in een afgrijselijke menselijke vlieg in *The Fly* (1986). Special effects drukken vaak de kosten. Een *matte painting* (achtergrondschildering op matglas) is goedkoper dan het filmen van levende acteurs op een gigantisch nationaal monument als Mount Rushmore (in *North by Northwest*). Bovendien kan er schijnbaar op locatie gefilmd worden, waar dat in feite niet mag. Er zijn twee soorten special effects (afgekort als FX, SFX, SPFX of EFX): de visuele of fotografische effecten, die bereikt worden door het filmbeeld te

SPECIAL EFFECTS

Hoewel stuntlieden en grimeurs heel veel kunnen, moeten er bij uiteenlopende filmgenres als drama, heldenepos en horror soms special effects worden ingezet om levensechte illusies te wekken die anders

manipuleren, en mechanische of fysieke effecten die met mechanische hulpmiddelen op de set tot stand komen. (Een fysiek effect kan vrij simpel bereikt worden door met een onzichtbaar touw een filmattribuut te verplaatsen of omver te trekken, al zijn de huidige special effects vaak heel wat gecompliceerder.) In dit boek verwijst de term 'special effects' naar zowel visuele als mechanische effecten.

Tot de visuele technieken behoren onder meer *computer generated imagery* (met de computer vervaardigde beelden, CGI), *digital compositing*, digitale *matte paintings*, de *green screen*-techniek, schaalmodellen, morphing en *motion-capture*.

Tot de mechanische effecten behoren bewegende modellen, explosies, een-op-een schaalmodellen, regen- en sneeuwmachines, capsules die bloed bij kogelinslag suggereren en draden die aan de acteurs vastzitten. Ingewikkelde special effects-scènes kunnen uit meerdere visuele en mechanische effecten bestaan.

Een van de hoogtepunten in The Fantastic Four *(2005): een 3D-laserscan van acteur Chris Evans verandert met behulp van digitale technologie in de Menselijke Toorts.*

Bij King Kong (2005) *werd de* green screen-*techniek (inzet) gebruikt om Naomi Watts met King Kong te laten interacteren (onder).*

TECHNOLOGISCHE VERNIEUWING

De techniek verandert zo snel dat veel 'oude' special effects, zoals achtergrondprojectie en matte paintings, in onbruik zijn geraakt. Zelfs animatronics, niet zonder problemen gebruikt voor de haai in *Jaws* (1975) en verfijnd in de films van de jaren '80 en '90, worden tegenwoordig niet zo vaak meer toegepast. Toch zijn sommige geijkte technieken nog steeds in gebruik, zoals regen- en sneeuwmachines, waarmee ook gefilmd kan worden als de weersgesteldheid even niet meewerkt. Sommige digitale technieken, zoals morphing, waarbij met de computer het ene beeld in het andere overvloeit, doen intussen al weer bijna ouderwets aan.

Een van de huidige technieken is motion-capture, waarbij de bewegingen van een acteur worden vertaald in een grafische weergave op de computer. Motion-capture wordt soms met digitale animatie gecombineerd om realistisch ogende virtuele figuren te maken, zoals de enorme gorilla in *King Kong* (2005).

Green screens zijn achtergronden van groene stof achter de acteurs om CGI in de scène te kunnen integreren. Ze leveren een scherper beeld op dan *blue screens* en hebben de laatste dan ook vrijwel van het toneel verdrongen.

Voor de stop-motion animatiefilm Corpse Bride *(2005)*
onder regie van Tim Burton en Mike Johnson werden
poppen van met siliconenkit bedekt staaldraad gebruikt.
Het is de eerste speelfilm waarbij digitale fotocamera's
in plaats van filmcamera's werden gebruikt.

Postproductie

Na de productie volgt nog een cruciaal onderdeel van het filmmaken. De duizenden afzonderlijke filmbeeldjes moeten tot één verhaal worden samengevoegd en scènes worden zodanig ingekort en geordend dat het eindproduct beantwoordt aan wat de regisseur voor ogen staat.

MONTAGE

Filmscènes worden meestal niet in volgorde opgenomen. Tijdens de opnames is het de taak van de editor om alvast delen van de film samen te voegen in de volgorde van de eindversie. De editor neemt met de regisseur de opnames van de afgelopen dag door. Om deze 'rushes' beter te kunnen ordenen en selecteren worden ze op videoband en digitaal op de computer overgezet. De in dit stadium samengestelde film wordt de *montage* genoemd. Het merendeel van de montage vindt tijdens de postproductie plaats.

Om tot de eindversie van de film te komen doorloopt de editor een aantal stadia. Allereerst werkt hij met de regisseur aan het verfijnen van de montage van alle filmdelen tot een 'ruwe montage', de eerste

Chaplin monteert *een van de films die hij tijdens zijn 50-jarige carrière schreef en regisseerde.*

volledig gemonteerde werkversie. Deze omvat ook de soundtrack van de film. In dit stadium staan de afzonderlijke shots nog niet volledig vast. Deze versie beantwoordt grotendeels aan de visie van de regisseur en heet daarom de *director's cut*. Tijdens de postproductie kijken de cameraman en de regisseur ook naar de timing van deze eerste versie. Ook de zwarting en kleurbalans worden in dit stadium gecorrigeerd. Na herhaald overleg met de regisseur voegt de editor de shots en de visuele effecten samen tot de *eindmontage*. Deze beantwoordt aan de door de regisseur, editor en producent gewenste lengte.

Op de soundmixdesk *worden de afzonderlijke sporen met dialogen, geluidseffecten en muziek samengevoegd tot een versie die aan de beelden wordt toegevoegd.*

Honderd jaar lang heeft de montage uit het handmatig verknippen en weer samenvoegen van de filmstrook zelf bestaan. Tegenwoordig worden films met behulp van video en digitale techniek veelal elektronisch gemonteerd. De film wordt op video overgezet en als digitaal bestand op de computer opgeslagen en gecodeerd, zodat de editor de scènes op het scherm kan monteren. Met de fine cut als richtlijn wordt het originele negatief gemonteerd.

GELUID: VIER STADIA

De creatie van het filmgeluid vergt vier postproductiestadia en betreft dialoog en geluidseffecten, gecomponeerde muziek, de soundmix en het overzetten van de originele soundmix op het filmnegatief.

Eerst stelt de sound editor samen met de regisseur en editor de soundtracks samen. Aanvullend geluid wordt via een geluidseffectenman of via materiaal uit een geluidsbibliotheek verkregen.

Voor een film met originele filmmuziek wordt een componist (zoals John Williams of Danny Elfman) ingehuurd, waarna een music editor de muziek op de juiste plek in de film monteert. Voor bestaande muziek wordt auteursrecht betaald. Een recording of re-recording mixer voegt met de regisseur de diverse soundtracks

Componist John Williams *won met* Jaws *(1975),* Star Wars *(1977),* E.T. The Extra Terrestrial *(1982) en* Schindler's List *(1993) vier Oscars voor de beste filmmuziek*

samen. Deze uiteindelijke soundmix wordt overgezet op het originele negatief. Het filmgeluid wordt digitaal opgeslagen en zodanig in een optische soundtrack omgezet, dat de toeschouwers de geluiden die tijdens de voorstelling uit de luidsprekers komen als synchroon geluid ervaren.

OPLAGEKOPIEËN

Na het vervaardigen van het originele negatief worden de kleuren gecheckt. Nu alle productiefases van de film doorlopen zijn, vindt nog een preview met publiek plaats, afhankelijk van de reacties gevolgd door een laatste montage.

Zodra het originele negatief helemaal af is, worden daar masterprints van gemaakt. Daarvan worden weer duplicaatnegatieven vervaardigd voor de oplagekopieën (die naar de bioscopen gaan).

In Amerika zijn sterren als Tom Cruise *contractueel verplicht hun recente films te promoten, zoals hier in Jay Leno's late-night talkshow.*

DISTRIBUTIE EN PUBLICITEIT

Is de film eenmaal klaar, dan gaat de distributeur ermee naar de bioscopen, waarna de bioscoopexploitanten ervoor zorgen dat de film ook echt te zien is. De distributeur, veelal de filmstudio die de film gefinancierd heeft, plant wanneer deze uitkomt, geeft hem in licentie aan de bioscopen, stuurt kopieën ervan naar de exploitanten en zet een marketing- en reclamecampagne op. Exploitant en distributeur komen een bedrag overeen voor het financiële risico dat de bioscoop met de film loopt, inclusief een voorschot in het geval van een potentieel kassucces.

De studio is ook verantwoordelijk voor de reclame en publiciteit rond de film, zoals marketing, advertenties (op radio en tv, in de krant en op internet), 'binnenkort in dit theater'-trailers, posters, freecards en stills. Ook persmappen en persvoorstellingen en het boeken van de sterren voor interviews en andere publiciteitsbevorderende activiteiten vallen hieronder.

DE VERTONING

Loopt de film eenmaal in de bioscoop, dan heeft deze niet veel tijd om zijn geld als bioscoopfilm op te brengen. Na enkele weken, of (als de film enorm aanslaat of

Charlize Theron op de rode loper tijdens de prijsuitreiking van het 57e Filmfestival van Cannes. De laatste jaren zijn dit soort prijsuitreikingen van invloed op zowel kledingtrends als op de kaartverkoop aan de kassa.

bekroond is met een Oscar) maanden, lopen de bezoekers-aantallen terug. De tijd waarin een film als *The Sound of Music* (1965) een jaar lang in dezelfde bioscoop draaide, ligt waarschijnlijk voorgoed achter ons. Dus dient de distributeur de kaartverkoop nauwlettend in de gaten te houden, wil hij het aantal bioscopen waar de film draait tijdig bijstellen. Een film met positieve mond-tot-mond-reclame en langdurige interesse (zoals *March of the Penguins* in 2005) wordt op

De merchandising rond een film, zoals dit speelgoedje uit The Great Escape *(1963),* is een miljoenen-business die soms meer geld in het laatje brengt dan de film zelf.

meerdere schermen vertoond. Valt hij tegen, dan kan een aangepaste reclame-campagne (zoals bij *Munich*, 2005) helpen, anders wordt hij uit de roulatie genomen.

Na de bioscoopvertoning in het thuisland wordt het financieel potentieel van de film verbreed door hem ook in het buitenland uit te brengen. Ook de verkoop van video's en dvd's levert geld op, evenals de licenties voor de uitzendrechten op tv, zoals pay-per-view, kabelzenders en analoge tv. Ook kan de distributeur het leven van de film rekken door merchandisingrechten in licentie te geven aan fabrikanten van speelgoed, mokken, T-shirts, geluidsdragers en videospelletjes. Sinds in 1977 de eerste *Star Wars*-film en de daarbij behorende uiterst succesvolle poppen en boeken werden uitgebracht, is de merchandising zo mogelijk nog belangrijker geworden. Menig aan een film gerelateerd product wordt nu al verkocht voordat de desbetreffende film überhaupt uit is.

DE ROL VAN DE FILMKRITIEK

Goede (prijs)afspraken en een degelijke planning staan nog niet garant voor een filmhit. Dat geldt ook voor de interesse van het publiek vooraf. Het succes (of de flop) begint vaak bij de filmcritici.

Zij zijn de eersten die de film een plek in de filmcanon geven. Ze zien de film vooraf en vertellen het publiek of hij de toegangsprijs waard is. Toch bepalen de toeschouwers uiteindelijk de populariteit van een film. Afhankelijk van hoofdrol-spelers, onderwerp, regisseur, jaargetijde en tijdgeest, beslist het publiek of het naar een film gaat. Naast de timing (*Jaws* deed het goed als zomerse publiekstrek-ker) speelt daarbij ook de herkenbaarheid een rol: *Shakespeare in Love* werkt, *Marlowe in Love* waarschijnlijk niet. Hetzelfde geldt voor de culturele tijdgeest: homowestern *Brokeback Mountain* was zeer succesvol toen hij in 2005 uitkwam; 20 jaar geleden zou hij het waarschijnlijk hooguit tot het filmhuiscircuit hebben gebracht.

FILM-GENRES

Over een film die het stempel western, musical of romantische comedy draagt, heeft het publiek direct bepaalde vooroordelen of koestert het verwachtingen. Hoewel films binnen een en dezelfde categorie aanzienlijk van elkaar kunnen verschillen, hebben ze ook veel overeenkomsten voor wat betreft thematiek, periode, setting, plot, karakters en het iconografisch gebruik van bepaalde symbolen.

Het concept 'genre' stamt uit de tijd van de Hollywoodstudio's. Het vergemakkelijkte productiebesluiten en de marketing van films. In de gouden tijd van Hollywood, toen de studio's in hoog tempo honderden films afleverden, verschafte het generieke concept van een film een stramien waarbinnen de scenariochrijver aan de slag kon.

Iedere studio was gespecialiseerd in een bepaald genre: Universal (horror), Warner Bros. (gangster), Paramount (comedy), MGM (musical). Sommige regisseurs verbonden zich aan een specifiek genre: John Ford (westerns), Cecil B. DeMille (epos), Douglas Sirk (melodrama), Vincent Minnelli (musical), Alfred Hitchcock (thriller). Toch associeerde het publiek bepaalde filmsoorten nog het meest met sterren: James Cagney, Edward G. Robinson (gangster), Joan Crawford, Barbara Stanwyck (melodrama), Fred Astaire, Betty Grable (musical), John Wayne, Randolph Scott (western) en Boris Karloff, Bela Lugosi (horror). Acteurs waren zozeer aan bepaalde genres gekoppeld dat het heel wat was als ze daarmee braken. 'Garbo lacht!' luidde de reclameslogan voor *Ninotchka* (1939) van Ernst Lubitsch. Zo werd het publiek erop voorbereid om Greta Garbo, die tot dan toe alleen in melodrama's te zien was geweest, te accepteren in een comedy.

De huidige genres en acteurs zijn veel flexibeler, al blijft het publiek acteurs als Bruce Willis en Sylvester Stallone met actiefilms associëren, en Jim Carrey en Adam Sandler met comedy. Ook zijn sommige regisseurs nog steeds in een bepaald genre gespecialiseerd: John Hughes in tienerfilms, Woody Allen in comedy, John Woo in actiefilms en Wes Craven in horror.

Geliefde conventies verwerden in de loop der jaren tot clichés, zoals de 'goede' cowboy en de schurk tijdens een vuurgevecht in een stoffige straat. Dus werden de traditionele genres anders geïnterpreteerd, ter discussie gesteld of geparodieerd. De westerns van Sergio Leone en Sam Peckinpah kunnen als revisionistisch beschouwd worden, net als de films noirs van de gebroeders Coen. Het publiek is zozeer vertrouwd met de verschillende genres, dat het kan genieten van satires als *Blazing Saddles* (1974) van Mel Brooks en de Austin Powers-films van Jay Roach (eind jaren '90). En de *auteur*-film (waarin de regisseur zijn eigen gevoelens uitdrukt) mag dan diametraal tegenover de genrefilm staan, regisseurs als Jean-Luc Godard, Jean-Pierre Melville en Wong Kar Wai hebben de bestaande genres wel degelijk ten eigen nutte aangewend.

Janet Leigh *in een van de beroemdste en schokkendste scènes uit de filmgeschiedenis, op het punt in de douche neergestoken te worden in Hitchcocks* Psycho *(1960).*

Actie- en avonturenfilm

'Licht, camera, actie!', aldus luidt het commando dat de regisseur bij het begin van iedere opname geeft. Actiefilms worden vaak met avontuur geassocieerd en zijn echte publiekstrekkers met hun combinatie van spannende verhaallijn, fysieke actie en special effects.

De actie- en avonturenfilm bestrijkt diverse genres: western, oorlogsfilm, misdaadfilm en zelfs comedy. De stijl wordt geassocieerd met constante actie (spectaculaire achtervolgingen, vuurgevechten en explosies) die zich meestal afspeelt rond een mannelijke held die tegen apert onrecht strijdt. Actiefilms bieden escapistisch vermaak en zijn vaak enorme kaskrakers.

Het actie- en avonturengenre ontstond in de jaren '80 van de 20e eeuw. De stijl kwam voort uit de 'law and order'- ideologie van de 'agent-schurk'-

BELANGRIJKSTE FILMS	
1920	The Mark of Zorro (VS)
1938	The Adventures of Robin Hood (VS)
1954	The Seven Samurai (*Shichi-nin no Samurai*, Japan)
1986	Top Gun (VS)
1987	Lethal Weapon (VS)
1991	Thelma and Louise (US)
1996	Mission: Impossible (VS)

films van Clint Eastwood, zoals de Dirty Harry-serie en de 'recht-in-eigen-hand'-films van Charles Bronson van eind jaren '60 en de jaren '70. De grote Hollywoodfilms werden steeds driester, met *Top Gun* (1986) als apotheose van een herniewd Amerikaans zelfbewustzijn onder Reagan. Degenen die het genre in de jaren '80 domineerden, waren

Errol Flynn (rechts) tegenover Basil Rathbone *als sir Guy of Gisbourne in de finale van Michael Curtiz' klassieke avonturenfilm,* The Adventures of Robin Hood *(1938), een enorme klapper voor Warner Bros.*

trad Toshirô Mifune op in verschillende samurai-films, of *jidai-geki*, met felle zwaardgevechten.

MAN/VROUWROLLEN

De actie- en avonturen-films mikten van oudsher op een mannelijk publiek van tieners tot midden-dertigers. Vrouwen werden in deze films voornamelijk neergezet met een remmende of juist versterkende invloed op het mannelijk geweld. In de jaren '90 kwam een nieuw soort avonturenfilm op waarin vrouwen rollen speelden die voorheen aan mannen voorbehouden waren. In *Thelma and Louise* (1991) van Ridley Scott gaan twee vrouwen op het criminele pad. In *Lethal Weapon 3* (1992) werd een vrouwelijke expert in oosterse vechtspor-ten aan de buddy-formule toegevoegd. Toch wordt het genre nog steeds door mannen gedomineerd. En al komen helden als Tom Cruise (*Mission Impossible*, 1996) en Keanu Reeves (*The Matrix*, 1999) dan wat gladder over, als held zijn ze nog altijd even dodelijk.

Harrison Ford (*Raiders of the Lost Ark*, 1981), Bruce Willis (*Die Hard*, 1988) en Mel Gibson (*Lethal Weapon*, 1987).

ACTIEHELDEN

Geen held die zo imposant en energiek overkwam als voormalig Mr. Universe, Arnold Schwarzenegger. Hij maakte indruk met de fantasy sword & sorcery-film (*Conan the Barbarian*, 1982), sciencefiction-actie (*Terminator*, 1984) en soldatenfilms (*Commando*, 1985). Al net zo'n macho was Sylvester Stallone als Vietnamveteraan in de chauvinistische *Rambo*-cyclus. Deze films verheerlijkten het individu dat met een combinatie van buitensporig spierballenvertoon en vuurwapens politieke en sociale problemen weet op te lossen.

Filmaffiche, *1981*

De actiehelden van voor de jaren '60 waren veel moralistischer. Zij doodden alleen uit zelfverdediging. In die gekostumeerde avonturenfilms traden flamboyante figuren op, gespeeld door acteurs als Douglas Fairbanks in *The Mark of Zorro* (1920), *De drie Musketiers* (1921) en *Robin Hood* (1922). Waardige opvolgers van Fairbanks in de VS waren Errol Flynn, Tyronne Power en Stewart Granger, terwijl in Frankrijk Jean Marais, Gérard Philipe en Jean-Paul Belmondo deze traditie voortzetten. In Japan

TOM CRUISE

Tom Cruise (1962) is één van de meest succesvolle sterren uit de filmgeschiedenis. Hij werd een ster met *Risky Business* (1983) waarin hij danst in zijn ondergoed. De veelzijdige Cruise speelde in verschillende kaskrakers uit de jaren '80, waaronder *Top Gun* (1986), *Rain Man* (1988), en *Born on the Fourth of July* (1989), waarin hij een half verlamde Vietnamveteraan speelt. Andere grote rollen speelde hij in *Interview with the Vampire* (1994), *Jerry Maguire* (1996), *Eyes Wide Shut* (1999) en *Collateral* (2004).

Animatiefilm

De animatiefilm omvat een veelheid aan stijlen, thema's en technieken die echter één ding gemeen hebben: allemaal, van de simpelste tekening tot de beelden die met de modernste digitale techniek zijn gemaakt, proberen ze een zo breed mogelijk publiek aan te spreken.

Midden 19e eeuw, ver voor de uitvinding van de film, waren er al apparaten waarmee met tekeningen de illusie van beweging kon worden gewekt. In 1832 vond de Belg Joseph Plateau een apparaat uit dat van een serie tekeningen een ogenschijnlijk bewegende film maakte. Deze kon door de openingen in een draaiende schijf worden bekeken. In 1882 introduceerde Emile Reynaud zijn praxinoscoop. Hiermee werden met behulp van geperforeerde film, beelden op een scherm geprojecteerd voor een theaterpubliek in het Musée Grevin in Parijs. Nadat de bewegende film was uitgevonden, werd de animatie nog tot 1908 genegeerd. In dat jaar werd de animatie min of meer opnieuw uitgevonden door de Amerikaan J. Stuart Blackton. Hij pionierde met stop-motionfotografie, een techniek die werd

Gene Kelly en Tom en Jerry *dansen samen in* Anchors Aweigh *(1945), een combinatie van animatie en 'echte' film.*

opgepikt door de Fransman Emile Cohl. Cohl maakte tussen 1908 en 1918 ruim 100 korte animatiefilms en schiep het eerste tekenfilmfiguurtje.

In 1909 kwam de Amerikaanse striptekenaar Winsor McCay met *Gertie the Dinosaur*, de eerste bewegende tekenfilm die als onderdeel van een bisocoopprogramma in de VS werd vertoond. In 1919 maakte hij waarschijnlijk ook de eerste lange tekenfilm, *The Sinking of the Lusitania*.

Tegen 1920 onstonden de eerste productieafdelingen voor tekenfilms. Dit resulteerde in de eerste lange tekenfilms van ± 10 minuten, die de filmprogramma's omlijstten. Dit werd mogelijk door de 'cel-animatie'-techniek, die minder arbeidsintensief was. De voorwerpen en karakters werden op een vel celluloid getekend dat over een achtergrond werd gelegd en beeld voor beeld opgenomen, zodat men niet meer ieder beeld helemaal opnieuw hoefde te tekenen. Tot de komst van de tekenfilm met geluid zette in de jaren '20 Felix the Cat van Pat Sullivan de toon met zijn geestige gedachten in tekstballonnen. *Steamboat Willy* (1928) van Walt Disney was de eerste

BELANGRIJKSTE FILMS	
1928	Steamboat Willie (VS)
1937	Sneeuwwitje en de Zeven Dwergen (VS)
1940	Pinokkio (VS)
1968	Yellow Submarine (GB)
1988	Akira (Japan)
1995	Toy Story (VS)
2001	Spirited Away (Japan)
2003	The Triplets of Belleville (Frankrijk)
2005	Wallace and Gromit: The Curse of the Were-Rabbit (GB)

tekenfilm met geluid. Hieruit bleek de kracht van de muziek, niet als achtergrondbegeleiding, maar als wezenlijk onderdeel van de filmstructuur en het visuele ritme. Vanaf 1928 werden stripfiguren als Max Fleischer's Betty Boop en Disney's Mickey Mouse, Donald Duck en Goofy ook bekend als

Mickey Mouse als tovenaarsleerling *in een van de gedenkwaardige muzikale fragmenten uit* Fantasia *(1940) van Walt Disney.*

filmster. De Disneystudio domineerde met zijn efficiënte tekenfilmproductie de Hollywoodanimatie van de jaren '30 en versterkte zijn positie door het gigantische succes van *Sneeuwwitje en de Zeven Dwergen* (1937), *Pinokkio* (1940), *Fantasia* (1940, de eerste film die commercieel van stereogeluid gebruikmaakte), *Dombo* (1911) en *Bambi* (1942).

De kneedbare maatjes *Wallace die van kaas houdt en zijn trouwe hond Gromit zijn twee innemende, met een Oscar bekroonde creaties van Nick Park en Aardman Animations.*

The Triplets of Belleville van Sylvain Chomet (2003) was een groot succes voor de Franse tekenfilm. Hier is het zang- en dansgezelschap bezig met een comeback.

David Fleischer, wiens korte tekenfilms met Popeye erg populair waren van 1933 tot 1947, probeerde Disney naar de kroon te steken met lange tekenfilms als *Gulliver's Travels* (1939) en *Mr. Bug Goes To Town* (1941), maar die waren wellicht iets te ingewikkeld voor kinderen om commercieel succesvol te zijn. In de jaren '40 timmerde MGM aan de weg met de korte tekenfilms van William Hanna en Joe Barbera over Tom en Jerry, met hun jazzy geluidseffecten en schaarse dialoog en het absurdistisch geweld waarmee de gefrustreerde kat Tom eindeloos achter de vindingrijke muis Jerry aanzit. Ook gaf MGM ruim baan aan het anarchisme van Tex Avery, die met doldwaze tekenfilms als *Screwball Squirrel* (1944) en *King Sized Canary* (1947) de grenzen van het genre aftastte.

Bij Warner Bros. hielp Chuck Jones bij het creëren van Porky Pig, Daffy Duck en Bugs Bunny. Jones was in de jaren '50 tevens verantwoordelijk voor de Roadrunner/Coyote-serie, bekend om zijn snelheid en fantasierijk gebruik van het woestijnlandschap. Een andere belangrijke speler was UPA (United Productions of America) dat in 1948 was opgericht door een aantal tekenaars dat zich van Disney had afgescheiden. In reactie op de natuurgetrouwe, sentimentele stijl van Disney ontwikkelde UPA een vrijere, soberder, eigentijds artistieke stijl, met als een der bekendste creaties Mr. Magoo. Al dit creatieve tekenfilmwerk kwam tot stilstand door de snelle opkomst van de tv en omdat de studio's hun winst meer en meer in de massaproductie van low-budget tekenfilms gingen steken.

ANIMATIE BUITEN DE VS

Terwijl de tekenfim zich in de VS verder ontwikkelde, werd ook elders met het genre geëxperimenteerd. In Canada gebruikte Norman McLaren vele technieken, zoals het rechtstreeks tekenen op film, het vermengen van echt bewegend beeld met tekeningen, en pixilatie (met een stop-framecamera beelden versnellen of vervormen). In Groot-Brittannië schilderde Len Lye direct op film, terwijl John Halas en Joy Batchelor met *Animal Farm* (1954), de eerste Britse lange tekenfilm produceerden.

Toch werd de Britse animatiefilm pas in de jaren '90 echt op de kaart gezet door Aardman Animations, met de kneedbare karakters van Wallace en Gromit. Nadat Nick Park en zijn team

met *The Wrong Trousers* (1993) de Oscar voor beste korte animatiefilm hadden gewonnen konden ze genoeg fondsen werven voor *Chicken Run* (2000) en *Wallace and Gromit: The Curse of the Were-Rabbit* (2005). Ook Frankrijk scoorde een hit met de vrolijke *Triplets of Belleville* (2003).

In Tsjecho-Slowakije werd Jiří Trnka bekend door zijn zwijgende poppenfilm *Midzomernacht-droom* (1958) en maakte Karel Zeman tien lange films, met in sommige naast echte acteurs ook animatiemodellen en tekeningen. De grafisch ontwerper en poppenspeler Jan Svankmajer maakte het vreemde *Alice (Neco z Alenky*, 1988), waarin de door een actrice gespeelde heldin van Lewis Carroll wordt gevolgd door een wonderland van animatie. De animatiestudio in het Kroatische Zagreb maakte een aantal grappige, creatieve satires en de Pool Walerian

Filmaffiche, 2001

Borowczyk kwam met scherpe, ironische tekenfilms als *Mr. and Mrs. Kabal's Theatre* (1967).

NIEUW TALENT

Na een terugval in de kwaliteit van Disney's tekenfilms vond er een opleving plaats met een nieuwe generatie jong talent. Dit leverde een aantal sinds de jaren '40 niet meer vertoonde successen op als *Beauty and the Beast* (1991) en *The Lion King* (1994). Begin 21e eeuw braken voor de tekenfilm nieuwe hoogtijdagen aan, wat er onder meer toe leidde dat Hayao Miyazaki in 2003 de Oscar voor beste lange animatiefilm kreeg voor zijn ingenieuze *Spirited Away*. In 2004 won Pixar Animation Studios deze Oscar voor *The Incredibles* (2004).

De groene trol en de pratende ezel kregen de stemmen van Mike Myers en Eddie Murphy. Het met computeranimatie vervaardigde Shrek (2001) won als eerste de Oscar voor beste lange animatiefilm.

Avant-gardefilm

Avant-garde is een term die verwijst naar elke experimentele stroming in de kunst die zich afzet tegen de gevestigde kunstorde. In de film heeft dit vooral betrekking op een groep invloedrijke, radicale cineasten die vanaf het einde van de Eerste Wereldoorlog in Europa actief was.

In 1918 schreef de Franse dichter en schrijver Louis Aragon: 'De film moet een vooraanstaande plek innemen in het avant-gardistisch gedachtegoed [...] om enige puurheid toe te voegen aan de kunst van licht en beweging.' In 1926 was de criticus Ricciotto Canudo van mening dat de film de emoties van de filmmaker moest tonen, maar ook de psychologie van de karakters en zelfs hun onderbewuste. De formele mogelijkheden van de film werden uiteengezet door de Franse filmmakers en theoretici Louis Delluc en Jean Epstein en onderschreven door de montagetheorieën van de grote Russische filmmakers in de jaren '20.

Avant-gardistische films doorbraken de geijkte chronologie en probeerden op een nieuwe manier de gedachtegang van hun hoofdpersonen te verbeelden. Collages van beeldflarden, ingewikkelde toespelingen en meervoudige gezichtspunten vervingen de logische uitleg of betekenisgeving. Avant-gardistische kunstenaars als Man Ray, Hans Richter, Fernand Léger, Oskar Fischinger en Walter Ruttmann maakten films die geënt waren op het Duitse expressionisme, het Russische constructivisme, het surrealisme en het dadaïsme. Salvador Dalí leverde een essentiële bijdrage aan *Un Chien Andalou* (1928) en *L'Age d'Or* (1930) van Luis Buñuel. Marcel L'Herbier hoopte met *L'Inhumaine* (1924) en *L'Argent* (1928)

De decors voor *L' Inhumaine* **(1924)** *van Marcel L'Herbier werden door verschillende ontwerpers ontworpen, onder wie Fernand Léger.*

'visuele muziek' te maken door gebruik te maken van door moderne kunstenaars ontworpen decors.

Ook in Hollywood werd in de jaren '30 geëxperimenteerd. Slavko Vorkapich monteerde zijn filmscènes tot 'symfonieën van visuele beweging' en dansregisseur Busby Berkeley maakte voor zijn musicals onder meer gebruik van trompe-l'oeil, superpositie, fototrucage en surrealistische decors.

De geest van de avant-garde leefde voort in de Amerikaanse underground en in de films van Jean-Luc Godard, Chris Marker en Jean-Marie Straub en zijn vrouw Danièle Huillet. Met name laatstgenoemd paar bleef zich verzetten tegen traditioneel realisme, burgerlijke waarden en het primaat van het vertellen van een 'verhaal'.

BELANGRIJKSTE FILMS

1924	L'Inhumaine (Frankrijk)
1928	Un Chien Andalou (Frankrijk)
1930	L'Age d'Or (Frankrijk)

Biopic

De biopic of filmbiografie komt in nagenoeg ieder genre voor: van oorlogsfilm (*Patton*, 1970) en epos (*Lawrence of Arabia*, 1962) tot melodrama (*Mommie Dearest*, 1981). Toch bevat dit soort films ook een aantal typische kenmerken, waardoor het een genre op zich vormt.

Grofweg is een biopic een met de nodige fantasie gedramatiseerd portret van het leven van een beroemdheid. Van oudsher kent de biopic een aantal vaste verhaalelementen. De hoofdrolspeler zet alles op alles om te slagen, doorstaat een periode van afwijzing, heeft succes en wordt vervolgens met persoonlijke conflicten of tegenslag geconfronteerd. Hij of zij valt van de troon en maakt een triomfantelijke comeback.

Het was de in Duitsland geboren William Dieterle die met verschillende biopics dit patroon vastlegde. In de meest succesvolle is – achter heel veel make-up – Paul Muni te zien in *The Story of Louis Pasteur* (1936), *The Life of Emile Zola* (1937) en *Juarez* (1939). Schoolvoorbeelden van het genre die daarop volgden zijn *The Story of Alexander Graham Bell* (1939) met Don Ameche, *Young Tom Edison* en

Filmaffiche, *1942*

Edison the Man (beide 1940), *Yankee Doodle Dandy* (1942) met James Cagney als componist-entertainer George M. Cohan, *The Jolson Story* (1946), en *A Song to Remember* (1945) met Cornel Wilde in de rol van Chopin. Een goede gelijkenis tussen acteur en gespeeld karakter werd door Henry Fonda bereikt in *Young Mr Lincoln* (1939) van John Ford, door Kirk Douglas als Van Gogh in *Lust for Life* (1956), door Ben Kingsley in *Gandhi* (1982) en door Anthony Hopkins in *Nixon* (1995). Jamie Foxx gebruikte de juiste gebaren voor zanger Ray Charles in *Ray* (2004) van Taylor Hackford.

Joaquin Phoenix *speelt countrylegende Johnny Cash en Reese Witherspoon zangeres June Carter in* Walk the Line *(2005)*

Comedy

Sinds in 1895 in *L'Arroseur Arrosé* van de gebroeders Lumière een kwajongen op een waterslang stapte, maakt de comedy deel uit van de film en hebben sterren getracht ons op allerlei manieren – van visuele slapstick tot verbale gevatheid – aan het lachen te maken.

De komedie is een van de oudste toneelgenres. Als erfgenaam van de commedia dell'arte, de klucht, het circus en het variététheater paste de comedy aanvankelijk beter bij de stomme film dan zijn tegenpool de tragedie. Slapstick, dat zijn naam ontleende aan de houten stokken die de clowns in het circus tegen elkaar sloegen om het publiek tot klappen te bewegen, domineerde in de begintijd van de stomme film omdat er geen geluid voor nodig was om effect te hebben.

The Keystone Kops, *de beroemde slapstickgroep, in 1912. Veel beroemde gezichten begonnen hun carrière bij The Kops, onder wie Fatty Arbuckle (uiterst rechts).*

Charlie, de kleine zwerver, *vecht om in leven te blijven in een van Chaplins beste korte films, A Dog's Life (1918).*

EERSTE FILMKOMIEKEN

Aanvankelijk maakten de Fransen de meeste comedy's en in 1907 kwam de firma Pathé met een comedyserie met in de hoofdrol Boireau, gespeeld door de eerste echte komische filmster, de komiek André Deed. In Frankrijk en Italië volgden meer komieken, elk met hun eigen karakter, met de Fransman Max Linder als meest getalenteerde en invloedrijkste (Chaplin refereerde aan hem als 'de professor aan wie ik alles te danken heb').

Terwijl andere komieken hilarisch en grotesk overkwamen, omarmde Linder het karakter van de knappe jonge *boulevardier* die als verstrooide dandy met keurig verzorgd haar, bijgewerkte snor en zijden hoed alle tegenslagen overwon. Tegen 1910 maakte Linder elke week een film, waarin hij de rijke vrijgezel speelde die vergeefs achter de welopgevoede mooie dames aan zat. Amper een jaar later was hij de best verdienende artiest van zijn tijd. Hij schreef en regisseerde zijn films zelf en genoot in heel Europa bekendheid.

EERSTE COMEDY'S IN DE VS

In de VS verscheen de comedy pas in 1912 ten tonele met de beroemde Keystone Kopsfilms van Mack Sennett voor de Keystone Company. Vijf jaar lang maakte Sennett snelle, guitige comedy's die voor altijd aan zijn naam verbonden zullen blijven. Met behulp van versnelde weergave, achteruit-spoelen en andere camera- en mon-tagetrucs, liepen deze films telkens uit op een achtervolging met veel stunts die de acteurs zelf met ware doodsverachting uitvoerden. Sennett was degene die als eerste taartsmijtwerk filmde, door Mabel Normand

naar Fatty Arbuckle in *A Noise from the Deep* (1913). Ook maakte hij de eerste comedy speelfilm *Tillie's Punctured Romance* (1914), met Marie Dressler en Charlie Chaplin.

De vier giganten van de stomme film, Chaplin, Buster Keaton, Harold Lloyd en Harry Langdon, begonnen allemaal met het korte werk en gingen in de jaren '20 over op de lange speelfilm. Chaplin was pedant, Keaton stoïcijns en Lloyd roekeloos. Langdon cultiveerde het karakter dat de schrijver-filmcriticus James Agee als 'een oude baby' omschreef. Met zijn bleke gezicht en onschuldige, stuurse houding kon hij ook niks doen aan de chaos om hem heen. Met *Safety Last* (1923) introduceerde Harold Lloyd een comedy vol spanning door vervaarlijk op de rand van een wolkenkrabber te balanceren. Hoewel Lloyd daar nu bekend om is, kwam dit soort scènes maar in vijf van zijn 300 films voor.

Harold Lloyd deed de meeste van zijn atletische stunts zelf en probeert hier in een spannende scène zijn evenwicht te bewaren in Safety Last *(1923)*.

LAUREL EN HARDY

De Engelsman Stan Laurel (1890-1965) en de Amerikaan Oliver Hardy (1892-1957) vormen het beroemdste en meest geliefde komiekenpaar aller tijden. Ze zijn op hun best in de ruim 60 korte films die ze vanaf 1927 samen maakten, zoals *The Music Box* (1932), waarin ze een piano boven aan een grote trap proberen te bezorgen. Met hun bolhoed en pak pretenderen ze tot de gerespecteerde middenklasse te behoren, maar door hun vertederende onhandigheid (Stan) en dito grootheidswaan (Ollie) zijn het, mede door hun constante geruzie, eigenlijk twee grote kinderen.

Stan en Ollie *vulden elkaars karakter al snel perfect aan met Hardy's bozige blik in de camera en de verbaasd kijkende, hoofdkrabbende of huilende Laurel.*

VISUELE GRAPPEN

Hoewel met de komst van het geluid de hoeveelheid slapstick afnam, werd de traditie van de visuele grap voortgezet door duo's als Stan Laurel en Oliver Hardy in de jaren '30, Bud Abbott en Lou Costello in de jaren '40 en Dean Martin en Jerry Lewis in de jaren '50. Peter Sellers viel op als de notoir onhandige inspecteur Clouseau in Blake Edwards' *Pink Panther*-serie die in de jaren '60 werd opgestart. Intussen werd in Frankrijk de traditie van blunderende komieken voortgezet door Jaques Tati, Pierre Etaix en Louis de Funès, en in Italië door Toto. Meer recente comedy-voorbeelden zijn de *Police Academy*-films met hun voor de jaren '80 zo typische, botte visuele grappen, Jim Carrey in *Ace Ventura, Pet Detective* (1993) en *The Mask* (1994) en de grove, platte comedy's van de gebroeders Bobby en Peter Farrelly, zoals *There's Something About Mary* (1998).

Filmaffiche, *1978*

DE OPKOMST VAN DE WISECRACK

De eerste vertolking van de spotgrage comedy die het onvermijdelijke gevolg was van de gesproken film, kwam van de opvliegende, drankzuchtige en grofgebekte W.C. Fields in twee van zijn beste films, *The Bank Dick* (1940) en *Never Give a Sucker an Even Break* (1941). Fields speelde samen met Mae West in *My Little Chickadee* (1940), een westernparodie waarin ze hun unieke komische talent konden etaleren. Met haar wespentaille vormde West een parmantige parodie op het sekssymbool. Ze toonde zich een ware meester in de seksuele toespeling en groeide uit tot een van de weinige filmcomédiennes. Haar pikante, bijtende opmerkingen in *She Done Him Wrong* en *I'm No Angel* (beide 1933) leidden tot de Motion Picture Production Code. West reageerde door zich wat minder direct uit te drukken. De Marx Brothers braken in 1929 door met hun film *The Cocoanuts*, al hadden de vier broers Groucho, Harpo, Chico en Zeppo daarvoor al geruime tijd op het toneel gestaan. Ze waren van kinds af aan in het variété actief geweest en vormden in de jaren '20 een van de populairste theateracts van de VS. Met hun ongebreidelde spontantiteit lieten ze zich aan niemand iets gelegen liggen en met hun unieke vorm van surrealistische, doldwaze humor zetten ze hun hele omgeving op zijn kop. Met name drie van de vier broers stalen de show: Groucho met zijn vele grappen, Chico met zijn verbastering van de Engelse taal, en de 'stomme' Harpo. De broers verenigden uiteenlopende komische tradities in zich en volgens velen is *Duck Soup* (1933), hun door Leo McCarey geregisseerde anarchistische parodie op de oorlog, hun beste film. De laatste film die ze samen maakten was *Love Happy* (1949).

In 1940 begon Bob Hope met Bing Crosby en Dorothy Lamour aan zeven hilarische *Road To...*-films. Woody Allen is onmiskenbaar door zowel Groucho Marx als Bob Hope beïnvloed.

Filmaffiche, *1949*

SCREWBALL COMEDY

De 'screwball (lett.: mafkees) comedy' was een unieke creatie van Hollywood in de jaren '30, met als hoofdbestanddelen een weinig verfijnde humor, razendsnelle actie en dialogen en excentrieke hoofdrolspelers, veelal verveeld rondhangende rijken. De onwaarschijnlijke plots draaien meestal rond de man-vrouwtegenstelling, met als klassiek voorbeeld *Man Godfrey* (1936) van Gregory La Cava, waarin een man (William Powell) uit een sloppenwijk butler wordt bij een rijke familie, hun leven op orde brengt en de warrige dochter (Carole Lombard) huwt.

De Marx Brothers tonen *hun muzikale kunsten op een publiciteitsfoto van de MGM studio, met Harpo op harp, Chico aan de piano en Groucho op trombone.*

In *Pillow Talk* (1959) doet Doris Day dappere pogingen haar maagdelijkheid te verdedigen op haar eerste romantische avondje uit met Rock Hudson.

comedy's tijdens en na de jaren '60. Het stramien voor deze romantische comedy's ('jongen ontmoet meisje, jongen verliest meisje, jongen krijgt meisje') bleek het nog steeds goed te doen in moderne varianten als *When Harry Met Sally* (1989) van Rob Reiner, *Pretty Woman* (1990) van Gerry Marshall, *Sleepless in Seattle* (1993) van Nora Ephron, *As Good as It Gets* (1997) van James L. Brooks en de Britse film-hit *Four Weddings and a Funeral* (1994).

Andere 'screwball'-juweeltjes waren: Frank Capra's met vijf Oscars bekroonde *It Happened One Night* (1934), over een maffe heldin (Claudette Colbert) die de cynische journalist Clark Gable achter zich aan krijgt, *Easy Living* (1937) en *Midnight* (1939) van Mitchell Leisen, en *The Awful Truth* (1937) van Leo McCarey. Howard Hawks regisseerde het doldwaze *Bringing Up Baby* (1938) met Cary Grant en Katherine Hepburn (en met een luipaard in de hoofdrol) en het snelle, weinig kiese *His Girl Friday* (1940) met opnieuw Cary Grant. Preston Sturges bouwde daar in de jaren '40 met zijn gezellige comedy's op voort, al gaf frivole spotzucht begin Tweede Wereldoorlog eigenlijk geen pas.

De jaren '50 gaven beschaafder comedy's te zien, zij het met de nodige scherpe randjes, zoals *All About Eve* (1950) van Joseph Mankiewicz. Sommige dienden als ster-vehikel voor Katherine Hepburn en Spencer Tracy, die vooral in *Adam's Rib* (1949) van George Cukor de strijd tussen de seksen uitvochten. De laatsten kunnen als wegbereiders beschouwd worden voor de spetterende films met Rock Hudson en Doris Day, *Pilow Talk* (1959), *Lover Come Back* (1961) en *Send Me No Flowers* (1964) en voor andere romantische

Renée Zellweger als heldin Bridget Jones in de film Bridget Jones's Diary (2001) over een 32-jarige vrouw die het maar moeilijk heeft met mannen en het leven.

EALING COMEDY

Lang voordat in de jaren '90 de Britse comedy populair werd, had Engeland al van midden jaren '40 tot midden jaren '50 heerlijke comedy's uit de Ealing studio's voortgebracht als *The Lavender Hill Mob* (1951) van Charles Crichton, *The Man in the White Suit* (1951) en *The Ladykillers* (1955) van Alexander MacKendrick en *Kind Hearts and Coronets* (1949) van Robert Hamer. Alec Guinness deed in al deze films mee en speelde in laatstgenoemde acht rollen. In 2004 maakten de gebroeders Coen een remake van *The Ladykillers*.

SATIRE

Tegenover de romantische comedy's uit Hollywood stonden (git)zwarte satires als *Dr. Strangelove* (1964) van Stanley Kubrick en *M*A*S*H* (1970) van Robert Altman, plus de wat mildere parodieën *Blazing Saddles* (1974) en *Young Frankenstein* (1974) van Mel Brooks, de maffe humor van Jim Abrahams en de gebroeders Zucker in *Airplane!* (1980), en de *The Naked Gun*-reeks (1988-1991) en de maffe Austin Powers-films (1999-2002) van Mike Myers met hun James Bond persiflage.

Hoewel er in de jaren '60 al een paar 'ondeugende' Franse comedy's waren vertoond, duurde het nog tot 1978 voordat *La Cage aux Folles*, de travestietenklucht van Edouard Molinaro, in de VS alle kasrecords voor buitenlandse films brak. Later bracht Hollywood een remake van deze film uit, *The Birdcage* (1996), net als van een aantal andere Franse comedy's als *Trois Hommes et un Couffin* (1985) van Coline Serreau (werd *Three Men and a Baby*, 1987). De Italiaanse comedy werd populair in het buitenland na het succes van *I Soliti Ignoti*

Filmaffiche, *1979*

(1958) van Mario Monicelli over een groep nietsnutten van oplichters die een roofoverval proberen te plegen. Onder de titel *Crackers* (1984) bracht Louis Malle hier een remake van uit die in Californië speelt en die Woody Allen tot *Small Time Crooks* (2000) inspireerde.

Komieken als Eddie Murphy (*Trading Places*, 1983), Steve Martin (*L.A. Story*, 1991) en Jim Carrey (*The Cable Guy*, 1996) die in de jaren '80 en '90 in de VS opkwamen, zetten elk op hun manier, zij het eerder met stevig aangezette visuele grappen dan met verbale gevatheid, het genre voort.

Michel Serrault als vrouw in La Cage aux Folles *(1978), de Franse klucht die zich in St. Tropez afspeelt maar voor de remake* The Birdcage *(1996) in Miami werd gesitueerd.*

Kostuumdrama

Het kostuumdrama gaat terug op geschreven bronnen. In de beste voorbeelden van dit genre wordt kwistig gebruikgemaakt van kostuums en gedetailleerde vormgevingselementen om de sfeer van het desbetreffende tijdperk zo nauwkeurig mogelijk te treffen.

Becky Sharp (1935) was de eerste lange speelfilm in technicolor en de zesde adaptatie van W.M. Thackeray's roman *Vanity Fair*. Uiterst indrukwekkend is de scène van het bal, waarin de fraaie avondjurken van de dames en de rode uniformen van de militairen een geweldig effect sorteren. Hoewel technicolor en kostuumdrama voor elkaar in de wieg gelegd leken, werd deze combinatie verder alleen nog toegepast in *Gone With the Wind* (1939).

Een jaar eerder had Bette Davis de Oscar voor beste actrice gekregen voor haar rol van verwende schoonheid uit het zuiden in William Wyler's *Jezebel* (1938), een film die zich afspeelt na de Burgeroorlog. Davis kreeg deze rol ter compensatie voor het mislopen van de rol van Scarlett O'Hara in *Gone With the Wind*. In een fraaie scène arriveert Davis in een scharlakenrode avondjurk op het bal – waar ongetrouwde meisjes van oudsher wit dragen – teneinde de aanwezigen te choqueren. De enorme impact van deze ene kleur wordt op briljante wijze gesuggereerd door de zwart-witfotografie van Ernest Halle.

Miriam Hopkins *speelt de titelrol in* Becky Sharp *(1935) van Rouben Mamoulian.*

MELODRAMA

Uit Engeland kwam in de jaren '40 een reeks historische stukken met een keur aan sterren onder aanvoering van Margaret Lockwood, James Mason, Stewart Granger en Phyllis Calvert. Twee van de populairste films stonden onder regie van Leslie Arliss: *The Man in Grey* (1943) en *The Wicked Lady* (1945). In beide speelden Mason en Lockwood met kennelijk plezier de sadistische minnaar respectievelijk doortrapte, sexy vrouw. Twintig jaar later wist Tony Richardson met zijn met vier Oscars bekroonde versie van Henry Fielding's *Tom Jones* (1963) eenzelfde sfeer te vangen. In de jaren '80 kwam James Ivory met een aantal op romans van Henry James en E.M. Forster gebaseerde kostuumdrama's.

WERELDWIJD

Met *The Age of Innocence* (1993), naar de roman van Edith Wharton, betrad Martin Scorsese dit voor hem ietwat vreemde speelveld. Andere bekende regisseurs die eigenaardige, zij het vaak succesvolle uitstapjes naar dit genre maakten, zijn Stanley Kubrick met *Barry Lyndon* (1975, Ingmar Bergman met *Fanny and Alexander* (1982), Peter Greenaway met *The Draughtsman's Contract* (1982), Stephen Frears met *Dangerous Liaisons* (1988) en Mike Leigh met *Topsy-Turvy* (1999).

BELANGRIJKSTE FILMS

1938	Jezebel (VS)
1945	Les Enfants du Paradis (Frankrijk)
1954	Senso (Italië)
1975	Barry Lyndon (GB)
1988	Dangerous Liaisons (VS)
1992	Howards End (GB)
1995	Sense and Sensibility (GB/VS)

In Italië nam de eertijds neo-realistische regisseur Luchino Visconti twee romantische historische films op, *Senso* (1954) en *Il Gattopardo* (1963). En in Frankrijk, waar altijd al fraaie kostuumfilms werden gemaakt, kwam in de jaren '90 een aantal succesvolle historische drama's uit, waaronder *Cyrano de Bergerac* (1990) en *Le Hussard sur le Toit* (1995) van Jean Paul Rappeneau en *La Reine Margot* (1994) van Patrice Chéreau.

JANE AUSTIN-RAGE

In de jaren '90 was er tevens hernieuw-de belangstelling voor de zes romans van Jane Austin. In een paar jaar tijd werden uitgebracht: *Persuasion* (1995)

Pride and Prejudice *(2005) met Keira Knightley als Elizabeth Bennet en Matthew Macfadyen als haar onbereikbare liefde, Mr. Darcy.*

van Roger Mitchell, *Sense and Sensibility* (1995) van Ang Lee, *Emma* (1996) van Douglas McGrath, *Mansfield Park* (1999) van Patricia Rozema en *Pride and Prejudice* (2005) van Joe Wright. Van laatstgenoemd boek maakte Gurinder Chadha tevens de Bollywoodversie *Bride and Prejudice* (2004). Bovendien kwam de in India geboren Mira Nair met de zevende versie van *Vanity Fair* (2004).

De katholieke Marguerite de Valois *(Isabelle Adjani) treedt in een weelderige scène uit* La Reine Margot *(1994) van Patrice Chéreau in het huwelijk met de protestante Henri de Navarre (Daniel Auteuil).*

Cultfilm

De term cultfilm verwijst naar films die, ongeacht hun artistieke waarde, een schare uiterst toegewijde fans aan zich weten te binden. Op menige cultfilm is het predikaat 'zó slecht, dat hij weer goed is' van toepassing.

Op het affiche voor Attack of the 50ft. Woman *(1957) zien we Allison Hayes als een reuzin die verwoestend uithaalt en uiteindelijk haar overspelige man vermorzelt.*

Edward D. Wood mag dan als een van de slechtste regisseurs ooit gelden, hij heeft wel zijn eigen cultaanhang. De films van Wood werden dusdanig goedkoop geproduceerd, dat de ruimteschepen uit *Plan 9 from Outer Space* (1958) uit ronddraaiende wieldoppen en papieren borden bestonden.

Reefer Madness (1936) was een film van een religieuze groepering die tegen de gevaren van marihuana wilde waarschuwen. Een groep dealers verkoopt drugs aan keurige tieners, die na een trekje van het 'zaad van de duivel' veranderen in dolgedraaide gekken. *Reefer Madness* bleef bijna 40 jaar onopgemerkt, totdat hij in 1972 opnieuw werd uitgebracht en uitgerekend onder de doelgroep van hasjrokende jongeren een culthit werd.

The Rocky Horror Picture Show (1975) combineerde de kenmerken van sciencefiction, musical en horrorfilm met homoseksuele en transseksuele elementen. De fans gingen verkleed als personages uit de film naar de nachtvoorstelling. Ook de 'nudie-cutie'-films van Russ Meyer kenden hun eigen cultaanhang, vooral zijn *Faster, Pussycat! Kill! Kill!* (1965). Meer gericht op het homopubliek was John Waters' *Pink Flamingos* (1972), met travestiet-superster Divine.

Cultfilmers gingen zich helemaal te buiten aan films met bizarre titels als *Santa Claus Conquers the Martians* (1964) of *Attack Of the 50ft. Woman* (1957). Soms weet ook een film uit de mainstream een fervente schare fans aan zich te binden, zoals *This Is Spinal Tap* (1984) van Rob Reiner, een hilarische parodie op de rock-'n-rollindustrie, of het geestig-wrange *Withnail and I* (1987) van Bruce Robinson over twee werkloze jonge acteurs in de jaren '60.

Christopher Guest als Nigel Tufnel, *de 2e leadgitarist van een op leeftijd zijnde Britse rockband op tournee in de VS, in* This Is Spinal Tap *(1984) van Rob Reiner.*

BELANGRIJKSTE FILMS	
1958	Plan 9 from Outer Space (VS)
1965	Faster, Pussycat! Kill! Kill! (VS)
1972	Pink Flamingos (GB)
1975	The Rocky Horror Picture Show (GB)
1987	Withnail and I (GB)

Rampenfilm

De rampenfilm beleefde zijn hoogtijdagen in de jaren '70. In deze periode bereikte dit subgenre van de actiefilm zijn toppunt en kwam een hele reeks films uit met daarin aardbevingen, zinkende schepen, branden, vliegtuigongelukken, vloedgolven en andere catastrofes.

Het succes van *Airport* (1970) – waarin een passagiersvliegtuig een bom aan boord heeft – kende twee vervolgen, plus de parodie *Airplane!* (1980). De film gaf bovendien de aanzet tot een reeks van rampenfilms, zoals *Earthquake* (1974), die van 'Sensurround' gebruikmaakte waardoor het publiek op sommige momenten de sensatie van een kleine aardschok onderging.

Gebruikmakend van de laatste special effects en van het indirecte plezier aan het gevaar dat anderen lopen, kreeg producer Irwin Allen de bijnaam 'The Master of Disaster'. In *The Poseidon Adventure* (1972) proberen onder meer Gene Hackman, Shelley Winters en Ernest Borgnine weg te komen uit een gekapseisd cruiseschip, terwijl Paul Newman en Steve Mc-Queen in *The Towering Inferno* (1974) zich door de vlammen slaan om een aantal bekende gezichten uit een brandend hotel van 138 verdiepingen te redden.

Deze films behoorden tot de tweede golf van rampenfilms. Tot de eerste behoorden *San Francisco* (1936), *In Old Chicago* (1937) en *The Rains Came*

BELANGRIJKSTE FILMS	
1970	Airport (VS)
1972	The Poseidon Adventure (VS)
1974	The Towering Inferno (VS)
1996	Independence Day (VS)
1997	Titanic (VS)

(1939), waarin respectievelijk een aardbeving, een brand en een overstroming het hoogtepunt vormen. In de jaren '70 stond de ramp meer centraal in de plot, al raakte het genre in verval toen Allen zijn triomf wilde voortzetten met het lachwekkende *The Swarm* (1978), waarin Michael Caine het opneemt tegen moorddadige bijen, en *Beyond The Poseidon Adventure* (1979), waarin dezelfde Caine het schip wil plunderen.

Midden jaren '90 vond een opleving plaats met *Independence Day* (1996), *Titanic* (1997), *Armageddon* (1998) en *The Day After Tomorrow* (2004), die alle profiteerden van de opkomst van met de computer vervaardigde beelden.

Jake Gyllenhaal in het met een ruim budget vervaardigde The Day After Tomorrow *(2004) waarin Roland Emmerich waarschuwt voor de opwarming van de aarde*

Documentaire

De documentaire of 'non-fictiefilm' stamt uit de allereerste beginjaren van de film. Na een opzienbare comeback is dit type film aan het begin van de 21e eeuw populairder dan ooit en zou het van alle genres wel eens het langst kunnen standhouden.

John Grierson, de drijvende kracht achter de de Britse documentaire van de jaren '30, noemde dit genre 'de creatieve bewerking van de actualiteit.'

De documentaire domineerde de beginjaren van de film, maar raakte na 1908 ondergeschikt aan de speelfilm. Vlak na de Russische Revolutie (1917) begon men in Rusland de documentaire serieus te nemen toen er overal in het land op 'agitprop'-trainingen propagandabeelden werden vertoond om de massa vertrouwd te maken met het communisme. Tussen 1922 en 1925 maakte Dziga Vertov onder de noemer *Kino-Pravda* (Cinema van de Waarheid)

een serie 'agitpropfilms'. Deze werden gemaakt van echte nieuwsbeelden waar hij onder meer vertraagde beelden, tekst, animatie en foto's aan toevoegde.

Tegenover deze belerende Russische films stonden de etnologische documentaires van Robert Flaherty, zoals *Nanook of the North* (1922). De latere regisseurs van *King Kong* (1933), Merian C. Cooper en Ernest B. Schoedsack, regisseerden twee exotische reisavonturenfilms: *Grass* (1925), waarin een Perzische stam tijdens hun jaarlijks verhuizing wordt gevolgd, en *Chang* (1927) over het gevecht van een Thaise familie om te overleven met een kudde olifanten.

De arme visser *Colman 'Tiger' King en zijn gezin proberen te overleven in* Man of Aran *(1934) van Robert Flaherty.*

Memphis Belle: A Story of a Flying Fortress (1944) *van William Wyler gaat over de laatste B-17 bombardementsvlucht naar Duitsland in de Tweede Wereldoorlog.*

In Duitsland poogde Walter Ruttmann in *Berlin: Sinfonie der Großstadt* (1927) tot een subjectieve kijk op het dagelijks leven in de Duitse hoofdstad te komen door camera's in rijdende vrachtauto's en in koffers te verbergen om zo de mensen onopgemerkt te filmen. *Man with a Movie Camera* (1929) van Vertov was een gefilmde ode aan de Sovjet-stad. Hierbij maakte hij gebruik van alle filmtechnieken die hem destijds ter beschikking stonden. Deze experimentele films maakten deel uit van een poging om de documentaire stilistisch los te maken van de speelfilm.

COMMENTAAR OP DE SAMENLEVING

In West-Europa en in de VS legden de documentaires de nadruk op sociale en milieuproblemen. In Groot-Brittannië kwam de Crown Film Unit op onder Grierson, die vond dat films sociaal relevant moesten zijn. De Unit kwam in de jaren '30 met zeer opmerkelijke documentaires als *Coal Face* (1935) van Alberto Cavalcanti en *Night Mail* (1936) van Basil Wright en Harry Watt, beide met poëzie van Auden en muziek van Benjamin Britten.

In de VS liet *The River* (1938) van Pare Lorentz de gevolgen zien van bodemerosie in het stroomgebied van de Mississippi. De film kreeg op het filmfestival van Venetië de prijs voor Beste Documentaire en versloeg daarmee *Olympia* (1938) van Leni

Riefenstahl over de Olympische Spelen van 1936 in Berlijn. *The Spanish Earth* (1937) van de Nederlander Joris Ivens, met commentaar van Ernest Hemingway, was een van de films die tijdens de Spaanse Burgeroorlog (1936-1939) steun betuigden aan de Republikeinse zaak. Begin Tweede Wereldoorlog schoven aan beide zijden zowel de documentairemakers als de 'gewone' cineasten op richting propaganda. Het einde van de oorlog zorgde in het Westen voor een daling van het aantal documentaires. Deze werden te veel geassocieerd met oorlogspropaganda en kregen concurrentie van tv-documentaires; een crisis die ruim 15 jaar zou duren.

FILMS VAN DE WAARHEID

Eind jaren '50 kwam in Engeland de zogenoemde 'Free Cinema' op, een

Man with a Movie Camera, *Russisch filmaffiche, 1929*

reeks korte films die vooral de wereld van de arbeidersklasse beschreef en die het begin vormden, van de carrière van Lindsay Anderson, Tony Richardson en Karel Reisz. In Frankrijk begon de carrière van Alain Resnais met een aantal opmerkelijke korte kunstfilms, waaronder *Van Gogh* (1948), *Guernicá* (1950) en *Nuit et Brouillard* (1955), zijn indrukwekkende documentaire over de concentratiekampen van de nazi's.

Bob Dylan, *hier met de teksten van 'Subterranean Homesick Blues', is het onderwerp van D.A. Pennebakers documentaire* Don't Look Back *(1967).*

Le Sang des Bêtes (1949) van George Franju laat de slacht in een abattoir zien, afgewisseld met beelden uit het dagelijks leven in Parijs. Andere filmmakers die aan de *cinéma vérité* (bioscoop van de waarheid) bijdroegen waren Chris Marker en Jean Rouch. De laatste vond dat de tussenkomst van de camera het publiek tot meer spontaniteit aanzet.

In de VS kwam onder invloed van een groep filmmakers met onder anderen Richard Leacock, D.A. Pennebaker en de broers Albert en David Maysles, de Direct Cinema op. Net als de cineasten van de cinéma vérité geloofden de aanhangers van de Direct Cinema dat de camera onopvallend de 'waarheid' moest vastleggen. Fred Wiseman, een prominent aanhanger van de Direct Cinema, speelde bij menige instelling luistervink, zoals in *High School* (1968), *Juvenille Court* (1973) en *Welfare* (1975). Met Pennebakers *Don't Look Back* (1967),

een kijkje achter de schermen van Bob Dylans Britse concerttour, zette een trend in van 'rockdocumentaires'.

Woodstock (1970) van Michael Wadleigh stak er duidelijk bovenuit en kreeg de Oscar voor beste documentaire.

REPORTAGE

Vanaf eind jaren '60 vond een geleidelijke verschuiving plaats van *cinéma vérité* en weergave van 'de' werkelijkheid naar historische verslaglegging en onderzoek. Hieronder viel onder meer het vierenhalf uur durende *Le Chagrin*

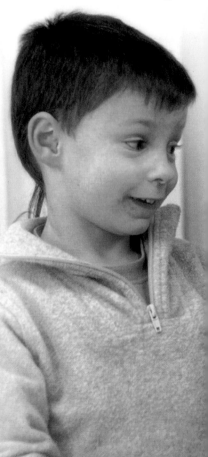

BELANGRIJKSTE FILMS

1929	Man with a Movie Camera (USSR)
1955	Nuit et Brouillard (Frankrijk)
1967	Don't Look Back (VS)
1969	Le Chagrin et la Pitié (Frankrijk)
2003	Capturing the Friedmans (VS)

et la Pitié (1969) van Marcel Ophül, dat een beeld schetst van Frankrijk tijdens de bezetting. Van dezelfde regisseur was *Hotel Terminus: The Life and Times of Klaus Barbie* (1988), een verontrustend portret van de 'Slager van Lyon'. *Shoah* (1985) van Claude Lanzmann geeft inzicht in de holocaust. Het onderzoek van Errol Morris naar een moord uit 1976, *The Thin Blue Line* (1988), zorgde voor de vrijlating van een onschuldig ter dood veroordeelde, en zijn film *Fog of War* (2003) zette de man die tijdens de Vietnamoorlog minister

Michael Moore *schiet letterlijk en figuurlijk met scherp in zijn met een Oscar bekroonde* Bowling for Columbine *(2002) over de liefde van Amerika voor wapens.*

van Defensie was in de beklaagdenbank. Minstens zo serieus is de zoektocht van Michael Moore naar de donkere kanten van Amerika in *Roger and Me* (1989), *Bowling for Columbine* (2002) en *Fahrenheit 9/11* (2004). Als kaskraker wisselen documentaires en speelfilms elkaar nu af. *Être et Avoir* (2002) over een Franse plattelandsonderwijzer, *Spellbound* (2004) over kinderen en het nationaal dictee in de VS en *Super Size Me* (2004) waarin Morgan Spurlock het opneemt tegen fastfood en zwaarlijvigheid in de VS, waren alle internationale kassuccessen.

Être et Avoir (2002) van Nicolas Philibert is een mooi portret van George Lopez, de toegewijde plattelandsleraar die we hier zien met de ondeugende Jojo.

Epos

Met zijn breed uitgemeten heroïek stijgt het heldendicht boven het dagelijks reilen en zeilen uit. Dat geldt ook voor het filmgenre, dat veelal een Bijbels of historisch verhaal vertelt en naast uitgestrekte vergezichten en overdadige details menig spectaculaire scène bevat.

De eerste film die met recht episch mag heten was *Cabrina* (1914), een enorm spektakel uit Italië dat de lotgevallen van een slavinnetje ten tijde van de Carthaagse Oorlog volgt. Het gigantisch succes van deze film inspireerde D.W. Griffith tot zijn grootschalige producties *The Birth of a Nation* (1915) en *Intolerance* (1916). Toch wordt vooral Cecil B. DeMille met het epos geassocieerd vanwege een serie films die begon met *The Ten Commandments* (1923) en in 1956 met de remake van deze film eindigde. *Ben-Hur* (1926) van Fred Niblo bevat een spectaculaire zeeslag en een adembenemende wagenrace (geïmiteerd in William Wylers versie uit 1959).

Cleopatra (1963) deed het bar slecht bij de critici en filmliefhebbers, maar kwam wel uit de kosten.

EPOS EN POLITIEK

Soms is een epos gebaseerd op de actualiteit. In de Sovjet-Unie maakte Sergei Eisenstein onder de dreiging van een nazi-invasie *Alexander Nevsky* (1938), het verhaal van een held die in de 13e eeuw het heilige Rusland verdedigt tegen de Teutonen (Germanen). Deze film inspireerde Laurence Olivier tot *Henry V* (1944), die werd opgenomen toen de Britten de landing in Normandië voorbereidden. In de jaren '40 wilde de baas van MGM, Dore Schary, dolgraag een roman over het leven van Nero verfilmen om deze af te meten tegen de eigentijdse dictators. *Quo Vadis* werd echter pas in 1951 opgenomen.

HET SCHERM VULLEN

De eerste film die geschikt was als hoofdfilm op groot bioscoopformaat was *The Robe* (1953). Dit Bijbelepos leidde tot de wedergeboorte van het het bioscoopscherm vullende epos, met als grootste en beste *Land of the Pharaohs* (1955) van Howard Hawks, *War and Peace* (1956) van King Vidor, *Spartacus* (1960) van Stanley Kubrick en *El Cid* (1961) van Anthony Mann. Vanaf 1958 kwam Italië met verschillende 'zwaard en sandalen'-films waaraan bekende bodybuilders meededen als de Amerikaan Steve Reeves die onder meer Hercules speelde.

GIGANTISCHE KOSTEN

De opnames voor *Cleopatra* (1963) in Rome kostten ruim vier jaar en rond de 40 miljoen dollar en leidden bijna tot het bankroet van 20th Century Fox. Toch zagen de studio's het epos nog

BELANGRIJKSTE FILMS	
1915	The Birth of a Nation (VS)
1938	Alexander Nevsky (Sovjet-Unie)
1953	The Robe (VS)
1956	The Ten Commandments (VS)
1959	Ben-Hur (VS)
1960	Spartacus (VS)
1965	Doctor Zhivago (VS)
2000	Gladiator (VS)

steeds zitten. David Lean stapte van de kleine Britse zwart-witfilm over naar lange, overdadige films als *Doctor Zhivago* (1965). Het indrukwekkende *Kagemusha* (1980) van Akira Kurosawa kon alleen tot stand komen dankzij de steun van zijn Amerikaanse producers. *Heaven's Gate* (1980) van Michael Cimino was de

In het epos *Kagemusha* *(1980) van Akira Kurosawa wordt een dief gevolgd die zich voordoet als clanleider om zo zijn vijanden te misleiden.*

grootste flop ooit: van de 44 miljoen dollar aan kosten zag United Artists slechts 1,5 miljoen terug. Het epos leefde weer op met *Braveheart* (1995) van Mel Gibson, gevolgd door *Gladiator* (2000) van Ridley Scott en *Troy* (2004) van Wolfgang Petersen, beide met de nodige computereffecten.

In de bejubelde, *20 minuten durende wagenrace in Ben-Hur, wordt hoofdrolspeler Charlton Heston op een filmset van ruim 70.000 m² gadegeslagen door 8000 figuranten.*

Film noir

Film noir is een term die Franse filmcritici gaven aan het genre van duistere, noodlotszwangere misdaadfilms als *The Maltese Falcon* (1941) uit het Hollywood van de jaren '40. Overigens waren deze films pas na de Tweede Wereldoorlog in de Franse bioscopen te zien.

De roots van de film noir liggen bij de Duitse expressionistische film uit de jaren '20 en '30, zoals *Das Kabinett des Dr. Caligari* (1919) en Fritz Langs *M* (1931). Stijl en onderwerpkeuze werden tevens beïnvloed door een aantal Franse films uit de jaren '30, zoals *La Chienne* (1931) van Jean Renoir en *La Bête Humaine* (1938). Van beide maakte Fritz Lang in Hollywood een remake als film noir, met als titel *Scarlet Street* (1945) en *Human Desire* (1954).

FILM NOIR IN AMERIKA

De ingehouden belichting, het van opzij filmen en de halfduistere, beklemmende sfeer werden in de VS geïmporteerd door politieke vluchtelingen als Fritz Lang, Robert Siodmak (*Phantom Lady*, 1944), Jacques Tourneur (*Out of the Past*, 1947), Otto Preminger (*Fallen Angel*, 1945), Billy Wilder (*Double Indemnity*, 1944) en Edgar Ulmer (*Detour*, 1945). De stijl mocht dan uit Europa afkomstig zijn, de belangrijkste onderwerpen kwamen uit de

Filmaffiche, *1944*

Amerikaanse steden waar 'harde' misdaadauteurs als James M. Cain, Raymond Chandler, Cornell Woolrich en Dashiell Hammett voornamelijk hun inspiratie vandaan haalden.

Jane Greer heeft als femme fatale *Robert Mitchum in haar web gevangen in* Out of the Past *(1947), die in Engeland werd uitgebracht als* Build My Gallows High.

BELANGRIJKSTE FILMS

1944	Double Indemnity (VS)
1945	Fallen Angel (VS)
1946	The Big Sleep (VS)
1955	Kiss Me Deadly (VS)
1958	Touch of Evil (VS)
1974	Chinatown (VS)
1997	L.A. Confidential (VS)

In en na de Tweede Wereldoorlog ontwikkelde de film noir zich in een context van angst en naoorlogs cynisme. De vrijwel altijd mannelijke antihelden van het genre waren vaak privédetective en hielden zich als teleurgestelde *einzelgänger* op in donkere steegjes, verwaarloosde hotels, mistroostige bars en zwoele nachtclubs. Detective, misdadiger, politie – iedereen leek corrupt en op geld belust.

Filmaffiche, 1997

KEIHARDE ANTIHELDEN

Alan Ladd vestigde zijn reputatie als 'babyface'-moordenaar met *This Gun for Hire* (1942), zijn eerste film tegenover vamp Veronica Lake. Dit duo speelde opnieuw samen in *The Glass Key* (1942) naar de roman van Dashiell Hammett en in *The Blue Dahlia* (1946) naar het script van Raymond Chandler. Chandlers cynische privédetective Philip Marlowe werd door Humphrey Bogart gedenkwaardig neergezet in *The Big Sleep* (1946) van Howard Hawks.

Chandler was ook coauteur van het script voor *Double Indemnity*, de klassieke film noir waarin verzekeringsagent Fred MacMurray bij fraude en moord betrokken raakt door de gewetenloze, verleidelijke Barbara Stanwyck. Veel films noirs spelen zich af rond een zwakke man wiens leven verwoest wordt als hij in het web van passie, bedrog en moord verstrikt raakt van een fraaie, charmante, maar ook immorele en bedrieglijke femme fatale.

POST- EN NEO-FILM NOIR

Begin jaren '50 eindigde de klassieke film-noirperiode, al werden er nog wel een paar op zichzelf staande films in dit genre gemaakt, zoals *Kiss Me Deadly* (1955) van Robert Aldrich en *Touch of Evil* (1958) van Orson Welles. In de jaren '60 hield Jean-Pierre Melville in Frankrijk de film noir levend en enkele jaren later kwam er in de VS een aantal post- en neo-films noirs uit, zoals *The Long Goodbye* (1973) van Robert Altman, *Chinatown* (1974) van Roman Polanski, *Body Heat* (1981) van Lawrence Kasdan, *Blood Simple* (1983) van de gebroeders Coen, en *L.A. Confidential* (1997) van Curtis Hanson, elk voor zich een ode aan de films noirs uit het verleden.

CHIAROSCURO

Het woord *chiaroscuro* komt van het Italiaanse *chiaro* (licht) en *oscuro* (donker) en werd voor het eerst gebruikt als verwijzing naar licht en donker in schilderijen. Het scherpe contrast tussen licht en schaduw in de filmkunst verleende de film noir zijn sfeer en uitstraling, zoals hier in een scène uit *The Killers* (1946) met Burt Lancaster en Ava Gardner.

Gangsterfilm

De gangsterfilm werd een apart genre tijdens de Amerikaanse drooglegging in de jaren '20 van de 20e eeuw, toen mede door het verbod op alcohol de misdaad welig tierde. In de jaren '70 en '90 werd dit genre op imposante wijze bewerkt in de maffiafilms van die tijd.

Hoewel de gangsterfilm na de komst van het geluid (geweerschoten, gierende auto's, stoere en snelle dialogen) beter tot zijn recht kwam, had de stedelijke criminaliteit al vanaf de begintijd van de cinema stof voor films opgeleverd. Een van de eerste was het 17 minuten durende *The Musketeers of Pig Alley* van D.W. Griffith, dat zich afspeelt in een achterbuurt van New York. De eerste film van de voormalige assistent van Griffith, Raoul Walsh, was *Regeneration*

Filmaffiche, *1931*

(1915) over een straatbende in New York. De film werd op locatie in het Bowery in New York gedraaid. Later kwam Fritz Lang in Duitsland met *Dr. Mabuse, der Spieler* (1922), over een crimineel die de wereld wil regeren, een film die de opkomst van Hitler voorspelde. De eerste echte gangsterfilms echter waren *Underworld* (1927), van Josef von Sternberg, met George Bancroft, en *The Racket* (1928), van Lewis Milestone, beide over de georganiseerde misdaad. Sternberg kwam met nog twee misdaadfilms met daarin Bancroft, *The Dragnet* (1928) en *Thunderbolt* (1929), zijn eerste geluids-

James Cagney schittert als 'Rocky' Sullivan, *een gangster die een slechte invloed op uitzichtloze jongeren blijkt te hebben in* Angels With Dirty Faces *(1938).*

Alain Delon als Jeff Costello, *de koelbloedige huur-moordenaar, in de laatste uren van zijn leven, in het uiterst gestileerde Le Samouraï (1967) van J.-P. Melville.*

film. In Rouben Mamoulians *City Streets* (1931), waarin Gary Cooper buiten zijn schuld in de onderwereld verzeild raakt, komt voor het eerst een flashback met geluid voor.

NIEUW REALISME

De reeks gangsterfilms die Warner Bros. uitbracht was voor die tijd ongemeen realistisch. Sommige waren op waargebeurde feiten en bestaande gangsters gebaseerd. In *Little Caesar* (1931) van Mervin LeRoy werd de opkomst en val van een maffiabaas beschreven die veel van Al Capone wegheeft. De laatste zin van de stervende Edward G. Robinson '*Mother of Mercy, is this the end of Rico?*' was het begin van een golf van Hollywood-gangsterfilms, waarvan er in 1931 alleen al 50 werden gemaakt. *Little Caesar* maakte van Robinson een ster.

BELANGRIJKSTE FILMS

1931	Little Caesar (VS)
1931	Public Enemy (VS)
1938	Angels With Dirty Faces (VS)
1967	Bonnie and Clyde (VS)
1972	The Godfather (VS)
1990	GoodFellas (VS)
1994	Pulp Fiction (VS)

James Cagney bereikte dezelfde status met *Public Enemy* (1931) van William Wellman. Deze film bevat de beroemde scène waarin Cagney een halve grapefruit in de mond van Mae Clarke stopt.

Er werd geklaagd dat deze films de gangsters glamour verschaften. Toen *Scarface* (1932) van Howard Hawks uitkwam kreeg deze het direct met de filmkeuring aan de stok. Sommige gewelddadige scènes moesten worden geschrapt en het onderschrift 'Shame of the Nation' moest worden toegevoegd. De film, met Paul Muni als brute en kinderlijk arrogante gangster, geldt als klassieker in het genre. In 1983 kwam Brian De Palma met een gewelddadige remake.

In 1934 werd de puriteinse Production Code ingevoerd. Hierin stond dat deze films moeten laten zien dat

Al Pacino als de meedogenloze Cubaanse vluchte-ling *die cocaïnesmokkelaar wordt, in* Scarface *(1983), Brian De Palma's sterke, gewelddadige update van de klassieker met dezelfde naam van Howard Hawks uit 1932.*

Takeshi Kitano, *de regisseur van en ster in* Fireworks (Hana-Bi, 1997), *speelt een keiharde agent die met een aantal tragedies in zijn leven wordt geconfronteerd.*

misdaad niet loont, een crimineel leven afschuwelijk is en het recht altijd zal zegevieren.' Hoofdrolspelers mochten geen misdadiger meer zijn, maar de gangsterfilm bracht wel het meeste op. Dus werden de agenten de helden en werden Cagney en Robinson politieagent, ook al gingen de films nog steeds over gangsters en werden de beelden niet minder gewelddadig.

Dead End (1937) van William Wyler en *Angels With Dirty Faces* (1938) van Michael Curtiz lieten de slechte invloed van gangsters op kinderen zien. De sterren van deze films, Humphrey Bogart en James Cagney, stonden

Joe Pesci (in het midden) *speelt een keiharde gangster in* GoodFellas *(1990) van Martin Scorsese. Zijn meedogenloosheid maakt indruk op de kleine crimineel Ray Liotta (uiterst links).*

tegenover elkaar in Raoul Walsh' *The Roaring Twenties* (1939), het hoogtepunt van de documentaire stijl in de cyclus van Hollywood-misdaadfilms.

EINDE VAN EEN TIJDPERK

De Tweede Wereldoorlog betekende het voorlopig einde van de gangsterfilm, al dook deze in de jaren '40 wel weer op als film noir *(zie blz. 140-141)*. In *Kiss of Death* (1947) van William Wyler verschijnt Richard Widmark als ernstig gestoorde moordenaar. Walsh en Cagney werkten opnieuw samen in *White Heat* (1949) met de laatstgenoemde als moordenaar met een moedercomplex. Eind jaren '50, begin jaren '60 pikte Roger Corman het genre op met *Machine-Gun Kelly* (1958), met Charles Bronson, en met *The St. Valentine's Day Massacre* (1967). In

Filmaffiche, *1994*

Frankrijk liep het invloedrijke *Touchez pas au Grisbi* (1954) van Jaques Becker, met de magistrale Jean Gabin als de gangster op leeftijd, vooruit op de misdaadfilms van Jean-Pierre Melville uit de jaren '60. In 1960 brachten zowel Jean-Luc Godard als François Truffaut een ode aan de Amerikaanse gangster-film met *A Bout de Souffle* en *Tirez sur le Pianiste*.

In Japan deed Akira Kurosawa hetzelfde met zijn beide films naar de verhalen van Ed McBain, *The Bad Sleep Well* (1960) en *High and Low* (1963). Ook uit Japan kwamen de *yakuza*-films (vernoemd naar de georganiseerde misdaad aldaar), zoals Seijun Suzuki's *Tokyo Drifter* (1966), Kinji Fukasaku's *Battles Without Honour and Humanity* (1973) en Takeshi Kitano's *Fireworks (Hana-Bi, 1997)*

In de VS gaven Arthur Penns *Bonnie and Clyde* (1967) en Francis Ford Coppola's *The Godfather* (1972) een nieuwe wending aan het genre. Martin Scorsese maakte naam met *Mean Streets* (1973) over een stelletje kleinsteedse gangsters, net als met *GoodFellas* (1990), *Casino* (1995) en *Gangs of New York* (2002) over de gangsteroorlog in het New York van de 19e eeuw.

Andere regisseurs, zoals Sergio Leone (*Once Upon a Time in America*, 1984), Warren Beatty (*Bugsy*, 1991) en de gebroeders Coen (*Miller's Crossing*, 1990) waagden zich met succes aan de traditionele gangsterfilm. In Groot-Brittannië zette Guy Ritchie een trend voor de Britse misdaadfilm met *Lock, Stock and Two Smoking Barrels* (1998).

Quentin Tarantino maakte nog het meeste indruk met *Reservoir Dogs* (1992) en *Pulp Fiction* (1994), beide beïnvloed door de vroege Warner Bros.-films over roofovervallen, zoals de klassieker *The Asphalt Jungle* (1950) van John Huston.

Horror

Griezelfilms appelleren aan onze diepste angsten, zij het vaak eerder door wat er gesuggereerd wordt dan door wat er in feite te zien is. De eerste films in dit genre waren de mede op de Engelse gothic novel geënte Duitse expressionistische films uit de jaren '20.

Boris Karloff als het monster in Frankenstein *(1931) van James Whale. De make-up voor Karloffs tegelijkertijd ontroerende en poëtische rol, was een bedenksel van Jack Pierce.*

De Hollywoodhorror beleefde zijn hoofdtijdagen in de jaren '30. In de toenmalige griezelfilms kwam een veelheid aan invloeden samen, van literaire – *Frankenstein* van Mary Shelley, *Dracula* van Bram Stoker en *Dr. Jekyll and Mr. Hyde* van R.L. Stevenson – tot cinematografische, met name Duitse expressionistische films als *Das Kabinett des Dr. Caligari* (1919) en *Nosferatu* (1922). Ook de emigratie halverwege de jaren '20 van

Europese filmmakers naar Hollywood speelde een rol, al werden de twee invloedrijkste films in 1931 geregisseerd door een Amerikaan, Tod Browning, en een Engelsman, James Whale. Brownings *Dracula* met Bela Lugosi in de huive- ringwekkende hoofdrol en Whale's *Frankenstein* met Boris Karloff zetten de toon voor een hele reeks griezelfilms van vooral Universal Studio's.

KLASSIEK HUIVERINGWEKKEND
Browning had voordien al acht horrorfilms met Lon Chaney gemaakt en Whale zou nog twee klassiekers aan het genre toevoegen: *The Old Dark House* (1932) en *The Bride of Frankenstein* (1935). Eerstgenoemde behoorde tot een nieuw horrorgenre – de spookhuisfilm – waarvan *The Cat and The Canary* (1927) van de in Duitsland geboren Paul Leni een van de eerste was. De studio kwam ook met een nieuw soort schepsel in *The Werewolf of London* (1935) en *The Wolf Man* (1941), met in laatstgenoemde film de imposante Lon Chaney Jr., die deze rol nog drie keer zou spelen.

Van de vele *Dr. Jekyll and Mr. Hyde*-verfilmingen was de beste waarschijnlijk die uit 1931 (de 5e) van Rouben Mamoulian, met Fredric March. In datzelfde jaar kwam ook het lugubere *Vampyr* van Carl Dreyer uit.

Vergeleken met de echte horror van de Tweede Wereldoorlog leek de griezelfilm in de jaren '40 onschuldig vermaak. In de films die Val Lewton voor RKO maakte werd de horror eerder gesuggereerd dan werkelijk getoond.

BELANGRIJKSTE FILMS

1922	Nosferatu (Duitsland)
1935	The Bride of Frankenstein (VS)
1942	Cat People (VS)
1968	The Night of the Living Dead (VS)
1973	The Exorcist VS)
1978	Halloween (VS)
1998	Ring (Ringu) (Japan)
1999	The Blair Witch Project (VS)

Latente angst voor het onbenoembare was voelbaar in *Cat People* (1942) en *I Walked with a Zombie* (1943) van Jacques Tourneur en in *The Seventh Victim* (1943) van Mark Robson.

LOW BUDGET ANGST

De Britse Hammer Studios wekten in de jaren '50 en '60 alle beruchte monsters opnieuw tot leven in bloederig technicolor, wat Christopher Lee en Peter Cushing de kans bood om te schitteren in een aantal *Dracula*- en *Frankenstein*-verfilmingen. Roger Corman kwam ook al in Engeland met een reeks verfilmingen van de korte verhalen van Edgar Allen Poe, met een opzichtig schmierende Vincent Price. Cormans onafhankelijk geproduceerde

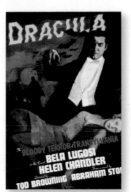

Filmaffiche, *1931*

low-budgetfilms vormden hét voorbeeld voor George A. Romero, in wiens horrorfilms het wemelt van de kwijlende zombies, van *Night of the Living Dead* (1968) tot *Land of the Dead* (2005).

In Italië regisseerden Mario Bava en Dario Argento in de jaren '60 en '70 een aantal nogal barokke griezelfilms.

De jaren '70 leverden een nieuw type bloederige horrorfilm op. *The Texas Chainsaw Massacre* (1974) van Tobe Hooper, de griezelhit *The Excorsist* (1973) van William Friedkin, *Halloween* (1978) van John Carpenter, *Friday the 13th* (1980) van Sean Cunningham en *A Nigthmare on Elm Street* (1984) van Wes Crave gingen, net als hun talloze

Frances Dee in I Walked with a Zombie *(1943) van Jacques Tourneur, een voorbeeld van de horrorproducties van RKO in de jaren '40. De atmosfeer, belichting en exotische locatie Haïti dragen bij aan de verontrustende sfeer van de film.*

Een vrouw heeft een uitdrukking van pure angst *op haar gezicht nadat ze in* Ring (Ringu, *1998) van Hideo Nakata een geheimzinnige videotape heeft gezien.*

zwakke vervolgen, alle over tieners die de stuipen op het lijf gejaagd worden.

The Blair Witch Project (1999) liet zien wat met een klein budget mogelijk is. De hoofdrolspelers werden met twee videocamera's gefilmd om de schijn van een echte documentaire te wekken *(zie blz. 78)*. Japan heeft meer horrorfilms voortgebracht dan welk land ook en het genre is er bijna opnieuw bepaald. Het meeste succes had *Ring* (*Ringu*, 1998) van Hideo Nakata over een videoband

waar iedereen die ernaar kijkt zich letterlijk dood van schrikt. In 2002 werd er in de VS een remake van gemaakt, *The Ring*.

Van oude favorieten zoals *The Mummy* (1932) worden nog steeds nieuwe versies uitgebracht. In die uit 1999 werd gebruikgemaakt van op de computer vervaardigde beelden.

Oosterse vechtfilm

Door de groeiende interesse in oosterse filosofie en de aanwezigheid van een ster als Bruce Lee werden begin jaren '70 films met oosterse vechtkunst populair. Mede dankzij films als *Hero* (2002) is het genre de afgelopen jaren weer herontdekt.

In oosterse vechtfilms vindt steevast een aantal briljant gechoreografeerde gevechten plaats, waarbij de held het moet opnemen tegen een groot aantal met messen en knuppels bewapende tegenstanders die hij met zijn blote handen verslaat. In de vaak vrij simpele plot draait het vooral om 'goed' en 'slecht'.

De bekendste acteur op dit gebied was Bruce Lee, wiens reputatie op slechts vier films is gebaseerd: *Fists of Fury* (1971), *The Chinese Connection* (1972), *Way of the Dragon* (1972), die hij zelf schreef en regisseerde, en *Enter the Dragon* (1973). In deze film bevrijdt hij honderden gevangenen uit een fort op een eiland waar een sinistere krijgsheer de scepter zwaait. *Enter the Dragon* was de laatste film van Lee voordat hij op 32-jarige leeftijd op mysterieuze wijze overleed. Deze was op de Hollywoodmanier gemaakt en leverde Warner Bros. een fortuin op. Vanaf de jaren '80 werden

Als fan van Buster Keaton *en Bruce Lee slaagt Jackie Chan erin fysieke kracht op humoristische wijze te combineren met actie.*

talloze films met oosterse vechtkunst uitgebracht, zoals *The Karate Kid* (1984) voor een jong publiek en de films met Jean Claude van Damme, Chuck Norris, Steven Seagal en Jackie Chan, wiens komische benadering van het genre hem de bijnaam 'de Buster Keaton van de kungfu' opleverde. De ware opvolger van Bruce Lee was echter Jet Li, die in de jaren '90 in China aan de wieg stond van een nieuwe golf kungfufilms, zoals *Once Upon a Time in China* (1991).

De oosterse vechtfilm *Crouching Tiger, Hidden Dragon* (2000) bracht het meeste op van alle buitenlandse films die ooit in de VS werden uitgebracht.

Bruce Lee maakt zich op voor actie *in* Enter the Dragon *(1973), de eerste in de VS vervaardigde oosterse vechtfilm. De film maakte van de ster een legende en inspireerde een hele generatie filmmakers.*

BELANGRIJKSTE FILMS

1971	Fists of Fury (Hongkong)
1972	The Chinese Connection (Hongkong)
1973	Enter the Dragon (Hongkong/VS)
1984	The Karate Kid (VS)
1991	Once Upon a Time in China (Hongkong)
2000	Crouching Tiger, Hidden Dragon (Taiwan/H.kong/VS)
2002	Hero (China/Hongkong)
2003	Kill Bill Volume 1 (VS)

Melodrama

Naast de voornamelijk op een mannelijk publiek georiënteerde westerns, oorlogs- en actiefilms bracht Hollywood in de jaren '30 en '40 ook de zogenoemde 'vrouwenfilm' uit. Dit genre bleef tot in de jaren '50 en '60 populair, zij het met een meer feministische insteek.

Met de term melodrama wordt veelal de 'tearjerker' (tranentrekker) uit Hollywood aangeduid waarin vrouwen het slachtoffer zijn van overspel, onbeantwoorde liefde of een familie-tragedie. De heldin overwint de moeilijkheden of leert ermee te leven. De Britse drama's waren voor een melodrama vaak te afstandelijk, al komt het hartverscheurende *Brief* *Encounter* (1945) van David Lean over een ongeoorloofde en verre van perfecte relatie, dicht in de buurt. Tot de Amerikaanse regisseurs die aan de basis stonden van een reeks betere melodrama's behoorden Frank Borzage, Edmund Goulding en John M. Stahl. Borzage blonk vooral uit in sentimentele liefdesverhalen met de onschuldige Janet Gaynor (*Seventh*

Trevor Howard en Celia Johnson *nemen in* Brief Encounter *(1945) van David Lean (naar een script van Noël Coward) afscheid op het perron waar zij elkaar voor het eerst hebben ontmoet.*

Julianne Moore speelt in Todd Haynes' Douglas Sirk-pastiche Far from Heaven (2002) een onderdrukte vrouw in de jaren '50 die verliefd wordt op haar zwarte tuinman.

Heaven, 1927; *Street Angel*, 1928) en de gevoelige en tragische Margaret Sullavan. Zij speelde in vier van zijn films, waaronder *Little Man, What Now?* (1934) over een jong stel dat tegenslag overwint. Goulding was bij Warner Bros. verantwoordelijk voor vier van de beste melodrama's met Bette Davis, waaronder *Dark Victory* (1939) waarin zij blind wordt alvorens indrukwekkend te sterven. Stahl haalde alles uit de kast met *Leave Her to Heaven* (1945), het choquerende verhaal van een vrouw (Gene Tierney) wier jaloezie iedereen in haar omgeving te gronde richt. Ook regisseerde hij *Magnificent Obsession* (1935), *Imitation of Life* (1934) en *When Tomorrow Comes* (1939) die elk opnieuw werden opgenomen (de laatste als *Interlude*, 1957) door Douglas Sirk, wiens films in de jaren '50 toonaangevend waren voor het Amerikaanse melodrama.

Filmaffiche, 1939

De Duitser Rainer Werner Fassbinder en de Spanjaard Pedro Almodóvar, beiden homoseksueel, namen de flamboyante stijl en absurde plots van Sirk over, zij het niet kritiekloos. In 2002 maakte Todd Haynes met *Far from Heaven* de perfecte Sirk-pastiche.

Deze melodrama's draaiden veelal om de vrouwelijke hoofdrol. Barbara Stanwyck (in King Vidors *Stella Dallas*, 1937), Bette Davis (in Irving Rappers *Now Voyager*, 1942) en Joan Crawford (in Michael Curtiz' *Mildred Pierce*, 1945) gaven vol zelfopoffering de toon aan onder de soap-koninginnen. India (Nargis), Frankrijk (Arletty), Griekenland (Melina Mercouri) en Italië (Anna Magnani) kenden elk hun eigen sterren, al haalde geen van hen het bij de Japanse Kinuyo Tanaka, die in 14 films van Kenji Mizoguchi speelde, waaronder *The Life of Oharu* (1952) en *Sansho, the Bailiff* (1954), films die destijds boven het genre uitstegen.

JOAN CRAWFORD

Joan Crawford (1904-1977) was ruim dertig jaar lang een ster van formaat. Met haar schouder-vullingen, enorme ogen en brede mond speelde ze vaak een vrouw op het verkeerde pad die zich nietsontziend een weg naar de top baant en liefde en geluk opoffert om zich daar te handhaven.

Musical

De filmmusical ontstond tijdens de komst van de geluidsfilm, maar gaat terug op het variété en de opera. Met zijn brutale mengeling van fantasie en werkelijkheid vormde dit genre een perfecte *escape* ten tijde van de 'grote depressie' en de daaropvolgende jaren.

In *The Pirate* (1948) zegt Judy Garland: 'Ik weet dat er een echte en een droomwereld is en ik zal ze niet door elkaar halen.' Dit is precies wat deze en andere musicals wél doen, en het was juist deze onwerkelijkheid die de regisseurs, cameramensen en ontwerpers de benodigde creatieve ruimte bood binnen de commerciële structuur van Hollywood. Musicals konden ook makkelijker dan andere genres de censuur omzeilen. Schaars geklede dames en seksuele

BELANGRIJKSTE FILMS	
1931	Le Million (Frankrijk)
1933	42nd Street (VS)
1934	The Merry Widow (VS)
1935	Top Hat (VS)
1944	Meet Me in St. Louis (VS)
1952	Singin' in the Rain (VS)
1958	Gigi (VS)
1961	West Side Story (VS)
1972	Cabaret (VS)

Lucille Ball, met verenpluim, klapt met een zweep naar een groep meisjes, verkleed als zwarte katten die een katachtige dans uitvoeren in Ziegfeld Follies *(1946)*.

De waterfontein *van dansregisseur Busby Berkeley tijdens 'By a Waterfall', een typisch extravagant nummer uit de film* Footlight Parade *(1933)*

toespelingen passeerden binnen het kader van de onschuldige musical bijna onopgemerkt de censuur. In de jaren '30, '40 en '50 zorgde het studio-systeem ervoor dat uitbundige dromen vorm kregen. Elk voor zich drukten de grote studio's hun eigen esthetische stempel op de musical, nog eens be-nadrukt door hun sterren, choreo-grafen, ontwerpers en arrangeurs.

EUROPESE STIJL

Eind jaren '20, begin jaren '30 kwam er een stroom van Europese artiesten en technici naar Amerika op gang. Deze beschikten over een kosmopolitische stijl en benadering en hun muzikale ervaring betrof vooral opera en operette. Van de Amerikaanse variététraditie, de inspiratie achter zo veel 'backstage'-musicals, wisten ze weinig. Ook vonden ze Amerika niet glamoureus genoeg als setting voor muzikale comedy.

Parijs vormde de spetterende achtergrond van drie musicals die de Duitser Ernst Lubitsch maakte voor Paramount – de meest Europese van de studio's – met Jeanette MacDonald en Maurice Chevalier. De Franse charme van Chevalier en de Angel-saksische onderkoelde zelfspot van MacDonald deden het goed op het witte doek. *The Love Parade* (1929) zette met zijn uitbundige decors, in de verhaallijn verwerkte songs en seksuele toespelingen de toon voor de film-operette. Lubitsch regisseerde bij MGM andermaal Chevalier en Mac-Donald, dit keer in *The Merry Widow* (1934), een film waarmee je van de ene verbazing in de andere viel. De Rus Rouben Mamoulian regisseerde het paar in het geestige en stijlvolle *Love Me Tonight* (1932).

BACKSTAGE-MUSICAL

Oorspronkelijk afkomstig uit de variététraditie was *The Broadway Melody* (1929) de eerste 'backstage'-musical, een filmtype dat het genre tientallen jaren zou domineren. Het was ook de eerste volledig gesproken en gezongen dansfilm en de eerste geluidsfilm die een Oscar voor Beste Film kreeg. De plot van de backstage-musicals speelt

FRED ASTAIRE

Fred Astaire (eig. Frederick Austerlitz, 1899-1987) was de belangrijkste danser van het witte doek. Met zijn elegante, bijna dansende manier van lopen en zijn lichte, onbekommerde stem inspireerde hij de allerbeste songwriters. Nadat hij in *Flying Down to Rio* (1933) voor het eerst samen met Ginger Rogers had opgetreden, zouden er nog acht RKO-musicals in zwart-wit volgen. Naast geweldige dansduetten schitterde hij ook in fantastische solo's. Later stapte hij probleemloos over naar de Technicolormusical van MGM, met als hoogtepunt *The Band Wagon* (1953).

onverholen eerbetoon aan de MGM-musical – Gene Kelly werd overgehaald mee te doen – maar zijn *Les Parapluies de Cherbourg* (1964), waarin alle dialogen werden gezongen, was wezenlijk Frans van toon.

Tot midden jaren '60 drongen de meeste Britse musicals amper tot het buitenland door. Dat veranderde met de twee Beatlesfilms *A Hard Day's Night* (1964) en *Help!* (1965) van de in Amerika geboren Richard Lester, en vervolgens met het met een Oscar bekroonde *Oliver!* (1968) van Carol Reed, *The Boy Friend* (1971) van Ken Russell en *Bugsy Malone* (1976) van Alan Parker. Daarna duurde het lange tijd voordat er met *Evita* (1996) van Parker weer een musical uitkwam.

De interesse voor de Amerikaanse musical hield aan met Baz Luhrmanns visuele spektakel *Moulin Rouge* (2001) en met bewerkte Broadwayhits als *Chicago* (2002) en *The Producers* (2005). Helaas wordt het soort musical dat speciaal voor het witte doek bestemd is en daardoor een genre op zich vormt nu amper nog geschreven.

Catherine Zeta Jones *speelt de vamp Velma Kelly in Rob Marshalls bewerking van de Broadway musical Chicago (2002) van Bob Fosse.*

Propagandafilm

Vanaf begin jaren '20 hebben regeringen over de hele wereld van propagandafilms gebruikgemaakt om de toeschouwers te overtuigen van een bepaalde ideologie of geloofsopvatting; meestal in de vorm van een documentaire, maar soms ook door acteurs in te schakelen.

De manipulatieve kracht van de film, die deels kan worden toegeschreven aan de misvatting dat de camera nooit liegt, werd al heel vroeg onderkend. De propagandafilm nam een vlucht ten tijde van de Eerste Wereldoorlog, toen alle partijen gericht opdracht gaven voor films die de vijand in een kwaad daglicht moesten stellen.

Westfront 1918 *(1930), geregisseerd door G.W. Pabst, laat zien hoe het er tijdens de Eerste Wereldoorlog aan het front echt aan toe ging.*

POLITIEKE DOELEN

Lenin realiseerde zich in 1917 bij het begin van de Russische Revolutie dat de film de belangrijkste van alle kunst-vormen was omdat je er de grote massa en daardoor vele ongeletterden mee kon onderrichten in de doelstel-lingen van het bolsjewisme. Bijna alle grote sovjetfilms zonder geluid uit de jaren '20, van Sergei Eisenstein, V.I. Poedovkin en Alexander Dovzjenko, maar ook de *Kino-Pravda* (lett. 'filmwaarheid') bioscoopjournaals van Dziga Vertov (*zie blz. 134*), werden voor propaganda-doeleinden gemaakt.

In Kuhle Wampe oder: Wem Gehört die Welt? *(1932) kijken kinderen uit het tentendorp in Berlijn omhoog naar een werkloze jongere die van een gebouw af wil springen. De film werd door de nazi's verboden.*

Tegelijkertijd gaven deze films blijk van een revolutionaire vormgeving. In het interbellum stelde menig Britse documentaire sociale misstanden aan de kaak, zoals in *Housing Problems* (1935). In de VS deed de regering pogingen de New Deal (de economi-sche hervorming tijdens de depressie) aan het volk te verkopen via *The Plow that Broke the Plains* (1936) van Pare Lorentz. In Duitsland richtte *Kuhle Wampe* (1932), waarvoor Bertolt

Filmaffiche, *1943*

Brecht mede het script schreef, zich
op de gevolgen van de werkloosheid.
Westfront 1918 (1930) van G.W. Pabst
maakte de gruwelen van de loopgraven tastbaar. Nadat de nazi's in
1934 de filmindustrie hadden overgenomen, werd er van regeringswege
op aangedrongen antisemitische films
te maken. Leni Riefenstahls documentaire *Triumph des Willens* (1934) over
de Reichsparteitag in Neurenberg
vestigde haar reputatie als de Duitse
propagandistische ideologe bij uitstek.

TWEEDE WERELDOORLOG & DAARNA
Tijdens de Tweede Wereldoorlog
maakte de Britse regisseur Humphrey
Jennings documentaires over de gevolgen van de oorlog voor de gewone
man. Zijn *London Can Take It!* (1940) en

> **"Film is niet
> het verlengstuk van
> de revolutie. Film
> is en moet de
> revolutie zelf zijn."**
>
> **SANTIAGO ÁLVAREZ, CUBAANS FILMMAKER**

Listen To Britain (1942) beïnvloedden in
hoge mate de publieke opinie in de VS.
Nadat dit land in 1941 bij de oorlog
betrokken was geraakt, leidde dat tot
een hele reeks anti-nazifilms met titels
als *Hitler's Madmen* (Douglas Sirk, 1943)
en *Hitler's Children* (Edward Dmytryk,
1943). Tarzan, Sherlock Holmes en
zelfs Donald Duck werden in *Der
Fuehrer's Face* (1943) van Walt Disney
tegen de vijand in stelling gebracht.

Frank Capra, John Huston, William
Wellman, William Wyler en John Ford
droegen elk hun
steentje bij aan
de oorlogsinspan-
ningen, met name
Capra met de
reeks *Why We
Fight* (1942-1945).
Tijdens de Koude
Oorlog leden de
pogingen van de
'US Information
Service' om anti-
sovjetdocumen-
taires te maken

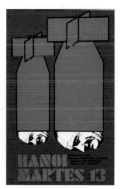

Filmaffiche, *1967*

en in films dom-
weg de nazi's te vervangen door
communisten, schipbreuk op het vrije
denkklimaat van de jaren '60 en '70.
In feite waren enkele uiterst doeltreffen-
de propagandafilms destijds juist anti-
Amerikaans, waaronder de korte films
van de Cubaan Santiago Álvarez,
zoals *Hanoi, martes 13* (1967).

BELANGRIJKSTE FILMS	
1935	Triumph des Willens (Duitsland)
1936	The Plow that Broke the Plains (VS)
1943	Der Fuehrer's Face (VS)

Sciencefiction en fantasy

In sciencefiction- (SF-) en fantasyfilms wordt een denkbeeldige wereld zodanig vormgegeven dat, vaak met behulp van special effects, het onmogelijke mogelijk lijkt. Telkens terugkerende thema's in deze films zijn buitenaards leven, ruimte- en tijdreizen en futuristische techniek.

Jean Cocteau, de regisseur van het magische *La Belle et la Bête* (1946), heeft ooit eens gezegd: 'De film is een droom die we allemaal op hetzelfde moment dromen.' Dit geldt ook voor de SF- en fantasyfilm. In *The Wizard of Oz* (1939) wordt het onderscheid tussen fantasie en werkelijkheid gemaakt door de droomwereld van Dorothy in fraaie technicolor te laten zien en haar huis in Kansas in zwart-wit (ook al is het motto van de film wel degelijk 'oost west, thuis best'). Fantasy-avonturen overstijgen ons voorstellingsvermogen door ons mee te nemen naar een – niet altijd gewenste – fantasiewereld. Ook in SF-films wordt vaak een verwrongen beeld van de werkelijkheid gegeven.

BELANGRIJKSTE FILMS	
1926	Metropolis (Duitsland)
1939	The Wizard of Oz (VS)
1960	The Time Machine (VS)
1968	2001: A Space Odyssey (VS)
1972	Solaris (Rusland)
1977	Star Wars (VS)
1999	The Matrix (VS)

Veel fantasy-avonturen gaan over een personage dat op het verkeerde moment op de verkeerde plek is. Voorbeelden daarvan zijn *The Man Who Fell to Earth* (1976) van Nicolas Roeg, *E.T. The Extra-Terrestrial* (1982) van Steven Spielberg en *Edward Scissorhands* (1990) van Tim Burton.

SPECIAL EFFECTS

Om het motto van de *Star Trek*-series aan te halen: zowel sciencefiction- als fantasyfilms '*boldly go where no man has gone before*', waardoor ze meer dan welk genre ook op special effects leunen. Met *Star Wars* (1977) ging de kunst van de special effects een nieuw tijdperk binnen. Op de computer vervaardigd beeldmateriaal (*computer-generated imagery*, CGI) domineerde in de jaren '80 al snel de Amerikaanse SF- en fantasyfilms en verleende er tevens bestaansrecht aan. Ironisch genoeg waarschuwt *The Matrix* (1999) van de gebroeders Wachowski tegen een wereld die door computers wordt overgenomen terwijl de film zelf in belangrijke mate op CGI leunt.

VROEGE SCIENCEFICTION

Toch houdt het publiek ook nog steeds van films van voor het digitale tijdperk. Het tijdreisgenre werd geïntroduceerd

Johnny Depp als naïeve, *door de mens gemaakte jongeman in* Edward Scissorhands *(1990), de tragikomedie waarvoor regisseur Tim Burton als kind ooit het idee kreeg.*

door *Le Voyage dans la Lune* (1902) van George Méliès naar een verhaal van Jules Verne *(zie blz. 18).* Méliès maakte nog meer films naar de visionaire romans van Verne, waarvan onder meer *Twintigduizend mijlen onder zee* en *Naar het middelpunt der aarde* herhaalde malen verfilmd zijn.

De Russische film waagde zich voor het eerst aan sciencefiction met *Aelita* (1924) van Yakov Protazanov. In dit heerlijk belerende kolderieke drama landen twee Russen op Mars, waar ze een revolutie in sovjetstijl ontketenen tegen de autocratische koningin Aelita. Pas jaren later zou Andrei Tarkovsky in Rusland op dit genre teruggrijpen met *Solaris* (1972) en *Stalker* (1979), die beide ondanks een minimum aan special effects weten te overtuigen.

In Frankrijk verhaalt de eerste film van René Clair, *Paris Qui Dort* (1923), van een geflipte geleerde die met een

Filmaffiche, *1956*

magische straal (een effect dat met stop-motionfotografie werd bereikt) de inwoners van Parijs in allerlei standen weet te bevriezen.

Na het invloedrijke *Metropolis* (1926) begon Fritz Lang aan *Frau im Mond* (1929), over een geleerde die denkt dat de maan rijk is aan goud en probeert het monopolie daarop te verwerven. *The Thief of Bagdad* (1924) van Raoul Walsh, met Douglas Fairbanks, weet ondanks de imposante technicolor-remake uit 1940 van Alexander Korda nog steeds te verbazen met zeker voor die tijd ongekende special effects. Fairbanks klimt in een magisch touw, trotseert het 'Dal der monsters', berijdt een vliegend paard en zweeft op een vliegend tapijt over de daken.

Michael Rennie wordt als *Klaatu* in The Day the Earth Stood Still *(1951)* onder toeziend oog van aardbewoner *Patricia Neal* weer tot leven gewekt door zijn robot Gort.

Ruimteschip Enterprise in Star Trek: The Motion Picture *(1979), de eerste van een reeks van tien films, afgeleid van de tv-serie die een cultstatus verwierf.*

H.G. WELLS

Van de weinige SF- en fantasyfilms die in de jaren '30 en '40 werden gemaakt, springen drie verfilmingen van romans van H.G. Wells eruit. In *The Invisible Man* (1933) van James Whale is Claude Rains (niet) in zijn eerste film te zien, *Things to Come* (1936) van W.C. Menzies gaat over een ramp-zalige wereldoorlog en de ondemocratische samenleving die daarop volgt, en in *The Man Who Could Work Miracles* (1936) van Lothar Mendes haalt een schuchtere kantoorbediende

'Bereid je maar voor op je ondergang' *als Godzilla de strijd aanbindt met een monster-lijke ufo in* Godzilla 2000 *van Takao Okawara.*

onvermoede krachten in zichzelf naar boven. Wells leverde ook het verhaal voor *War of the Worlds* (1953) (in 2005 opnieuw door Spielberg verfilmd) en *The Time Machine* (1960), beide van de hand van de in Hongarije geboren special-effectsspecialist George Pal, wiens *Destination Moon* (1950) in de jaren '50 een stroom van Hollywood-SF-films op gang bracht. Veel van deze films waren een metafoor voor de Koude Oorlog. Zo is *The Day the Earth Stood Still* (1951) een intelligente anti-oorlogsklassieker van Robert Wise waarin een buitenaards wezen ons voor de catastrofale gevolgen van de bewapingswedloop waarschuwt.

MONSTERFILMS

Een jaar of tien na de verschrikkingen van Hiroshima en Nagasaki, vormde *Godzilla* (1954) de eerste van een reeks Japanse *Godzilla*-films waarin de monsters vaak zo geworden waren door nucleaire straling. Deze films waren beïnvloed door *The Beast from 20,000 Fathoms* (1953), een film waarin een dinosauriër door een atoomontploffing tot leven wordt gewekt en die veel navolging vond. Het monster was geanimeerd door de beroemde Ray Harryhausen, die in *Jason and the Argonauts* (1963) de toppen van zijn kunnen bereikte.

SF-SCHRIJVERS

Anders dan de lowbudget SF-films die de jaren '50 domineerden, was Stanley Kubricks *2001: A Space Odyssey* (1968) een revolutionaire, technisch hoog-staande film over ruimtereizen. Het script van Arthur C. Clarke was ontleend aan een van diens korte verhalen. Andere SF-schrijvers van wie werk verfilmd werd, waren Ray Bradbury (*Fahrenheit 451*, 1966), Stanislaw Lem (*Solaris*, 1972) en Isaac Asimov (*I, Robot*, 2004). Ook van de productieve Philip K. Dick werd menig verhaal of roman verfilmd, zoals in *Blade Runner* (1982) en *Minority Report* (2002).

Tijdreizen werd in de jaren '80 populair met *Time Bandits* (1981) van Terry Gilliam – dat een drieluik vormde met *Brazil* (1985) en *The Adventures of Baron Munchausen* (1988) – *The Terminator* (1984*)* van James Cameron en *Back to the Future* (1985) van Robert Zemeckis, die de toon zetten voor latere SF- en fantasyfilms.

Driepotige buitenaardse vechtmachines
veroveren de aarde in War of the Worlds *(2005),*
Steven Spielbergs versie van de klassieke
toekomstroman van H.G. Wells uit 1898.

Feuilleton

Een feuilleton was een film met opeenvolgende delen, meestal een actie- of avonturenfilm, die in wekelijkse afleveringen werd vertoond en die telkens met een 'cliffhanger' eindigde. Het is het enige verouderde filmgenre, al is het nog steeds terug te vinden in tv-soaps en miniseries.

BELANGRIJKSTE FILMS	
1914	The Perils of Pauline (VS)
1936	Flash Gordon (VS)
1938	The Lone Ranger (VS)

'Buster' Crabbe's bekendste rol was die van
Flash Gordon, *wiens avonturen in de ruimte het publiek drie feuilletons lang (1936, 1938 en 1940) in de ban hield.*

Lang naam met *Die Spinnen* (1919-1920), waarvan elementen als de spiegels, hypnose, onderaardse ruimtes en schalkse criminelen later nog vaak in zijn werk zouden terugkeren.

In de VS werden alleen al in 1920 28 feuilletons gemaakt. De komst van het geluid leidde tot feuilletons van betere kwaliteit, zoals *Flash Gordon* uit 1936 van de Universal studio's. Larry 'Buster' Crabbe bindt hierin de strijd aan met zijn sterke tegenstander 'Ming de meedogen-loze' (Charles Middle-ton). Met 350.000 dollar was dit het tot dan toe duurste feuilleton ooit. Crabble speelde ook in *Buck Rogers Conquers the Universe* (1939).

Filmaffiche *(1938)*

Aanvankelijk vormden feuilletons een belangrijk onderdeel van de film-programmering. *The Adventures of Kathlyn* (1913) was het eerste echte feuilleton, maar een jaar later veroorzaakte regisseur Louis Gasnier pas echt een sensatie met *The Perils of Pauline* (1914), met Pearl White. Als de bekendste 'koningin van het feuilleton' doorstond ze allerlei vernederingen van schurken, zoals op de spoorrails vastgebonden worden.

In Frankrijk regisseerde Louis Feuillade feuilletons als *Fantômas* (1913-1914) over een beroepscrimineel. Zijn grootste succes was *Les Vampires* (1915-1916) dat er als een droom uitzag en bij het publiek en onder surrealisten veel lof oogstte. In Duitsland maakte Fritz

Andere feuilletonhits uit de jaren '30 waren *Dick Tracy*, *Zorro*, *The Lone Ranger* en *Hawk of the Wilderness*. In de Tweede Wereldoorlog kregen *Captain America*, *Superman* en *Batman* allemaal te maken met slechteriken uit Duitsland en Japan. In de jaren '50 nam onder invloed van de tv het aantal feuilletons af. Het westernfeuilleton *Blazing the Overland Trail* uit 1956 was het laatste dat gemaakt werd.

Series

Series zijn ofwel sequels (*The Godfather: Part II*), prequels (*Star Wars*-saga) of films met verschillende plots maar wel met dezelfde personages (de *Harry Potter*-serie). De gewoonte om nummers achter de filmtitels te zetten, zoals in *Spiderman 2* (2004), begon pas in de jaren '70.

Tot de jaren '70 waren sequels als hoofdfilm zeldzaam, al keerden populaire personages wel telkens in talrijke films terug. Eén van de eerste was Tarzan, die in de persoon van Elmo Lincoln in 1918 in *Tarzan of the Apes* voor het eerst het beeld in zwaaide. Voordat in *Tarzan the Ape Man* (1932) Johnny Weissmullers beroemde kreet te horen was, was er al menig andere Tarzanfilm zonder geluid gemaakt. Weissmuller, een voormalig Amerikaans Olympisch zwemkampioen, zou in de 16 daaropvolgende jaren nog 19 Tarzanfilms maken.

De Hollywood B-filmproductie van de jaren '30 bestond voor een groot deel uit series. Het langst liepen *Andy*

BELANGRIJKSTE FILMS	
1931-1949	Charlie Chan-films (VS)
1951-1965	Don Camillo-films (Italië/Frankrijk)
1962-1989	Zatoichi-films (Japan)
1962-	James Bond-films (VS/GB)

Titelheld Harrison Ford *(rechts) en Sean Connery als diens vader de archeoloog in Steven Spielbergs* Indiana Jones and the Last Crusade *(1989), het derde avontuur van Jones.*

Hardy (1930-1958), *Sherlock Holmes* (1939-1946), *Dr. Kildare* (1938-1947), *Charlie Chan* (1931-1949) en de geliefde jonge misdadigersbende in wisselende samenstelling in *The Dead End Kids*, *The East Side Kids* en *The Bowery Boys* (1938-1958). Opvallende series in de jaren '60 en daarna waren *The Pink Panther* en *Planet of the Apes*.

De Frans-Italiaanse coproductie *Don Camillo* (1951-1965) over een dorpspastoor die het voortdurend aan de stok heeft met de communistische burgemeester, was een internationale hit. De James Bond serie begon in 1962 met *Dr. No* en is de langst lopende serie in het Engelse taalgebied. De ingrediënten voor het tot op heden nagenoeg ongewijzigde Bondrecept bestaan naast de veelal exotische locaties uit het gezelschap van (meestal onbetrouwbare) welgevormde dames en een boosaardig iemand die de wereld aan zich wil onderwerpen. Wat aantal vervolgen betreft haalt echter niet één serie het bij de Japanse serie *Zatoichi*, waarin de held, een blinde zwaardvechter, tussen 1962 en 2003 in 27 films optrad.

Tienerfilm

Nadat in de jaren '50 een markt voor jeugdfilms was ontdekt, groeide dit genre gestaag, met in de jaren '80 een spectaculaire hausse. De films draaien steevast om tieners die de andere sekse proberen te verleiden en onder het ouderlijk gezag uit willen komen.

Tieners worden in films van voor de jaren '50 vaak neerbuigend behandeld. Een voorbeeld daarvan is de uitermate populaire serie *Andy Hardy* uit de jaren '30 en begin jaren '40, met Mickey Rooney als zorgeloze minderjarige die in penibele situaties verzeild raakt.

Het groeiende tienerpubliek ging zich in de jaren '50 identificeren met nieuwe sterren als Marlon Brando (*The Wild One*, 1954) en James Dean (*Rebel Without a Cause*, 1955). Het decennium daarop volgde een hele reeks 'beach party'-films, terwijl de motor- en lsd-films van Roger Corman vooral een jong hippiepubliek aanspraken. In de jaren '70 leidde *American Graffiti* (1973) tot andere 'rites de passage'-films, gevolgd door de zogenoemde 'Brat Pack', een groep jonge acteurs rond de films van

BELANGRIJKSTE FILMS	
1955	Rebel Without a Cause (VS)
1973	American Graffiti (VS)
1985	The Breakfast Club (VS)

Filmaffiche, *1959*

schrijver-regisseur John Hughes, zoals *The Breakfast Club* (1985) en *Pretty in Pink* (1986).

Hoewel de meeste van deze sterren (net als hun publiek) op latere leeftijd uit beeld verdwenen, hebben sommigen van hen een productieve carrière opgebouwd, zoals Demi Moore, James Spader en Rob Lowe. Actrices als Drew Barrymore en Scarlett Johansson zijn nu erkende sterren terwijl Lindsay Lohan het pad effent voor een nieuwe generatie...

Judd Nelson, Emilio Estevez, *Ally Sheedy, Molly Ringwald en Anthony Michael Hall in John Hughes' 'Brat Pack'-film* The Breakfast Club *(1985).*

Thriller

Een thriller grijpt de kijker naar de keel doordat één of meer personages in een dreigende situatie verzeild is geraakt en daar weer uit moet zien te ontsnappen. Dit type film beslaat meerdere genres, zoals actie-, sciencefiction- en zelfs westernthrillers.

Alfred Hitchcock, 'The Master of Suspence', perfectioneerde in *North by Northwest* (1959) zelf één van de grondvormen van de thriller: de achtervolging. Meestal draait deze rond een mysterie met spionnen of terroristen, waarbij de hoofdrolspeler de achtervolger is of zelf achtervolgd wordt en een misdaad probeert op te lossen of een ramp probeert te voorkomen. Tot de vele 'Hitchcockiaanse' films behoren *The Third Man* (1949) van Carol Reed, *Charade* (1963) en *Arabesque* (1966) van Stanley Donen en een aantal thrillers van Brian de Palma, met name *Obsession* (1976).

Matt Damon en Julia Stiles *in* The Bourne Supremacy *(2004), de tweede thriller in de serie over de 'special agent' Jason Bourne.*

Een ander Hitchcockthema is de psychologische 'vrouw in gevaar'-thriller, vooral belichaamd in *Psycho* (1960). Andere voorbeelden zijn *Gaslight* (1940 en 1944), waarin een man zijn vrouw langzaam gek maakt om de erfenis op te strijken; *Sorry, Wrong Number* (1948) van Anatole Litvak, met Barbara Stanwyck als invalide vrouw die bij toeval een telefoongesprek opvangt over een moordcomplot – op haarzelf; *Wait Until Dark* (1967) van Terence Young waarin Audrey Hepburn een door gangsters geterroriseerde blinde

Filmaffiche *1966*

vrouw in een appartement is en *Dead Calm* (1989) van Phillip Noyce waarin Nicole Kidman op een jacht voor haar eigen leven moet vechten nadat ze een drenkeling heeft opgepikt.

In de jaren '70 komt een aantal post-Watergate samenzweringsthrillers uit, zoals *The Parallax View* (1974) van Alan Pakula over het toedekken van een politieke aanslag. Dit subgenre kent een revival in de jaren '90 met films als *Patriot Games* (1992) en *Clear and Present Danger* (1994) van Phillip Noyce, later gevolgd door Doug Limans *The Bourne Identity* (2002) plus het vervolg daarop, met in beide Matt Damon als agent met geheugenverlies, en *The Constant Gardener* (2005) van Fernando Meirelles.

BELANGRIJKSTE FILMS	
1949	The Third Man (GB)
1960	Psycho (VS)
1991	The Silence of the Lambs (VS)
2005	The Constant Gardener (GB/Duitsland)

Cary Grant wordt achtervolgd *door een mysterieus besproeiingsvliegtuig dat uit het niets opduikt in* North by Northwest *(1959), één van Alfred Hitchcocks beroemdste filmsettings.*

Underground

De term 'underground' als aanduiding van een filmgenre ontstond eind jaren '50 in de VS. Ze verwijst naar de experimentele film aldaar, die terugging op de Europese avant-garde maar ook sterk gelieerd was aan de Amerikaanse 'beat'-beweging die toen in opkomst was.

In de jaren '40 begon in de VS een periode van experimentele films. De aanzet daartoe gaf een aantal Europese kunstenaars en cineasten als Hans Richter die in New York woonde en Oskar Fischinger uit Los Angeles.

Meshes of the Afternoon (1943) van Maya Deren was een van de eerste onafhankelijke undergroundfilms. Hij gaat over zelfmoord en is bekend om zijn vierstapssequentie van strand naar gras naar modder naar stoep naar vloerkleed. Begin jaren '50 stonden jonge regisseurs op als Stan Brakhage die op soortgelijke wijze werkten. Hun films werden vaak omschreven als psychologische drama's.

In 1955 was het tijdschrift *Film Culture* van groot belang voor de nieuwe Amerikaanse film. *Guns of the Trees* (1964) was een van een aantal speelfilms die geënt waren op de Franse Nouvelle Vague.

Eind jaren '60 werd de 'New American Cinema Group' opgericht ter ondersteuning van films die 'rauw en ongepolijst waren, maar wel

Maya Deren in *haar eigen* Meshes of the Afternoon *(1943), een niet-traditioneel onderzoek naar de vrouwelijke angst aan de hand van de 'logica' van de droom.*

leefden'. Veel van deze films, zoals *Flaming Creatures* (1963) van Jack Smith, omarmden Hollywood, al daagden ze de verteltraditie van Hollywood ook uit door clips van 'tits 'n sand'-films te gebruiken. De neiging tot camp bracht Andy Warhol tot films als *Blow Job* (1963). Een jaar later kwam Kenneth Angers *Scorpio Rising* uit, een homomotorfilm die exemplarisch werd voor de undergroundfilm in de VS.

In films als *Wavelength* (1967) tracht Michael Snow onze manier van kijken te beïnvloeden door nieuwe concepten van tijd en ruimte te onderzoeken.

BELANGRIJKSTE FILMS	
1943	Meshes of the Afternoon (VS)
1967	Wavelength (Canada/VS)
1968	Flesh (VS)

Oorlogsfilm

Veldslagen en oorlogen behoren van oudsher tot de onderwerpen van de film, maar als genre kwam de oorlogsfilm tijdens de Eerste Wereldoorlog tot bloei. Vaak neemt hij een antioorlogsstandpunt in, al kan hij ook als steunbetuiging of als propaganda bedoeld zijn.

Als genre ontstond de oorlogsfilm na het uitbreken van de Eerste Wereldoorlog. De belangrijkste was *Hearts of the World* (1918) van D.W. Griffith, met documentair materiaal en een studioreconstructie van een Frans dorp dat bezet is door een 'beestachtige bende' onder leiding van een meedogenloze Duitse officier (Erich von Stroheim).

Shoulder Arms (1918) van Charlie Chaplin, die zich voor een deel in de loopgraven afspeelt en één week voor de wapenstilstand uitkwam, maakte veel los. Toch

Filmaffiche, *1927*

was het Chaplins grootste succes tot dan toe, waarmee hij aantoonde hoe belangrijk humor is als uitlaatklep bij tragische gebeurtenissen.

Na de vrede kwamen er amper nog oorlogsfilms uit, behoudens Abel Gance's *J'Accuse* (1919), volgens de regisseur 'een menselijke schreeuw tegen de oorlogszuchtige geluiden van

het leger'. De film waarmee Rudolph Valentino doorbrak, Rex Ingrams *The Four Horsemen of the Apocalypse* (1921), was fel antioorlog, al was hij zó anti-Duits dat hij volgens sommigen aanzette tot haat. De film werd in Duitsland verboden en jaren niet meer vertoond.

Halverwege de jaren '20 kwam de oorlogsfilm weer tot leven met *The Big Parade* (1925) van King Vidor, *What Price Glory?* (1926) van Raoul Walsh en *Wings* (1927) van William Wellman, de eerste film die een Oscar voor de Beste Film kreeg. Na de komst van het geluid werden de bioscopen met oorlogsfilms overstelpt, met alleen al in 1930 *The Dawn Patrol* van Howard Hawks, *Hell's Angels* van Howard Hughes, *Journey's End* van James Whale en *All Quiet on the*

Een soldaat staat op het oorlogskerkhof voordat de doden van de Eerste Wereldoorlog beschuldigend uit hun graf zullen opstaan in *J'Accuse (1919) van Abel Gance.*

Een vliegtuig van
*de Britse luchtmacht in
actie in* The Battle of Britain
*(1969), Guy Hamiltons hommage
aan de film* The First of the Few *(1942).*

Western Front van Lewis Milestone, dat een beeld schetst vanuit Duits perspectief. In Duitsland zelf werd in *Westfront 1918* (1930) van G.W. Pabst het uitzichtloze leven in de loopgraven verbeeld. Maar toen de herinnering aan de oorlog en de anti-militaristische stemming verdween, werd het genre minder populair. De eerste oorlogsfilm na jaren was *La Grande Illusion* (1937) van Jean Renoir. In deze ontroerende antioorlogsverklaring is in feite geen gevecht te zien.

Sergeant York (1941) van Hawks was gebaseerd op het relaas van de meest gedecoreerde soldaat uit de Eerste Wereldoorlog, en moest het publiek een hart onder de riem steken voor het geval de VS zijn neutraliteit opgaf en het tegen Duitsland, Japan en Italië zou opnemen.

De Tweede Wereldoorlog is altijd de meest populaire periode voor de makers van het oorlogsgenre geweest. Nadat de VS bij de oorlog betrokken waren geraakt, kwam Hollywood net als Groot-Brittannië met een stroom aan vaderlandslievende actiefilms, al

Filmaffiche voor *Peter Weirs
WO II-drama* Gallipoli *(1981)*

waren Britse films als *In Which We Serve* (1942) van Noël Coward en *The Way Ahead* (1944) van Carol Reed realistischer (en klassenbewuster) dan de Amerikaanse.

Anders dan het gebruikelijke oorlogsverhaal concentreerde *The Story of G.I. Joe* (1945) van Wellman zich vooral op de gewone soldaat. De heldenrollen waren weggelegd voor Errol Flynn en John Wayne, die ons bijna lieten geloven dat ze eigenhandig de oorlog wonnen.

De naoorlogse film kon zich wat kritischer over het militarisme uitlaten. Mark Robsons *Home of the Brave* (1949) ging over racisme in het leger, en *Attack!* (1956) van Robert Aldrich was een felle aanklacht tegen het leven in het leger.

Japan, dat tijdens de oorlog nog patriottische films had gemaakt, richtte zich, bijna als een soort boetedoening, na de oorlog vooral op pacifistische thema's. Eén van de eerste, *The Burmese Harp* (1956) van Kon Ichikawa, is een schreeuw van pijn voor al diegenen die onder de oorlog te lijden hebben gehad. Een jaar later werd Stanley Kubricks anti-militairisme duidelijk in diens scherpe én ontroerende *Paths of Glory* over de Eerste Wereldoorlog. Daarentegen werden er in de jaren '60 verschillende heldhaftige oorlogsfilms over de zeges van de geallieerden uitgebracht, zoals *The Longest Day* (1962), *The Battle of the*

BELANGRIJKSTE FILMS	
1919	J'Accuse (Frankrijk)
1957	Paths of Glory (VS)
1979	Apocalypse Now (VS)
1981	Das Boot (Duitsland)
1987	Full Metal Jacket (VS)
1998	Saving Private Ryan (VS)

Bulge (1965) en *The Battle of Britain* (1969). Robert Altmans kritische *M*A*S*H* (1970) speelt zich af in Korea, maar verwijst vooral naar de oorlog in Vietnam. De enige Amerikaanse film over dit onderwerp die tijdens de Vietnamoorlog werd gemaakt was *The Green Berets* (1968), een onstuimige actiefilm met John Wayne. Pas in de jaren '70 werd deze oorlog behoorlijk verfilmd in *The Deer Hunter* (1978) van Michael Cimino, *Apocalypse Now* (1979) van Francis Ford Coppola, *Platoon* (1986) van Oliver Stone en *Full Metal Jacket* (1987) van Stanley Kubrick.

Toch grepen de filmmakers telkens weer terug op de Tweede Wereldoorlog. In Duitsland kwam Wolfgang Petersen onder meer met *Das Boot* (1981) over de overlevingsstrijd van een duikbootbemanning. Rusland, dat

George Clooney, Mark Wahlberg en Ice Cube in Three Kings (1999) van David O. Russell, die zich afspeelt tijdens de Golfoorlog.

daarvoor al opmerkelijke films had gekend als *Ballade o soldate* (Ballade van een soldaat,1959) van Grigori Tsjoekraj en *Ivanovo's Detstvo* (Ivans kindertijd, 1962) van Tarkovsky, zette deze traditie voort met het felle *Idi I Smotri* (*Come and See*, 1985) van Elem Klimov. In de VS zat er 18 jaar tussen Sam Fullers *The Big Red One* (1980) en andere opmerkelijke WO II-drama's als Terrence Malicks *The Thin Red Line* en Steven Spielbergs *Saving Private Ryan*, waarin we de eerste 30 minuten van het gevecht door de ogen van een soldaat meebeleven. De Golfoorlog werd getoond in *Courage Under Fire* (1996) van Edward Zwick en in *Three Kings* (1999) van David O. Russell. Ongeacht het conflict, zal de eeuwige waarheid van de oorlog altijd wel eenzelfde soort film blijven opleveren.

De landing van de Amerikanen op Normandië werd realistisch verfilmd in de beroemde openingsscène van Saving Private Ryan *(1998) van Steven Spielberg.*

Western

Hoewel de western niet het oudste filmgenre is, vormt hij wel de enige oorspronkelijk Amerikaanse kunstvorm. Vanaf de jaren '20 tot begin jaren '60 zorgden de populaire westerns ervoor dat Hollywood wereldwijd zijn dominante positie op de filmmarkt wist te behouden.

De meeste westerns spelen zich af tussen 1850 en 1890, de tijd van de goudkoorts in Californië en Dakota, de Amerikaanse Burgeroorlog en de aanleg van de transcontinentale spoorweg, de oorlog met de indianen, de opkomst van de veeranches, en de aanhoudende stroom kolonisten, boeren en immigranten die constant richting het westen trok. Het was ook de tijd waarin de bizon en het merendeel van de oorspronkelijke bewoners van Amerika werden uitgeroeid.

Filmaffiche *voor allereerste western (1903)*

Stagecoach (John Ford, 1939) *vormt een mijlpaal in de geschiedenis van de western en is de eerste die in Monument Valley in Utah werd opgenomen.*

Sommige westerns gingen echter verder terug in de tijd naar het tijdperk van het Amerikaanse kolonialisme, of juist vooruit naar het midden van de twintigste eeuw. Geografisch gezien speelt de western zich meestal af ten westen van de Mississippi, ten noorden van de Rio Grande en tegen de Mexicaanse grens. Hét basisthema van de western is het bewoonbaar maken van de wildernis en het aan banden leggen van natuur, wetsovertreders en 'wilden' (meestal indianen). Vaste locaties van de western waren afgelegen forten, uitgestrekte ranches, de 'dorpssaloon', de gevangenis en de

Het botert niet echt *tussen de patriarchale John Wayne en zijn geadopteerde zoon Montgomery Clift (in zijn eerste film) in* Red River (1948) *van Howard Hawks.*

westernroman, uit 1902 – en de driestuiverromans die verhaalden over de heldendaden van 'goede' en 'slechte' helden als Wyatt Earp, Doc Holliday, Wild Bill Hickok, Calamity Jane, Bat Masterson, de gebroeders James en Billy the Kid. In *The Man Who Shot Liberty Valance* (1962) van John Ford zegt een journalist: 'Als de legende werkelijkheid is geworden, publiceer dan de legende.' Dus toen in 1903 met *The Great Train Robbery* van Edward S. Porter de eerste geacteerde western uitkwam, hadden de legendes over het westen al hun plek in de Amerikaanse populaire cultuur verworven.

Met deze tien minuten durende speelfilm begon de filmcarrière van de eerste westernheld, 'Bronco Billy' Anderson. Andere cowboyhelden volgden, met als bekendste W.S. Hart en Tom Mix. Ook D.W. Griffith maakte aanvankelijk westerns, meestal met bloeddorstige roodhuiden die het op blanken gemunt hadden, zoals in *The Battle of Elderbush Gulch* (1913). Het jaar daarop kwam de eerste film van

hoofdstraat, waar het onvermijdelijke vuurgevecht tussen de held en de boef plaatsvindt. Veel van de beste westerns overstijgen echter een simpel 'goed tegen slecht' en komen in psychologisch opzicht eerder in de buurt van een Griekse tragedie.

HET BEGIN VAN DE WESTERN

Voor de komst van de film in 1895 waren er de populaire Wild West Shows van 'Buffalo Bill' Cody, de verhalen van Zane Grey, het invloedrijke *The Virginian* van Owen Wister – de eerste moderne

Clint Eastwood als 'Blondie' *in* The Good, the Bad and the Ugly *(1966), de derde en laatste spaghettiwestern van Sergio Leone waarin hij speelde.*

bestempelde Ford als één van de grootste westernregisseurs en zorgde ervoor dat John Wayne van onbekende B-filmacteur opklom naar de sterrenstatus van de A-film.

Veel vooraanstaande Hollywoodregisseurs maakten westerns, zoals de Duitser Fritz Lang met *The Return of Frank James* (1940), *Western Union* (1941) en *Rancho Notorious* (1952) en de Hongaar Michael Curtiz met *Dodge City* (1939), *Virginia City* (1940) en *Santa Fe Trail* (1940), alle drie met Errol Flynn.

In deze vruchtbare periode maakte Ford zijn fraaie 'cavalerie'-trilogie: *Fort Apache* (1948), *She Wore a Yellow Ribbon* (1949) en *Rio Grande* (1950) met zijn romantische kijk op het Wilde Westen en John Wayne als middelpunt. Wayne speelde ook mee in Howard Hawks' *Red River* (1948), waarin zijn zelfverzekerd machogedrag en de nerveuze onbehouwenheid van Montgomery Clift voor een speciaal soort spanning zorgden. Hawks maakte nog drie fraaie westerns met Wayne, waarvan *Rio Bravo* (1959) de beste is. Van de vijf films van Anthony Mann met een nieuwe, stoere James Stewart behoren *Bend of the River* (1952) en *The Man from Laramie* (1955) tot de beste westerns van de jaren '50. Net als de zeven westerns van Bud Boetticher met Randolph Scott, zoals *Seven Men from Now* (1956), Henry Kings *The Gunfighter* (1950), Fred Zinnemanns *High Noon* (1952), George Stevens' *Shane* (1953), William Wylers *The Big Country* (1958) en een enkele western waarin de indianen er sympathiek afkomen, zoals *Broken*

Cecil B. DeMille uit, *The Squaw Man*, de eerste film die in zijn geheel in Hollywood werd opgenomen. Van meer belang voor de ontwikkeling van het genre was *The Covered Wagon* (1923) van James Cruze. Het enorme succes van dit epos van tweeënhalf uur over één van de omvangrijkste 19e-eeuwse trektochten door Amerika stelde John Ford het jaar daarop in staat om nog grootser en langer uit te pakken met *The Iron Horse*, dat bijna helemaal op locatie in Nevada werd opgenomen.

Filmaffiche, *1952*

DE GOUDEN TIJD

Door de komst van de geluidsfilm werden de western beter, maar de gouden tijd brak pas echt aan met *Stagecoach* (1939), fraai opgenomen in Monument Valley in Utah. Het tilde het genre naar een artistieke status,

BELANGRIJKSTE FILMS	
1939	Stagecoach (VS)
1955	The Man From Laramie (VS)
1956	The Searchers (VS)
1960	The Magnificent Seven (VS)
1962	The Man who Shot Liberty Valance (VS)
1968	Once Upon a Time in the West (Italië/VS)
1969	The Wild Bunch (VS)
1992	Unforgiven (VS)

Arrow (1950) van Delmer Daves en Robert Aldrichs *Apache* (1954).

NEERGANG

In 1950 maakte Hollywood 130 westerns. Tien jaar later waren dat er nog maar 28. Oorzaak voor deze dalende lijn: de toename aan tv-westernseries die de plaats innamen van de vele voor de bioscoop bestemde B-cowboyfilms, de in een nieuwe tolerante samenleving achterhaalde ideologie achter de western, plus de opkomst van de meer gewelddadige spaghettiwestern, die Clint Eastwood een sterrenstatus bezorgde. Verhaal en toon van deze in Italië geproduceerde films werden sterk beïnvloed door de Japanse samoeraifilm. Zo was *The Magnificent Seven* (1960) van John Sturges een bewerking van *The Seven Samurai* (1954) van Akira Kurosawa.

Het genre werd levend gehouden door Sam Peckinpahs nostalgische maar rauwe kijk op het oude westen en door vernieuwende westerns als

Regisseur en hoofdrolspeler Kevin Costner *met zijn dode vrouw (Mary McDonnell) in* Dances with Wolves *(1990) waarin hij wordt opgenomen door een Sioux-stam.*

Little Big Man (1970) van Arthur Penn. Dat de studio's de western desondanks als een ten dode opgeschreven genre zagen, bleek uit het gevecht dat Kevin Costner moest leveren om *Dances with Wolves* (1990) te maken. Zijn geduld werd beloond met zeven Oscars, waaronder die voor Beste Film. Twee jaar later won ook *Unforgiven* van Clint Eastwood de Oscar voor Beste Film. Een moderne variant op het genre is *Brokeback Mountain* (2005), waarin twee cowboys verliefd op elkaar worden.

Jake Gyllenhaal (links) en Heath Ledger *in* Brokeback Mountain *(2005) van Ang Lee naar een kort verhaal van E. Annie Proulx.*

WERELD-
CINEMA

In deze tijd van mondialisering blijkt film de meest internationale van alle kunstvormen te zijn. Nu steeds meer mensen de Taj Mahal, het Kremlin, de Eiffeltoren, de berg Fuji of de Sixtijnse Kapel bezoeken, groeit ook het aantal liefhebbers van films uit India, Rusland, Frankrijk, Japan en Italië – om nog maar te zwijgen van de enorme toestroom van films uit China, Zuid-Amerika, Spanje, Scandinavië en Iran.

Eind 19e eeuw werden in de VS, Groot-Brittannië, Frankrijk en Duitsland bijna gelijktijdig de eerste films gemaakt. Binnen 20 jaar had de film zich over de hele wereld verspreid, een geavanceerde techniek ontwikkeld en een belangrijke nieuwe bedrijfstak opgeleverd. Momenteel is er wereldwijd sprake van een overstelpend aanbod aan zeer uiteenlopende films. In dit hoofdstuk proberen we zo veel mogelijk landen en belangrijke films te bespreken, al kent een boek als dit nu eenmaal zijn beperkingen. De landen die wat minder aan bod komen wordt in deze inleiding hopelijk recht gedaan.

In de jaren '20 van de 20e eeuw kreeg het grote publiek volop geluidloze films uit allerlei delen van de wereld voorgeschoteld. Toch zou het westerse publiek pas na de Eerste Wereldoorlog de wereldcinema echt gaan waarderen omdat er toen veel meer Italiaanse, Japanse, Duitse en Franse films beschikbaar kwamen. Het besef van de kwaliteit van deze films nam ook toe door de waardering waar de Academy of Motion Picture Arts and Sciences telkenjare blijk van gaf. *Sciuscià* (1946) van Vittorio de Sica was de eerste film die in 1947 een speciale vermelding kreeg en *La Strada* (1954)

van Federico Fellini kreeg als eerste de Oscar voor de Beste Niet-Engelstalige Film.

De afgelopen decennia is het besef ontstaan dat entertainment niet het alleenrecht is van Hollywood. Horror- en gangsterfilms, whodunits, westerns, oorlogsfilms, melodrama's, musicals en liefdesverhalen worden over de hele wereld gemaakt. Eén blik op de lange lijst van Amerikaanse bewerkingen van buitenlandse films maakt duidelijk dat Hollywood zijn inspiratie mede aan de wereldcinema ontleent. Waarbij overigens allerminst sprake is van eenrichtingverkeer. Sommige films noirs van Jean-Pierre Melville zijn duidelijk op Amerikaanse leest geschoeid en in de Franse Nouvelle Vague-film wordt naar hartelust uit Hollywoodfilms geciteerd. Of neem de populariteit van de spaghettiwestern en de invloed van de Amerikaanse film op Duitse regisseurs als Wim Wenders en Rainer Werner Fassbinder.

Vanaf het begin heeft Hollywood kunnen profiteren van de toestroom van buitenlands talent. Uit Zweden kwamen Greta Gustafsson (Garbo) en Ingrid Bergman (de moeder van Isabella Rossellini). Uit Duitsland kwam Maria Magdalena von Losch (Marlene Dietrich) en uit Oostenrijk Hedy Kiesler (Hedy Lamarr). Italië schonk Amerika Sofia Scicolone

Rosario Flores als stierenvechter Lydia *die in* Hable con Ella *(2002) van Pedro Almodóvar tijdens de 'corrida' door de stier op de hoorns wordt genomen en in coma raakt.*

Een blinde peuter *in Bahman Ghobadi's Koerdisch-Iraanse film* Turtles Can Fly *(2004) over de gruwelijke gevolgen die oorlog heeft voor kinderen.*

(Sophia Loren), terwijl Egypte Michel Shahoub (Omar Sharif) leverde. Uit Brazilië kwam Maria do Carmo Miranda Da Cunha (Carmen Miranda). De afgelopen decennia zijn we eraan gewend geraakt dat sterren als Burt Lancaster, Donald Sutherland, Nastassja Kinski, Isabella Rossellini, Gérard Depardieu, Penélope Cruz, Charlotte Rampling, Juliette Binoche, Antonio Banderas, Audrey Tatou en Jackie Chan heen en weer pendelen tussen Engelstalige en andere films.

Ook regisseurs namen hun kennis en expertise mee naar Hollywood, zoals Victor Sjöström (Zweden), Fritz Lang (Duitsland), Billy Wilder (Oostenrijk), Jean Renoir (Frankrijk) en Miloš Forman (Tsjechoslowakije), om er maar een paar te noemen. Eén van de eerste regisseurs met een carrière op twee continenten was Louis Malle, die in de VS *Atlantic City* (1981) maakte en naar zijn geboorteland Frankrijk terugkeerde voor *Au Revoir Les Enfants* (1987). De afgelopen jaren neemt die kruisbestuiving nog toe. Nieuw-Zeelander Peter Jackson regisseerde de *The Lord of the Rings*-trilogie, en de Mexicaan Alfonso Cuarón *Harry Potter and the Prisoner of Azkaban* (2004). Hét voorbeeld is de Taiwanees Ang Lee, die

Filmaffiche *van het ontroerende* Sansho Dayu *(1954) van de Japanse regisseur Kenji Mizoguchi.*

films heeft gemaakt die typisch Engels zijn (*Sense and Sensibility*, 1995), Aziatisch (*Crouching Tiger, Hidden Dragon*, 2000) en Amerikaans (*Brokeback Mountain*, 2005).

Brigitte Lin als *mysterieuze drugsdealer in Wong Kar Wai's* Chungking Express *(1994) dat uit twee losse verhalen bestaat die zich in Hongkong afspelen.*

In Nederland maakte Paul Verhoeven onder meer de succesvolle erotische thrillers *Spetters* (1980) en *De Vierde Man* (1983), waarna hij naar de VS vertrok en daar enorm succes boekte met kaskrakers als *RoboCop* (1987), *Total Recall* (1990) en *Basic Instinct* (1991). Andere opmerkelijke Nederlandse regisseurs waren de documentaire-makers Joris Ivens en Bert Haanstra, en Fons Rademakers wiens *De Aanslag* (1986) bekroond werd met een Oscar voor Beste Buitenlandse Film. De Belg André Delvaux laat in zijn films droom en werkelijkheid in elkaar overvloeien en past daardoor in de traditie van andere Belgische kunstenaars als René Magritte. Hoogst opmerkelijk zijn de Belgische broers Jean-Pierre (geb. 1951) en Luc (geb. 1954) Dardenne, wier internationale reputatie in de loop der jaren alleen maar is toegenomen met uiterst realistische drama's als *La Promesse* (1996), *Rosetta* (1999), *Le Fils* (2002) en *L'Enfant* (2005).

In Zuid-Oost Azië staat Indonesië vooral bekend om zijn tienerfilms en musicals. Sinds 1988 is er een nieuwe generatie regisseurs, schrijvers en producers opgestaan. Het merendeel van de Thaise film is als amusement bedoeld, met een mix van comedy, melodrama en muziek. *Tears of the Black Tiger* (2000) van Wisit Sasanatieng was een succesvolle pastiche van zulke films. De musical

Aoua Sangare in Yeelen (Brightness, 1987), de magische film van de Malinees Souleymane Cissé over een Afrikaans ritueel rond de elementen water, vuur en aarde.

Monrak Transistor (2001) van Pen-Ek Ratanaruang was een andere in het buitenland succesvolle Thaise film, net als het bizarre *Tropical Malady* (2004) van Apichatpong Weerasethakul. In Vietnam is Tran Anh Hung de meest gelouterde regisseur; zijn *The Scent of Green Papaya* (1993), *Cyclo* (1995) en *The Vertical Rays of the Sun* (2000) werden over de hele wereld vertoond. Op de Filippijnen effende Lino Brocka het pad voor films uit zijn land toen zijn *Insiang* (1976), *Jaguar* (1979) en *Bona* (1980) in Cannes werden bejubeld.

Van zijn oorspronkelijke basis in de VS en Europa is de filmproductie in feite voor een belangrijk deel verschoven naar Azië en elders.

Gael García Bernal speelt de jonge Che Guevara, samen met Roderigo de la Serna als Alberto Granado in The Motorcycle Diaries (2004).

Afrika

Afrika kent drie afzonderlijke gebieden van filmmaken die alle gelieerd zijn aan eeuwen van kolonisatie en die taalkundig herkenbaar zijn aan hun Arabische, Franse dan wel Engelse films. De laatste jaren zijn steeds meer Afrikaanse films met een ruim budget ook bij ons te zien.

Veel Afrikaanse landen hadden nog geen filmindustrie toen ze zich in de jaren '60 en '70 van het koloniale juk ontdeden en onafhankelijk werden. Sindsdien is de film opgebloeid en sommige producties hebben ook in het Westen de aandacht getrokken. Frankrijk is een belangrijke fiancier voor de Afrikaanse filmmakers, waarvan velen hun opleiding op Europese filmscholen hebben genoten.

In de jaren '30 werd de Arabische film synoniem met de Egyptische film. De Egyptische musical, die tot het belangrijkste genre zou uitgroeien, zag het daglicht met *The Song of the Heart*, onder regie van de Italiaan Mario Volpi. Toch werden er tot ver na de Tweede Wereldoorlog maar erg weinig films in Noord-Afrika gemaakt. Pas met Youssef Chahine veranderde dat en werd de Egyptische film ook internationaal serieus genomen.

BELANGRIJKSTE FILMS	
1968	The Money Order (Ousmane Sembene, Senegal)
1969	The Night of Counting the Years (Shadi Abdelsalam, Egypte)
1974	Xala (Ousmane Sembene, Senegal)
1975	Chronicle of the Burning Years (Mohammed Lakhdar-Hamina, Algerije)
1978	Alexandria… Why? (Youssef Chahine, Egypte)
1986	Man of Ashes (Nouri Bouzid, Tunesië)
1987	Yeelen (Souleymane Cissé, Mali)
1989	Yaaba (Idrissa Ouedraogo, Burkina Faso)
1994	The Silences of the Palace (Moufida Tlatli, Tunesië)
2002	Heremakono (Abderrahmane Sissako, Mauritanië)

Chahine's *Cairo Station* (1958) richtte zich op de armen. Chahine switchte van films met een groot budget, zoals *Alexandria… Why?* (1978) en *Adieu Bonaparte* (1984), naar uitgesproken politieke films als *The Sparrow* (1973), die handelt over de Zesdaagse Oorlog met Israël. De films van Chahine en *The Night of Counting the Years* (1969) van

Een jonge man keert terug naar huis vanuit *Europa in Abderrahmane Sissako's* Waiting for Happiness *(Heremakono, 2002), een van de weinige films uit Mauretanië.*

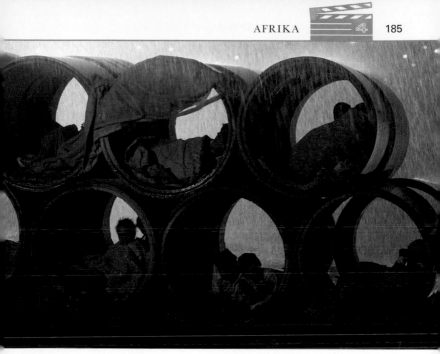

Shadi Abdelsalam, over het leegroven van mummiegraven, staken met kop en schouders uit boven de verder povere filmindustrie in Egypte.

In de Maghreb weerspiegelden de eerste Algerijnse onafhankelijke films de strijd voor onafhankelijkheid. De beroemdste was Gillo Pontecorvo's *The Battle of Algiers* (1966), een Italiaans-Algerijnse coproductie. Mohammed Lakhdar-Hamina's *Chronicle of the Burning Years* (1975) over de geschiedenis van Algerije tussen 1939 en 1954, was een van de duurste films uit een derdewereldland. Algerije, Marokko en Tunesië hebben door de jaren heen allemaal bekroonde films voortgebracht. Zo schetst het Tunesische *The Silences of the Palace* (1994) van Moufida Tlatli een gevoelig en overtuigend portret van een vrouw in een veranderende wereld, een unieke film van een vrouwelijke cineast in een door mannen gedomineerd Arabisch

Ousmane Sembene *(geb. 1923) regisseerde een aantal beroemde films en wordt gezien als de vader van de zwarte Afrikaanse film.*

Tsotsi (2005), *waarin het leven van een gewelddadige bendeleider in Johannesburg wordt gevolgd, won in 2006 de Oscar voor Beste Niet Engelstalige Film.*

land. Dé regisseur van de Afrikaanse film van beneden de Sahara is Ousmane Sembene uit Senegal. Zijn baanbrekende werk stelde jonge Afrikaanse regisseurs als Souleymane Cissé uit Mali en Idrissa Ouedraogo uit Burkina Fasso in staat hun films te maken. Het bekendste Afrikaanse filmfestival, dat elke twee jaar plaatsvindt in Ougadougou in Burkina Fasso, vormt sinds 1969 voor films van beneden de Sahara een uitgelezen plek om zich in de kijker te spelen.

Ten tijde van de apartheid kwamen er amper goede films uit Zuid-Afrika, en in veel van de latere films wordt op die periode teruggekeken. *Mapantsula* (1988) van Oliver Schmitz en het met een Oscar bekroonde *Tsotsi* (2005) van Graham Hood, over geweld van zwart tegen zwart, spelen in de huidige tijd.

Het Midden-Oosten

Hoewel in het Midden-Oosten lange tijd vooral films uit Noord-Afrika draaiden, en dan met name uit Egypte en de Maghreb, werden er wel degelijk belangrijke films gemaakt, veelal gebaseerd op de politieke spanningen in de regio.

Hoewel Libanon amper films produceerde, kende het voor het uitbreken van de lange burgeroorlog in 1975 het hoogste bioscoopbezoek van de Arabische wereld. Syrië en Irak kwamen met een aantal geslaagde documentaires, maar net als hun buren produceerden ze amper speelfilms.

Paradise Now *(2005) van Hany Abu-Assad gaat over twee vrienden en een zelfmoordaanslag in Tel Aviv.*

Aan het begin van de 21e eeuw gaven de tragische gebeurtenissen in het Midden-Oosten, en dan vooral de spanningen tussen Israël en de Palestijnen, aanleiding tot een aantal van de beste films uit deze regio. *Divine Intervention* (2002) van de Palestijnse schrijver-regisseur Elia Suleiman bood met de nodige humor een briljante kijk op een Israëlisch-Palestijnse controlepost. Ook *The Syrian Bride* (2004) van de Israëlische regisseur Eran Riklis speelt zich in een niemandsland af, op een droog stuk land tussen de controleposten van de Israëlische en Syrische grens. *Thirst* (Atash, 2004), de fraaie eerste speelfilm van de Palestijnse regisseur Tawfik Abu Wael, gaat over een Arabisch gezin in een uithoek van Israël.

De bekendste Israëlische regisseur is Amos Gitai. In zijn *Free Zone* (2005) worden drie vrouwen – een Amerikaanse, een Israëlische en een Palestijnse – reisgenoten van elkaar in een afgelegen gebied in Jordanië. De controversiële film *Paradise Now* (2005) kreeg een Oscarnominatie voor Beste Niet-Engelstalige Film en volgt 24 uur lang twee Palestijnse zelfmoordenaars. Regisseur Hany Abu-Assad, een in Israël geboren Palestijn, maakt er een heuse thriller van, maar maakt tevens inzichtelijk wat er in de hoofden van deze 'martelaars' omgaat.

Natalie Portman *speelt in* Free Zone *(2005) een Amerikaanse vrouw die in het indrukwekkende landschap van Jordanië op zoek is naar zichzelf.*

BELANGRIJKSTE FILMS

2002	Divine Intervention (Elia Suleiman, Palestina)
2004	The Syrian Bride (Eran Riklis, Palestina)
2004	Thirst (Tawfik Abu Wael, Palestina)
2005	Paradise Now (Hany Abu-Assad, Palestina)

Iran

In de jaren '90 kon de wereld als gevolg van een soepeler beleid ten aanzien van de populaire cultuur kennismaken met de Iraanse film. Wat we te zien kregen was een hoogst originele, zinderende filmcultuur.

Vrouwen in hun kleurrijke *maar ook beperkende boerka's op reis in Afghanistan, in het uiterst actuele* Kandahar *(2001) van Mohsen Makhmalbaf*

Iran heeft door de jaren heen onder de verschillende autoritaire regimes slechts een paar opmerkelijke films voorgebracht. In de jaren '60 was er echter een handjevol Iraanse films in het buitenland te zien. Eén van de eerste was *The Cow* (1968) van Dariush Mehrjui, over een boer die zijn geliefde koe kwijtraakt, de identiteit van het dier aanneemt en langzaam gek wordt. De minutieuze observatie van het dorpsleven en de karige stijl vormde de voorbode voor latere Iraanse films.

Twee jonge meisjes *die door hun ouders binnengehouden werden, betreden in* The Apple *(1998) voor het eerst de samenleving.*

Na de Islamitische Revolutie in 1979 werd de film veroordeeld om zijn westerse waarden. Toch werd er in 1983 een Filmfonds opgericht ter bevordering van films met 'islamitische waarden'. Bevrijd van de lasten van het verleden resulteerde dit in enkele filmische meesterwerken van nieuwe regisseurs als Mohsen Makhmalbaf en Abbas Kiarostami. Er zouden er nog veel volgen, zoals Jafar Panahi, Majid Majidi, Marzieh Meshkini, Babak Payami en Makhmalbafs dochter, Samira Makhmalbaf. Op haar 18e zette ze zich met haar eerste film, *The Apple* (Sib, 1998), direct al op de kaart van de wereldcinema.

Ondanks de restricties van het fundamentalistische regime is de Iraanse film, als een van de meest subtiel-feministische ter wereld, erin geslaagd om op ingenieuze wijze fundamentele uitspraken te doen over de condition humaine.

BELANGRIJKSTE FILMS

1968	The Cow (Dariush Mehrjui)
1995	The White Balloon (Jafar Panahi)
1997	Taste of Cherry (Abbas Kiarostami)
1997	The Children of Heaven (Majid Majidi)
2000	The Blackboard (Samira Makhmalbaf)
2000	The Day I Became a Woman (Marzieh Meshkini)
2001	Secret Ballot (Babak Payami)
2001	Kandahar (Mohsen Makhmalbaf)
2004	Turtles Can Fly (Bahman Ghobadi)

Oost-Europa

De geschiedenis van Polen, Hongarije en Tsjechoslowakije in de 20e eeuw en die van hun filmindustrie kennen een min of meer identiek verloop. Onafhankelijkheid wordt gevolgd door Duitse bezetting, communistische repressie door liberalisatie, en een strenger regime door vrijheid.

De eerste studio in Polen werd in 1920 in Warschau gebouwd, twee jaar na de onafhankelijkheid. In 1929 richtte een groep avant-gardistische filmmakers START op, die de aanhangers van de artistieke film in zich verenigde. De bekendste van hen, Alexander Ford, werd een sleutelfiguur in de Poolse film met onder meer *Legion of the Street* (1932) en *People of the Vistula* (1936).

Tijdens de Tweede Wereldoorlog werd het maken van films in bezet gebied toegestaan, behalve in Polen, omdat de bezetter bevreesd was voor subtiele patriottische toespelingen. Na de verwoestingen die de oorlog had aangericht moest de filmindustrie helemaal opnieuw beginnen. Het merendeel van de naoorlogse films behandelt thema's als de afrekening met de Duitse bezetter, de verschrikkingen

In *Kanal* (1957), over het verzet in Warschau in 1944, is te zien hoe de Duitsers in de riolen Poolse partizanen achtervolgen en te pakken nemen.

van de getto's en de helden van het verzet. *Border Street* (1948) van Aleksander Ford volgt in het naoorlogse Warschau enkele gezinnen uit verschillende sociale klassen wier leven door de tragiek van de oorlog ingrijpend is veranderd. *Five Boys From Barska Street* (1953) van Ford was de eerste Poolse kleurenfilm, met als thema de jeugdcriminaliteit. De assistent bij deze film, Andrzej Wajda, zou met zijn eerste film, *A Generation*, het jaar daarop een heel ander beeld van de Poolse jeugd schetsen. Met *Kanal* (1957) en *Ashes and Diamonds* (1958) vervoltooide Wajda zijn oorlogstrilogie, die de Poolse film wereldwijd onder de aandacht bracht.

Eind jaren '50 en in de jaren '60 kende de Poolse film een vruchtbare periode, met onder meer *Eroica* (1957) van Andrzej Munk, *Mother Joan of the Angels* (1961) van Jerzy Kawalerowicz, die zich afspeelt in een 17e-eeuws klooster en als een van de eerste Poolse niet-oorlogsfilms in het buitenland te zien was, *Knife in the Water* (1962) van Polanski, *The Saragossa Manuscript* (1964) van Wojciech Has en *Walkover* (1965) van Jerzy Skolimowski. Veel van hen waren afgestudeerd aan de filmschool van Łódź. Na 1968 had de film veel te lijden onder de politieke repressie en censuur, die, net als in de buurlanden Hongarije en Tsjechoslowakije, de vrijheid van meningsuiting aan banden legde.

BELANGRIJKSTE FILMS

1962	Knife in the Water (Roman Polanski, Polen)
1965	The Shop on Mainstreet (Ján Kádár, Tsjechoslowakije)
1965	The Round-Up (Miklós Janscó, Hongarije)
1965	Loves of a Blonde (Miloš Forman, Tsjechosl.)
1966	Daisies (Vera Chytilova, Tsjechoslowakije)
1966	Closely Observed Trains (Jirí Menzel, Tsjechoslowakije)
1976	The Man of Marble (Andrzej Wajda, Polen)
1993/4	Trois couleurs: bleu, blanc, rouge (Krzysztof Kieslowski, Polen)
2000	Werckmeister Harmonies (Béla Tarr, Hongarije)
2000	Divided We Fall (Jan Hrebejk, Tsjechië)

Onder druk van de censuur kwam midden jaren '70 een nieuwe 'Cinema van de morele betrokkenheid' op, die zich vooral bezighield met ethische problemen en de verhouding tussen individu en staat. Voorbeelden zijn *The Man of Marble* (1976) van Andrej Wajda, de satires *Camouflage* (1977) en *The Constant Factor* (1981) van Krysztof Zanussi, *Provincial Actors* (1979) van Agnieszka Holland en *No End* (1984) van Krzysztof Kieslowski.

HONGARIJE

Hongarije was het eerste land dat zijn filmindustrie nationaliseerde, enkele maanden voordat de Sovjet-Unie hetzelfde deed tijdens de korte periode van communisme in 1919. Toen in 1920 het fascistisch bewind van Horthy aan de macht kwam, werd de filmindustrie weer geprivatiseerd. Alexander Korda, Mihály Kertész (Michael Curtiz), Paul Fejos en de filmtheoreticus Béla Balázs, die alle veel voor de Hongaarse film hadden gedaan, werden gedwongen hun land te verlaten. In de Tweede Wereldoorlog daalde de kwaliteit van de films naar een dieptepunt. Het eerste naoorlogse succes was *Somewhere in Europe* (1947)

Zygmunt Malanowicz *en Jolante Umecka in de eerste speelfilm van Roman Polanski,* Knife in the Water *(1962). Dit absurdistisch drama over seksuele rivaliteit en de generatie-kloof kreeg een Oscarnominatie en maakte Polanski op slag beroemd.*

In The Round Up *(1965) van Miklós Jancsó wordt een groep boeren gemarteld in een poging de leider van de partizanen te vinden.*

van Géza von Radványi, dat samenviel met de terugkeer van scenarioschrijver Balázs en leidde tot het opnieuw nationaliseren van de filmindustrie.

Eind jaren '50 begon, met steun van de in 1958 opgezette Béla Balázs-Studio, een jongere generatie filmmakers aan de weg te timmeren met films als *The Round-Up* (1965) van Miklós Jancsó, *Father* (1967) van István Szabó en *The Falcons* (1970) van

Klaus Maria Brandauer (rechts) *in* Mephisto *(1981) van István Szabó als een acteur die zijn ziel verkoopt door voor de nazi's te werken.*

István Gaál. Laatstgenoemde film schetst op imposante wijze de analogie tussen het temmen van vogels en een leefwijze die blinde gehoorzaamheid eist. *Angi Vera* (1979) van Pál Gábor verbeeldt al even indrukwekkend de repressie in het stalinistische Hongarije van eind jaren '30 en verraste de critici in het Westen. Márta Mészáros, de ex-vrouw van Miklós Jancsó, brak door met intieme films over de positie van de vrouw, vooral met haar drieluik 'Diary' (1982-1990) *Diary for My Children, Diary for My Loves* en *Diary for My Mother and Father.* In de jaren '90 maakte Béla Tarr naam als een van de meest opmerkelijke Europese regisseurs met zijn zeven-enhalf uur durende *Santantango* (1994) en met *Werckmeister Harmonies* (2000), waarin het long shot tot het uiterste wordt opgerekt.

In de zwarte comedy Divided We Fall *(2000) van Jan Hrebejk speelt Boleslav Polivka (midden) een onwaarschijnlijke held. Hij verbergt in zijn huis en onder de neus van een nazi-sympathisant die ook in het huis woont, een uit een concentratiekamp ontsnapte joodse vriend.*

TSJECHOSLOWAKIJE

Hoewel Tsjechoslowakije in 1918 onafhankelijk werd, leverde dat door de concurrentie uit Duitsland en de VS aanvankelijk maar weinig films op. Twee daarvan staken er tegen het eind van de stomme film bovenuit: *Erotikon* (1929) van Gustav Machaty, die zijn erotisch effect vooral te danken had aan de erin verbeelde symboliek, en *Such is Life* (1929) van Curt Junghan over het arbeidersbestaan in Praag. Machaty's grootste succes was *Ecstasy* (1933), waarvan de door Hedy Kiesler (later Lamarr) gespeelde naaktscènes de paus ertoe brachten fel te protesteren toen de film op het filmfestival van Venetië werd vertoond. In de VS werden de naaktscène eruit geknipt en Hedy's echtgenoot trachtte alle kopieën op te kopen. En dat terwijl de film toch een en al idyllische schoonheid is.

In 1933 gingen in een buitenwijk van Praag de Barrandov-studio open, nog steeds een van de best uitgeruste studio's van Europa. In de oorlog

De vijf jaar oude *Andrei Chalimon probeert in Jan Sveráks aangrijpende, met een Oscar bekroonde* Kolya *(1996) zijn muzikale stiefvader te imiteren.*

namen de Duitsers de studio over, waardoor de hele bedrijfstak stilviel. Na de oorlog werd in Praag de nationale filmschool FAMU opgericht, die een nieuwe lichting regisseurs afleverde met onder anderen Ivan Passer, Jiri Menzel, Vera Chytilová en Miloš Forman. *The Shop on Mainstreet* (1965) van Ján Kadár was de eerste Tsjechische film die de Oscar voor Beste Niet-Engelstalige Film kreeg, al snel gevolgd door Menzels *Closely Observed Trains* (1966). In 1968 maakte de Russische invasie een einde aan deze levendige periode. Kádar, Passer en Forman gingen naar de VS. Chytilová's *Daisies* (1966), de meest avontuurlijke en anarchistische film van die tijd, werd verboden. De Russenhaat komt terug in *Kolya* (1996) waarin een Tsjech van zijn Russische stiefzoon leert houden.

In Slowakije was de filmcensuur minder streng en regisseurs als Stefan Uher, Dusan Hanák en Juraj Jakubisko konden hun carrière relatief ongestoord uitbouwen. Sinds de onafhankelijkheid van Tsjechië en Slowakije in 1993 hebben beide filmindustrieën elk hun eigen karakter ontwikkeld.

De Balkan

De Balkan heeft sinds de uitvinding van de film heel wat politieke strubbelingen gekend. Niet zo vreemd dus dat hier maar weinig (en dan vaak ook nog erg traditionele) films zijn gemaakt. Toch heeft dit gebied de laatste tijd een aantal talentvolle filmmakers voortgebracht.

JOEGOSLAVIË

Van de weinige films die in Joegoslavië voor de Tweede Wereldoorlog werden gemaakt, was *With Faith in God* (1934) van Mihajlo Popovic, een epos over de Eerste Wereldoorlog, nog het beste. Net als de populaire partizanenfilms gingen na 1945 bijna alle Joego-slavische films over de oorlog. Toch maakten vooral animatiefilms indruk, zeker die van de Zagrebse school, die met hun verfrissende stijl een prima alternatief voor Walt Disney vormden.

De bekendste Joegoslavische regis-seurs zijn de officieel uit hun land ver-bannen Dusan Makavejev, en Aleksan-dar Petrovic die voor *Three* (1965) en *I Even Met Happy Gypsies* (1967) twee jaar achter elkaar een Oscarnominatie voor Beste Niet-Engelstalige Film kreeg. De Bosniër Emir Kusturica maakte in 1981 een overdonderende entree in de filmwereld, door met iedere nieuwe film een belangrijke onderscheiding in de wacht te slepen.

BULGARIJE

Zeven jaar na de onafhankelijkheid werd in Bulgarije de eerste speelfilm gemaakt: *The Bulgarian is Gallant*, met regisseur Vassil Gendov tevens in de hoofdrol. Deze regisseerde ook Bulgarijes eerste geluidsfilm, *The Slaves' Revolt* (1933). Tijdens de Tweede Wereldoorlog waren enkel propagandafilms toegestaan, en vervolgens, onder het communistisch regime, alleen speelfilms naar sociaal-realistisch sovjetmodel. Net als elders in Europa trad in de jaren '60 enige verbetering in. Een van de eerste internationale producties was *The Peach Thief* (1964) van Vulo Radev. Metodi

Underground *(1995) van de Bosnische regisseur Emir Kusturica is een episch portret van Joegoslavië van 1914 tot nu. De veelgeprezen Kusturica kreeg in Cannes de prijs voor Beste Regisseur voor* Time of the Gypsies *(1989).*

Anthony Quinn in Zorba de Griek *(1964), waarvan regisseur Michael Cacoyannis als een van de weinige Griekse regisseurs internationale erkenning kreeg.*

jaren '70 aan een indrukwekkende opmars begon.

Andonovs *The Goat Horn* (1972), waarvan Nikolai Volev in 1994 een remake maakte, kreeg veel bijval.

ROEMENIË

Roemenië deed er lang over om een filmindustrie op te bouwen. Deze leverde vanaf de jaren '60 zo'n 15 films per jaar af. Een doorbraak vormde *Forest of the Hanged* (1965) van Liviu Ciulei, een onderkoeld antioorlogs-drama dat in schril contrast stond met de gebruikelijke eposachtige propaganda. Lucian Pintilie, de bekendste Roemeense regisseur, maakte in dat jaar zijn eerste speelfilm, *Sunday at Six.*

Yol *laat Turkije zien door de ogen van vijf gevangenen*

GRIEKENLAND

Hoewel de eerste Griekse film in 1922 uitkwam, stonden lange periodes van onstabiliteit iedere poging tot het vormen van een filmindustrie in de weg. Er waren nog maar een paar speelfilms gemaakt, toen Michael Cacoyannis in de jaren '50 dé belichaming werd van de Griekse film en ongemeen populair werd met *Zorba de Griek* (1964). Waarna Theo Angelopoulos *(zie blz. 255)* in de

TURKIJE

Omer Lutfi Akad was de D.W. Griffith van de Turkse film. Op zijn *Kanun Kamina* (*In naam der wet*, 1952) volgde een hele reeks van oppervlakkige melodrama's. Dertig jaar later zou Yilmaz Güney Turkijes meest invloedrijke en internationaal erkende regisseur worden, al werden zijn beste films, zoals *Yol* (1982), voor een deel door vervangers gemaakt omdat hij zelf vanwege zijn linkse politieke activiteiten in de gevangenis zat. Andere belangrijke Turkse filmmakers zijn Yesim Ustaoglu (*Journey to The Sun*, 1999), Nuri Bilge Ceylan (*Uzak*, 2002) en Semih Kaplanoglu (*Angel's Fall*, 2005).

BELANGRIJKSTE FILMS	
1957	A Matter of Dignity (Michael Cacoyannis, Griek.)
1967	I Even met Happy Gypsies (Aleksandar Petrovic, Joegoslavië)
1972	The Goat Horn (Metodi Andonov, Bulgarije)
1982	Yol (Serif Gören, Yilmaz Güney, Turkije)
1995	Underground (Emir Kusturica, Joegoslavië)
1998	Eternity and a Day (Theo Angelopoulos, Griek.)
2002	Uzak (Nuri Bilge Ceylan, Turkije)

Rusland

De Russische film was in de jaren '20 de meest enerverende en experimentele ter wereld, tot het stalinisme ingreep en de bewegingsvrijheid aan banden legde. Pas vele jaren later zou Rusland zijn toonaangevende positie onder de grote filmlanden heroveren.

In de tijd voor de Russische Revolutie was er amper belangstelling voor de film omdat de tsaristische censuur het behandelen van actuele onderwerpen in de weg stond. De film leunde sterk op het bewerken van toneelstukken en romans, en tot aan de Eerste Wereldoorlog domineerden buitenlandse films de Russische markt. Yakov Protazanov regisseerde tussen 1909 en 1917 ruim 40 films en bleef als prominent lid van de oude garde ook na de Revolutie van 1917 actief, onder meer als maker van Ruslands eerste SF-film, *Aelita* (1924).

De bolsjewieken waren nog maar net aan de macht toen ze een nationale onderwijscommissie in het leven riepen waarvan een belangrijke afdeling zich met de film bezighield. Als kersverse sovjetleider realiseerde Lenin zich terdege de enorme propagandistische waarde van de film, en de eerste sovjetfilms speelden een belangrijke rol bij het in het hele land verspreiden van de revolutionaire boodschap onder het volk, veelal met behulp van 'agit prop-' (agitatie en propaganda)treinen. In 1918 werden in Moskou en Petrograd (het latere Leningrad) filmopleidingen gestart en het jaar daarop werd de filmindustrie genationaliseerd. Vanwege de burgeroorlog en het buitenlands embargo op films, filmmateriaal en filmbenodigdheden duurde het nog een paar jaar voordat de productie van speelfilms daadwerkelijk op gang kwam.

Een bende dieven wordt betrapt *door Mr. West en zijn trouwe cowboymaatje in* The Extraordinary Adventures of Mr. West In the Land of the Bolsheviks (1924).

Alles werd anders toen in 1924 de economie aantrok en de sovjetregering toezegde dat ze zich niet in artistieke aangelegenheden zou mengen, ook niet in niet-naturalistisch avant-gardistische, al moesten de films wel een revolutionair karakter hebben. Daarmee begon een enerverende, vruchtbare periode van filmmaken. Lev Koelesjov, een van de eerste filmtheoretici, stelde zijn onderzoek in dienst van zijn eerste speelfilm, de satire *The Extraordinary Adventures of Mr. West in the Land of the Bolsheviks* (1924). Met behulp van mobiele camera's, snelle montage en fragmenten uit Amerikaanse achtervolgingsfilms, dreef de film de spot met het westerse stereotype beeld van de 'woeste, dwaze Rus', al stelde het daar met de Harold Lloyd-achtige Mr. West wel een eigen Amerikaans stereotype tegenover.

ZWIJGEND KLASSIEK

Wat volgde waren geluidloze meesterwerken van Sergei Eisenstein, Vsevolod Poedovkin, Abram Room, Boris Barnet, Dziga Vertov, Aleksander Dovzjenko,

Filmaffiche voor Dovzjenko's poëtische film De aarde *(1930)*, met een onverzettelijke boor die het collectivisme moet verbeelden.

en het regisseursduo Leonid Trauberg en Grigori Kozintsev, die allen bruisten van creatieve energie. Eisenstein nam het voortouw met *Strike* (1924) waarin hij de 'dynamische montage' toepaste: visuele metaforen en plotse overgangen, net als in *Battleship Potemkin* (1925), met zijn gedenkwaardige trappenscène in Odessa *(zie blz. 401)*, en *Ten days That Shook the World* (1928).

Ook Poedovkin behandelde de Russische Revolutie van 1917, maar liet een andere visie zien in *The End of St. Petersburg* (1927), terwijl Dovzjenko met het pastorale *Earth* (1930) een hommage bracht aan

BELANGRIJKSTE FILMS

1925	Battleship Potemkin (Sergei Eisenstein)
1928	Storm Over Asia (Vsevolod Pudovkin)
1929	The Man with the Movie Camera (Dziga Vertov)
1930	Earth (Alexander Dovzjenko)
1944/6	Ivan the Terrible 1 & 2 (Eisenstein)
1957	The Cranes are Flying (Michaï Kalatózov)
1959	Ballad of a Soldier (Grigori Tsjoekraj)
1969	The Colour of Pomegranate (Sergej Paradjanov)
1985	Come and See (Elem Klimov)
2002	Russian Ark (Aleksander Sokoerov)

zijn geboortestreek Oekraïne. Barnet maakte een aantal verfrissende satires als *The Girl With the Hatbox* (1927) en *The House on Trubnaya* (1928). Abram Room's *Bed and Sofa* (1927) gaat over een ménage à trois en *The New Babylon* (1929) van Trauberg en Kozintsev speelt zich af in Parijs ten tijde van de Commune van 1871, waarbij montage en licht het verschil tussen arm en rijk aangeven. Vertov *(zie blz. 377)* bleef trouw aan de documentaire, onder meer met *The Man with the Movie Camera* (1929).

Helaas kwam er een eind aan deze fase toen Stalin zijn greep versteerde. De beste films, vooral die van Eisenstein, werden steeds feller aangevallen omdat hun symboolgebruik en modernistische visuele stijl te 'bourgeois' zouden zijn. Eind 1932 werd het 'socialistisch realisme', een door Stalin zelf bedachte term, de norm voor alle kunstuitingen. Het socialistisch realisme stond tegenover de 'formalistische' kunstopvatting, die stijl hoger achtte dan inhoud. Sovjetkunst diende optimistisch en begrijpelijk te zijn, en iedereen moest het mooi vinden. Met als gevolg dat de experimenten die de sovjetfilm groot hadden gemaakt aan banden werden gelegd.

Counterplan (1932), onder regie van Lev Arnshtam, Fridrikh Ermler en Sergej Joetkevitsj, ging over het verijdelen van een sabotagepoging op een staalfabriek en vormde 'de eerste overwinning van het socialistisch realisme in de Russische filmwereld'.

Toch werden in de periode voor de Tweede Wereldoorlog in de Sovjet-Unie wel degelijk ook films gemaakt die nog steeds zeer genietbaar zijn. Zoals *Jazz Comedy* (1934) en *Volga-Volga* (1938), musicals in Hollywoodstijl van Grigori Aleksandrov. Mark Donskoj's 'Gorki-trilogie' – *Childhood of Maxim Gorki* (1938), *Out in the World* (1939) en *My Universities* (1940) – is rijk aan voorvallen, karakters en eigentijdse details en vormt een van de meesterwerken van het socialistisch realisme, net als de eerste geluidsfilm van Eisenstein, *Aleksander Nevskij* (1938), met prachtige muziek van Sergei Prokofiev.

Innokenti Smoktunovsky *als de Prins van Denemarken (links) en Viktor Kolpakov als de doodgraver in* Hamlet *(1964).*

STALINS DOOD

In de Tweede Wereldoorlog werden er vooral documentaires gemaakt, die het moreel hoog moesten houden. Een van de weinige speelfilms uit die tijd, Eisensteins *Ivan the Terrible* (1944), werd in twee delen vervaardigd. Het eerste kon Stalins goedkeuring wegdragen, maar het tweede niet (dit werd pas in 1958 uitgebracht). De naoorlogse jaren vormden zowel kwalitatief als kwantitatief een dieptepunt voor de sovjetfilm. Pas na de dood van Stalin in 1953 en de beroemde speech van Chroesjtsjov in 1956 waarin hij kritiek uitte op bepaalde aspecten van het stalinisme, begon de film weer

op te krabbelen. Gevolg van deze 'dooi' was dat sommige films in het buitenland succes oogstten. Zo kreeg Mikhaíl Kalatózovs uitbundige liefdesverhaal *The Cranes are Flying* (1957) in Cannes de prijs voor de beste film, terwijl *Ballad of a Soldier* (1959) van Grigori Tsjoekraj twee jaar later de speciale juryprijs ontving.

Deze relatieve vrijheid hield tot in de jaren '60 stand en leverde fraaie films op als *The Lady with the Dog* (1959) van Josef Heifitz, *Hamlet* (1964) van Kozintsev, *Ivan's Childhood* (1962) van Andrei Tarkovski en *Shadows of our Forgotten Ancestors* (1964) van Sergei Paradjanov. Waarna de repressie opnieuw aantrok. *Andrei Roebljov* (1966) van Tarkovski en *The Colour of Pomegranate* (1969) van

Twee jonge Russische vrouwen
nemen elkaar in vertrouwen in
Moscow Does Not Believe in Tears
(1979) van Vladimir Menshov.

Amerikaanse actiefilms waren. Al snel heroverde Rusland echter weer zijn toonaangevende positie in de filmwereld met films als *The Thief* (1997) van Pavel Tsjoekraj, *Russian Ark* (2002) van Aleksander Sokoerov, *The Return* (2003) van Andrei Zvyagintsev, *The Last Train* (2003) van Aleksei German jr. en *Koktebel* (2003) van Aleksei Popogrebski.

Paradjanov kwamen beide op de plank terecht. Enkele uitzonderingen daargelaten, waaronder het acht uur durende *Oorlog en Vrede* (1966-1967) van Sergei Bondarchuk, bleven goede films schaars, totdat eind jaren '70 *Moscow Does Not Believe in Tears* (1979) de Oscar voor Beste Niet-Engelstalige Film won.

Door het uiteenvallen van de Sovjet-Unie konden de voormalige sovjet-republieken nu bovendien hun eigen, karakteristieke films gaan maken. Fraaie voorbeelden daarvan zijn *Brigands - Chapter VII* (1996) van de Georgische regisseur Otar Iosseliani, en *Angel on the Right* (Tadzjikistan, 2002) van Jamshed Oesmonov.

NA HET COMMUNISME

Na de val van het communisme volgde een fase waarin de meeste Russische films ofwel pure kitsch ofwel namaak-

Tsaar Nicolaas II en de Russische *koninklijke familie drinken thee aan de vooravond van de Russische Revolutie, in het opmerkelijke* Russian Ark (2002) *van Alexander Sokurov, dat in zijn geheel in 'one take' werd opgenomen in de Hermitage van Sint-Petersburg.*

Scandinavië

Gelet op het kleine aantal inwoners, is de bijdrage aan de filmkunst door de Scandinavische landen, aangevoerd door Zweden en Denemarken, fenomenaal te noemen. Veel regisseurs uit dit deel van Europa, van Ingmar Bergman tot Lars von Trier, zijn erg invloedrijk geweest.

In 1906 stimuleerde Nordisk Film (de oudste nog bestaande filmmaatschappij in de wereld) de opkomst van de Deense film. Sommige van de eerste Deense films kozen voor 'schokkende' onderwerpen, met titels als *The White Slave Trade* (1910), *The Morphine Takers* (1911) en *Opium Dreams* (1914). De filmproductie nam sterk af na de Eerste Wereldoorlog en het duurde erg lang voordat deze weer op het oude niveau was. Om die reden werden twee van de beroemdste regisseurs van Denemarken, Carl Dreyer en Benjamin Christensen, gedwongen werk in het buitenland te zoeken. In Zweden maakte Dreyer *The Parson's Widow* (1920) en Christensen maakte hier zijn beroemdste film, *Witchcraft Through the Ages* (1922), een semidocumentaire, gebaseerd op een aantal voorstellingen, geïnspireerd op het werk van Hieronymus Bosch en Pieter Bruegel. Dreyer ging tijdens de Tweede Wereldoorlog terug naar Denemarken, waar hij een van zijn beste films regisseerde, *Day of Wrath* (1943). Uit angst voor de nazi's, die de film zagen als

een toespeling op de tirannie van de bezetting, vluchtte Dreyer naar Zweden en keerde pas na de oorlog terug. Van de lichte, komische films en softporno die in de jaren 1950 in Denemarken werd gemaakt, sprong alleen *Ordet* (1954) van Dreyer eruit, waarmee hij in Berlijn de Gouden Beer won.

Een aantal opmerkelijke Deense films uit de jaren '60 waren: *Once There Was a War* (1966) van Palle Kjærulff-Schmidt, een verhaal over een jongen tijdens de bezetting in Kopenhagen; en *Hunger* (1966) van Henning Carlsen, een bewerking van de eerste roman van Knut Hamsen over een arme schrijver.

Drie grote Zweden in Hollywood: *de regisseurs Victor Sjöström (door MGM Victor Seastrom genoemd) en Mauritz Stiller met Greta Garbo, aan het begin van haar carrière in de VS.*

BELANGRIJKSTE FILMS

1921	The Phantom Carriage (Victor Sjöström, Zweden)
1943	Day of Wrath (Carl Dreyer, Denemarken)
1966	Persona (Ingmar Bergman, Zweden)
1987	Babette's Feast (Gabriel Axel, Denemarken)
1998	Festen (Thomas Vinterberg, Denemarken)
1998	The Idiots (Lars Von Trier, Denemarken)

ZWEEDSE FILM

In 1907 werd in Zweden de Svenska Bio studio opgericht, twee jaar later zou Charles Magnusson in dienst treden als productiemanager. In 1912 contracteerde hij twee regisseurs, Victor Sjöström en Mauritz Stiller, die de Zweedse cinema zouden veranderen. In datzelfde jaar regisseerde Magnusson samen met Julius Jaenzon *The Vagabond's Galoshes*, gebaseerd op een sprookje van Hans Christian Andersen. Deze film maakte als een van de eerste gebruik van 'tracking shots'.

Bibi Andersson (links) en *Liv Ulmann als de vrouwen die van identiteit verwisselen in* Persona *(1966) van Ingmar Bergman.*

Mauritz Stiller maakte beschaafde, sekscomedy's, zoals *Love and Journalism* (1916) en *Erotikon* (1920), voordat hij opschoof naar de meer sombere Zweedse literatuurtraditie met films gebaseerd op de romans van Selma Lagerlöf. Sjöström, met *Karin, Daughter of Ingmar* (1920) en *The Phantom Carriage* (1921), en Stiller met *Sir Arne's Treasure* (1919) en de eerste speelfilm van Greta Garbo, *The Saga of Gosta Berling* (1923) bezorgden Zweden de reputatie van een land waar films werden gemaakt met een hoge artistieke kwaliteit. Toen Sjöström, Stiller en Garbo in het midden van de jaren '20 vertrokken naar Hollywood, was dat een verlies voor Zweden. De enige noemenswaardige regisseur in de jaren '30 was Gustaf Molander, wiens beroemdste film *Intermezzo* (1936) was. Een sentimentele film waarin Ingrid Bergman haar eerste hoofdrol speelde. Op basis hiervan bood David O. Selznick Bergman een contract aan voor de 'remake' van deze film in Hollywoodstijl, twee jaar later.

Pia Degermark won *in Cannes de prijs voor de beste actrice voor haar hoofdrol in het lyrisch gefilmde* Elvira Madigan *(1967) van Bo Widerberg.*

Een van de meest opmerkelijke Zweedse films in de jaren '40 was *Frenzy* (1944) van Alf Sjöberg, over een niet begrepen jeugd. Niet alleen betekende dit het begin van de filmcarrière van de 26-jarige Ingmar Bergman (het was zijn eerste scenario) en van de zeer jeugdige actrice Mai Zetterling, maar het vormde tevens de aanzet tot vernieuwing van de Zweedse film. Bergmans debuutfilm *Crisis* (1946) was direct een succes en vanaf de jaren '50 was hij het gezicht van de Zweedse film. Hoewel ze minder talent hadden verwierven ook Arne Mattsson (*One Summer of Happiness*, 1951) en Arne Sucksdorff (*The Great Adventure*, 1953) enige bekendheid in het buitenland. In

Een van de dwaze Sovjet-rockmuzikanten in Leningrad Cowboys Go America *(1989), een typische film van de Finse regisseur Aki Kaurismäki.*

de jaren '60 verscheen er een jongere generatie regisseurs, waartoe Bo Widerberg behoorde die beroemd werd om het tragische liefdesverhaal van *Elvira Madigan* (1967) en Vilgot Sjöman, die een schandaal veroorzaakte met *I Am Curious Yellow* (1967) en *I Am Curious Blue* (1968), die beide expliciete seks bevatten. De twee eerste films van Mai Zetterling als regisseur, *Loving Couples* (1964) en *Night Games* (1966) waren zinnelijke Strinberg-drama's met een feministische draai.

Ingmar Bergman bleef echter de grote man. In het spoor van zijn klassiekers uit de jaren '50, in het bijzonder *Het Zevende Zegel* (zie blz. 443) en *Wilde Aardbeien* (beide uit 1957), maakte hij in de jaren '60 een serie psychologische drama's, waarvan de meeste met Liv Ullmann. (In 2000 zou Ullmann *Faithless* regisseren, een fascinerende film, geschreven door Bergman, over hun relatie).

Ze speelde ook in *The Emigrants* (1972) en *The New Land* (1973) van Jan Troell, twee verhalen over Zweden die in de 19e eeuw naar de VS emigreren. Ullmann speelde haar eerste hoofdrol in *The Wayward Girl* (1959). Dit verhaal over seksuele bevrijding was de laatste film van Edith Carlmar, de eerste Noorse vrouwelijke regisseur, die tussen 1949 en 1959 tien films maakte. In 1957 maakte een andere Noorse film internationaal indruk: *Nine Lives* van Arne Skouen, gebaseerd op een waargebeurd verhaal van verzetstrijder Jan Baalsrud.

Een bekende film uit Finland was *The Unknown Soldier* (1956) van Edvin Lane, nog altijd de financieel meest succesvolle Finse film aller tijden. Jörn Donner maakte veel films met seksualiteit als thema. Hij was de bekendste Finse regisseur tot de komst van Aki Kaurismäki, die Finland in de jaren '80 op de kaart zettte. Tot zijn films behoren *Man Without a Past* (2002) en *Drifting Clouds* (1996).

Net als Kaurismäki voor de Finse cinema, was Fridrik Thor Fridriksson van belang voor het internationale succes van de IJslandse cinema. In de jaren '90 werd hij in brede kring bekend met 'offbeat' films als *Cold Fever* (1994) en *Devil's Island* (1996).

Films uit de Baltische Staten worden vanaf 2000 langzaam bekend in het buitenland. Hiertoe behoren *The Lease* (2002, Litouwen) van Kristijonas Vildziunas, *The Python* (2003, Letland) van Laila Pakalnina en *Revolution of Pigs* (2004, Estland) van Jaak Kilmi en René Reinumägi.

EEN CREATIEVE EXPLOSIE

De jaren '80 vormden een tijdperk van grote creativiteit. Het begon in Denemarken toen twee keer achter elkaar een Deense film de Oscar won voor Beste Niet-Engelstalige film: *Babette's Feast* (1987) van Gabriel Axel en *Pelle Erobreren* (1987) van Bille August. In 1995 stelden Lars von Trier en Thomas Vinterberg samen het manifest 'Dogme 95' (Dogma 95) op met het doel low-budgetfilms te maken met een ethische inslag. Tot de succesvolste Dogma 95-films behoren: *Festen* van Vinterberg; *The Idiots* van Von Trier, beide films uit 1998; *Mifune* (1999) van Søren Kragh-

In een afgelegen Deens stadje *genieten de gasten van een overvloedige maaltijd, klaargemaakt door een Franse kok (Stéphane Audran), in* Babette's Feast *(1987).*

Jacobsen; *Italian for Beginners* (2000) van Lone Scherfig en *Minor Mishaps* (2002) van Annette Olesen.

Noemenswaardige Zweedse films waren: het comedydrama *Together* (2000) van Lukas Moodysson; het vreemde *Songs From the Second Floor* (2000) en *Daybreak* (2003) van Björn Runge. Noorse filmhits waren *Orion's Belt* (1985) van Ola Solum, *Pathfinder* (1978) van Nils Gaup en de 'feel good'-documentaire over een mannenkoor, *Cool and Crazy* (2001), van Knut Erik Jensen.

Zweedse deskundigen onderzoeken *de huiselijke gewoontes van Noorse vrijgezellen in de geestige satire* Kitchen Stories *(2003) van Bent Hamer.*

Duitsland

Ondanks de aanzienlijke bijdrage die Duitsland leverde aan de historie van de film, zit er een groot gat tussen haar beste periode (de periode van de stomme film) en het aanbreken van een nieuwe bloeiperiode in de jaren '70, bijna een halve eeuw later.

'Nooit eerder in enig ander land zijn beelden en taal zo gewetenloos misbruikt als hier. Nergens anders hebben mensen op zo grote schaal het vertrouwen verloren in de beelden van hun eigen stad, hun eigen verhalen en mythen, als hier,' zei de Duitse regisseur Wim Wenders in 1977. Wenders verwijst hiermee naar de nalatenschap van het nazisme die een stempel heeft gedrukt op zo veel Duitse films, zowel van de Bondsrepubliek Duitsland (West-Duitsland) als van de Duitse Democratische Republiek (Oost-Duitsland), met name tussen 1949 en 1989. Dit komt onder meer ter sprake in het boek *From Caligari to Hitler* (1947), van de filmrecensent Siegfried Kracauer, die de psyche van de Duitsers analyseert aan de hand van de Duitse film. Het beginpunt van het boek is *Das Kabinett des Dr. Caligari* (1919, zie blz. 399), dat in de jaren '20 het handelsmerk van de Duitse film vormde, met zijn gestileerde decors, kunstmatig licht en schaduwen.

DE BLOEITIJD VAN DE STOMME FILM

Voor de Eerste Wereldoorlog waren er 2000 bioscopen en twee grote filmstudio's in de buurt van Berlijn. De meeste Duitse films waren absurde comedy's en statische bewerkingen van literatuur en toneel. Maar er was ook een aantal films dat vooruitliep op de expressionistische stijl van *Dr. Caligary*, zoals de eerste van de drie versies van *Der Student von Prag* (1913), een 'vonk' die de Duitse voorliefde voor films met boven-

Het kleimonster *(Paul Wegener, die ook de mederegisseur was) bekijkt zijn slachtoffer in* Der Golem *(1914), de eerste van een aantal verfilmingen van de oude Joodse legende.*

natuurlijke onderwerpen deed ontbranden en die indirect leidde tot de verfilmingen van de klassiekers van het expressionisme. Paul Wegener, die zijn spiegelbeeld verkoopt om in het bezit te komen van de middelen waarmee hij het meisje van zijn dromen kan veroveren, speelde de hoofdrol. Wegener was ook het monster in *Der Golem* (1914) die hij samen met Henrik Galeen regisseerde. De filmproductie nam tijdens de Eerste Wereldoorlog sterk toe omdat films uit vijandelijke landen – de VS, Frankrijk en Engeland – niet in Duitsland vertoond mochten worden. De vermaarde UFA (Universum Film Aktien Gesellschaft)

Emil Jannings als de trotse hotelportier *die zijn baan verliest en vervolgens toiletten moet schoonmaken in* Der Letzte Mann *(1924) van F.W. Murnau.*

werd in 1917 opgericht en bleef de leidende kracht in de filmindustrie tot het einde van de Tweede Wereldoorlog. Tot de regisseurs die in die tijd opkwamen behoorden F.W. Murnau, Paul Leni, Fritz Lang en Ernst Lubitsch. *Nosferatu* (1922) van Murnau, *Das Wachsfigurenkabinett* (1924) van Leni en de tweedelige *Dr. Mabuse: der Spieler* (1922) en *Metropolis* (1927) van Lang waren expressionistische meesterwerken. Lubitsch regisseerde o.a. historische liefdesverhalen zoals *Madame Du Barry* (1919), *Anna Boleyn* (1920) en *Das Weib des Pharao*. Ook de zogenoemde 'kammerspiel' films, met name *Scherben* (1921) van Lupu Pick en *Der Letzte Mann* (1924) van Murnau, waren succesvol.

Er waren nog twee andere populaire genres: 'straatfilms', zoals *Die Freudlose Gasse* (1925) van G.W. Pabst, met de 20-jarige Greta Garbo (in haar laatste Europese film), en 'bergfilms', die zich

richtten op de strijd van de mens met de natuur. Het laatste genre komt met name tot uitdrukking in de films van Arnold Fanck, waarvan de beste was: *Die weiße Hölle vom Piz Palü* (1929). In vier van Fancks films speelt Leni Riefenstahl (zie blz. 355), wier eerste film als regisseur, *Das blaue Licht* (1932), ook een 'bergfilm' was.

HET EINDE VAN DE GOUDEN EEUW

Voordat aan deze Gouden Eeuw door toedoen van Hitler een einde kwam, waren er een paar opvallende geluidsfilms gemaakt : *Der Blaue Engel* (1930) van Josef von Sternberg, *Westfront 1918* (1930) en *Die Dreigroschenoper* van Pabst, en *Mädchen in Uniform* (1931) van Leontine Sagan. *M* (1931) van Fritz Lang, met Peter Lorre als een kindermoordenaar, en zijn *Das Testament des Dr. Mabuse* (1933) zijn ook in die periode gemaakt. De laatstgenoemde film viel slecht bij de net aan de macht gekomen nazi's. De nieuwe minister van Propaganda, Joseph Goebbels, vroeg Lang de film aan te passen. Deze weigerde en ontvluchtte het land.

BELANGRIJKSTE FILMS

1924	Der Letzte Mann (F.W. Murnau)
1928	Die Büchse der Pandora (G.W. Pabst)
1930	Der Blaue Engel (Josef von Sternberg)
1931	M (Fritz Lang)
1959	Die Brücke (Bernhard Wicki)
1975	Falsche Bewegung (Wim Wenders)
1978	Die Ehe der Maria Braun (Rainer Werner Fassbinder)
1979	Die Blechtrummel (Volker Schlöndorff)
1981	Das Boot (Wolfgang Peterson)
1998	Lola Rennt (Tom Tykwer)

De filmindustrie viel nu onder ver-antwoordelijkheid van Goebbels, die de industrie zuiver-de van joodse invloeden. Tijdens het bewind van de nazi's werden er meer dan 1000 films gemaakt, met name comedy's en musicals maar ook antisemitische films,

De 12 jaar oude *David Bennent speelt Oskar in* Die Blechtrommel *(1979) van Schlöndorff, gebaseerd op een allegorische roman over het nazisme.*

zoals *Jud Süß* en *Der Ewige Jude* (beide uit 1940). Andere propagandafilms waren *Hitlerjunge Quex* (1933), *Triumph des Willens* (1935) en *Olympia* (1938) van Leni Riefenstahl. Een van de weinige films die deze periode zou overleven was *Die Abenteuer des Baron Münchhausen* (1943), een in Agfacolor geschoten fantasiefilm, gemaakt ter gelegenheid van het 25-jarige bestaan van de UFA-studio's.

Solveig Dommartin is de trapeze-artieste *in* Der Himmel über Berlin *(1987) van Wim Wenders, op wie een engel (Bruno Ganz) verliefd wordt.*

Na de oorlog duurde het nog jaren voor de filmindustrie in het door de geallieerde troepen bezette land weer op poten was. Bijna alle productiefacilitei-ten, inclusief de UFA- en Tobis-studio's, bevonden zich in de Russische zone en waren overgenomen door de DEFA, de nieuwgevormde staatsfilmmaatschappij. De meeste van de naoorlogse films ('Trümmerfilms'), zowel in Oost- als in West-Duitsland, werden gekenmerkt door sociale onderwerpen in een poging in het reine te komen met de realiteit. Na de opdeling van Duitsland in 1949 ontwikkelden de twee filmindustrieën zich onafhankelijk van elkaar. Oost-Duitsland maakte films met een zeer tendentieuze, politieke inhoud, terwijl West-Duitsland zich vooral richtte op amusementsfilms.

EEN LANGZAME WEDERGEBOORTE

De jaren '50 vormden een slechte tijd voor de Duitse film, hoewel er verschillende sterren werden ontdekt, zoals Romy Schneider, Horst Buchholz, Curd Jürgens en Maria Schell, die internationale erkenning kregen. De enige film die het noemen waard is was *Die Brücke* (1959) van Bernhard Wicki, over zeven schooljongens die in 1945 in dienst gaan en zich doodvechten tijdens de verdediging van een brug tegen de oprukkende Amerikaanse tanks.

In de vroege jaren '60 schrijft de West-Duitse filmmaker Alexander Kluge een manifest waarin hij subsidies en het oprichten van een filmschool eist. Hiermee effende hij de weg voor een nieuwe lichting regisseurs, zoals Volker Schlöndorff, Rainer Werner Fassbinder, Werner Herzog en Wim Wenders. Maar ook voor Hans-Jürgen Syberberg, met zijn pogingen de Duitse cultuur en geschiedenis te ontrafelen, Edgar Reitz, met *Heimat* (1983-2005), en voor de feministische filmmakers Margarethe von Trotta en Helga Sanders Brahms. *Das Boot* (1981) van Wolfgang Peterson, *Der Untergang* (2004) van Oliver

Hirschbiegel en *Good Bye Lenin!* (2003) van Wolfgang Becker rekenden af met het recente verleden van Duitsland.

Hoe meer de nazitijd – een onderwerp dat veel van de Duitse films vanaf 1960 heeft gedomineerd – naar de achtergrond verdwijnt, des te meer zelfverzekerde films er verschijnen. Typerende films in dit verband zijn *Lola Rennt* (1998) van Tom Tykwer, die op drie verschillende manieren een tijdspanne in beeld brengt, door *Die Fetten Jahre Sind Vorbei* (2004) van Hans Weingartner over een groep anarchisten, en *Gegen die Wand* (2004) van de in Duitsland geboren Turk Fatih Akin, een schreeuw van woede namens de Turkse immigranten.

Lola (Franka Potente) *heeft twintig minuten om 100.000 Duitse Mark te zoeken en zo haar vriend af te houden van het beroven van een kruidenierswinkel in de filmhit* Lola Rennt *(1989) van Tom Tykwer.*

Frankrijk

Geen ander land, uitgezonderd de VS, heeft zoveel bijgedragen aan de technische en artistieke ontwikkeling van de film als Frankrijk. Bovendien is Frankrijk een land dat altijd een grote filmproductie heeft gehad, zowel van commerciële als artistieke films.

Het vijfdelige Fantômas *(1913-1914) van Louis Feuillade bracht de crimineel en meester van de vermomming (René Navarre) in een aantal lastige situaties.*

VS werd uitgebracht. Maar de bekendste Franse naam voor de Amerikanen was die van de komiek Max Linder, die grote invloed had op Charlie Chaplin en andere komieken van de stomme film. In dezelfde tijd maakte Louis Feuillade zijn *Fantômas* (1913-1914) over een duivelse crimineel en *Les Vampires* (1915-1916).

Tijdens de Eerste Wereldoorlog lag de Franse filmproductie stil, waardoor de

Er wordt nog steeds geruzied over de vraag welk land de film heeft uitgevonden. Zeker is dat de Franse broers Lumière de eersten waren die films commercieel exploiteerden. Ze vertoonden hun films voor het eerst in het openbaar in Parijs op 28 december 1895, de datum die algemeen wordt beschouwd als de geboortedag van de film. Niet lang daarna zagen de filmproducenten Leon Gaumont en Charles Pathé de commerciële mogelijkheden van het nieuwe medium in en begonnen ze met de bouw van hun filmimperium. Alice Guy-Blaché, verantwoordelijk voor de producties bij Gaumont, werd de eerste vrouwelijke regisseur, met *La Fee Aux Chou* (1902). Enkele van de eerste Franse films, naast de magische cinematografische trucs van Georges Méliès, waren bewerkingen van klassieke toneelstukken. Tot de eerste sterren behoorde de legendarische toneelspeelster Sarah Bernhardt, die speelde in *Queen Elizabeth* (1912), dat succesvol in de

Amerikaanse film een dominantere positie in Europa kon innemen. Na de oorlog ontwikkelden de Fransen de film tot een kunstvorm. De filmtheoreticus Ricciotto Canudo verwees naar film als 'de zevende kunst', en de eerste serieuze recensent, Louis Delluc, tevens een belangrijk regisseur, verzon het woord *cinéaste*, dat filmmaker betekende. (De Prix Louis Delluc wordt sinds 1937 jaarlijks uitgereikt aan de beste film van het jaar.) Germaine Dulac regisseerde *La Coquille et le Clergyman* (1928) – waarschijnlijk de eerste surrealistische film – terwijl haar *La Souriante Madame Beudet* (1922) wordt beschouwd als de eerste feministische film. Andere vernieuwingen waren het gebruik van slowmotion in *La Chute de la Maison Usher* (1928) van Jean Epstein en het toepassen van wazige

De grote Jean Gabin, *als dief die zich verstopt in de Algerijnse kashba, wordt geconfronteerd met zijn jaloerse minnares (Line Noro), in het fatalistische liefdesverhaal* Pépé le Moko *(1936) van Julien Duvivier.*

BELANGRIJKSTE FILMS	
1927	Napoléon (Abel Gance)
1934	L'Atalante (Jean Vigo)
1937	La Grande Illusion (Jean Renoir)
1939	Le Jour se Lève (Marcel Carné)
1951	Le Journal d'un Curé de Campagne (Robert Bresson)
1959	Hiroshima Mon Amour (Alain Resnais)
1962	Jules et Jim (François Truffaut)
1968	Weekend (Jean-Luc Godard)
1995	La Haine (Mathieu Kassovitz)
2000	Le Goût des Autres (Agnès Jaoui)

beelden *(flou)* in *El Dorado* (1921) van Marcel L'Herbier. Abel Gance maakte al gebruik van 'split-screen' technieken in *J'accuse!* (1919), nog voor zijn meesterwerk *Napoléon* (1927).

DE KOMST VAN HET GELUID

Vanaf de jaren '30 begonnen Jean Renoir, Marcel Pagnol en Sacha Guitry met het gebruik van dialogen in hun films, terwijl René Clair musicals verfilmde. Deze periode wordt gekenmerkt door het 'poëtisch realisme' in het werk van Marcel Carné (*Le Jour se Lève*, 1939), Jean Renoir (*La Bête Humaine*, 1938) en Julien Duvivier (*Pépé le Moko*, 1936), drie films met de charismatische Jean Gabin in de hoofdrol. Tijdens de Duitse bezetting verbleven Renoir, Clair, Duvivier en de in Duitsland geboren Max Ophüls in ballingschap in Hollywood. Carné bleef in Frankrijk, net als Jean Cocteau, Jacques Becker, Claude Autant-Lara, Henri Clouzot en Robert Bresson, die allen amusementsfilms maakten. Na de bevrijding maakten Cocteau, Clouzot, Becker en Bresson echter hun beste films, terwijl ook Renoir, Clair en Ophüls weer op het filmtoneel verschenen. In 1946 werd het Centre National de Cinéma Français (CNC) opgericht. Een van de eerste acties was het beschermen van de Franse filmindustrie tegen invloeden van buitenaf, met name uit Amerika, door het beperken van het aantal

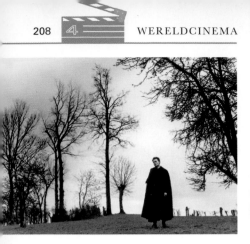

Claude Laydu in de hoofdrol van Le Journal d'un Curé de Campagne *(1951) van Robert Bresson, speelt een eenzame man die overmand wordt door twijfel.*

te vertonen buitenlandse films. Het gaf ook financiële ondersteuning aan onafhankelijke producties, waarvan vele teruggrepen op het realisme en de film noir, waar Jean-Pierre Melville meester in was. Toch waren in de jaren '50 ook de 'oude' regisseurs nog actief. Sommige, zoals Marcel Carné, die tijdens de bezetting het internationaal hoog aangeschreven *Les Enfants du Paradis* (1945) maakte, zagen hun reputatie echter langzaam afbrokkelen. Velen van hen bezweken voor de verlokkingen van de commercie en

Jacques Tati als Monsieur Hulot *die het moeilijk vindt om het ultramoderne huis van zijn zwager (Jean-Pierre Zola) binnen te gaan in* Mon Oncle *(1958).*

maakten ongeïnspireerde films, vaak in lucratieve coproducties met Italiaanse filmmakers.

Ook van de literatuur werd dankbaar gebruikgemaakt: Claude Autant-Lara maakte filmbewerkingen van boeken van Stendhal, Maupassant en Dostojevski. De sterren in die jaren waren tot op zekere hoogte nog dezelfden als in de jaren '30 en '40 – Jean Gabin, Fernandel, Edwige Feuillère, Gérard Philipe, Danielle Darrieux en Pierre Fresnay.

Het Franse ongenoegen met de film kreeg in 1948 een invloedrijke stem door het artikel van Alexandre Astruc, *De geboorte van een nieuwe avant-garde: Le Camero Stylo*, waarin werd afgegeven op de lopendebandmethode van filmmaken, die de Franse industrie had overgenomen van Hollywood, waar de tussenkomst van de directies garandeerde dat non-conformistische films werden aangepast om te voldoen aan commercieel betrouwbaar gebleken formules.

JULIETTE BINOCHE

Waarschijnlijk de best betaalde actrice in de Franse historie. Juliette Binoche (geboren in 1964) werd internationaal bekend door *The Unbearable Lightness of Being* (1988). Ze speelde in *Trois Couleurs: Bleu* (1993) van Krzysztof Kieslowski een vrouw die een pijnlijke strijd levert om de dood van haar man en dochter te verwerken. Binoche speelt zowel in prestigieuze Franse films als *Le Hussard sur le Toit* (1995), coproducties als *Hidden* (2005) en Hollywoodproducties als *The English Patient* (1996) en *Chocolat* (2000).

In het begin werkten ze nauw met elkaar samen en steunden ze elkaar. Hierdoor ontstond een gemeenschappelijke en onderscheidende stijl waardoor hun werk direct herkenbaar was. Hun invloed is tegenwoordig nog steeds merkbaar in de filmwereld.

In de jaren '80 gaven drie jonge regisseurs, Jean-Jacques Beinex, Luc Besson en Leos Carax, de Franse film een nieuw, 'postmodern' gezicht. De inspiratie voor hun 'coole' thrillers haalden ze uit reclamespotjes en videoclips. Onder de Franse filmmakers bevond zich ook altijd een groot aantal vrouwelijke regisseurs, zoals Agnès Varda en Marguerite Duras, en later Yannick Bellon, Nelly Kaplin, Coline Serreau, Diane Kurys en Claire Denis. En nog steeds komen er 'dagelijks' nieuwe Franse films uit en verschijnen er nieuwe, getalenteerde Franse regisseurs op het toneel. Een greep uit de verschillende genres: subtiele comedy's: *Le Goût des Autres* (2000) en *Comme une Image* (2004) van Agnès Jaoui; ontroerende persoonlijke drama's: *5×2* (2004) en *Le Temps Qui Reste* (2005) van François Ozon; films over stedelijk verval: *La Haine* (1995) van Mathieu Kassovitz; seksuele ontdekkingen: *Romance* (1999) van Catherine Breillat en *Irréversible* (2002) van Gaspar Noé; en romantische comedy's: *Amélie* (2001) van Jean-Pierre Jeunet.

CAHIÉRS DU CINÉMA

In 1951 richtte de filmrecensent André Bazin *Cahiérs du Cinéma* op, het meest invloedrijke Franse filmmagazine. Verschillende jonge recensenten van het tijdschrift besloten om letterlijk in actie te komen in hun strijd tegen de traditionele literaire Franse film, of 'Cinéma du Papa', door zelf films te gaan maken. Ze maakten hierbij gebruik van de subsidies die de regering-De Gaulle had ingevoerd. De leidende figuren van deze beweging, die bekend werd als de 'Nouvelle Vague', waren François Truffaut, Jean-Luc Godard, Alain Resnais, Claude Chabrol, Jacques Rivette, Eric Rohmer en Louis Malle.

Romain Duris *wordt heen en weer geslingerd tussen de keuze om pianist te worden (hier met zijn lerares Linh Dan Pham) of gangster, net als zijn vader, in* De battre Mon Cœur s'est Arrêté *(2005).*

Italië

Italië heeft in drie perioden een grote invloed gehad op de film: met de epische films vlak voor de Eerste Wereldoorlog; met de neorealisten in de periode direct na de Tweede Wereldoorlog en met de 'tweede filmrenaissance' tussen 1960 en het midden van de jaren '70.

Een van de enorme sets voor *het epos* Cabiria *(1914) van Giovanni Pastrone, waarvan de opnames in de studio en op locatie zes maanden duurden.*

In 1905 werden de eerste Italiaanse studio's gebouwd. Ze waren in het bezit van de twee grootste productiemaatschappijen, Cines en Itala, die beide succesvolle kostuumdrama's maakten. Bij Cines regisseerde Mario Caserini *Giovanna d'Arco* (1908), en Ubaldo Maria del Colle maakte *The last Days of Pompeii* (1913). Bij Itala maakte Giovanni Pastrone *La Caduta di Troia* (1910) en het monumentale *Cabiria* (1914). De opnames van deze avonturenfilm namen zes maanden in beslag. Er werden innovaties toegepast, zoals een verrijdbaar statief en opnames vanuit een hijskraan. Het succes hiervan in de VS inspireerde D.W. Griffith en Cecil B. DeMille tot het op kleine schaal beginnen met dit soort producties. Deze eerste spektakelfilms zouden de aanzet vormen tot de populaire 'peplum'- ('Zwaard en Sandaal'-) epossen uit de jaren '50.

De Eerste Wereldoorlog en de concurrentie vanuit de VS zetten een stop op deze grote spektakelproducties en alle studio's waren rond 1922 gesloten. Ironisch genoeg zorgde het fascistische regime van Mussolini voor de opleving van de Italiaanse film. In 1935 werd een filmacademie opgericht, het Centro Sperimentale di Cinematografia, en de Cinecitta studios (al snel bekend als Hollywood aan de Tiber) werden door Mussolini geopend.

Hoewel de Italiaanse film in de jaren '30 werd gedomineerd door de 'Witte Telefoon Films', oppervlakkige verhalen over de welgestelden, en door propagandafilms die terugkeken op de vergane glorie van Rome, zoals *Scipio l'Africano* (1937), waren er ook enkele opvallende uitzonderingen. Zoals *Gli Uomini, che Mascalzoni!* (1932) van Mario Camerini, de eerste Italiaanse film die helemaal op locatie was gefilmd, en *Quattro Passi Fra le Nuvole* (1942) van Alessandro Blasetti, die vooruitliep op het neorealisme door het gebruik van nederige karakters en eenvoudige achtergronden.

DE NEOREALISTEN

Ossessione (1942, zie blz. 426) van Luchino Visconti wordt door velen beschouwd als de eerste neorealistische film. Dit stempel werd op iedere film geplakt die na de bevrijding was gemaakt, over de werkende klasse ging en op locatie was opgenomen – al of niet met amateurs. Een van de leidende figuren van deze beweging was Cesare Zavattini, die tussen 1944 en 1973 bijna alle scripts schreef voor de films van

Vittorio De Sica, waaronder *Ladri di Biciclette* (1948, zie pag. 430) en *Il Giardino dei Finzi-Contini* (1970). De neorealistische films maakten echter maar een klein deel uit van de totale Italiaanse filmproductie, omdat de Italianen liever amusementsfilms zagen, zoals de comedy's met Toto en Alberto Sordi. Vanaf 1950 nam het belang van het Italiaanse neorealisme af, hoewel *Umberto D* (1952) en *Il Tetto* (1956) van De Sica nog wel succesvol waren, en sommige jongere regisseurs, zoals Pier Paolo Pasolini met zijn eerste film *Accatone* (1961), duidelijk door deze stroming beïnvloed waren, wat ook gold voor regisseurs uit uiteenlopende landen

Sophia Loren in La Ciociara *(1900) van Vittorio De Sica waarvoor ze de Oscar won voor Beste Actrice in een Niet-Engelstalige Film, een zeldzame onderscheiding.*

als Brazilië en Iran. Roberto Rossellini, wiens *Roma Città Aperta* (1945) en *Paisà* (1946) tot de grote voorbeelden van het neorealisme behoorden, begon afstand te nemen van deze stijl en maakte spirituele melodrama's met Ingrid Bergman. En ook Visconti en De Sica lieten veel van de principes van het neorealisme achter zich. De jaren '50 waren de jaren van de 'peplum'-films en de

Het bruiloftsfeest *uit Amarcord (1973) van Federico Fellini, de warme, vaak dromerige semi-autobiografische herinnering aan Rimini, zijn woonplaats.*

BELANGRIJKSTE FILMS

1950	Francesco, giullare di Dio (Roberto Rossellini)
1952	Umberto D. (Vittorio De Sica)
1961	La Notte (Michelangelo Antonioni)
1963	Il Gattopardo (Luchino Visconti)
1964	Il Vangelo secondo Matteo (Pier Paolo Pasolini)
1973	Amarcord (Federico Fellini)
1977	1900 (Bernardo Bertolucci)
1994	Il Postino (Michael Radford)
2003	La Meglio Gioventù (Marco Tullio Giordana)

Leoni en anderen 'spaghettiwesterns'. Ook waren er Italiaanse horrorfilms, waarin Mario Bava en Dario Argento een vooraanstaande rol hadden. Na een relatief rustige periode in de jaren '80 kreeg de industrie weer een impuls door een nieuwe generatie regisseurs. Tot hen

behoren Giuseppe Tornatore met *Nuovo Cinema Paradiso* (1989, zie blz. 478), Gabriele Salvatores met *Mediterraneo* (1991) en Roberto Benigni met *La Vita è Bella* (1997), die alledrie de Oscar voor de beste Niet-Engelstalige Film wonnen. Ook andere films hielden de interesse voor de Italiaanse cinema levend: *Porte Aperte* (1990), *Le Chiavi di Casa* (2004) van Gianni Amelio; *Il Postino* (1994) van Michael

opkomst van de internationale sterren als Sylvana Mangano, Gina Lollobrigida en Sophia Loren. De jaren '60 luidden een gouden tijd in voor de Italiaanse film. Het keerpunt was 1960, het jaar waarin werden uitgebracht: *La Dolce Vita* (zie blz. 449) van Federico Fellini; *Rocco e i Suoi Fratelli* van Luchino Visconti en *L'Avventura* van Michelangelo Antonioni (zie pag. 451), maar ook films van Pasolini, Bernardo Bertolucci (*Il Conformista*;1970, zie blz. 459), Mario Bellocchio, Ermano Olmi, Ettora Scola, Francesco Rosi en de gebroeders Taviani. In dezelfde tijd maakten Sergio

Jasmine Trinca *en Luigi Lo Cascio in het 383 minuten durende* La Meglio Gioventù.

Radford; *La stanza del Figlio* (2000) van Nani Moretti en *La Meglio Gioventù* (2003) van Marco Tullio Giordana.

De Italiaanse komiek *Roberto Benigni regisseert Giorgio Cantarini, die zijn vijf jaar oude zoontje speelt in de absurde tragikomedie over de holocaust, het oscarwinnende* La vita è bella *(1997).*

Groot-Brittannië

Ondanks de enorme concurrentie met de VS, is het de Britse film gelukt om te overleven in de schaduw van zijn grote rivaal in Hollywood. De Britse filmindustrie brengt films met een typisch Engelse stijl voort en de getalenteerde regisseurs en sterren zijn ook internationaal succesvol.

Een van de eerste Britse productie-maatschappijen werd in 1898 opgericht door een Amerikaan, Charles Urban, een van de vele emigranten die een rol zouden spelen in de Britse film. Cecil Hepworth was een van de eerste regisseurs die de mogelijkheden van het medium inzag. Zijn beroemdste film *Rescued by Rover* (1905), een thriller van zeven minuten, werd gemaakt met een budget van acht pond. Twee vooraan staande regisseurs uit de tijd van de stomme film waren George Pearson, die elf films maakte met de deftige comédienne Betty Balfour, en Maurice Elvey, die in zijn 40 jaar durende carrière meer dan 300 speelfilms maakte. In de jaren '20 begonnen enkele van de grootste Britse regisseurs hun carrière: de voormalige producent Michael Balcon, die de drijvende kracht was achter de films die in de Ealing Studio's werden gemaakt; Alfred Hitchcock, 'the master of suspence', met films als *The Lodger* (1926); Victor Saville, die later, in de jaren '30, drie musicals met de Britse musicalster Jessie Matthews zou maken, en Herbert Wilcox die in de jaren '30 en '40 een groot aantal films met zijn vrouw Anna Neagle zou maken.

In een poging de dominante positie van de Amerikaanse film te doorbreken werd in 1927 een Brits quotumsysteem ingevoerd: 5% van het filmaanbod in de bioscopen moest Brits zijn, een percentage dat in 1935 toegenomen zou moeten zijn tot 35. Hierdoor nam de filmproductie flink toe. Er werd echter ook een groot aantal films gemaakt dat goedkoop en slecht was, de zogenoemde 'quota quickies'. De eerste Britse film met geluid was *Blackmail* (1929), geregisseerd door Alfred Hitchcock, die enkele van de beste Britse films uit de jaren '30 op zijn naam zou brengen. Alexander Korda, een Hongaarse emigrant,

Een fragment uit Rescued by Rover (1905) van Cecil Hepworth, die de redding, door een collie, laat zien van een baby die door zigeuners is ontvoerd.

BELANGRIJKSTE FILMS

1938	The Lady Vanishes (Alfred Hitchcock)
1945	Brief Encounter (David Lean)
1947	Odd Man Out (Carol Reed)
1947	Black Narcissus (Michael Powell en Emeric Pressburger)
1949	Whisky Galore (Alexander MacKendrick)
1963	The Servant (Joseph Losey)
1968	If (Lindsay Anderson)
1983	Local Hero (Bill Forsyth)
1985	Brazil (Terry Gilliam)
2000	Billy Elliot (Stephen Daldry)

richtte de London Films op en bouwde de Denham Studio's. Hij regisseerde *The Private Life of Henry VIII* (1933) dat in de VS alle records brak. Charles Laughton kreeg voor zijn rol in deze film de Oscar voor Beste Acteur in een Britse film.

Tijdens de Tweede Wereldoorlog waren er geweldige speelfilms en documentaires die voor een hoog moraal zorgden. Onder de regisseurs van die tijd waren: Humphrey Jennings wiens documentaires, zoals *London Can Take It* (1940), het effect van de oorlog op gewone mensen liet zien; Carol Reed (*The Way Ahead*, 1944); David Lean en Noël Coward (*In Which We Serve*, 1942); Laurence Olivier (*Henry V*, 1944); en Powel en Pressburger (*The Life and Death of Colonel Blimp*, 1943).

Na de oorlog werd er een groot aantal films uitgebracht door Ealing Comedies, met in veel van deze comdey's Alec Guinness in de hoofdrol, die acht rollen speelde in *Kind Hearts and Coronets* (1949) van Robert Hamer. Ook werden er oorlogsfilms gemaakt, zoals *The Dam Busters* van Michael Anderson en *The Colditz Story* van Guy Hamilton

Vivien Leigh en Laurence Olivier, *het meest betoverende paar uit de Britse film, in hun eerste van drie films samen,* Fire Over England *(1937).*

(beide films uit 1945). In de jaren '50 groeide er ontevredenheid onder jonge filmmakers die vonden dat de Britse films geen eigentijdse onderwerpen behandelden. *Room at the Top* (1958) van Jack Clayton zette de verandering in. Op een verfrissende en eigentijdse wijze werden seksualiteit en klassenonderscheid behandeld. Hierna volgde een serie 'kitchen sink' films over het leven van de arbeidersklasse. Tot de beste van deze behoren: *Saturday Night and Sunday Morning* (1960, zie blz. 450) van Karel Reisz; *A Taste of Honey* (1961) van Tony Richardson, *This Sporting Life* (1963) van Lindsay Anderson en *A Kind of Loving* (1962) van John Schlesinger. Al snel zouden ze ruimte maken voor films over 'Swinging London' en de James Bondfilms, waarvan *Dr. No* (1962) de eerste was.

Jamie Bell speelt de titelrol in Billy Elliot *(2000) van Stephen Daldry, over een jongen die verscheurd wordt door zijn liefde voor ballet en zijn vaders vooroordelen.*

SWINGING LONDON

Londen was in die tijd het 'middelpunt van de wereld'. Een aantal buitenlandse regisseurs maakten hier films, zoals Michelangelo Antonioni (*Blow Up*, 1966); Roman Polanski (*Repulsion*, 1965); François Truffaut (*Fahrenheit 451*, 1966) en Stanley Kubrick, die in Engeland ging wonen. Ook twee andere in Amerika geboren regisseurs, Richard Lester (twee Beatles-films: *A Hard Day's Night*, 1964, en *Help!*, 1965) en Joseph Losey (*The Servant*, 1963 en *The Accident*, 1967), maakten grote indruk.

De kwaliteit van de cinema ging in de jaren '70 achteruit, maar bereikte in de jaren '80 nieuwe hoogtepunten met *Chariots of Fire* (1981) van Hugh Hudson; *Gandhi* (1982) van Richard Attenborough; *Gregory's Girl* (1980) van Bill Forsyth; *The Draughtsman's Contract* (1982) van Peter Greenaway en *Brazil* (1985) van Terry Gilliam (1985). Het grote commerciële succes van *Four Weddings and a Funeral* (1996) van Mike Newell, *Trainspotting* (1996) van Danny Boyle, *The Full Monty* (1997) van Peter Cattaneo en de gangsterfilm *Lock, Stock and Two Smoking Barrels* (1998) van Guy Ritchie hadden een reeks mindere imitaties tot gevolg.

Affiche *voor de film* Trainspotting *(1996).*

Ben Cross *als Harold Abrahams traint voor de Olympische Spelen van 1924 in Parijs, in* Chariots of Fire *(1981), de lofzang van Hugh Hudson op fysieke inspanning.*

Spanje

Onder het dictatoriale regime van Franco was het 36 jaar lang bijna onmogelijk voor Spanje om een levendige filmindustrie te ontwikkelen en voor getalenteerde filmmakers om zich vrijuit te uiten. De Spaanse films van na de Franco-tijd behoren echter tot de beste van de wereld.

Iedere poging van de kleine Spaanse filmindustrie om zich aan het begin van de 20e eeuw te ontwikkelen, werd door het militaire regime van Primo de Rivera (1923-1930) de kop ingedrukt. Pas in 1931, het jaar waarin de komst van de geluidsfilm samenviel met de verkiezing van een democratische regering, keerde het tij. Er werden verschillende studio's gebouwd en in 1934 werd het eerste productie- en distributiebedrijf, CIFESA, opgericht. Ondanks dat gingen veel getalenteerde filmmakers, met name Luis Buñuel, naar Hollywood om aan Spaanse versies van Amerikaanse films te werken. Voor die tijd had hij *Las Hurdes, Tierra Sin Pan* (1932) gemaakt, de eerste van de slechts drie films die hij in zijn vaderland zou maken. Deze grimmige documentaire over de

Oud, maar fit, wil Don Anselmo (José Isbert) een gemotoriseerde rolstoel hebben in El cochecito (1960), Marco Ferreri's zwarte comedy.

armoede op het platteland van Spanje werd onmiddellijk door de overheid verboden.

Toen de nationalisten, na de Spaanse Burgeroorlog, aan de macht kwamen, plaatsten ze de filmindustrie direct onder regeringscontrole en legden de industrie strenge morele en politieke richtlijnen op. Het feit dat het fascistische *Raza* (1942) van José Luis Sáenz de Heredia, dat gebaseerd is op een autobiografische roman van generaal Franco, wordt gezien als een van de meest opmerkelijke films in de jaren '40, zegt veel over de Spaanse film in die periode. Ondanks de beperkingen ontstond er in het volgende decennium een onderscheidende Spaanse filmindustrie, die geleid werd door Juan Antonio Bardem en Luis García Berlanga.

Samen regisseerden ze *Esa Pareja Feliz* (1953) over de financiële problemen van een jong stel. *Bienvenido, Mister Marshall* (1953) van Berlanga is een cynische kijk op het resultaat van Amerikaanse hulp aan

Luis Buñuels derde en laatste in Spanje gemaakte film, Tristana (1970), met Catherine Deneuve, speelde zich af in het Spanje van de jaren '20.

een kleine Spaanse stad. En ondanks het knippen in *El Verdugo* (1964) blijft de sociale kritiek en galgenhumor in de film overeind. *Muerte de un Ciclista* (1955) van Bardem, dat zeer goed de contrasten tussen de rijke en arme wijken van Madrid laat zien, won de 'Grand Prix' in Cannes. Bardem produceerde ook *Viridiana* (1961), Buñuels eerste Spaanse film na een ballingschap van 29 jaar in het buitenland. De heftige aanval van de film op de mentaliteit en rituelen van de katholieke kerk leidde ertoe dat de film in heel Spanje werd verboden. Buñuel vertrok weer uit Spanje en keerde pas weer terug in een wat meer liberale tijd om *Tristana* (1970) te maken.

In de jaren '60 regisseerde de Italiaan Marco Ferreri drie films in Spanje, waarvan *El cochecito* (1960), een zwarte comedy in de geest van Buñuel, de beste was. Carlos Saura was de eerste Spaanse regisseur die de Spaanse Burgeroorlog bespreekbaar maakte. In zijn films gaf hij indirect kritiek op het regime van Franco en behandelde hij thema's als de levensomstandigheden van de burgers,

In El Espíritu de la Colmena (1973) *geeft Ana (Ana Torent) een appel aan een voortvluchtige die ze vergelijkt met het monster uit de film Frankenstein.*

de kerk, het leger en de seksualiteit. *La Caza* (1966) was de eerste van de vele films waarin zijn toekomstige vrouw, Geraldine Chaplin, zou meespelen. De latere films van Saura, zoals *Cría Cuervos* (1976) en *Elisa, vida mía* (1977) behandelen zijn obsessie met de kindertijd.

De kindactrice Ana Torrent speelde in de twee laatstgenoemde films, nadat ze haar stempel had gedrukt op *El Espíritu de la Colmena* (1973) van Victor Erice, over een achtjarig meisje dat geobsedeerd raakt door het monster uit de Frankensteinfilm van James Whale.

	BELANGRIJKSTE FILMS
1953	Bienvenido, Mister Marshall (Luis García Berlanga)
1955	Muerte de un Ciclista (Juan Antonio Bardem)
1961	Viridiana (Luis Buñuel)
1973	El Espíritu de la Colmena (Victor Erice)
1976	Cría Cuervos (Carlos Saura)
1996	Tierra (Julio Medem)
2002	Hable con ella (Pedro Almodóvar)
2004	Mar Adentro (Alejandro Amenábar)

Dit indrukwekkende speelfilmdebuut kan gedeeltelijk gelezen worden als een allegorisch verslag van een leven in de schaduw van een autoritair regime. Erice heeft slechts drie speelfilms gemaakt in een carrière die bijna dertig jaar duurde. De andere twee films waren *El Sur* (1983), over de relatie van een jong meisje met haar vader, en *El Sol del Membrillo* (1992) een van de beste Spaanse films. *Furtivos* (1975) van José Luis Borau, die de wrede realiteit van het Spanje onder Franco laat zien, kwam twee maanden voor de dood van de 'Generalissimo' uit. Het was de eerste film die zonder toestemming van de censuur werd uitgebracht. Maar de uitbraak van creativiteit in het nieuwe Spanje deed zich pas voor toen Pedro

Javier is vanaf zijn middel verlamd *en wil dood, maar men laat hem zien dat hij redenen om te leven heeft, in* Mar Adentro *(2004) van Alejandro Amenábar.*

Almodóvar in de jaren '80 ten tonele verscheen met zijn buitensporige melodrama's. *Todo Sobre Mi Madre* (1999) won de Oscar voor de Beste Niet-Engelstalige film, net als *Belle Epoque* (1992) van Fernando Trueba en *Mar Adentro* (2004) van Alejandro Amenábar. Andere eersteklasregisseurs waren Bigas Luna (*Jamón, Jamón,* 1992 en *La Teta y la Luna*,1994), Julio Medem (*Tierra*, 1996, *Lucía y el Sexo*, 2001), en de in Mexico geboren Guillermo del Toro (*El Espinazo del Diablo*, 2001). Trueba (*Two Much*, 1995) en Amenábar (*Los Otros*, 2001) vertrokken naar Hollywood, gevolgd door sterren als Javier Bardem, Penélope Cruz en Antonio Banderas. Maar ook de vorige generatie regisseurs, met name Carlos Saura en Mario Camus, wiens *Los Santos Innocentes* (1984) een van de beste Spaanse films van de laatste decennia is, bleef actief.

Fernando (Jorge Sanz) *is een deserteur uit het leger tijdens de burgeroorlog, die moet kiezen tussen drie vrouwen, dochters van zijn beste vriend, in* Belle Epoque *(1992).*

Portugal

Portugal heeft nooit een grote filmindustrie gehad. Per jaar worden er slechts 10 films gemaakt. Het land oefent echter een grote aantrekkingskracht uit op buitenlandse filmmakers. De internationaal bekendste Portugese regisseur is Manoel de Oliviera.

In de late jaren '20 produceerde Portugal onder invloed van verschillende Europese avant-garde-bewegingen een aantal opmerkelijke films: *Maria do Mar* (1930) van José Leitão de Barros, de prachtige documentaires van Jorge Brum do Canto en met name *Douro, Faina Fluvial* (1931) van Manoel de Oliveira, een serie portretten van vissers en arbeiders uit zijn geboorteplaats Porto. In 1942 maakte Oliveira zijn eerste speelfilm, het neorealistische *Aniki Bóbó*, dat de avonturen laat zien van straatschoffies die opgroeien in de achterbuurten van Porto. Pas 21 jaar later zou hij opnieuw een speelfilm maken. Sinds die tijd

João César Monteiro als de manager van een ijssalon, fantaseert over zijn jonge vrouwelijke medewerkers in A Comédia do Deus *(1995)*, die hij ook regisseerde.

Leonor Silveira speelt de sensuele Ema in Vale Abraão *(1993)* van Manoel de Oliveira, naar de roman van Agustina Bessa-Luís.

leverde hij jaarlijks, tot hij ver over de 90 was, een film af = syntheses van musical, theater, literatuur en beeldende kunst. *Vale Abraão* (1993), een variatie op het verhaal van Madame Bovary, is waarschijnlijk zijn meest toegankelijke film. Andere Portugese regisseurs van naam zijn: António de Macedo (*Domingo à Tarde*, 1966), Fernando Lopes (*O Fio do Horizonte*,1993), João Botelho (*Um Adeus Português*,1986; *Tempos Difíceis*,1988), Paulo Rocha (*O Rio do Ouro*,1988; *A Raíz do Coração*, 2000), en Teresa Villaverde (*Três Irmãos*, 1994). Een ander noemenswaardige persoon is João César Monteiro, die de film *A Comédia de Deus* (1995) regisseerde die in Venetië de speciale juryprijs won. Monteiro speelde vaak in zijn eigen lange beschouwende en veelal bizarre films, zo ook in deze winnende film.

Canada

Ondanks het feit dat Canada aan de Verenigde Staten grenst en ondanks de culturele kloof tussen de Frans- en Engelssprekende bevolking, ontstond een eigen Canadese filmindustrie, met name op het gebied van animaties, die zich vanaf de jaren '70 sterk heeft ontwikkeld.

De Canadese spoorwegen zette al in 1900 een filmafdeling op, maar het duurde nog tot 1939 tot de 'National Film Board of Canada', onder leiding van John Grierson, de aanval inzette tegen de dominantie van Hollywood. Vanaf dat moment kregen Canadese films internationaal enig aanzien. De NFB bouwde een sterke animatieafdeling op, waar Norman McLaren met deze kunstvorm kon experimenteren. En Michael Snow was met zijn 'abstracte' films prominent aanwezig in avant-gardekringen. Na de Tweede Wereldoorlog begonnen ook de Franstalige Canadezen met het maken van films, waaronder veel cinéma-vérité documentaires, geïnspireerd door de Franse regisseur Jean Rouch. Tot de leidende Frans-Canadese regisseurs behoorden Pierre Perrault en Michael Brault.

Marie-Josée Croze *maakt deel uit van een groep mensen die proberen troost te bieden aan een man die doodgaat aan kanker, in het sombere, humoristische* Les Invasions Barbares *(2003) van Denys Arcand.*

Nick Stahl (links) speelt *Dodge en Joshua Close speelt Oliver in* Twist *(2003) van Jacob Tierney, een homoseksuele versie van de Oliver Twist van Charles Dickens.*

Claude Jutra (*Mon Oncle Antoine*, 1971), Gilles Carle (*La Vraie Nature de Bernadette*, 1972) en met name Denys Arcand lieten in de jaren '70 hun sporen na. Arcand, 'de peetvader van de nieuwe Canadese cinema', maakt nog altijd scherpe satirische films over het leven in

Quebec, o.a. *Jésus de Montréal* (1989) en *Les Invasions Barbares* (2003). Hoewel veel Engels-Canadese regisseurs, zoals Ted Kotcheff en Norman Jewison, er om voor de hand liggende redenen voor kozen in Hollywood te werken, bleven twee van hen, David Cronenberg en Atom Egoyan, hoewel ook zij in het buitenland hebben gewerkt, de eigenaardige en afwijkende manier van werken van de Canadezen trouw.

BELANGRIJKSTE FILMS

1971	Mon Oncle Antoine (Claude Jutra)
1972	La Vrai Nature de Bernadette (Gilles Carle)
1974	The Apprenticeship of Duddy Kravitz (Ted Kotcheff)
1986	Le Déclin de L'Empire Americain (Denys Arcand)
1987	I've heard the Mermaids Singing (Patricia Rozema)
1988	Dead Ringers (David Cronenberg)
1989	Jésus de Montréal (Denys Arcand)
1994	Exotica (Atom Egoyan)
1997	The Sweet Hereafter (Atom Egoyan)
2003	Les Invasions Barbares (Denys Arcand)

Mia Kirshner is een gevoelige stripper *en Bruce Greenwood een geobsedeerde klant in de erotische thriller* Exotica *(1994) van Atom Egoyan.*

Midden-Amerika

Mexico is altijd de belangrijkste maker van speelfilms in Latijns-Amerika geweest. Het revolutionaire Cuba, waar ooit meer dan tien speelfilms per jaar werden gemaakt, is overgegaan naar het maken van digitale films, de enige oplossing voor arme landen in Midden-Amerika.

Tot *Que Viva Mexico!* (1931) van Sergei Eisenstein, kreeg het Mexicaanse publiek alleen melodrama's, ruwe comedy's en Spaanstalige versies van Hollywoodfilms te zien. Het bezoek van Eisenstein aan Mexico inspireerde regisseurs als Emilio Fernández en cameraman Gabriel Figueroa, en het aantal in Mexico gemaakte films nam sinds die tijd toe.

Maria Candelaria (1944), geregisseerd door Fernández en gefilmd door Figueroa, met de gerenommeerde Hollywoodactrice Dolores del Rio, won in Cannes de prijs voor Beste Film. De Spaanse vluchteling Luis Buñuel maakte tussen 1946 en 1960 de meeste van zijn films in Mexico, waarvan *Los Olvidados* (1950), over achterbuurtkinderen in Mexico-Stad, misschien wel de beste was. Figueroa, die de meeste films van Buñuel filmde, werkte ook voor John Ford (*The Fugitive*, 1947) en John Huston (*Night of the Iguana*, 1964). Tijdens de

Een arm echtpaar, Pedro Armendáriz *en María Elena Marqués vinden een kostbare parel in* La Perla *(1947) van Emilio Fernández, gebaseerd op het verhaal van Steinbeck.*

Tweede Wereldoorlog verdrievoudigde de filmproductie in Mexico. Het feit dat Argentinië en Spanje fascistische regeringen hadden, maakte van Mexico de grootste producent van Spaanstalige films in de jaren '40. Hoewel de Mexicaanse regering behoudend was, moedigde ze de productie aan van films

In Lucía (1969) is Raquel Revuelta *een van de drie vrouwen die Lucía heten, in verschillende tijdvakken, waarin elk de veranderende rol van de vrouw in een machosamenleving laat zien.*

die de Mexicaanse identiteit onderstreepten, in tegenstelling tot het beeld dat vaak in Hollywoodfilms was te zien.

In de jaren '90 ontstond, als gevolg van door de overheid gesubsidieerde films, de *Nuevo Cine Mexicano* (Nieuwe Mexicaanse Film). *Como Agua para Chocolate* (1992) van Alfonso Arau effende het pad voor *Amores Perros* (2001) van Alejandro Gonzáles Iñárritu en *Y Tu Mamá También* (2001) van Alfonso Cuarón.

In het Cuba van voor de revolutie waren de meeste films lichte musicals en comedy's. Kort nadat Castro in 1959 de macht overnam werd de Cuban Institute of Cinematic Art and Industry (ICAIC) opgericht, om controle te houden op de productie en distributie in het land. Een van de oprichters was Tomás Gutiérrez Alea, die enkele van de mooiste Cubaanse films maakte. Humberto Solás vond het historische epos opnieuw uit met *Lucía* (1969), en Santiago Alvarez, die meer dan eens gevangen had gezeten onder het regime van Batista, maakte een wekelijks bioscoopjournaal. In de jaren '60 maakte hij naam als een van de vooraanstaande exponenten van de 'agitprop'-beweging. Voor zijn documentaires maakte hij gebruik van stukjes film uit het bioscoopjournaal, stilstaande beelden, cartoons en verschillende andere middelen. De Vietnamoorlog bezorgde hem het materiaal voor *Hanoi, Martes 13* (1967) en *LBJ* (1968). De Cubaanse revolutie trok ook buitenlandse regisseurs naar

Marco Leonardi als Pedro en Lumi Cavazos *als Tita, geliefden die niet mogen trouwen, in* Como Agua para Chocolate *(1992), de mijlpaal van Alfonso Arau, over liefde, verlangen, rebellie en... eten.*

Cuba, zoals de Franse filmmakers Chris Marker (*¡Cuba Sí!*, 1961) en Agnès Varda (*Salut les Cubains*, 1963). Een van de opmerkelijkste in Cuba gemaakte films was de Sovjet-Cubaanse coproductie *Soy Cuba* (1964), een door Mikhaïl Kalatózov geregisseerde propagandafilm. De kleurrijke, voor een Oscar genomineerde *Buena Vista Social Club* (1999) van Wim Wenders, over ouder wordende, uit Cuba afkomstige muzikanten, is in Havana opgenomen.

Haïti is, hoewel het geen echte filmindustrie heeft, het onderwerp geweest van verschillende documentaires. Ook was Haïti het decor voor verschillende speelfilms, van het fantasierijke *I Walked with a Zombie* (1943) van Jacques Tourner tot *Vers le Sud* (2005) van Laurence Cantet.

BELANGRIJKSTE FILMS	
1943	Maria Candelaria (Emilio Fernández, Mexico)
1947	La Perla (Emilio Fernández, Mexico)
1950	Los Olvidados (Luis Buñuel, Mexico)
1964	Soy Cuba (Mikhaïl Kalatózov, Sovjet-Unie/Cuba)
1968	Memorias del subdesarrollo (Tomás Gutiérrez Alea, Cuba)
1969	Lucía (Humberto Solás, Cuba)
1992	Como Agua para Chocolate (Alfonso Arau, Mexico)
2001	Amores Perros (Alejandro Gonzáles Iñárritu, Mexico)
2001	Y Tu Mamá También (Alfonso Cuarón, Mexico)

Zuid-Amerika

De Zuid-Amerikaanse film is altijd enigszins politiek gekleurd geweest. In de jaren '60 kwam een nieuwe golf protestfilms op en aan het einde van de 20ste eeuw was de politieke film zelfs commercieel succesvol, met name die van Argentijnse en Braziliaanse regisseurs.

In het tijdperk van de stomme film werden er zeer weinig films gemaakt; de lokale productie werd geheel overschaduwd door buitenlandse films. Door de komst van de geluidsfilm kreeg de Zuid-Amerikaanse filmindustrie pas echt bestaansrecht. In de jaren '30 beconcurreerde Argentinië Mexico op de Latijns-Amerikaanse markt door het uitbrengen van 'gaucho'- en tangofilms, waarvan de meest succesvolle die van José A. Ferreya waren, met de tango-zanger Libertad Lamarque.

In Brazilië zorgde het grote aantal analfabeten ervoor dat de studio's er alles aan deden geluidsfilms te kunnen maken. Een van de eerste was *Alô, Alô, Brasil?* (1935), een musical die het begin betekende van de carrière van Carmen Miranda. De belangrijkste figuur uit de begindagen van de Braziliaanse film was Humberto Mauro, die de kwaliteit probeerde te verhogen met serieuzere films, zoals *Ganga Bruta* (1933), de eerste grote Braziliaanse film.

In de jaren '40 was de Braziliaanse filmproductie op zijn dieptepunt. Op dat moment keerde Alberto Cavalcanti terug naar zijn geboorteland, na een succesvolle carrière in het buitenland (met name in de Ealing Studios in Engeland), om producent te worden bij het filmbedrijf Vera Cruz. Zijn eerste grote internationale succes was *O Cangaceiro* (1953) van Lima Barreto, een Robin-Hoodachtige avonturenfilm.

In het tijdperk-Peron (1946-1955) kwijnde de film in Argentinië weg, totdat Leopoldo Torre Nilsson ten tonele verscheen, de bekendste Argentijnse regisseur uit de geschiedenis. Vanaf zijn 15e jaar had hij samengewerkt met zijn vader, de zeer productieve regisseur Leopoldo Torres Ríos. Hij schreef scenario's en assisteerde bij de regie. Zijn eigen films, voornamelijk bewerkingen van de romans van zijn vrouw, Beatriz

Een zogenaamde heilige *verzamelt volgelingen in* Deus e o Diabo na Terra do Sol *(1964) van Glauber Rocha, in de sertão, het dorre land van Noordoost-Brazilië.*

Een huurmoordenaar (Mauricio do Valle), in Antonio das Mortes (1969) van Glauber Rocha, voert de arbeiders aan in hun opstand tegen de wrede landeigenaren.

Guido, onderscheidden zich van de oppervlakkige comedy's en melodrama's die toentertijd in Argentinië werden gemaakt. *La Casa del Ángel* (1957), *La Caída* (1959) en *La Mano en la Trampa* (1961) zijn films over de verstikkende invloed die de katholieke kerk heeft op de burgers, en met name op jongeren. De sfeer van deze films lijkt enigszins op die van de Spaanse regisseur Luis Buñuel, maar dan zonder zijn bijtende ironie. *Piel de Verano* (1961) en *La Terraza* (1963) laten zien hoe tieners hun eigen wereld creëren, weg van de verstikkend grote huizen van hun ouders. Jammer genoeg werd het voor Torre Nilsson vanwege het politieke en economische klimaat in zijn vaderland in het midden van de jaren '60 steeds moeilijker om de films te maken die hij wilde.

NEW WAVE EN BEVRIJDING
In de jaren 1960 werd de Braziliaanse film eindelijk volwassen. *Cinema Nôvo* werd opgericht, een 'New wave'-beweging van jonge politieke film-makers. De belangrijkste vertegen-woordigers waren Glauber Rocha (*Deus e o Diabo na Terra do Sol*, 1964), Ruy Guerra (*Os fuzis*, 1963), Carlos Diegues (*Ganga Zumba*, 1963) en Nelson Pereira Dos Santos (*Vidas Secas*, 1963).

Na de militaire coup van 1964 maakte Rocha in 1969 onder moeilijke omstandigheden zijn laatste film in Brazilië, *Antonio das Mortes*. Hierna zou hij bijna tien jaar als balling in het buitenland verblijven. In Argentinië richtte een groep filmmakers het onafhankelijke *Cine Liberacion* op. Een vooraanstaand figuur hierin was Fernando Solanas. Zijn *La Hora de los Hornos* (1968), een meesterwerk in drie delen, mede geregisseerd door Octavio Getino, toont een duizelingwekkende serie beelden van interviews, liedjes, gedichten en scènes uit andere films als bewijs van de negatieve effecten van het neokolonialisme. Deze geweldige film,

BELANGRIJKSTE FILMS

1961	La Mano en la Trampa (Leopoldo Torre Nilsson, Argentinië)
1963	Vidas Secas (Nelson Pereira Dos Santos, Brazilië)
1969	Antonio das Mortes (Glauber Rocha, Brazilië)
1968	La Hora de los Hornos (Fernando Solanas, Argentinië)
1975/79	La Batalla de Chile (Patricio Guzmán, Chili)
1985	La Historia Oficial (Luis Puenzo, Argentinië)
1998	Central do Brasil (Walter Salles, Brazilië)
2002	Cidade de Deus (Fernando Meirelles, Brazilië)

Een voormalige lerares, Dora (Fernanda Montenegro) met Josué (Vinícius de Oliveira), tijdens de zoektocht naar de vader van de jongen in Central do Brasil.

die illegaal werd gemaakt, eindigt met een twee minuten durende close-up van de dode Che Guevara, aan wie deze film is opgedragen, samen met 'iedereen die is gestorven voor de bevrijding van Latijns-Amerika'.

In hetzelfde jaar kwam *El Chacal de Nahueltoro* (1969) van Miguel Littin uit. Het was een van de beste Chileense films uit de creatieve periode net voor en tijdens het bewind van president Salvador Allende. Het vertelt het waargebeurde verhaal van een ongeletterde moordenaar die in de gevangenis leert lezen en de sociale waarden leert te begrijpen, alvorens hij wordt geëxecuteerd. *La Batalla de Chile* (1975-1979) van Patricio Guzmán, een documentaire over de gebeurtenissen

die leidden tot de val van de regering-Allende, werd het land uit gesmokkeld naar Cuba, waar hij pas vier jaar later in het openbaar werd vertoond. De bloedige militaire coup in Chili op 11 september 1973, gezien door de ogen van twee jonge jongens, staat ook centraal in *Machuca* (2004) van Andrés Wood.

LATIJNSE OPLEVING

In de jaren '80 leefde de Argentijnse film weer op. De zwarte comedy *No Habrá Más Penas ni Olvido* (1983) van Héctor Olivera, over de militante peronisten in de jaren '70, was een snelle, felle en

grappige politieke satire.
Het ontroerende *La Historia Oficial* (1985) van Luis Puenzo handelde over het lot van de kinderen van de 'verdwenenen'– de duizenden Argentijnse burgers die tijdens de 'Vuile Oorlog' (1976-1983) waren verdwenen. Deze moedige film won de Oscar voor de Beste Niet-Engelstalige Film. Het jaar daarop kwam *Camila* van María Luisa Bemberg uit, een aanklacht tegen de onderdrukking tijdens de dictatuur van 1847, gezien als kritiek op het moderne Argentinië.

Carlos Sorin maakte het fascinerende *La Película del Rey* (1986), over de problemen van een regisseur die probeert een historische film in Argentinië te maken. Vervolgens maakte hij de humoristische 'roadmovie' *Historias Mínimas* (2002) en de comedy *El Perro* (2004). Andere belangrijke films uit deze periode waren *Nueve Reinas* (2000) van Fabián Bielinsky en de politiefilm *El Bonaerense* (2002) van Pablo Trapero. Meer recente successen zijn de semi-documentaire *Familia Rodante* (2005) en *La Niña Santa*

Gael García Bernal *(voor) als de jonge Che Guevara met Rodrigo De la Serna als Alberto Granado in* The Motorcycle Diaries *(2004).*

Germán Jaramillo (rechts) en Anderson Ballesteros *in* La Virgen De Los Sicarios *(2000) van Barbet Schroeder.*

Juan Villegas speelt een monteur zonder werk *wiens leven verandert als hij een hond met stamboom krijgt in* El Perro *(2004) van Carlos Sorin.*

(2004) van Lucrecia Martel.
In Brazilië regisseerde Hector Babenco, die ook *Pixote* (1981) had gemaakt – een beklemmende film over dakloze kinderen – het gevangenisdrama *Carandiru* (2003). Een andere bekende Braziliaanse regisseur, Walter Salles, had succes met *Central do Brasil* (1998) en *The Motorcycle Diaries* (2004), terwijl Fernando Meirelles triomfen vierde met *Cidade de Deus* (2002). Tot een lichter genre behoorde *Eu Tu Eles* (2000) van Andrucha Waddington, over een sterke vrouw met drie echtgenoten, die allemaal in hetzelfde huis wonen. Ook uit andere landen die niet zo bekend waren om hun filmproducties kwamen succesvolle films: *25 Watts* (2001) en *Whiskey* (2004) van Juan Pablo Rebella en Pablo Stoll uit Uruguay; *La Virgen De Los Sicarios* (2002) van Barbet Schroeder uit Columbia; en *Dependencia Sexual* (2003) van Rodrigo Bellott uit Bolivia.

Australië en Nieuw-Zeeland

Sinds de jaren '70 wint Australië als filmland aan populariteit.
En Peter Jackson, regisseur van *The Lord of the Rings*, zette Nieuw-
Zeeland op de kaart als een land waar populaire films met een groot
budget gemaakt kunnen worden.

Mel Gibson speelt weer
*de rol van wraakzuchtige,
futuristische agent in* Mad
Max 2 *(1981).*

Australie maakt al films sinds *The Story of
the Kelly Gang* (1906) die men, met een
lengte van 66 minuten, beschouwt als
de eerste lange speelfilm ter wereld. In
het begin was er echter, vanwege de
Amerikaanse en Britse importfilms,
weinig reden om Australische films te
maken. De Eerste Wereldoorlog bracht
hier verandering in. Doordat Australië
afgesneden was van de films uit Europa,
begon het met het produceren van eigen
films: melodrama's, de zogenaamde
'blackbocks farces', en comedy's over het

platteland. Er werden geen pogingen
gedaan meer artistieke films te maken,
met uitzondering van *The Sentimental
Bloke* (1919) van Raymond Longford,
een bewerking van een serie populaire
gedichten. De meeste andere
Australische films namen Amerikaanse
formules over, zoals de western.

In 1936 waren er slechts vier landen
'geschikt voor geluid': de Verenigde
Staten, Groot-Brittannië, Australië en
Nieuw-Zeeland. De bekendste regisseur
uit de beginperiode van het geluid
was Charles Chauvel (1897-1959), die
twee succesvolle oorlogsfilms maakte:
40.000 Horsemen (1940), gebaseerd op
de heldendaden van de lichte cavalerie
tijdens de Eerste Wereldoorlog, en
The Rats of Tobruk (1944). *Kokoda Front
Line!* (1942), een oorlogsdocumentaire,
bezorgde Australië haar eerste Oscar.
Tot de jaren '70 zouden in Australië
echter slechts films door buitenlanders
worden gemaakt. Voor Ealing Studios
maakte Harry Watt enkele 'Aussie
westerns': *The Overlanders* (1946) en *Eureka*

NICOLE KIDMAN

Nicole Kidman (geboren in 1967) maakte haar
debuut in de Amerikaanse film *Dead Calm* (1989).
Daarna speelde ze met Tom Cruise in *Days of
Thunder* (1990). Deze twee sterren zouden in
hetzelfde jaar trouwen. Samen maakten ze *Far and
Away* (1992) en de
laatste film van
Stanley Kubrick,
Eyes Wide Shut
(1999), voordat ze
in 2001 gingen
scheiden. Kidman
liet haar acteer-
kwaliteiten verder
zien in *To Die For*
(1995), *Moulin
Rouge!* (2001), *The
Hours* (2002), en
Dogville (2003).

Stockwde (1940), wat de aanzet vormde tot het filmen van nog meer Britse films in Australië. Tot deze behoorden: Stanley Kramer (*On the Beach*, 1959), Fred Zinnemann (*The Sundowners*, 1960) en Tony Richardson (*Ned Kelly*, 1970).

In 1973 werd de Australian Film Development Corporation (AFDC) opgericht. De regisseurs die hiervan profiteerden waren: Bruce Beresford (*The Getting of Wisdom*, 1977), Peter Weir (*Picnic at Hanging Rock*, 1975), Fred Schepisi (*The Devil's Playground*, 1976), Philip Noyce (*Newsfront*, 1978), Gillian Armstrong (*My Brilliant Career*, 1979) en George Miller (*Mad Max*, 1979). Al deze regisseurs zouden later ook succes krijgen in Hollywood. Van de volgende generatie is Baz Luhrmann de beroemdste. Zijn eerste speelfilm, *Strictly Ballroom* (1992), was een van de meest lucratieve ooit in Australië. De eerste internationaal bekende Nieuw-Zeelandse regisseur is waarschijnlijk de

Paul Mercurio *en Tara Morice winnen het Australische Pan Pacific Ballroom Dancing Championship in de succesfilm* Strictly Ballroom *(1992) van Baz Luhrmann.*

BELANGRIJKSTE FILMS

1975	Picnic at Hanging Rock (Peter Weir)
1977	The Getting of Wisdom (Bruce Beresford)
1978	Newsfront (Phillip Noyce)
1979	My Brilliant Career (Gillian Armstrong)
1979	Mad Max (George Miller)
1986	Crocodile Dundee (Peter Faiman)
1990	An Angel at My Table (Jane Campion)
1994	Heavenly Creatures (Peter Jackson)

animatiefilmer Len Lye, de uitvinder van de 'direct film', een techniek waarbij ontwerpen op het filmmateriaal worden aangebracht zonder gebruik te maken van een camera. Jane Campion is een andere succesvolle regisseur uit Nieuw-Zeeland. Met *An Angel at My Table* (1990) begon haar internationale carrière.

Terwijl Campion, Roger Donaldson en Geoff Murphy hun eerste film gebruikten om toegang te krijgen tot Hollywood, lukte het Peter Jackson om Hollywood naar Wellington te lokken voor de verfilming van de *The Lord of the Rings*-trilogie (2001, 2002, 2003).

Rabbit Proof Fence
(2002) van Phillip Noyce volgt drie Aboriginal-meisjes op hun bijna 2500 km lange tocht naar huis.

China, Hongkong en Taiwan

Tot de jaren '80 produceerde China relatief weinig internationaal
bekende films, terwijl de buurlanden Hongkong en Taiwan vermaard
waren om hun oosterse vechtsportfilms. Tegenwoordig is China op
filmgebied een land om rekening mee te houden.

In China kwam de filmindustrie zeer
langzaam tot ontwikkeling. Een groot
aantal van de vroegste films waren
bewerkingen van toneelopera's of lichte
comedy's. Hoewel ze veel publiek
trokken, werden ze meestal niet op grote
schaal verspreid. De taal was namelijk
het probleem. Toen de sprekende film
zijn intrede deed werden de films in het
Mandarijnenchinees gemaakt (de
belangrijkste studio's bevonden zich
namelijk in Shanghai) en niet in de
lokale dialecten en daardoor konden
slecht enkelen in het publiek de films
verstaan. Kleine bedrijven in Hongkong begonnen toen met het maken van
films in het Kantonees, die in China
werden uitgebracht. De eerste Chinese
film die internationaal bekend werd was
The Song of the Fishermen (1934) van Tsai
Chu-sheng, over de dagelijkse ontberin-
gen van de vissers op de Jangtsekiang.
Toen de Japanners in 1937 Shanghai
innamen, vluchtten veel filmmakers naar
Hongkong en Taiwan. Anderen volgden
de regering in ballingschap naar
Chungking. De Japanners namen de
studio's over om er propagandafilms te
maken en er werden nog maar weinig
Chinese films gemaakt. Na de oorlog
produceerden linkse groeperingen films
als *Crows and Sparrows* (1949) van Chen

Chen Kaige's film Yellow Earth *(1984) vertelt over de
pogingen van een soldaat om de bijgelovige gewoonten
van een plattelandsfamilie te veranderen.*

Chun Li, over een corrupte landeigenaar
en zijn huurders die moeten vechten
voor hun rechten. Deze vlak voor de
overname door de communisten
gemaakte film had een stijl die
overeenkomsten vertoonde met het
Italiaanse neorealisme.

FILMS VAN DE CULTURELE REVOLUTIE
De eerste film na de communistische
machtsovername in 1949 was de
Chinees-Russische documentaire
Victory of the Chinese People (1950),
geregisseerd door Sergei Gerasimov.
In het begin van de jaren '60 was Xie
Jin een van de succesvolste regisseurs
met films als *The Red Detachment of
Women* (1960), gebaseerd op het
klassieke Chinese ballet, en *Two Stage
Sisters* (1965). Beide films lieten zien
dat de maker een levendig gevoel had
voor kleuren, compositie en creatieve
camera-opstellingen. *Two Stage Sisters*,

BELANGRIJKSTE FILMS

1965	Two Stage Sisters (Xie Jin, China)
1969	A Touch of Zen (King Hu, Taiwan)
1972	Return of the Dragon (Bruce Lee, Hongkong)
1984	Yellow Earth (Chen Kaige, China)
1989	City of Sadness (Hsiou-hsien Hou, Taiwan)
1990	Ju Dou (Zhang Yimou, Japan/China)
2000	Yi yi… (Edward Yang, Taiwan)

De jonge Gong Li *bekijkt de vaten in de wijnmakerij van haar middelbare man in* Red Sorghum *(1987), het verhaal van Zhang Yimou over passie en moord.*

hoewel antikapitalistisch en feministisch, bevatte veel elementen van de melodrama's uit Hollywood. Het was een van de laatste films die gemaakt werd voor de Culturele Revolutie. Xie Jin werd beschuldigd van 'burgerlijk humanisme' en een aantal jaren gevangen gezet en mocht pas weer aan het eind van de jaren '70 films maken. Tijdens de Culturele Revolutie werden er slechts zes films gemaakt. Het waren propagandistische bewerkingen van opera's uit Peking. *The White-Haired Girl* (1970) en *Red Detachment of Women* (1971) stonden onder supervisie van de vrouw van Mao Zedong, de voormalige actrice en danseres Chiang Ching. Na de Culturele Revolutie krabbelde de filmproductie weer op en werden er met name films gemaakt die zeer kritisch waren over die voorbije periode. *Legend of Tianyun Mountain* (1980) van Xie Jin liet een beeld zien van een meisje dat door de Rode Garde onder druk werd gezet om haar intellectuele geliefde te verlaten. *Life* (1984) van Wu Tianming was de eerste in een serie films die de strijd beschreef van iemand die zijn individualiteit probeerde te behouden. Wu behoorde tot de 'de vijfde generatie', de regisseurs die aan

Drie helden *(Hsu Feng, Shih Chun en Tien Peng) wachten hun vijanden op in de klassieker van de oosterse vechtkunst* A Touch of Zen *(1969) van King Hu.*

Bruce Lee, in zijn eerste hoofdrol, in The Big Boss (1971), de film die letterlijk een 'kick-start' gaf aan de kungfu-mania.

het eind van de jaren '70 afstudeerden aan de filmacademie van Beijing. De bekendste van hen waren Chen Kaige en Zhang Yimou, die al met hun eerste film, respectievelijk *Yellow Earth* (1984) en *Red Sorghum* (1987), veel succes hadden. Chens *Farewell my Concubine* (1993) was de eerste Chinese film die de Gouden Palm in Cannes won. Belangrijke films van andere 'vijfde generatie'-regisseurs waren: *The Black Cannon Incident* (1985) van Huang Jianxin, een geestige satire over bureaucratie, en *Horse Thief* (1986) van Tian Zhuangzhuang.

HONGKONG

In Hongkong, waar de meeste inwoners Kantonees spreken, bereikte de filmproductie zijn hoogtepunt in 1960, in welk jaar er meer dan 200 films werden gemaakt, waardoor de voormalige Britse kolonie zich het 'Hollywood van het Oosten' noemde. Aan het eind van de jaren '60 werden hier de vechtsportfilms 'nieuwe stijl' gemaakt, die veel geld uit het buitenland opleverden; met name het Shaw Brothers filmbedrijf profiteerde hiervan.

TAIWAN

De eerste succesvolle zwaardvechtfilm was de Taiwanese productie *Dragon Gate Inn* (1966). De regisseur, King Hu, die in Taiwan werkte, maakte vervolgens *A Touch of Zen* (1969). Het was een

drie uur durend, opwindend epos dat zich afspeelt tijdens de Ming-dynastie – een van de beste films in het genre. De eerste *kungfu* (techniek of vaardigheid) -film, waarvan er verschillende in het westen werden uitgebracht, was *Five Fingers of Death* (1972) geregisseerd door Jeong Chang-hwa. Chang Cheh maakte in de tussentijd een trilogie van zwaardvechtfilms: *One-Armed Swordsman* (1967), *Return of the One-Armed Swordsman* (1969) en *The New One-Armed Swordsman* (1971) waren alle drie typische verhalen

over bloedvergietende helden. In dezelfde tijd doorbrak 'Golden Harvest', een door Raymond Chow opgerichte productiemaatschappij, het monopolie van de Shaw-broers met de 'chop-socky' successen van Bruce Lee, beginnend met *The Big Boss* (1971). Na de vroegtijdige dood van Lee op 32-jarige leeftijd nam regisseur Chang Cheh deze traditie over. Hij tilde de choreografie van de gevechten echter naar een hoger niveau. Zijn films beïnvloedden andere regisseurs, zoals John Woo en Liu Jialiang. En hij bracht grote Hongkong-sterren voort, zoals Ti Lung.

Chang Chen en Lisa Yang in A Brighter Summer Day *(1991) van Edward Yang, over jonge geliefden die leven in de schaduw van een bendeoorlog.*

Hoewel Taiwan met name wordt geassocieerd met *kungfu*-films, worden er ook politieke en sociale drama's gemaakt. De bekendste regisseur van dit soort films is Hou Hsiao-Hsien *(zie blz. 309)* wiens werk lijkt op dat van de Japanse meester Yasujiro Ozu. De internationaal meest beroemde Taiwanese regisseur van het laatste decennium is Ang Lee *(zie blz. 322)*. Zijn werk strekt zich uit van een vernieuwde versie van de Chinese *wu xia* (stijl van verhalenvertellen) in *Crouching Tiger, Hidden Dragon* (2000), tot aan een Hollywoodsucces als *Brokeback Mountain* (2005).

Yi yi... (A One and a Two) *(2000) van Edward Yang, een vooraanstaande filmregisseur in de New Cinema in Taiwan, is een episch verhaal over een familie, bezien vanuit verschillende perspectieven.*

Bamboestammen *worden omgehakt om omheinde kooien en geïmproviseerde speren van te maken. Een van de vele duizelingwekkende, zwaartekracht tartende stunts in* House of the Flying Daggers *(2004) van Zhang Yimou.*

Japan

Hoewel Japan al films maakt sinds het begin van de filmgeschiedenis, bleef de Japanse film meer dan een halve eeuw onzichtbaar voor het westen. Vanaf de jaren '50 van de vorige eeuw is de Japanse cinema echter zeer succesvol, met zowel kritische als commerciële films.

In de begintijd van de Japanse filmgeschiedenis kon de Japanse film in twee categorieën worden onderverdeeld: *gendai-geki*, eigentijdse films, en *jidai-geki*, films die zich in een andere tijd afspeelden, meestal het Togukawa-tijdperk (1616-1868), voordat Japan zich openstelde voor invloeden vanuit het westen. Een subgenre was *shomin-geki*, 'huisdrama's', films over families, die met name door regisseurs als Yasujiro Ozu en Youjiro Shimazu werden gemaakt.

In het begin werden twee theater-tradities in de film ingevoerd: de *onnagata* (mannen in vrouwenrollen) en de *benshi* (een acteur die naast het bioscoopscherm stond en het verhaal van de film vertelde). Toen de films realistischer

The Seven Samurai *(1954), in Hollywood opnieuw uitgebracht als* The Magnificent Seven *(1960), wordt door velen nog steeds gezien als een meesterwerk vanwege de actiescènes, geregisseerd door Akira Kurosawa.*

A Page of Madness (1926, Teinosuke Kingasa), *een van de meer radicale en schokkende vroege Japanse films waarin de hoofdrolspeler in de psychiatrische inrichting werkt waar zijn vrouw is opgenomen.*

werden, waren de *onnagata's* niet meer op hun plaats en met de komst van het geluid werd de *benshi* overbodig.

Na een aardbeving in 1923, die Tokio verwoestte en de filmstudio's vernietigde, moest Japan het enkele jaren doen met buitenlandse importfilms. Langzamerhand herstelde de industrie zich, maar de Japanse film bleef in het

Publiek kijkt naar een optreden *van een onnatta (een man verkleed als vrouw) in* An Actor's Revenge *(1963) van Kon Ichikawa; een studie over de tegenstellingen liefde/haat, illusie/realiteit en mannelijk/vrouwelijk.*

buitenland nog relatief onbekend. Een uitzondering was *Crossway's* (1928) van Teinosuke Kinugasa. Zijn fragmentarische close-ups, claustrofobische sfeer en donkere decors deden denken aan het Duitse expressionisme, hoewel de regisseur waarschijnlijk nog nooit een Duitse film had gezien.

De eerste Japanse geluidsfilm was *The Neighbours Wife and Mine* (1931) van Heinosuke Gosho, een heerlijke, 'uit het leven gegrepen' comedy. Toen Japan echter steeds militaristischer werd, kwamen er steeds meer propagandafilms met een rechtse signatuur op de markt. Kenji Mizoguchi, een humanist, hield zich hier verre van. Hij leverde een dubbel meesterwerk al, *Osaka Elegy* en *Sisters of the Gion* (beide uit 1936), eigentijdse verhalen over de uitbuiting van vrouwen.

JAPAN IN OORLOGSTIJD

In 1939 werd de Japanse cinema onder toezicht van de overheid geplaatst en de productie nam sinds die tijd sterk af. Desondanks bleven enkele van de grote regisseurs op hun eigen manier films maken. Ozu maakte *There Was A Father* (1942), een van zijn meest aangrijpende films. De populairste oorlogsfilm was *The Story of Tank Commander Nishizumi* (1940) van Kosaburo Yoshimura, die er niet voor terugdeinsde de negatieve kanten van de oorlog te belichten.

AMERIKAANSE BEZETTING

Om te voorkomen dat er censuur werd gepleegd op films met een eigentijds onderwerp werden er tijdens de Amerikaanse bezetting een aantal *jidai-geki* films gemaakt. Ondanks het grote aantal Amerikaanse films dat in Japan draaide, de meningsverschillen over de filmindustrie met Toho, de grootste studio en de relatief nieuwe regisseurs als Akira Kurosawa en Keisuke Kinoshita die *Carmen Comes Home* (1951) regisseerde – de eerste Japanse kleurenfilm – bleef de industrie overeind. De doorbraak kwam met *Rashomon* (1950, *zie blz. 435*) van Kurosawa die in 1950 de Gouden Leeuw van Venetië won, waarna meer Japanse films in het westen werden vertoond. De meest succesvolle waren: *The Seven Samurai* (Akira Kurosawa, 1954), *Tokyo Story* (Yasujiro Ozu, 1953), en *Ugetsu Monogatari* (Kenji Mizoguchi, 1953). Andere waren de anti-oorlogsfilms van Kon Ichikawa, *The Burmese Harp* (1956) en *Fires on the Plain* (1959), en *The Human Condition* (1959-1961) van Masaki Kobayashi, een aangrijpende sociale trilogie. In dezelfde tijd maakte Ishirô Honda *Godzilla* (1954), welke film werd gevolgd door een

BELANGRIJKSTE FILMS	
1952	Life of O'Haru (Kenji Mizoguchi)
1954	The Seven Samurai (Akira Kurosawa)
1958	Equinox Flower (Yasujiro Ozu)
1963	An Actor's Revenge (Kon Ichikawa)
1969	Boy (Nagisa Oshima)
1979	Vengeance Is Mine (Shohei Imamura)
1985	Tampopo (Juzo Itami)
1997	Hana-Bi (Takeshi Kitano)
1998	After Life (Hirokazu Koreeda)
2001	Spirited Away (Hayao Miyazaki)

Koji Yakusho als a gangster, *die het Chinees restaurant van Nobuko Miyamoto binnendringt, in de gastronomische comedy* Tampopo *(1985) van Juzo Itami.*

groot aantal films over prehistorische monsters en mutanten als gevolg van door atoombommen vrijgekomen radioactiviteit. De nasynchronisatie in het westen was vreselijk slecht, maar de speciale effecten waren spectaculair.

Ook de jaren '60 waren zeer succesvol voor de Japanse film. Het begon met *The Island* (1960) van Kaneto Shindo, een verhaal, zonder dialoog, over het harde leven van een plattelands-familie. Masaki Kobayashi leverde met *Hari-Kiri* (1962) kritiek op de starre erecodes die de basis vormden van de Japanse maatschappij. Zijn *Kwaidan* (1964), in die tijd een van de duurste Japanse films ooit, bestaat uit vier

verhalen waarin doodgewone mensen (mannen) worden bezocht en belaagd door (vrouwelijke) bezoekers van gene zijde.

Een groot aantal van de nieuwe regisseurs legde zich toe op het verkennen van erotiek en geweld, zoals Shohei Imamura (*The Incest Woman*, 1963; *The Pornographer*, 1966); Hiroshi Teshigahara (*Women of the Dunes*, 1964), Yoshishige Yoshida (*Eros plus Massacre*,

Eihi Shiina als een vrouw *die wraak wil nemen op alle mannen, vooral op een weduwnaar van middelbare leeftijd, in de psychologische horrorfilm* Audition *(1999) van Takashi Miike.*

1969) en Nagisa Oshima (*Death by Hanging*, 1968). Het was Oshima die de seksuele revolutie nog verder oprekte met zijn *Ai No Corrida* (1976, *zie blz. 462*).

1980 EN LATER

Oude rotten als Kurosawa – die twee grote spektakelfilms maakte, *Kagemusha* (1980) en *Ran* (1985) – en Imamura, wiens *The Ballad of Narayama* (1983) de Gouden Palm van Cannes won, bleven succes hebben. Van de jongere generatie schoot Juzo Itami in de jaren '80 als een komeet omhoog met zijn komische satires over de Japanse cultuur, *Tampopo* (1985), *A Taxing Woman* (1987) en *A Taxing Woman Returns* (1988), met in al deze films zijn vrouw Nobuko Miyamoto in de hoofdrol.

Bij de overgang naar de 21e eeuw bleven de Japanse films prijzen winnen op festivals en grote aantallen toeschouwers trekken. Een vooraanstaande regisseur is Takeshi Kitano, wiens films variëren van gewelddadige *yakuza* (gangster) films (*Hana-Bi*, 1997; *Brother*, 2000), tot historische films (*Zatoichi*, 2003) en sentimentele comedy's (*Kikujiro*, 1999). Als 'Beat' Takeshi speelde hij zelf ook in een groot aantal films, inclusief zijn eigen films. In Kinji Fukasaku's *Battle Royale* (2000), waarin een school zijn leerlingen dwingt om elkaar af te maken op een eiland, speelt Takeshi de sadistische hoofdmeester.

Japan heeft ook enkele van de beste horrorfilms gemaakt, waarvan er veel door Hollywood zijn overgenomen. *Ring* (1998) van Hideo Nakata, de meest succesvolle Japanse horrorfilm ooit, kreeg in 2002 een sequel, een prequel en een Amerikaanse remake. Een andere Hollywood remake was *The Grudge* (2004), gemaakt door Takashi Shimizu, de regisseur die ook het Japanse origineel op zijn naam heeft staan: *Ju-On* (2000). Iets subtieler, maar net zo griezelig, zijn de bovennatuurlijke misdaadfilms geregisseerd door Kiyoshi Kurosawa (geen familie van Akira), zoals *Pulse* (2001). Ook *Audition* (1999) van Takashi Miike is een zeer gewelddadige film. Een geheel ander genre vormen de films van Hirokazu Koreeda en Hayao Miyazaki, die over herinneringen en verlies gaan: respectievelijk *Nobody Knows* (2004) en *Spirited Away* (2001). De laatste won een Oscar voor de Beste Lange Animatie film, een teken van de groeiende populariteit van de Japanse animatiefilms, een ontwikkeling die begon met *Akira* (1988).

Akira *(Katsuhiro Otomo, 1988) laat een wereld zien waarin motorbendes met elkaar in oorlog zijn, in afwachting van de komst van de legende Akira.*

Korea

Pas sinds het midden van de jaren '90 van de vorige eeuw kent het grote publiek de Koreaanse film. Internationale successen als *Sympathy for Lady Vengeance* (2005) van Park Chan-wook hebben de Koreaanse cinema een eigen gezicht gegeven.

Het feit dat Korea van 1903 tot 1945 onder Japans bestuur stond was niet bevorderlijk voor het vestigen van een eigen filmindustrie, hoewel er in die tijd wel enkele stomme films werden gemaakt. In 1937, toen

Chihwaseon
(2002) volgt het leven van een artiest (Choi Min-Sik) die verslaafd is aan alcohol en vrouwen.

Japan China binnenviel, werd de Koreaanse filmindustrie omgevormd tot een propagandamachine voor de Japanners. Na de Tweede Wereldoorlog werd Korea, nu onafhankelijk, al snel opgedeeld in het communistische noorden en het kapitalistische zuiden.

Twee van de belangrijkste Koreaanse films verschenen in 1960: *The Housemaid* van Kim Ki-young en *Aimless Bullet* van Yu Hyun-mok, zwarte melodrama's over overleving in de jaren na de Koreaanse oorlog (1950-1953).

In 1962 bepaalde de 'Speelfilmwet' dat filmmaatschappijen ten minste 15 films per jaar moesten maken. Dit resulteerde in een toename in het aantal films dat werd gemaakt, hoewel er daarvan maar een paar in het westen te zien waren. De belangrijkste regisseur in die periode was Shin Sang-Ok. Zijn *My Mother and Her Guest* (1961), verteld vanuit het gezichtspunt van een jong meisje dat graag wil dat haar moeder zal hertrouwen, wordt beschouwd als een meesterwerk. Shin en zijn

BELANGRIJKSTE FILMS

1996	The Day a Pig Fell Into the Well (Hong Sang-soo)
1999	Shiri (Kang Je-Gyu)
2002	Chihwaseon (Im Kwon-taek)
2002	The Way Home (Jeong-hyang Lee)
2002	Oasis (Lee Chang-dong)
2003	Spring, Summer, Autumn, Winter... and Spring (Kim Ki-duk)

vrouw werden aan het eind van de jaren '70 ontvoerd en naar Noord-Korea overgebracht waar ze films moesten maken voor Kim Jong Il, de zoon van de Noord-Koreaanse leider. In 1986 kregen ze politiek asiel in de VS.

Na een relatief rustige periode kwam er in de jaren '80 een opleving, toen de eerste films van Im Kwon-taek, die al sinds 1962 zeer productief was, op internationale festivals werden vertoond. Zijn doorbraak kwam met *Mandala* (1981), een film over boeddhistische monniken. Een andere film van hem, *Adada* (1987) laat de marginale positie van de vrouw in de traditionele Koreaanse maatschappij zien. *Seopyeonje* (1993), het verhaal van een familie rondtrekkende *pansori* zangers (een soort Koreaanse volksopera) die worstelen met het leven in het naoorlogse Korea, werd een groot succes in Korea. In 2002 won Im in Cannes de prijs voor Beste Regisseur voor zijn *Chihwaseon*, over het leven van een 19e-eeuwse Koreaanse schilder. In datzelfde jaar won ook *Oasis* (2002) van Lee Chang-dong, over een relatie tussen

Oldboy (2003) van Chan-wook Park bracht de Koreaanse film onder de aandacht van een nieuw, internationaal publiek.

een geestelijk gehandicapte jongen en een meisje met een hersenverlamming, verschillende prijzen.

Daarvoor had Hong Sang-soo al zijn debuut gemaakt met het prijzenwinnende *The Day a Pig Fell Into the Well* (1996), waarin de ervaringen van vier karakters verweven worden tot één verhaal. Het jaar 1996 betekende ook het debuut van de controversiële filmmaker Kim Ki-duk, die extreem gewelddadige films maakt als *The Isle* (2000) en *Address Unknown* (2001), maar ook een sereen werk als *Spring, Summer, Autumn, Winter... and Spring* (2003). Andere grote successen in de afgelopen jaren waren: de spionagethriller *Shiri* (1999) van Kang Je-Gyu en de zogenoemde 'wraak'trilogie *Sympathy for Mr. Vengeance* (2002), *Oldboy* (2003) en *Sympathy for lady Vengeance* (2005) van Chan-wook Park. Ook twee films van vrouwelijke regisseurs, het gevoelige *The Way Home* (2002) van Jeong-hyang Lee en de bitterzoete comedy *Take Care of My Cat* (2001) van Jae eun Jeong zijn het vermelden waard.

Spring, Summer, Autumn, Winter… and Spring, 2003, *is een prachtige, dubbelgelaagde fabel over het boeddhistische geloof in leven en reïncarnatie.*

India

India is de grootste filmproducent ter wereld – in de jaren '90 van de vorige eeuw maakte het jaarlijks meer dan 800 films. Het heeft een groter publiek voor binnenlandse dan voor buitenlandse films. Ook kan het land er zich op beroemen dat de films een groot internationaal publiek bereiken.

De Indiase film roept verschillende associaties op. Voor de een is dat Bollywood, een ander moet denken aan de schitterende artfilms die hier, o.a. door Satyajit Ray, worden gemaakt. De films van 'Bollywood', een samenvoeging van Bombay, de oude naam voor Mumbai, en Hollywood, bestaan over het algemeen uit volgens een vaste formule gemaakte Hindi-musicals, comedy's en melodrama's. Deze 'kitscherige' musicals, de kern van de Indiase filmindustrie, werden in de jaren '90 zeer populair in het westen, ook onder niet-Indiërs. De plots van deze films, die natuurlijk pas met de komst van het geluid werden gemaakt, zien we ook al terug in de vroegere stomme films. De belangrijkste regisseur van stomme films was Dadasaheb Phalke, die zijn films maakte bevolkt met hindoe-goden en -godinnen, de zogenoemde mythologische films. Omdat het in die tijd voor vrouwen verboden was om te acteren, werden alle rollen door mannen gespeeld. Phalke overleefde echter de komst van de geluidsfilm niet. In een land met 18 hoofdtalen en 800 dialecten lag het voor de hand dat de filmindustrie zich zou splitsen in diverse kleinere industrieën voor verschillende taalgroepen.

Bombay, het oorspronkelijke centrum van de industrie, handhaafde zich door zich te concentreren op films in het Hindi, de meest gesproken taal in het land. In het zuiden ontwikkelde Madras een eigen filmindustrie met in het Tamil gesproken films. De twee industrieën samen vormden de ruggengraat van de Indiase film, beide met een systeem van

Sunil Dutt als de rebelse zoon in Mother India *(1957), het* Gone With the Wind *van India, het tragische epos over het landelijke leven van Mehboob Khan.*

sterren en sterrenstatus zoals in Hollywood. De enige andere filmindustrie van betekenis is die van Bengalen, met name dankzij de films

Jean Renoirs The River (1951)
begint en eindigt met opnames van de rivier de Ganges, die door de film stroomt als het symbool van het leven, de dood en de vernieuwing.

van Satyajit Ray in de jaren '50. De eerste geluidsfilm was *Alam Ara* (1931), geregisseerd door Ardeshir Irani, met dialogen zowel in het Urdi als het Hindi. De film bevatte verschillende liedjes en dansnummers, en het enorme financiële succes ervan leidde tot een nieuw genre, dat van de film geconstrueerd rondom muziek.

In dezelfde tijd had zich in de Hindi-cinema bijna ongemerkt een traditie van sociaal bewogen films ontwikkeld. Een aantal van deze films werd gemaakt in de in 1934 opgerichte Bombay Talkies Studio. Toch zou het nog tot de jaren '50 duren alvorens films uit India in de rest van de wereld vertoond werden. Een van de eerste waren *Aan* (1952), de eerste Indiase speelfilm in technicolor, en *Mother India* (1975), beide geregisseerd door Mehboob Khan. Nargis, een grote ster uit Bollywood, kreeg voor zijn rol in *Mother India* een Oscar nominatie. *Two Acres*

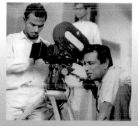

of Land (1953) van Bimal Roy, over het bittere onderwerp van de kasten, won de *Prix International* op het festival van Cannes.

INVLOED OP HET BUITENLAND

Toen Jean Renoir in 1950 naar Calcutta kwam om *The River* (1951) op te nemen, werd hij geassisteerd door de 29-jarige Satyajit Ray. Renoir moedigde Ray aan om zijn droom te vervullen, om een film te maken gebaseerd op de populaire autobiografische roman *Pather Panchali* van Bhibuti Bashan Bannerjee, over het dorpsleven in Bengalen. Met geld dat voornamelijk afkomstig was van de West-Bengaalse overheid slaagde Ray erin *Pather Panchali* (1955) te maken, het eerste deel van zijn 'Apu-trilogie'. Behalve de invloed van Renoir op Ray, moet ook de invloed van *The River* zelf niet onderschat worden. Het was een van de eerste films uit het Westen die

Satyajit Ray *(hier achter de camera), de dominante figuur van de Bengaalse film, en Subrata Mitra, de briljante cinematograaf van tien van Ray's films.*

BELANGRIJKSTE FILMS

1955	Devdas (Bimal Roy)
1955	Pather Panchali (Satyajit Ray)
1957	Mother India (Mehboob Khan)
1964	Charulata (Satyajit Ray)
1969	Bhuvan Shome (Mrinal Sen)
1975	Sholay (Ramesh Sippy)
1988	Salaam Bombay! (Mira Nair)
1994	Bandit Queen (Shekhar Kapur)
2002	The Clay Bird (Tareque Masud)

het werkelijke, 'gewone' India liet zien, in tegenstelling tot het merendeel van de westerse films die slechts oog hadden voor het exotische van dit land. In 1956 bezocht Fritz Lang India om er *Taj Mahal* op te nemen, hoewel deze film nooit is voltooid. Ook Roberto Rossellini reisde naar dit grote land voor de verfilming van *India* (1959). *The River* bleek ook een inspiratiebron voor James Ivory, die in India verschillende films zou opnemen, waaronder *Shakespeare-Wallah* (1965) en *Heat and Dust* (1983). Een andere door Renoir beïnvloede Europese regisseur was Louis Malle (*Phantom India*, 1969).

Het succes van Satyajit Ray's film toonde aan dat het mogelijk was om te werken buiten het commerciële systeem. Degenen die profiteerden van deze onafhankelijke manier van filmmaken waren o.a. Mrinal Sen en Ritwik Ghatak, beiden marxisten, die een nieuw soort van sociale film ontwikkelden, als tegenwicht voor het Europese humanisme van Ray.

Sen, die de 'Bengaalse Godard' werd genoemd, viel in zijn films de armoede

Chanda Sharma als Sola Saal, *een Nepalese maagd die in de prostitutie terechtkomt in het realistische drama* Salaam Bombay! *(1988) van Mira Nair.*

Seema Biswas als Phoolan Devi in Bandit Queen (1994) van Shekhar Kapur, gebaseerd op de waargebeurde belevenissen van een moderne Indiase volksheld.

internationaal succes. De film, die met een laag budget in een recordtijd was opgenomen, gaf een indrukwekkend beeld van het straatleven in Bombay, met zijn wreedheden en vluchtige pleziertjes. Andere, door de kritiek met open armen ontvangen films waren *Bandit Queen* (1994) van Shekhar Kapur, een onderzoek naar discriminatie tussen de kasten, het menselijk lijden en de rol van de vrouw in de veranderende Indiase cultuur; *Fire* (1996) van Deepa Mehta, over zowel de epische gedichten van de *Ramayana* als het feminisme van het eind van de 20e eeuw; en *The Clay Bird* (2002) van Tareque Masud, een ontroerende film over kind zijn in de jaren '50 – de eerste film uit Bangladesh die in Cannes een prijs won.

India is de grootste producent van muziekfilms. De soundtrack van deze films wordt al voor de film uitkomt op de markt gebracht en de verkoop van de muziekrechten brengt tegenwoordig vaak meer op dan de film zelf.

en uitbuiting in de Indiase samenleving aan. *The Royal Hunt* (1976) en *And Quiet Flows the Dawn* (1979) van Sen zijn krachtige, niet-sentimentele politieke films die een oplossing proberen te geven voor de complexe problemen van dit land. De bekendste films van Ghatak, *The Cloud-capped Star* (1960), *Komal Ghandhar* (1961) en *Subarnarekha* (1962) vormen een trilogie die zich afspeelt in Calcutta, en handelen over het probleem van de vele vluchtelingen in het land.

In Bombay legde Hrishikesh Mukherjee met *Anand* (1970) de basis voor een echte 'middenklasse'-cinema. De film gaat over een terminaal zieke man die, vastbesloten opgewekt te blijven, zorgt voor prettige veranderingen in het leven van de mensen om hem heen. Ondertussen steeg de kwaliteit van de Bollywoodfilms, zowel in technisch als artistiek opzicht. *Sholay* (1975) van Ramesh Sippy, met Amitabh Bachchan, een van de grootste Bollywoodhelden, is een buitengewoon succesvolle Hindifilms uit de jaren '70. In de jaren '80, toen Satyajit Ray minder films maakte, die ook van mindere kwaliteit waren, raakte de Indiase artfilm enigszins op de achtergrond. Toch werd in 1988 *Salaam Bombay!* van Mira Nair een enorm

AMITABH BACHCHAN

Amitabh Bachchan, geboren in 1942, is de grootste superster van India. Met zijn diepe bariton en zijn fronsende blik was Bachchan in de jaren '70 het archetype van de 'angry young man', de opvolger van de zachtaardige helden uit de jaren '60. Zijn doorbraak kwam met *Zanjeer* (1973), waarin hij de tegenspeler was van zijn toekomstige vrouw, Jaya Bhaduri. Zijn talent kwam ook tot uitdrukking in grote hits als *Deewar* (1975) en *Don* (1978). Ook op middelbare leeftijd en de jaren daarna bleef hij populair met films als *Khakee* (2004) en *Black* (2005).

REGISSEURS
VAN A-Z

Wat een regisseur precies doet is nog niet zo heel lang geleden pas omschreven. Jarenlang werd hij beschouwd als niet meer dan een lid van een team, die verantwoording schuldig was aan de producent. Tegenwoordig is de regisseur de belangrijkste persoon bij het tot stand brengen van een film. Het filmpubliek weet wat een regisseur doet en kent over het algemeen de naam van de regisseur van de film die het bezoekt.

In de beginjaren van de film was het publiek niet op de hoogte van de naam van de regisseur. Mensen bezochten de bioscoop vanwege de acteurs of het onderwerp van een film. Langzamerhand begonnen echter sommige regisseurs tot het grote publiek door te dringen. Cecil B. DeMille bijvoorbeeld gaf vaak een inleiding op zijn films en Alfred Hitchcock was meestal letterlijk zichtbaar in zijn films. Hierdoor werden ze herkenbaar en ging het publiek hun films associëren met een bepaald genre, in dit geval respectievelijk de epische film en de thriller. Het invloedrijke Franse tijdschrift *Cahiers du Cinéma* formuleerde in het midden van de jaren '50 de zogenoemde *filmregisseurtheorie*. De schrijvers beargumenteerden dat de film, hoewel het een collectief medium is, altijd de stempel van de regisseur droeg en dat regisseurs beoordeeld moesten worden op het feit of ze al of niet thematisch consistent waren. Deze formulering was ook toepasbaar op regisseurs, met name in Hollywood, die door de kritiek nooit als kunstenaars waren beschouwd, zoals Vincente Minnelli, Howard Hawks, Nicholas Ray en Otto Preminger. Deze theorie werd door critici over de hele wereld omarmd en de regisseur werd eindelijk beloond als de belangrijkste, zo niet de enige verantwoordelijke persoon bij het maken van een film.

Door de groei van de filmindustrie, de opkomst van filmacademies en de toegenomen kennis van het publiek zijn de meeste filmliefhebbers tegenwoordig bekend met de namen van de grote regisseurs uit het verleden, zoals Sergei Eisenstein, Luis Buñuel, Ingmar Bergman, Federico Fellini en Akira Kurosawa. Tegenwoordig spreekt men eerder van de nieuwe film van Steven Spielberg dan van die van de acteur Tom Hanks.

Dit A-Z van regisseurs is zo up-to-date mogelijk. Onder de regisseurs in dit hoofdstuk bevinden zich jonge en oude, overleden en nog levende, internationale genieën, Hollywoodnamen en cultfiguren, filmmakers uit de derde wereld, undergroundfilmers en experimentelen. Het belangrijkste criterium om iemand op te nemen was dat de regisseur internationaal bekend moet zijn, hetzij in het commerciële circuit, hetzij in het filmhuiscircuit. In korte beschrijvingen wordt het leven en het werk van elk van deze regisseurs belicht.

De afzondering *van een groot regisseur: John Ford zoekt inspiratie bij de zee voor de volgende scène van* Donovan's Reef *(1963).*

Chantal **Akerman**

◗ 1950- 🏳 BELGISCH ♟ 1968-

🎞 20 🎭 Avant-garde, documentaire

De minimalistische stijl van Chantal Akerman wordt gekenmerkt door een vaste camera, medium long shots, monologen en stiltes die passen bij haar vervreemde karakters.

De meest karakteristieke film van Akerman is *Jeanne Dielman, 23 Quai du Commerce, 1080 Bruxelles* (1975), over drie dagen (225 minuten film) uit het leven van een

BELANGRIJKSTE FILMS

1975	Jeanne Dielman
1977	News From Home
1978	Les Rendez-vous d'Anna
1982	Toute une Nuit
2000	La Captive

Belgische huisvrouw en parttime prostituee (Delphine Seyrig). In *Les Rendez-vous d'Anna* (1978) is de hoofdrolspeelster een Belgische regisseuse van midden twintig (even oud als Akerman in die tijd), die verschillende Europese steden bezoekt om haar film te promoten. *Toute une Nuit* (1982) is een serie erotische fragmenten. De ontheemde karakters leven in onpersoonlijke hotel-kamers en stationsgebouwen. Conventio-neler, maar minder aansprekend was *La Captive* (2000), naar een roman van Marcel Proust.

Sylvie Testud *speelt Ariane in* La Captive, *een film over de obsessieve liefde van een jonge man voor een vrouw.*

Robert **Aldrich**

◗ 1918-1983 🏳 AMERIKAANS ♟ 1953-1981

🎞 29 🎭 Melodrama, oorlog, western

De krachtige, vaak dwingende stijl van Robert Aldrich – overhead shots, close-ups en shock cuts – was zeer effectief voor westerns en oorlogsfilms.

De non-conformistische Robert Aldrich produceerde en regisseerde in 1955 *Kiss Me Deadly*, een klassieke, veelgelaagde film noir die, gebaseerd op een verhaal van Mickey Spillane, een allegorie van het Amerika uit de jaren '50 is. Zijn portret-tering van een amorele held, het gebruik van echte locaties en donkere fotografie beïnvloedde de Franse Nouvelle Vague. Aldrichs karakters neigen naar het hyste-rische zoals onder andere te zien is in *The Big Knife* (1955), een bewerking van Clif-ford Odets' toneelstuk over Hollywood;

Joan Crawford en Bette Davis *spelen de zusters 'Baby Jane' en Blanche in* What Ever Happened to Baby Jane?, *een zwarte comedy en psychologische thriller.*

de beklemmende buitensporigheden in *What Ever Happened to Baby Jane?* (1962); en de lesbische rivalen in *The Killing of Sister George* (1968). *Attack!* (1956), over een infanteriecompagnie geleid door een laffe commandant, de *The Dirty Dozen* (1967), een actiedrama waarin 12 Ame-rikaanse gevangenen op een zelfmoord-missie worden gestuurd, zijn oorlogsfilms. Even krachtig zijn zijn films over de inheemse bevolking, zoals *Apache* (1954), waarin een krijger wordt gevolgd die vecht tegen de blanke overheersing, en *Ulzana's Raid* (1972), over een bende Apaches op rooftocht.

BELANGRIJKSTE FILMS

1954	Apache
1955	Kiss Me Deadly
1956	Attack!
1962	What Ever Happened to Baby Jane?
1967	The Dirty Dozen

Woody **Allen**

⚫ 1935- 🗺 AMERIKAANS 🎬 1969-

🎞 36 🏆 Comedy, drama

De films geregisseerd door de productieve Woody Allen trekken al jarenlang een groot publiek. In zijn beste werk ligt echter onder het komische de pijn verborgen.

Voordat hij regisseur werd, was Woody Allen een stand-upcomedian die zijn eigen obsessies op het toneel bracht – zijn relatie met vrouwen, met zijn psychiater en met de dood – die hij later in zijn films verder zou uitwerken. Zijn eerste vijf films steunden sterk op revuesketches, hoewel hij in *Love and Death* (1976), een grappige pastiche van 19e-eeuwse Russische literatuur, meer aandacht aan de vorm besteedde. *Annie Hall* (1977), over een gecompliceerde relatie (gebaseerd op zijn eigen relatie met Diane Keaton), betekende zijn doorbraak, terwijl *Manhattan* (1979) een zwart-wit ode aan zijn geliefde New York is. In veel van zijn films komen autobiografische elementen voor, met name in *Husbands and Wives* (1992), tijdens welke film hij brak met Mia Farrow, zijn levenspartner. Tot zijn leukste films behoren *Take the Money and Run* (1969), *Bananas* (1971), *Play It Again, Sam* (1972), *Sleeper* (1973), *Broadway Danny Rose* (1984), en *The Purple Rose of Cairo* (1985).

Filmposter, *1986*

BELANGRIJKSTE FILMS	
1972	Play It Again, Sam
1973	Sleeper
1977	Annie Hall
1979	Manhattan
1984	Broadway Danny Rose
1985	The Purple Rose of Cairo
1986	Hannah and Her Sisters
1989	Crimes and Misdemeanors
1992	Husbands and Wives
2005	Match Point

Allens bewondering voor Ingmar Bergman is zichtbaar in *Interiors* (1978), zijn eerste 'serieuze' film. Ook *A Midsummer Night's Sex Comedy* (1982) en *Deconstructing Harry* (1997) getuigen hiervan. Hij maakte ook gebruik van Bergmans favoriete cameraman Sven Nykvist in *Crimes and Misdemeanors* (1989) en de 'Bergman'-acteur Max von Sydow in *Hannah and Her Sisters* (1986). *Sweet and Lowdown* (1999) en *Stardust Memories* (1980) waren geïnspireerd door Federico Fellini. *Match Point* (2005) was een kassucces en volgens Allen 'zonder twijfel de beste film die ik ooit heb gemaakt'. Hoewel zijn werk in de jaren '90 minder weerklank vond, heeft Allen nog altijd een schare trouwe, intelligente fans.

Scarlett Johansson *speelt de verleidelijke Nola Rice, hier met regisseur Woody Allen op de set van* Match Point *(2005), de eerste film die Allen in Groot-Brittannië maakte.*

Pedro **Almodóvar**

◐ 1949- 🏳 SPAANS 🎬 1974-

🎞 16 🎭 Underground, melodrama

Pedro Almodóvars extravagante en provocerende films hebben hem tot de internationaal meest succesvolle Spaanse filmer gemaakt sinds de dood van Franco in 1975.

'Mijn films vertegenwoordigen de nieuwe mentaliteit... in Spanje na de dood van Franco... omdat het nu mogelijk is een film als *La Ley del Deseo* te maken.' Ondanks de homo-erotische scènes werd *La Ley del Deseo* (*De Wet van Verlangen*, 1987) aangekondigd als het model van de toekomstige Spaanse cinema. Almodóvars kracht is het tonen van elementen uit de underground- en

Cecilia Roth *in* Tode sobre mi madre *(een referentie naar* All About Eve*), voor een affiche van* A Streetcar Named Desire, *waarin zij een hoofdrol speelde.*

BELANGRIJKSTE FILMS

1984	¿Qué he Hecho yo Pararecer esto!
1986	Matador ley del deseo
1987	La Ley del Deseo
1988	Mujeres al Borde de un Ataque de Nervios
1999	Todo sobre mi madre
2002	Hable con ella
2004	La mala educación

homocultuur in een conventionele vorm, bestemd voor een groot publiek. Zijn eerste grote film, *Pepi, Luci, Bom y Otras Chicas del Montón* (*Pepi, Luci, Bom en Veel Andere Vrouwen*, 1980), werd in 16 mm gefilmd en vervolgens opgeblazen tot 35 mm voor vertoning in de bioscoop. Internationaal brak hij door met *Mujeres al Borde de un Ataque de Nervios* (*Vrouw op de Rand van Geestelijke Instorting*, 1988). In Spanje had hij al eerder succes met *¿Qué he Hecho yo Para Merecer esto!* (*Wat Heb ik gedaan om dit te verdienen?*, 1984). In *Matador* (1986) legde hij het verband tussen geweld en erotiek, terwijl in *Todo Sobre mi Madre* (*Over mijn moeder*, 1999), *Hable con Ella* (*Praat met Haar*, 2002) en *La Mala Educación* (*Slechte Opvoeding*, 2004) meer de nadruk ligt op emoties.

Victoria Abril, *een van Almodóvars favoriete actrices, met de regisseur op de set van* ¿Qué he Heco Para Merecer esto!

Robert **Altman**

● 1925-2006 🄿 AMERIKAANS ⚖ 1955-2005

🎬 35 🎭 Satirische comedy, drama

Door zijn individualisme verwierf Altman de reputatie van een moeilijke man voor producenten om mee te werken. In iedere film probeerde hij iets anders. Hij weigerde, in tegenstelling tot de meeste Amerikanen, films volgens een vaste formule te maken.

Na vier mindere films kreeg Robert Altman in 1970 het aanbod *M*A*S*H* te verfilmen, nadat 14 andere regisseurs hadden geweigerd. Deze film raakte een gevoelige snaar in het door de Vietnamoorlog verscheurde Amerika. Later ondermijnde hij de traditionele Hollywoodfilms met revisionistische westerns: *McCabe and Mrs. Miller* (1971), waarin Warren Beatty een pooier speelt, en *Buffalo Bill and the Indians* (1976) met Paul Newman als nepheld. *The Long Goodbye* (1973) presenteert privédetective Philip Marlowe (Eliott Gould) als een houterige lafaard.

Altman hield ervan met steeds dezelfde acteurs te werken en liet zijn spelers vaak hun dialogen improviseren. In veel van zijn films brengt hij bewust een grote groep mensen samen die hij naar hartenlust kan manipuleren, o.a. 25 karakters in *Nashville* (1975), 40 in *A Wedding* (1978) en een grote cast in *Short Cuts* (1993), de verfilming van een aantal verhalen van Raymond Carver en *Gosford Park* (2001).

Robert Altman *regisseert Emily Watson op de set van* Gosford Park, *een prachtig, ouderwets Brits moordmysterie vol intriges, satire en maatschappijkritiek.*

Tim Robbins *als een verwaande studiodirecteur in* The Player, *Altmans sardonische satire op Hollywood, de droomfabriek die hij nooit volledig heeft omarmd.*

BELANGRIJKSTE FILMS

1970	M*A*S*H
1971	McCabe and Mrs. Miller
1975	Nashville
1992	The Player
1993	Short Cuts
2001	Gosford Park
2006	A Prairie Home Companion

Een kenmerk van Altmans films is het experimentele gebruik van geluid, o. a. de simultane conversaties in *M*A*S*H*, het 8-sporen geluidssysteem in *California Split* (1974) en de afwezigheid van muziek in *Thieves Like Us* (1973). Na de relatieve mislukking van *Popeye* (1980) en zijn ontslag van *Ragtime* (1981), werkte Altman voornamelijk voor de televisie, maar in 1992 had hij weer groot succes met *The Player*.

Alejandro **Amenábar**

◗ 1972- | 🎬 SPAANS | 🏆 1991-

🎞 6 | 😀 Horror, thriller, psychologisch drama

Met slechts vier speelfilms op zijn naam heeft de in Chili geboren regisseur-scenarioschrijver-componist Alejandro Amenábar aangetoond een van de meest getalenteerde filmmakers van deze tijd te zijn.

Op 25-jarige leeftijd verwierf Amenábar internationale roem met zijn tweede speelfilm *Abre los Ojos* (*Open je Ogen*, 1997), in 2001 herverfilmd als *Vanilla Sky* met Tom Cruise in de hoofdrol. De Spaanse versie is, in tegenstelling tot de Hollywoodkopie, een gewaagde mix van romance, thriller en sciencefiction, met Eduardo Noriega als de

Penélope Cruz *en Eduardo Noriega zijn de sterren in* Abre los ojos (Open je ogen), *waarin Amenábar op meesterlijke wijze fantasie en werkelijkheid met elkaar verbindt.*

knappe playboy die door een ongeluk verminkt raakt. Noriega speelt ook in Amenábars eerste film, *Tesis* (*These*, 1996), een horrorfilm over de fascinatie van de media voor geweld, terwijl Javier Bardem in *Mar Adentro* (*De Zee van Binnen*, 2004) – een gepassioneerd pleidooi voor euthanasie – een verlamde man speelt die een einde aan zijn leven wil maken. *The Others* (2001), Amenábars eerste film in het Engels, met Nicole Kidman, is een goed gemaakte horrorfilm.

BELANGRIJKSTE FILMS

1997	Abre los Ojos
2001	The Others
2004	Mar Adentro

Malcolm McDowell *en Christine Noonan in* If..., *een film over de hypocrisie in de Britse samenleving die ondanks het onderwerp een commercieel succes werd.*

BELANGRIJKSTE FILMS

1963	This Sporting Life
1968	If...
1972	O Lucky Man
1982	Britannia Hospital
1987	The Whales of August

Lindsay **Anderson**

◗ 1923-1994 | 🎬 BRITS | 🏆 1952-1987

🎞 6 | 😀 Drama, satire

In tegenstelling tot de meeste van zijn tijdgenoten maakte Anderson nooit de overstap naar Amerika, maar bleef hij Engeland trouw. Hij had de reputatie van hoeder van het geweten van de Britse cinema.

Lindsay Anderson, bekend als een harde filmcriticus, maakte deel uit van de Free Cinema-beweging, die vooral films over de werkende klasse wilde maken. Tot Andersons uitstekende documentaires behoort *Every Day Except Christmas* (1957) over de markt in Londens Covent Garden. *This Sporting Life* (1963), zijn eerste speelfilm, speelt zich af in het industriële noorden, met Richard Harris die een emotionele kracht uitstraalt die men zelden ziet in Britse films. *If*...(1968) – geïnspireerd op Jean Vigo's *Zéro de Conduit* (1933) – is een kritische film over het leven op een Britse kostschool, waar Anderson zelf het product van was. *O Lucky Man* (1972) en *Britannia Hospital* (1982) zijn ambitieuze satires op de toestand van de Britse natie, terwijl *The Whales of August* (1987) een vriendelijker verhaal is over ouderdom.

Paul Thomas **Anderson**

◐ 1970- ꟹ AMERIKAANS ⛉ 1997-

🎞 5 🎭 Drama

<table>
<tr><td colspan="2">**BELANGRIJKSTE FILMS**</td></tr>
<tr><td>1997</td><td>Boogie Nights</td></tr>
<tr><td>1999</td><td>Magnolia</td></tr>
<tr><td>2002</td><td>Punch-Drunk Love</td></tr>
</table>

Paul Thomas, waarschijnlijk de meest ambitieuze Amerikaanse filmmaker van zijn generatie, groeide op met film en werkte al vanaf jonge leeftijd als productie-assistent.

Andersons vader presenteerde laat in de avond horrorfilms op de kabeltelevisie. Anderson, vooral beïnvloed door Robert Altman, heeft twee zeer ambitieuze ensemblefilms op zijn naam staan: *Boogie Nights* (1997) is een requiem voor de jaren '70 middels het verhaal van pornoster Dirk Diggler, en *Magnolia* (1999) is een drie uur durend zowel pretentieus als bezield episch verhaal over een groep mensen, gefilmd gedurende een enkele dag en nacht. *Punch-Drunk Love* (2002) is een expressionistische, romantische comedy met Adam Sandler als de rustige, verlegen eigenaar van een klein bedrijfje

Heather Graham *speelt Brandy 'Rollergirl', een dropout die filmster wil worden, in* Boogie Nights. *Andersons donkere comedy over de Amerikaanse porno-industrie.*

die wordt geterroriseerd door zijn zeven zusters maar de liefde ontmoet als een mysterieuze vrouw zijn leven binnenkomt en hem ten goede verandert.

Theo **Angelopoulos**

◐ 1935 ꟹ GRIEKS ⛉ 1970-

🎞 11 🎭 Historisch, politiek, epos, drama

In 1975, nadat de militaire dictatuur in zijn land na zeven jaar was beëindigd, kreeg Theo Angelopoulos internationaal succes met de meest ambitieuze Griekse films tot nu toe,

Dagen van 36 (*Meres tou 36*, 1972) geeft een beeld van de bestuurlijke incompetentie van het 'kolonelsregime'. Het vormde het eerste deel van een trilogie, gevolgd door *De reizende spelers* (*O Thiassos*, 1975) en *De jagers* (*Oi Kynighoi*, 1977), alle allegorieën van de Griekse politiek in de 20e eeuw. Later maakte Angelopoulos gebruik van internationale sterren als Marcello Mastroianni in *De imker* (*O Melissokomos*, 1986), Harvey Keitel in *De Starende Blik van Ulysses* (*To Vlemma tou Odyssea*, 1995) en Bruno Ganz in *Eeuwigheid en een Dag* (*Mia Aioniotita Kai Mia Mera*, 1998). Door het meesterlijke gebruik van slow pans en long takes worden de films geprezen als metafysische road movies. Andere belangrijke films zijn *Landschap in de Mist* (*Topio stin Omichli*, 1988) en *De huilende Weide* (*Trilogia I: To Livadi pou Dakryzei*, 2004), het eerste deel van een nieuwe trilogie.

<table>
<tr><td colspan="2">**BELANGRIJKSTE FILMS**</td></tr>
<tr><td>1975</td><td>De Reizende Spelers</td></tr>
<tr><td>1988</td><td>Landschap in de Mist</td></tr>
<tr><td>1998</td><td>Eeuwigheid en een Dag</td></tr>
<tr><td>2004</td><td>De huilende Weide</td></tr>
</table>

Een verkenning *van een innerlijke reis.* Eeuwigheid en een dag *laat zien hoe de tijd een centrale zorg wordt voor de terminaal zieke Alexandre (Bruno Ganz).*

Michelangelo **Antonioni**

1912- ITALIAANS 1950-

17 Psychologisch drama

De long tracking shots, set pieces, de aandacht voor design en architectuur en de relatie tussen de karakters en hun omgeving vormen de kenmerken van Michelangelo Antonionis meditaties over hedendaagse angst.

Een persoonlijk stempel zien we al in Antonioni's eerste speelfilm, *Cronaca di un Amore* (1950), maar zijn stijl werd pas echt volwassen met *L'Avventura* (1960), die samen met *La Notte* (1961) en *L'Eclisse* (1962) een trilogie over de vervreemding van het moderne bestaan vormde. In *Il Deserto Rosso* (1964) speelt Monica Vitti een huisvrouw, Giuliana, die gek wordt van het industriële landschap om haar heen. Antonioni gebruikt hierbij dieprode en groene kleuren om de neurose van de vrouw te benadrukken, en lichtere kleuren tijdens haar vluchten in een fantasiewereld. In zijn volgende vier films verlegt Antonioni zijn interesses naar buiten Italië: over China met de documentaire *Chung Kuo* (1972); over 'Swinging Londen'

Alain Delon *en Monica Vitti als de verdoemde geliefden Piero en Vittoria in* L'Eclisse.

met *Blow-Up* (1966), met een hippe fotograaf in de hoofdrol; over de bevrijde Amerikaanse jeugd in *Zabriskie Point* (1969), die eindigt met het spectaculair opblazen van de materialistische samenleving; en over het droge Noord-Afrika in *Professione: Reporter* (1975). Weer terug in Italië bij zijn geliefde Monica Vitti, met wie hij vier films maakte, maakte Antonioni *Il Mistero di Oberwald* (1980), een van de eerste grote films op video. De daaropvolgende jaren zou hij met video blijven werken, hoewel *Identificazione di una Donna* (1982) op film is opgenomen. In 1985 raakte Antonioni door een beroerte gedeeltelijk verlamd. Ondanks die tegenslag maakte hij *Al di là Delle Nuvole* (1995), dat gebaseerd is op door hem geschreven korte verhalen.

BELANGRIJKSTE FILMS

1960	L'Avventura
1961	La Notte
1962	L'Eclisse
1964	Il Deserto Rosso
1966	Blow-Up
1975	Professione: Reporter

Jack Nicholson *speelt een journalist in* Professione: Reporter, *een film over werkelijkheid en illusie.*

Gillian **Armstrong**

● 1950- 📺 AUSTRALISCH 🎬 1979-

🎞 12 🏆 Drama

Gillian Armstrong, voortkomend uit de 'Australische New Wave', ontstaan aan het eind van de jaren '70, stelt in haar films de vrouw centraal. Ze onderzoekt de conflicten die ontstaan tussen carrière, creativiteit en huwelijk.

Armstrong regisseerde het stijlvolle en subtiel feministische drama *My Brilliant Career* (1979), met Judy Davis als een eigenzinnige vrouw op het platteland van Australië aan het begin van de 20e eeuw die een internationale carrière ambieert. In Hollywood maakte Armstrong *Mrs. Soffel* (1985) en *Little Women* (1994), eveneens over vrouwen die breken met conventies. Terug in Australië, met *The Last Days of Chez Nous* (1992) en *Oscar and Lucinda* (1997), ging zij door met haar onderzoek naar vrouwen die het rollenpatroon doorbreken.

De familie March *in Armstrongs verfilming van de uit 1868 stammende roman* Little Women *wordt gespeeld door Winona Ryder, Irini Alvarado, Kirsten Dunst, Susan Sarandon en Claire Danes.*

BELANGRIJKSTE FILMS

1979	My Brilliant Career
1994	Little Women
1997	Oscar and Lucinda

Richard **Attenborough**

● 1023 📺 BRITS 🎬 1969-

🎞 11 🏆 Biografie, oorlog

Na een carrière als acteur maakte Richard Attenborough als regisseur een aantal voornamelijk biografische films.

Zijn eerste film, *Oh! What a Lovely War* (1969) was gebaseerd op de Eerste Wereldoorlog. *Gandhi* (1982) bracht hem internationaal succes. Het kostte hem 20 jaar om deze film, met Ben Kingsley in de titelrol en winnaar van acht Oscars, te financieren. Hij drukte zijn woede over de apartheid in Zuid-Afrika uit in *Cry Freedom* (1987), over de activist Steve Biko, en maakte een film over een van zijn andere idolen, *Chaplin* (1992). **Filmposter,** *1982*

BELANGRIJKSTE FILMS

1969	Oh! What a Lovely War
1982	Gandhi
1987	Cry Freedom

Bille **August**

● 1948- 📺 DEENS 🎬 1978-

🎞 12 🏆 Drama

Met *Pelle de Veroveraar* (*Pelle Erobreren*, 1988) won Bille August niet alleen de Gouden Palm op het filmfestival van Cannes maar ook de Oscar voor Beste Buitenlandse Film.

August maakte zijn regiedebuut met *Honning Måne* (*In mijn leven*, 1978). Internationaal brak hij door met *Twist and Shout* (1984) en *Pelle de Veroveraar*, een onsentimenteel maar ontroerend verhaal over sociale uitbuiting in het Denemarken uit het begin van de 20e eeuw. Dit blijft zijn beste film. Maar *The Best Intentions* (*Den Goda Viljan*, 1992), met Ingmar Bergmans autobiografische script over het huwelijk van zijn ouders; *Les Misérables*, gebaseerd op de gelijknamige roman van Victor Hugo; en *A Song For Martin* (2001), over de ziekte van Alzheimer, zijn waardige opvolgers.

BELANGRIJKSTE FILMS

1988	Pelle de Veroveraar
1992	The Best Intentions
1998	Les Misérables

Ingmar **Bergman**

◗ 1918- 🏴 ZWEEDS 🏆 1946-

🎬 40 🎭 Psychologisch, metafysisch drama

Ingmar Bergman, de zoon van een dominee, maakte religieus getinte films die paradoxaal genoeg een goddeloze en liefdeloze wereld uitbeeldden. Bergmans oeuvre kan gezien worden als een autobiografie van zijn psyche.

Als regisseur van zowel toneelstukken als films introduceerde Bergman vaak het theater in zijn films als een metafoor voor de dualiteit van de persoonlijkheid. Ten minste vijf van zijn films spelen op een eiland, een afgesloten gebied, net als een toneel. Het onderwerp van zijn vroegere werk is de strijd van adolescenten tegen een gevoelloze volwassen wereld. De kortstondige, zonovergoten Zweedse zomer, de enige periode van geluk voor het invallen van de sombere winter, zien we in *Summer Interlude* (*Sommarlek*, 1950) en *Zomer met Monika* (*Sommaren med Monika*, 1952). De operette-achtige comedy *Smiles*

Isak (Erland Josephson) *en Helena Ekdahl (Gunn Wållgren) delen een intiem moment in* Fanny and Alexander, *Bergmans meest autobiografische film.*

of a Summer Night (*Sommarnattens leende*, 1955), vormde het hoogtepunt van deze eerste periode. *Het Zevende Zegel* (*Det Sjunde Inseglet*), spelend in de wrede middeleeuwen, en *Wilde Aardbeien* (*Smultronstället*, beide 1957) bevestigden Bergmans internationale reputatie, net als *Het Gezicht* (*Ansiktet*, 1958), een gotisch verhaal. De trilogie over het zwijgen van God: *Als in een Donkere Spiegel* (*Såsom i en Spegel*, 1961), *De Avondmaalsgasten* (*Nattvardsgästerna*, 1963), en *De Grote Stilte* (*Tystnaden*, 1963), speelt zich af in een meer door angst geregeerde wereld. Met *Persona* (1966) kwam de vrouw in beeld, hoewel vrouwen altijd centraal hebben gestaan in zijn werk. Vervolgens maakte hij een aantal psychodrama's, zoals het emotioneel geladen *Cries and Whispers* (*Viskningar och rop*, 1972). In *Autumn Sonata* (*Höstsonaten*, 1978) heft hij een beschuldigende vinger naar ouders die hun kind verwaarlozen, terwijl *Fanny en Alexander* (*Fanny och Alexander*, 1982) handelt over zijn kindertijd. Hij kondigde aan dat dit zijn laatste film was; het bleek, hoewel hij bleef regisseren voor televisie en theater, een superlatief hoogtepunt van 36 jaar diepgaande films.

BELANGRIJKSTE FILMS

1950	Summer Interlude
1955	Smiles of a Summer Night
1957	Het Zevende Zegel
1957	Wilde aardbeien
1958	Het Gezicht
1972	Cries and Whispers
1978	Autumn Sonata
1982	Fanny and Alexander

Scènes uit een huwelijk (1973), Duits affiche.

Busby **Berkeley**

● 1895-1976 📖 AMERIKAANS 🏆 1930-1970
🎬 21 🎭 Musical

Hoewel hij 21 speelfilms heeft gemaakt, staat Berkeley vooral bekend om zijn spectaculaire dansscènes.

Toen dansregisseur Busby Berkeley van Broadway naar Hollywood kwam, gebruikte hij voor de dansscènes in de musical *Whoopee!* van Eddie Cantor (1930) één mobiele camera. Voor Warner Bros. filmde hij van 1933 tot 1937 met één camera groepen identiek geklede showgirls waarbij hij met overhead shots van een mobiele kraan erotische, kaleidoscopische effecten creëerde. Ook verfilmde hij prachtige zangnummers als 'My Forgotten Man' (*Gold Diggers of 1933*) en 'Shanghai Lil' (*Footlight Parade*, 1933). Voor MGM creëerde hij fantastische waterballetten met Esther Williams als de zeemeermin van Hollywood in de hoofdrol.

Judy Garland *en Mickey Rooney in de sprankelijke* musical Babes on Broadway *(1941).*

Claude **Berri**

● 1934- 📖 FRANS 🏆 1966
🎬 19 🎭 Drama, comedy, historisch

Hoewel veel van Claude Berri's films gebaseerd zijn op zijn eigen leven, behaalde hij zijn grootste successen met zijn meesterwerken Jean de Florette en Manon des Sources, die spelen op het platteland van Frankrijk, ver weg van zijn eigen wereld.

Berri's eerste speelfilm was het amusante en ontroerende *Le Vieil Homme et l'Enfant* (1966), gebaseerd op zijn eigen ervaringen als joods adoptiekind van een antisemitische oude man tijdens de oorlog. Ook autobiografisch waren *La Première Fois*

(1976), over zijn adolescentie, *Mazel Tov ou le Mariage* (1968), over zijn huwelijk en *Le Pistonné* (1970), over zijn militaire dienst in Algerije. Berri maakte ook films over het bezette Frankrijk in de oorlog, *Uranus* (1990) en *Lucie Aubrac* (1997). De laatste is gebaseerd op een autobiografie van een verzetsstrijder. *Jean de Florette* en *Manon des Sources* (beide 1986), een bewerking van Marcel Pagnols film uit 1953, kenmerken zich door het fantastische spel van Daniel Auteuil, Yves Montand, en Gérard Depardieu. De thema's en de verhaallijnen van beide films zijn nauw met elkaar verbonden. Beide vertellen een tragisch verhaal van hebzucht en wraak. Berri's versie van Emile Zola's roman *Germinal* (1993) is het grimmige verhaal van de strijd van mijnwerkers voor hun rechten.

Berri's meesterwerk *Manon des Sources, met Daniel Auteuil (links) en Yves Montand, is een onderzoek naar de complexiteit van menselijke relaties.*

Bernardo **Bertolucci**

● 1940- 📺 ITALIAANS ⚖ 1962-

🎞 15 🎬 Episch, politiek, psychologisch drama

Bernardo Bertolucci, de zoon van een bekende dichter en zelf winnaar van een prestigieuze poëzieprijs, beschouwt 'de filmkunst als de ware taal van de poëzie', een uitspraak die door veel van zijn uiteenlopende films wordt gerechtvaardigd.

Bertolucci regisseert *Debra Winger en John Malkovich in* The Sheltering Sky, *waarin een Amerikaans paar door Noord-Afrika reist op zoek naar betekenis in hun relatie.*

Bertolucci regisseerde op 22-jarige leeftijd zijn eerste film: *La Commare Secca* (1962). In zijn tweede film, *Prima della Rivoluzione* (1964), begon hij met het onderzoek van enkele belangrijke thema's uit zijn werk: de vader-zoonrelatie en het conflict tussen persoon en politiek, thema's die duidelijk aanwezig zijn in *Strategia del Ragno* (1969). In *Il Conformista* (1970), bracht hij met succes zijn freudiaanse en politieke preoccupaties in het vooroorlogse Italië met elkaar in verband. *Last Tango in Paris* (1972) bracht hem internationale bekendheid, met name vanwege de liefdeloze seksscènes tussen Paul, een Amerikaan van middelbare leeftijd (Marlon Brando) en Jeanne, een jonge Française (Maria Schneider).

Met *1900* (1976), een film over klassenstrijd, nam Bertolucci afstand van de introspectie uit zijn eerdere films. *La Tragedia di*

un uomo ridicolo (1981), een dubbelzinnige kijk op het terrorisme, sloeg niet aan bij het publiek en de kritiek. Maar *The Last Emperor* (1987), de eerste westerse film die volledig in China werd opgenomen en 60 jaar van China's geschiedenis beschreef (1906-1967), won negen Oscars, inclusief Beste Film, Beste Regisseur en Beste Cinematografie. *The Sheltering Sky* (1990), speelt in Noord-Afrika; *Little Buddha* (1994) en *The Dreamers* (2003) zijn andere bezienswaardige films.

BELANGRIJKSTE FILMS	
1964	Prima della rivoluzione
1970	Il Conformista Conformist
1972	Last Tango in Paris
1976	1900
1987	The Last Emperor
2003	The Dreamers

Louis Garrel, *Eva Green en Michael Pitt in* The Dreamers, *een verhaal over moeizame vriendschappen tegen het decor van de studentenopstand in Parijs in 1968.*

Luc **Besson**

🌑 1959- 📕 FRANS 🎬 1983-

🎞 9 🏆 Thriller, sciencefiction

BELANGRIJKSTE FILMS	
1988	Le Grand Bleu
1990	Nikita
1995	Léon
1997	The Fifth Element

Zelfs op zijn veertigste was Luc Besson nog steeds het enfant terrible van de Franse cinema, die zijn inspiratie opdoet uit stripboeken, kassuccessen uit Hollywood en videoclips.

Bessons eerste bijdrage aan de Franse 'Cinema du Look'-stroming, waarin stijl belangrijker is dan inhoud, was het opvallende *Subway* (1985), dat zich afspeelt in de Parijse metro, bevolkt door sociaal onaangepasten. *Le Grand Bleu* (1988), over twee diepzeeduikers, was een meer persoonlijk project – Bessons ouders waren duikinstructeurs. Zowel *Nikita* (1990), een hommage aan de Amerikaanse actiefilm, als *Léon* (1995), dat zich afspeelt in New York, zijn thrillers maar onderzoeken ook de thema's

Maïwen Le Besco *als Diva Plavalaguna, een buitenaardse operazangeres, tijdens een concert in een ruimteschip in de futuristische thriller* The Fifth Element.

van persoonlijke groei en sterfelijkheid. Bessons werk bereikte zijn climax in de sciencefictionfilm *The Fifth Element* (1997), met zijn spectaculaire special effects, over buitenaardse wezens die de mensheid willen vernietigen. De zwart-witfilm *Angel-A* (2005) speelt zich daarentegen af in een angstaanjagend leeg Parijs.

Peter **Bogdanovich**

🌑 1939- 📕 AMERIKAAN 🎬 1967-1997

🎞 17 🏆 Comedy, drama, pastiche

BELANGRIJKSTE FILMS	
1968	Targets
1971	The Last Picture Show
1972	What's Up, Doc?
1973	Paper Moon
1985	Mask
1992	Noises Off

Hoewel Peter Bogdanovich meer geflopte films heeft gekend dan anderen, zijn sommige wel de moeite waard. Hij leed sterk onder zijn reputatie van mislukkeling.

Voormalig criticus en fanatiek filmliefhebber Peter Bogdanovich maakte een indrukwekkend debuut met de thriller *Targets* (1968), met Boris Karloff als een horrorfilmster. (Het was ook een van de laatste films van Karloff.) Zowel *The Last Picture Show* (1971), die twee Oscars won – voor beste mannelijke bijrol (Ben Johnson) en beste vrouwelijke bijrol (Cloris Leachman) –, als *Paper Moon* (1973), roepen in zwart-wit de geest van John Ford en William Wyler op. *What's Up, Doc?* (1972) is een hommage aan de comedy's van Howard Hawks. Al deze pastiches waren uiterst succesvol. Bogdanovich maakte later een vervolg op *The Last Picture Show*, genaamd *Texasville* (1990), waarin de karakters, nu op middelbare leeftijd,

terugkijken op hun leven. *Daisy Miller* (1974), een bewerking van een roman van Henry James, werd slecht ontvangen, evenals de musical *At Long Last Love* (1975) en de slapstick comedy *Nickelodeon* (1976). *Mask* (1985) en *Noises Off* (1992) herstelden zijn reputatie enigszins, maar zijn vroegere succes zou hij niet meer meemaken.

The Last Picture Show, *met Cybill Shepherd en Jeff Bridges, is een bitterzoete film over opgroeien in een Amerikaans stadje in het begin van de jaren '50.*

John **Boorman**

◐ 1933- 🎬 BRITS 🏆 1965-

🎞 16 🎦 Actie, thriller, misdaad

In meer dan 40 jaar heeft John Boorman slechts 16 speelfilms gemaakt. Hij demonstreert zijn smaak voor het allegorische en laat zijn kracht zien door visueel onderscheidende verhalen.

John Boorman heeft verschillende genres verfilmd: oorlog (*Hell in the Pacific*, 1968); sciencefiction (*Zardoz*, 1973); horror (*The Exorcist II: The Heretic*, 1977); het epische (*Excalibur*, 1981); het politieke (*Beyond Rangoon*, 1985; *The General*, 1998); en de spionagefilm (*The Tailor of Panama*, 2001). *Point Blank* (1967) is een sterke thriller die zich afspeelt in de betonnen jungle van Los Angeles; *Deliverance* (1972) volgt vier mannen op kanovakantie die door bergbewoners worden geterroriseerd, terwijl *The Emerald Forest* (1985) het verhaal vertelt van een man op zoek naar zijn gekidnapte zoon in het Amazonegebied.

BELANGRIJKSTE FILMS

1967	Point Blank
1968	Hell in the Pacific
1972	Deliverance
1981	Excalibur
1987	Hope and Glory
1998	The General
2001	The Tailor of Panama

Sebastian Rice-Edwards *en Geraldine Muir in een scène uit* Hope and Glory *(1987), gebaseerd op Boormans ervaringen als kind in de Tweede Wereldoorlog.*

Frank **Borzage**

◐ 1893-1962 🎬 AMERIKAANS 🏆 1916-1959

🎞 100 🎦 Melodrama

Met zijn voorliefde voor sentimentele liefdes-verhalen creëerde Frank Borzage films waarin geliefden een of andere tegenslag moeten overwinnen.

Borzage had veel succes met drie romantische films met Janet Gaynor, de belichaming van de beminnelijkheid, in de hoofdrol. Een daarvan, *Seventh Heaven* (1927), was de allereerste film die een Oscar won (Beste Regie, Beste Actrice). *A Farewell to Arms* (1932) was veel minder hard dan de

BELANGRIJKSTE FILMS

1927	Seventh Heaven
1929	The River
1932	A Farewell To Arms
1933	Man's Castle
1934	Little Man, What Now?
1936	Desire
1937	History Is Made at Night
1940	The Mortal Storm

in de Eerste Wereldoorlog spelende roman van Ernest Hemingway. Beter passend bij Borzages talenten waren *Man's Castle* (1933), over een jong stel op zoek naar een sprankje hoop in de crisis van de jaren '30; het pacifistische *Desire* (1936); en *History Is Made at Night* (1937). Zijn beste films maakte hij met Margaret Sullavan: *Little Man, What Now?* (1934), *Three Comrades* (1938) en *The Mortal Storm* (1940) – liefdesverhalen tegen de achtergrond van de groeiende dreiging van het nazisme.

Frederic (Gary Cooper) *en Catherine (Helen Hayes) in Borzage's romantische verfilming van Hemingway's klassieke roman* A Farewell to Arms.

Robert **Bresson**

🌑 1901-1999   🎬 FRANS   🏆 1943-1983

🎞 13   👑 Metafysisch drama

Hoewel Robert Bresson in 40 jaar slechts 13 films maakte, is zijn oeuvre zeer consistent: sober, compromisloos en vaak raadselachtig.

Op de vraag waarom hij alleen met amateurspelers werkte, antwoordde Bresson: 'Kunst is transformatie. Acteren kan alleen maar in de weg staan.' Toch gebruikte hij in zijn eerste twee films, *Les Anges du Péché* (1943) en *Les Dames du Bois de Boulogne* (1945), die gaan over de geestelijke bevrijding van vrouwen, professionele acteurs. *A Man Escaped* (*Le Vent Souffle où il Veut*, 1956), handelt over een Franse verzetsstrijder. *Balthazar* (*Au hasard Balthazar*, 1966) gaat over het leven van een ezel. Het is een van Bressons meest lyrische films. Veel van zijn films, zoals *The Trial of Joan of Arc* (1962), eindigen met de dood van de hoofdpersoon. In 1969 begon hij, met *Une Femme Douce*, met het experimenteren met kleuren. Met *Le Diable Probablement* (1977) bracht hij het thema vervuiling – zowel letterlijk als figuurlijk – aan de orde.

Claude Laydu *en Nicole Ladmiral in* Journal d'un curé de Campagne *(1950), de eerste 'Bresson-film' met amateur-spelers, natuurlijk geluid en zo min mogelijk verschillende beelden.*

BELANGRIJKSTE FILMS

1945	Les dames du Bois de Boulogne
1950	Journal d'un Curé de Campagne
1956	A Man Escaped
1966	Balthazar
1983	L'Argent

Mel **Brooks**

🌑 1926-   🎬 AMERIKAANS   🏆 1968-

🎞 11   👑 Comedy

In 2001 werd de cirkel gesloten. In dat jaar werd op Broadway een musical opgevoerd, gebaseerd op Mel Brooks' (Melvin Chaminsky) grootste filmsucces, de uit 1968 stammende film *The Producers*.

The Producers is een film over 'slechte smaak' en het ingenieuze idee van een producent (Zero Mostel) en zijn hysterische accountant (Gene Wilder) om meer geld te verdienen aan een flop dan aan een hit. Hierna maakte Brooks een aantal parodieën op filmgenres, zoals op de western (*Blazing Saddles*, 1974); de horrorfilm (*Young Frankenstein*, 1974, en *Dracula: Dead and Loving It*, 1995); de Alfred Hitchcock-film (*High Anxiety*, 1977); de Frank Capra-film (*Life*

BELANGRIJKSTE FILMS

1968	The Producers
1974	Blazing Saddles
1974	Young Frankenstein
1976	Silent Movie
1977	High Anxiety

Stinks, 1991); het filmepos (*History of the World-Part I*, 1981); de sciencefictionfilm (*Spaceballs*, 1987) en de avonturenfilm (*Robin Hood: Men in Tights*, 1993). In deze films komen zoveel harde grappen voor dat sommige ongetwijfeld hun doel zullen raken.

Zero Mostel *als de producent en Gene Wilder als de accountant in* The Producers.

Clarence **Brown**

◕ 1890-1987　🎬 AMERIKAANS　🎬 1920-1952

🎞 50　🏆 Melodrama, drama

De films van Brown, in de typische MGM-stijl van de jaren '30 en '40, vormen schitterend en net niet te sentimenteel amusement.

Clarence Brown gebruikte de ervaring met beelden die hij met de stomme film had opgedaan voor het maken van zijn geluidsfilms – elegante drama's, gefotografeerd in soft focus en highkey lighting.

BELANGRIJKSTE FILMS	
1926	Flesh and the Devil
1930	Anna Christie
1935	Ah, Wilderness!
1935	Anna Karenina
1940	Edison, the Man
1944	National Velvet
1946	The Yearling
1949	Intruder in the Dust

Hij regisseerde zeven films met Greta Garbo, inclusief de stomme-filmklassieker *Flesh and the Devil* (1926), *Anna Christie* (1930) en *Anna Karenina* (1935), en maakte voor MGM enkele idealistische films, waaronder drie met Mickey Rooney: *Ah, Wilderness!* (1935), *The Human Comedy* (1943) en *National Velvet* (1944). Brown regisseerde ook *The Yearling* (1946) en *Intruder in the Dust* (1949), een van de eerste Hollywoodfilms over racisme.

National Velvet *vertelt het verhaal van Velvet Brown, een jonge vrouw die meedoet aan de Grand National, de grootste paardenrace van Engeland. Door deze film werd de 12 jaar oude Elizabeth Taylor een ster.*

Tod **Browning**

◕ 1880-1962　🎬 AMERIKAANS　🎬 1915-1939

🎞 64　🏆 Horror

Browning kenmerkte zich door mysterieuze horrorfilms, met acteurs als Lon Chaney en Bela Lugosi.

In 1918 ging Browning voor Universal werken; voor deze maatschappij maakte hij 17 films, inclusief twee met Chaney in een bijrol. Nadat Chaney een ster was geworden, overreedde hij MGM om Browning in dienst te nemen. Met de 'man met de duizend gezichten' maakte hij acht horrorfilms. Na de dood van Chaney in 1930 keerde Browning terug naar Universal en maaktes hij *Dracula* (1931) met Lugosi. Tot hetzelfde genre behoren *Mark of the Vampire* (1935) en het inventieve *The Devil-Doll* (1936). *Freaks* (1932) is in feite een anti-horrorfilm omdat het het publiek dwingt met andere ogen te kijken naar de hier vertoonde monsters. Dit meesterwerk is 30 jaar lang niet vertoond tot het, enkele weken voor Brownings dood, op het filmfestival van Venetië werd gerehabiliteerd.

Tod Browning *op de set van* Freaks *met Olga Baclanova (met kippenveren) als Cleopatra, die door 'freaks' wordt achtervolgd tot ze zelf een freak wordt.*

BELANGRIJKSTE FILMS	
1925	The Unholy Three
1926	The Blackbird
1927	The Unknown
1928	West of Zanzibar
1931	Dracula
1932	Freaks
1936	The Devil-Doll

Luis **Buñuel**

● 1900-1983 📕 SPAANS 🎬 1928-1977

🎞 32 🎭 Surrealistisch drama, comedy

Luis Buñuel, geboren aan het begin van de 20e eeuw, week nooit af van zijn ideeën en visie. Waarschijnlijk was hij de meest bitterkomische en subversieve van alle grote regisseurs.

Als reactie op zijn burgerlijke afkomst en zijn opleiding aan een jezuietenschool was Buñuel zeer antimiddenklasse en anti-klerikaal.

Zijn eerste twee films, *Un Chien Andalou* (1928) en *L'Âge d'Or* (1930), beide gemaakt onder invloed van André Bretons *Surrealistisch manifest*, bevatten een groot aantal thema's – katholicisme, bourgeoisie en rationaliteit – die ook in zijn latere films naar voren zouden komen. Nadat *Las Hurdes* (1932) – een documentaire over het contrast tussen de armoede van het platteland en de rijkdom van de kerk – in Spanje was verboden, maakte Buñuel 15 jaar lang geen enkele film meer.

In 1947 verhuisde hij naar Mexico waar hij *Los Olvidados* (1950) maakte, een krachtige, maar afstandelijke kijk op de wrede wereld van jonge delinquenten. Verder maakte hij een tiental goedkope films voor het thuisfront, maar ook juweeltjes als *El* (1952), *Robinson Crusoe* (1954), waarin hij de christelijke boodschap van Daniel Defoe tenietdoet, en *Abismos de Pasión* (1953). *Viridiana* (1961), de eerste film die hij na 29 jaar weer in zijn geboorteland opnam maar die werd verboden, is een wrange comedy over de katholieke mentaliteit. Door het internationale succes van deze film keerde

Silvia Pinal *als de non Viridiana, die een verloren strijd voert om trouw te blijven aan haar ideeën en geloof in* Viridiana, *winnaar van de Gouden Palm in Cannes.*

BELANGRIJKSTE FILMS

1928	Un Chien Andalou
1930	L'Âge d'Or
1950	Los Olvidados
1958	Nazarin
1961	Viridiana
1962	El Ángel Exterminador
1964	Le Journal d'une Femme de Chambre
1967	Belle de Jour
1970	Tristana
1972	Le Charme Discret de la Bourgeoisie

Buñuel weer terug op het wereldtoneel van de cinema. *El Ángel Exterminador* (1962), gefilmd in Mexico, is een parabel over de gasten op een feest die het fysiek onmogelijk vinden om naar huis te gaan. In *Le Charme Discret de la Bourgeoisie* (1972) zijn de welvarende hoofdrolspelers niet in staat iets te eten te krijgen. Twee andere prachtige Franse films zijn *Le Journal d'une Femme de Chambre* (1964), een cynische bewerking van Octave Mirbeaus roman uit 1900, en het geestige, erotische en subversieve *Belle de Jour* (1967).

Catherine Deneuve *met Michel Piccoli in* Belle de Jour, *waarin een middenklassevrouw tegemoetkomt aan de fantasieën van de rijken.*

Tim **Burton**

● 1958- ⬚ AMERIKAANS ⬚ 1985-

🎞 11 🏆 Fantasy, animatie

De onconventionele films van Tim Burton worden gekenmerkt door verwijzingen naar horrorfilms en cartoons, een gevolg van zijn eerdere werk als animator bij Walt Disney.

Tim Burtons eerste speelfilm, *Pee-Wee's Big Adventure* (1985), een verhaal over een negen jaar oude jongen in het lichaam van een volwassene, heeft dezelfde thematiek als zijn latere werk, zoals *Edward Scissorhands* (1990), *Ed Wood* (1994), *Sleepy Hollow* (1999) en *Sjakie en de Chocoladefabriek* (2005), waarin onaangepaste figuren balanceren tussen de wereld van de volwassenen en die van de kindertijd. In al zijn latere werk wordt de hoofdrol gespeeld door Johnny Depp, voor Burton de ideale vertolker van zijn werk.

Edward Scissorhands – deels sprookje, deels satire op de voorsteden van de stad – is een van Burtons meest persoonlijke films. Burton, zelf opgegroeid in een

Filmaffiche, *2005*

voorstad, verafgoodde de acteur Vincent Price, over wie hij een korte animatiefilm maakte (*Vincent*, 1982). *Ed Wood* is het portret van een buitenstaander die zich er niet van bewust is dat hij geen enkel talent voor regie heeft.

Burton werd beroemd met *Beetlejuice* (1988), een komische fantasyfilm met absurde, soms overweldigende special effects. Door dit succes was hij in staat de eerste twee batmanfilms te maken: *Batman* (1989) en *Batman Returns* (1992), die minder luchtig zijn dan de voorgaande filmversies van dit stripverhaal. In deze films vertegenwoordigt de held het 'normale maatschappij' en behoren zijn tegenstanders tot de randfiguren. Zo zegt bijvoorbeeld de Pinguïn, een van de karakters in de film, tegen Batman: 'Je bent gewoon jaloers, omdat ik een echte freak ben en jij een kostuum moet aantrekken.'

Burtons films kenmerken zich door een bijzondere uitstraling, vaak ontleend aan de bizarre pentekeningen van Edward Gorey, wiens werk ook de twee animatiefilms heeft beïnvloed: *The Nightmare Before Christmas* (1993), mede geschreven door Burton, en *Corpse Bride* (2005). Eén titel, *Believe It or Not* (2006), vat zijn hele oeuvre samen.

Johnny Depp *brengt de gepassioneerde, enthousiaste filmregisseur D. Wood Jr. tot leven in* Ed Wood, *Burtons biografische film over een man die als de slechtste filmmaker uit de geschiedenis wordt beschouwd.*

BELANGRIJKSTE FILMS

1989	Batman
1990	Edward Scissorhands
1994	Ed Wood
1999	Sleepy Hollow
2005	Sjakie en de Chocoladefabriek

James **Cameron**

🌑 1954- 🏴 CANADEES 🎭 1984-

🎞 8 🎭 Actie, avontuur, thriller

James Cameron, een zeer succesvolle Hollywoodregisseur, hield op het hoogtepunt van zijn carrière op om zijn passie voor het onderzoek van de diepzee te volgen.

James Cameron, afgestudeerd aan de Roger Cormanschool, maakte een van de minst voorspoedige debuten ooit met *Piranha Part II* (1981). Drie jaar later veranderde zijn carrière in gunstige zin door de sciencefictionthriller *The Terminator* (1984) waarin Arnold Schwarzenegger een moordenaar uit cyberspace speelt. Met

Leonardo DiCaprio *als Jack en Kate Winslet als Rose als het liefdespaar in* Titanic; *het uitstekende camerawerk en de duizelingwekkende special effects maken Camerons film tot een fantastisch kijkspel.*

BELANGRIJKSTE FILMS

1984	The Terminator
1986	Aliens
1991	Terminator 2: Judgment Day
1997	Titanic

Aliens (1986) bevestigde hij zijn reputatie van actieregisseur, maar met *The Abyss* (1989), met baanbrekende special effects, had hij minder succes. Tegen de tijd van *True Lies* (1994) begon de eeuwige spanning hem tegen te staan en besloot hij een romantischer film te maken: *The Titanic* (1997) werd door de kritiek afgebrand maar werd bij het publiek een nog grotere hit dan de klassieker *Gone With the Wind*.

Jane **Campion**

🌑 1954- 🏴 NIEUW-ZEELANDS 🎭 1989-

🎞 7 🎭 Kostuumdrama, drama, thriller

Bijna zonder uitzondering portretteert Jane Campion in haar films vrouwen die om een of andere reden buiten de maatschappij staan

Jane Campion was de eerste vrouwelijke regisseur die de Gouden Palm van Cannes won (met haar derde speelfilm, *The Piano*, 1993). Dit adembenemend mooie verhaal gaat over een stomme,

BELANGRIJKSTE FILMS

1989	Sweetie
1990	An Angel at My Table
1993	The Piano
1996	The Portrait of a Lady

19e-eeuwse Schotse vrouw (Holly Hunter), die alleen kan communiceren via haar dochter (Anna Paquin) en die bevrijding vindt door het spelen op de piano. Zowel Hunter als Paquin wonnen een Oscar voor hun spel, net als Campion voor het Beste Script. Hiermee consolideerde zij haar positie als vooraanstaand regisseur na *Sweetie* (1989), een zwarte comedy over de problemen van een te zwaar, te emotioneel meisje, en *An Angel at My Table* (1990), een portret van Janet Frame, een dik, achtergesteld kind dat later een van Nieuw-Zeelands grootste schrijvers zou worden.
Campions latere films over vrouwen die overgeleverd zijn aan ongevoelige mannen die hen niet alleen emotioneel maar ook fysiek kwellen, zoals *The Portrait of a Lady* (1996), hadden minder succes.

Ada (Holly Hunter) *met haar dochter Flora (Anna Paquin), in* The Piano, *op weg van Schotland naar Nieuw-Zeeland om met een onbekende man te trouwen.*

Frank **Capra**

◗ 1897-1991 🏳 AMERIKAANS 🏆 1926-1961

🎞 37 🎬 Comedy, melodrama, drama

Vanaf 1936 maakte Frank Capra films over de kracht van het individu en de Amerikaanse Droom, die voor iedere eerlijke, fatsoenlijke en vaderlandslievende Amerikaan was weggelegd.

Frank Capra begon zijn filmcarrière als scenarioschrijver voor de komiek Harry Langdon. Na enkele films gemaakt te hebben voor First National, stapte hij over naar Columbia, waarvoor hij comedy's maakte als *Platinum Blonde* (1931), *American Madness* (1932) en *It Happened One Night* (1934), waar hij vijf Oscars voor kreeg. Capra maakte voor Columbia ook vier films met Barbara Stanwyck, waaronder *The Bitter Tea of General Yen* (1933). Een vroeg meesterwerk was *Lady for a Day* (1933), met schitterende New Yorkse straattypes. In Capra's autobiografie staat geschreven dat hij op een dag in 1935

Een scène *uit een van Capra's zeer goed ontvangen documentaires, getiteld* Why We Fight *(1943-1945), over de bijdrage van de VS aan de Tweede Wereldoorlog.*

Filmaffiche, *1937*

werd opgezocht door een onbekende man die hem zei dat hij zijn talent in dienst van God moest stellen. Hij volgde dit advies op en verruilde de sensualiteit, de anarchie en de centrale vrouwenrollen in zijn films voor idealistische padvinderachtige helden. Het resultaat waren sentimentele 'Capraeske' comedy's, zoals *Mr. Deeds Goes to Town* (1936), *Meet John Doe* (1941) met Gary Cooper, *You Can't Take it With You* (1938), *Mr. Smith goes to Washington* (1939) en *It's a Wonderful Life* (1946) met James Stewart, over de 'kleine man die vocht tegen het systeem'. Hoewel het politiek naïeve films zijn, hebben ze humor, waren ze vernieuwend en hadden ze, zoals *Lost Horizon* (1937), schitterende decors en werd er uitstekend in gespeeld.

James Stewart *speelt de titelrol in* Mr. Smith Goes to Washington. *Deze 'kleine man' is hier te zien in een scène met Clarissa Saunders (Jean Arthur).*

BELANGRIJKSTE FILMS

1931	Platinum Blonde
1933	The Bitter Tea of General Yen
1933	Lady for a Day
1934	It Happened One Night
1936	Mr. Deeds Goes to Town
1938	You Can't Take it With You
1939	Mr. Smith goes to Washington
1946	It's a Wonderful Life

Marcel **Carné**

● 1909-1996 |🏴 FRANS 🎬 1936-1974

🎞 20 🎭 Poëtisch realisme, kostuumdrama

In Marcel Carnés *Hôtel du Nord* (1938) schreeuwt Arletty uit dat haar sjofele omgeving zo sfeervol is. Sfeer is dan ook een van de kenmerken van zijn beste films – meestal met Jacques Prévert als scenarioschrijver en Alexandre Trauner als cameraman.

Nadat hij tussen 1933 en 1935 als assistent vier films had gemaakt met de Belgische regisseur Jacques Feyder, maakte Marcel Carné in 1936 zijn eerste eigen speelfilm (*Jenny*), met de vrouw van Feyder, Françoise Rosay, in de hoofdrol. Het scenario was mede geschreven door de dichter Jacques Prévert, met wie Carné de volgende tien jaar nog zes andere films zou maken. *Drôle de Drame* (1937), een komische thriller in een denkbeeldig victoriaans Londen, werd gevolgd door *Le Quai des Brumes* (1938), welke film de grondslag vormde voor het 'poëtisch realisme' waarmee deze regisseur werd geassocieerd. Het beeld van Michèle Morgan die samen met de verdoemde Jean Gabin het geluk probeert te vinden in een mistige havenstad is typerend voor de neerslachtige sfeer in het vooroorlogse Frankrijk. *Le Jour se Lève*

Filmaffiche, *1938*

Jean (Jean Gabin) en Nelly (Michèle Morgan), de verdoemde geliefden die elkaar in een mistige Franse havenstad ontmoeten, in Le Quai des Brumes *(1938).*

(1939), een van de meest gelauwerde Carné-Prévert-films, maakte indrukwekkend gebruik van het zwarte decor en de kleine ruimte waarin Gabin, gezocht voor moord, zich had verschanst. Tijdens de Duitse bezetting van Frankrijk maakte Carné 'escapistische' films als *Les Visiteurs du Soir* (1942) – een middeleeuws sprookje – en *Les Enfants du Paradis* (1945), over het 19e-eeuwse Parijs. *Les Portes de la Nuit* (1946), die het einde van de samenwerking met Prévert markeerde, slaagde er niet in de optimistische naoorlogse sfeer in Frankrijk tot uitdrukking te brengen. Carné maakte hierna nog films met Jean Gabin – *La Marie du Port* (1949) en *Thérèse Raquin* (1953) – maar zijn hoogtijdagen waren voorbij en hij moest, ondanks enkele films voor een jongere generatie, zoals *Les Tricheurs* (1958), plaatsmaken voor de Franse Nouvelle Vague.

BELANGRIJKSTE FILMS

1937	Drôle de Drame
1938	Le Quai des Brumes
1939	Le Jour se Lève
1942	Les Visiteurs du Soir
1945	Les Enfants du Paradis

John **Cassavetes**

◐ 1929-1989 🎞 AMERIKAANS 🎬 1959-1989

🎞 17 🏆 Drama

Acteur-regisseur John Cassavetes zal herinnerd blijven als de godfather van de Amerikaanse onafhankelijke filmmakers. Hoewel *Shadows* (1959), zijn doorbraakfilm, niet de eerste Amerikaanse film was die buiten het systeem werd gemaakt, blijft het voor toekomstige generaties een ijkpunt.

Het huiselijke drama *Faces* (1968), dat hij zelf had gefinancierd, maakte al direct grote indruk. Het draaide een jaar in New York en kreeg enkele Oscarnominaties.

Cassavetes wordt vaak beschouwd als een improviserende filmmaker, maar zijn films zijn bijna geheel uitgeschreven. Hij had een voorkeur voor documentaireachtig camerawerk en hij was geobsedeerd door

menselijke interactie. Zijn vrouw, Gena Rowlands, zijn muze, speelt in *Minnie and Moskowitz* (1971), *A Woman Under the Influence* (1974), *Opening Night* (1977), *Gloria* (1980) en *Love Streams* (1984).

Gangsterliefje Gloria *(Gena Rowlands) en de zes jaar oude Phil (John Adames) worden in New York achtervolgd door boeven in* Gloria, *een karakterfilm vol actie.*

Claude **Chabrol**

◐ 1930- 🎞 FRANS 🎬 1958-

🎞 53 🏆 Misdaad

Claude Chabrol heeft een indrukwekkend oeuvre gecreëerd van zwarte comedy's, en eindeloze variaties op het thema van moord als gevolg van een ontrouwe partner.

Moord, als een vaak onvermijdelijke daad, ligt ten grondslag aan het merendeel van Claude Chabrols films. Chabrol drijft de spot met het burgerlijke huwelijk. Stéphane Audran (zijn echtgenote van 1964 tot 1980) speelt hierbij vaak de rol van het

slachtoffer of de aanleiding tot de moord. Wat er ook gebeurt, het leven gaat echter door. Uitgebreide maaltijden thuis of in een restaurant vormen kenmerkende scènes in zijn films. Hoewel Chabrol geen revolutionaire filmer was, wordt zijn *Le Beau Serge* (1958), gefilmd op locatie in zijn eigen dorp, beschouwd als de eerste film van de Nouvelle Vague. Na Audran ontdekte Chabrol Isabelle Huppert als de ideale actrice voor de rol van perverse, moordzuchtige heldin.

Stéphane Audran *(rechts) en Bernadette Lafont (links) spelen de Parijse winkelmeisjes verlangend naar een beter leven in Chabrols* Les Bonnes Femmes.

Charlie **Chaplin**

🌐 1889-1977 🎬 BRITS 🏆 1921-1967

🎞 11 🎭 Comedy, drama

Charlie Chaplin, geboren in de victoriaanse Londense achterbuurt Lambeth, stierf in Zwitserland als de vermogende sir Charles. Hij werd een van de beroemdste mensen ter wereld en maakte meer dan 60 korte stomme films en een aantal onvergetelijke speelfilms.

In 1913 vertrok Chaplin, de zoon van een variétéartiest, naar Mack Sennetts Keystone Studio's in Hollywood waar hij in tientallen korte slapstickcomedy's speelde. In *Kid Auto Races at Venice* (1914) trad hij voor het eerst op als de 'Little Tramp', een rol die hij tot 1936 zou spelen. Chaplin regisseerde en schreef al snel zijn eigen films, en nam geleidelijk afstand van de ruwe technieken die voor de Sennett-comedy's werden gebruikt. Hij maakte gestructureerde

BELANGRIJKSTE FILMS

1921	The Kid
1923	A Woman of Paris
1925	The Gold Rush
1931	City Lights
1936	Modern Times
1940	The Great Dictator

De uitzonderlijk getalenteerde *Chaplin achter de camera voor* The Gold Rush. *In een van de beroemdste scènes uit deze film eet de held zijn eigen schoenen op.*

en ambitieuze sociale comedy's als *Easy Street* (1917) en *The Immigrant* (1917) en zijn eerste speelfilm, *The Kid* (1921), speelde in de achterbuurten van Londen. In *A Woman of Paris* (1923) schitterde Edna Purviance – zijn hoofdrolspeelster in bijna 30 comedy's – als een prostituee uit de hogere klasse. Hoewel de kritiek lovend was en de film een grote invloed had op de Duitse regisseur Ernst Lubitsch, was het commercieel geen succes. De volgende drie films waren echter zeer succesvol: *The Gold Rush* (1925), *The Circus* (1928) en *City Lights* (1931).

Omdat hij het idee had dat spraak zijn succes in de weg stond, gebruikte Chaplin 13 jaar lang geen enkele dialoog in zijn films. In *Modern Times* (1936) is zijn stem voor het eerst te horen – onzin zingend. *The Great Dictator* (1940), zijn eerste film waarin hij volledig gebruikmaakte van geluid, was een komische maar ook serieuze aanklacht tegen Hitler. Hij ging door met het experimenteren, o.a. in *Monsieur Verdoux* (1947) en *Limelight* (1952), waar opmerkelijke variétéscènes in voorkomen.

Filmaffiche, *1921*

Kaige **Chen**

● 1952- ◗◖ CHINEES 🎬 1984-

📽 8 🎭 Kostuumdrama

Chen was een van de leidende figuren van de 'Vijfde Generatie' van filmmakers, wiens werk na de Culturele Revolutie internationale waardering kreeg.

De vertoning van Chen Kaige's *Yellow Earth* (*Huang tu di*, 1984) in het westen, veranderde de kijk van de westerse wereld op de Chinese cinema. Deze mengeling van muziek, poëzie, dans en drama vertelt het verhaal van een soldaat in een afgelegen dorpje die het traditionele bijgeloof probeert te veranderen. Deze prachtig gefotografeerde film is ook het vermelden waard vanwege het camerawerk van Zhang Yimou. Chen vervolgde met verdere beschouwingen over de recente Chinese geschiedenis in *The Big Parade* (*Da yue bing*, 1986), een film over jonge mensen die zich voorbereiden op hun deelname

De regisseur *aan het werk op locatie voor* The Emperor and the Assassin (Jing ke ci qin wang, *1999); de oorlogsscènes zijn gefilmd op het Bashanplateau in de buurt van Binnen-Mongolië.*

Cheng Dieyi *(Leslie Cheung), een van de mannelijke operasterren, speelt een concubine in* Farewell My Concubine, *een film over homoseksualiteit in het licht van de Chinese geschiedenis.*

aan de parade op de nationale feestdag, en *King of the Children* (*Hai zi wang*, 1987), over een leraar in een afgelegen streek die probeert zijn leerlingen de wereld om hen heen te laten begrijpen. Zijn bekendste film is *Farewell My Concubine* (*Ba wang bie ji*, 1993), over de vriendschap tussen twee operasterren in Peking. Chen behoort tot een nieuwe lichting Chinese filmmakers; door de zeer kritische uitingen in zijn werk werden enkele van zijn films door het communistische regime verboden.

BELANGRIJKSTE FILMS

1984	Yellow Earth
1986	The Big Parade
1987	King of the Children
1993	Farewell My Concubine

Michael **Cimino**

● 1939- 〔U〕 AMERIKAANS 🎬 1974-

🎞 7 🎬 Oorlog, actie

Er zijn niet veel schrijnender voorbeelden van het in ongenade vallen van een regisseur dan dat van Michael Cimino, wiens carrière na het grote succes van *The Deer Hunter* (1978) compleet instortte door *Heaven's Gate* (1980).

Cimino's tweede film, *The Deer Hunter*, winnaar van vijf Oscars, appelleerde aan de behoefte van Amerika aan het verwerken van de Vietnamoorlog. *Heaven's Gate* (1980), gemaakt voor 40 miljoen dollar, zou de duurste mislukking uit de geschiedenis worden. Nadat hij door de kritieken was neergesabeld, besloot United Artists de film van 225 naar 148 minuten in te korten, waardoor deze western nog onsamenhangender werd. In 1983 werd hij weer in de oorspronkelijke lengte uitgebracht en had de film iets meer succes. Sinds die tijd heeft hij nooit meer een film kunnen maken die hij echt wilde.

Heaven's Gate, *een in het Wyoming uit de jaren 1890 spelende film, is berucht vanwege de extravagante, enorme decors en locaties. Mede door het mislukken van deze film nam MGM United Artists over.*

BELANGRIJKSTE FILMS

1974	Thunderbolt and Lightfoot
1978	The Deer Hunter
1980	Heaven's Gate

René **Clair**

● 1898-1981 〔U〕 FRANS 🎬 1920-1955

🎞 24 🎬 Comedy, fantasy, musical

De films van René Clair stralen dezelfde levenslust uit als Parijs, zijn geboorteplaats. In de jaren 20 creëerde hij enkele van de meest oorspronkelijke films van de vroege Franse cinema.

Met *Entr'acte* (1924), een 20 minuten durende surrealistische film over Parijs, met modernistische kunstenaars als Marcel Duchamp in de hoofdrol, verwierf Clair de reputatie van avant-gardefilmer. Zijn bewerking van Eugène Labiche's 19e-eeuwse klucht *Un Chapeau de Paille d'Italie* (1927), waarin hij veel van de verbale grappen door visuele grappen verving, is met uiterste precisie gefilmd. In zijn eerste geluidsfilm, *Sous les Toits de Paris* (1930) – een van de eerste sprekende Franse films – maakt hij gebruik van liederen, geluidseffecten en straatgeluiden (opgenomen in de studio).

De muzikale comedy's *Le Million* (1931) en *À Nous la Liberté* (1931) hadden invloed op de Hollywoodmusicals, vanwege het gebruik van met de handeling samenhangende liedjes, terwijl de tweede film, vanwege de satire op de dehumaniserende effecten van de massaproductie, ook van invloed was op Chaplins *Modern Times* (1936). Vlak voor de oorlog verliet Clair Frankrijk om in het buitenland te gaan werken, zowel in Engeland (*The Ghost Goes West*, 1935) als in de VS (*I Married a Witch*, 1942). Tot de films die hij na de oorlog maakte behoren *La Beauté du Diable* (1950) en, zijn eerste film in Frankrijk na 10 jaar, *Le Silence est d'Or* (1947) – een terugblik op de stomme film. Clairs milde ironie komt tot uitdrukking in de comedy *Les Grandes Manoeuvres* (1955), zijn eerste kleurenfilm.

BELANGRIJKSTE FILMS

1927	Un Chapeau de Paille d'Italie
1930	Sous les Toits de Paris
1931	Le Million
1931	À Nous la Liberté
1934	Le Dernier Millairdaire
1935	The Ghost Goes West
1943	It Happened Tomorrow
1952	Les Belles de Nuit
1955	Les Grandes Manoeuvres

Filmaffiche, *1932*

Henri-Georges **Clouzot**

● 1907-1977 🎞 FRANS 🏆 1942-1968

🎬 11 😨 Thriller

Vanwege zijn slechte gezondheid maakte Henri-Georges Clouzot slechts 11 films, waarvan het merendeel zeer somber is, maar met sterke observaties van de menselijke zwakheden.

Clouzots tweede film, *Le Corbeau* (1943), gaat over het effect van roddelbrieven op de bewoners van een klein Frans dorpje in de provincie. In 1953 maakte hij het succesvolle *Le Salaire de la Peur*, over vier vrachtwagenchauffeurs die het zeer gevaarlijke nitroglycerine vervoeren. *Les Diaboliques* (1955) is een huiveringwekkend verhaal over een moord op een privé-school. *Le Mystère Picasso* (1956) is een intrigerende documentaire over deze schilder terwijl *La Vérité* (1960), met Brigitte Bardot in de hoofdrol, weer een misdaadfilm is.

Christina (Véra Clouzot) *kijkt toe als Nicole (Simone Signoret) voorbereidingen treft om haar echtgenoot te vergiftigen in* Les Diaboliques.

BELANGRIJKSTE FILMS

1943	Le Corbeau
1947	Quai des Orfèvres
1953	La Salaire de la Peur
1955	Les Diaboliques
1956	Le Mystère Picasso

Jean **Cocteau**

● 1889-1963 🎞 FRANS 🏆 1930-1960

🎬 6 😨 Avant-garde, fantasy

BELANGRIJKSTE FILMS

1930	Le Sang d'un Poète
1945	La Belle et la Bête
1950	Orphée
1960	Le Testament d'Orphée

Dichter, roman- en toneelschrijver, toneel- en filmregisseur, ontwerper en balletproducent Jean Cocteau regisseerde zes films die alle onlosmakelijk verbonden waren met de andere kunstvormen die hij beoefende.

Cocteau beschouwde film als vorm van poëzie, de voor hem belangrijkste kunstvorm. Cocteau maakte zijn eerste film pas op 41-jarige leeftijd. *Le Sang d'un Poète* (1930) bevat dezelfde tekens en symbolen als zijn romans, gedichten en schilderijen, zoals de dood en de wederopstanding van een dichter, het verband tussen de dood en de jeugd, het stierengevecht en de levende standbeelden. Het geestige *Orphée* (1950) is een perfecte verbintenis tussen de Griekse mythologie en Cocteaus eigen ideeën. Hier werkt hij het thema uit van de dichter die gevangen zit tussen de werelden van de verbeelding en de werkelijkheid. Dit thema komt ook voor in *La Belle et la Bête* (1945). *Le Testament d'Orphée* (1960) is een poëtische, semi-autobiografische film over het werk van een regisseur.

Josette Day *speelt Belle en Jean Marais is het Beest in Cocteaus* La Belle et la Bête.

Joel en Ethan **Coen**

🖰 1954- (JOEL) 1957- (ETHAN) ⊩◻ AMERIKAANS

🏆 1984- ▤ 11 🎬 Film noir, comedy

Toen Joel en Ethan Coen in 1984 hun eerste film uitbrachten, *Blood Simple*, werden ze direct bestempeld tot de ware erfgenamen van de meesters van de Amerikaanse film noir. Ze drukten echter hun eigen, vaak eigenzinnige stempel op hun films.

Blood Simple (1984) was een product van de beweging van onafhankelijke filmmakers die midden jaren '80 was ontstaan. De gebroeders Coen lieten hun films niet door de grote studio's financieren, maar bleven onafhankelijk. Hoewel Joel in feite regisseert en Ethan produceert, doen ze, volgens Joel, hetzelfde werk. 'We zijn beiden zowel producent, regisseur als scenarioschrijver.'

Vanaf het begin toonden ze aan hoe sterk ze zich betrokken voelden bij het werk van misdaadschrijvers als James M. Cain, Raymond Chandler en Dashiell Hammett. De films die ze op basis hiervan maakten kunnen echter zowel door de echte fans van deze schrijvers bewonderd worden, als door diegenen die niet zo goed op de hoogte

John Turturro, *Tim Blake Nelson en George Clooney in* O Brother, Where Art Thou?, *een luchtige comedy over ontsnapte gevangenen.*

zijn van hun werk. Hoewel de misdaad de kern vormt van al hun films, zijn het in wezen fabels over goed en kwaad. Hun films kunnen onderverdeeld worden in de volgende genres: horror (*Blood Simple*, 1984), klucht (*Raising Arizona*, 1987), gangsterfilm (*Miller's crossing*, 1990), psychologisch drama (*Barton Fink*, 1991), politiethriller (*Fargo*, 1996), zwarte comedy (*The Big Lebowski*, 1998) en sociaal drama (*O Brother, Where Art Thou?*, 2000). *The Man Who Wasn't There* (2001), gefilmd in zwart-wit, is hun meest directe hommage aan de film noir uit de jaren '40. Hoe verschillend hun films ook lijken, iedere film bevat elementen van de andere films: horror in een lachfilm; geweld in een slapstick, enzovoort. Film bleek voor de broers het beste middel te zijn om hun verhalen te vertellen.

Nicolas Cage *speelt HI, een gedetineerde die voor zijn vrouw een kind moet stelen in* Raising Arizona, *een film met een cast van grappige, vage karakters.*

BELANGRIJKSTE FILMS

1984	Blood Simple
1987	Raising Arizona
1991	Barton Fink
1996	Fargo
1998	The Big Lebowski

Francis Ford **Coppola**

🌑 1939- 🎬 AMERIKAANS 🎭 1962-

🎞 23 🎭 Maffia, oorlog, drama

De carrière van Francis Ford Coppola wordt gekenmerkt door uitersten – de verfilming van het grote epos tegenover de kleine, intieme film, maar ook het behalen van enorme successen en het incasseren van grote tegenslagen.

Francis Ford Coppola opende in de jaren '70 van de 20e eeuw de weg voor andere, net van de filmacademie komende 'movie brat'-regisseurs, zoals Martin Scorsese, George Lucas en Steven Spielberg. Coppola werkte in het begin als scenarist en assistent-regisseur voor Roger Corman, die hem in staat stelde zijn eerste film te maken, het gruwelijke, lowbudget *Dementia 13* (1963). *You're a Big Boy Now* (1966), een levendige comedy over de seksuele opvoeding van een jonge man, was typisch een film van een 26-jarige uit het midden van de jaren '60. In 1969 opende Coppola zijn eigen studio, American Zoetrope, na de onprettige ervaring met het maken van musical *Finian's Rainbow* (1968)

Filmaffiche, *1979*

Francis Ford Coppola *(rechts) met Joe Mantegna op de set van* Godfather III, *waarin Mantegna Joey Zasa speelt, een rivaal van de Corleones.*

voor Warner Bros. *The Conversation* (1974), gemaakt voor Zoetrope, is een post-Watergate-thriller over een professionele afluisteraar (Gene Hackman) die zelf wordt afgeluisterd. *The Godfather* (1972) maakte Coppola tot een van de regisseurs die de meeste volle zalen trok, terwijl *The Godfather: part II* (1974) zes Oscars won en een van de weinige sequels was die het origineel overtrof.

Met *Apocalypse Now* (1979) slaagde Coppola in zijn verlangen zijn 'publiek iets van de horror, de waanzin, het gevoel en het morele dilemma van de Vietnamoorlog over te brengen'. Het duurde drieënhalf jaar om deze film, die 31 miljoen dollar kostte, te maken en vijf jaar om uit de kosten te komen. Door het mislukken van *One From the Heart* (1982), een 27 miljoen dollar kostende muzikale comedy gefilmd op een reusachtige set, moest Coppola zijn ambities bijstellen. Hij maakte eerst twee jeugdfilms, *The Outsiders* en *Rumble Fish* (beide 1983) en *Tucker: the Man and His Dream* (1988), over een ondernemer die zijn droom najaagt. Coppola keerde vervolgens terug naar bekend terrein met *The Godfather: part III* (1990), het afsluitende deel van een van de grootste trilogieën uit de naoorlogse Amerikaanse cinema.

BELANGRIJKSTE FILMS	
1972	The Godfather
1974	The Conversation
1974	The Godfather: part II
1979	Apocalypse now
1983	The Outsiders
1988	Tucker: the Man and His Dream
1990	The Godfather: part III

Roger **Corman**

◐ 1926- 🎬 AMERIKAANS 🎞 1954-

🎞 46 😀 Horror, jeugd, misdaad

Roger Corman, de 'Orson Welles van de B-film', werd een symbool van de onafhankelijke, lowbudgetfilmindustrie.

BELANGRIJKSTE FILMS	
1959	A Bucket of Blood
1960	The Fall of the House of Usher
1960	The Little Shop of Horrors
1961	The Pit and the Pendulum
1963	The Raven

In 1953 startte Corman zijn eigen productiemaatschappij en produceerde en regisseerde hij vervolgens sensationele films als *She-Gods of Shark Reef* (1956) en *Attack of the Crab Monsters* (1957). In het begin van de jaren '60 maakte hij bewerkingen van het werk van Edgar Allan Poe – stijlvolle en amusante griezelfilms. De beste was *The Masque of the Red Death* (1964). Corman maakte als een van de eersten ook komische horrorfilms als *A Bucket of Blood* (1959) en *The Little Shop of Horrors* (1960), de laatste met Jack Nicholson (zijn eerste grote film)

als een masochistische tandartspatiënt. Ook maakte hij zeer winstgevende 'jeugdfilms' als *Wild Angels* (1966) en *The Trip* (1967), maar *The Intruder* (1962) – zijn enige film met een 'boodschap' (over racisme in het diepe zuiden) – leed verlies.

In deze beslissende scene *In* The Fall of the House of Usher, *rijst Madeline (Myrna Fahey) op uit de 'dood' om haar broer Roderick (Vincent Price) te vermoorden.*

Constantin **Costa-Gavras**

◐ 1933- 🎬 FRANS 🎞 1965-

🎞 15 😀 Politieke thriller

Constantin Costa-Gavras, maker van films over politieke onderwerpen – niet zozeer de ideeën zelf, maar de invloed die ze op mensen hebben – gaat ervan uit dat bewustwording door amusement verkregen kan worden.

BELANGRIJKSTE FILMS	
1965	The Sleeping Car Murders
1969	Z
1970	The Confession
1072	State of Siege
1975	Special Section
1982	Missing
1988	Betrayed
2002	Amen

The Sleeping Car Murders (Compartiment Tueurs, 1965), een van Costa-Gavras' eerste films, is een hypnotiserende thriller in adembenemende cinemascope en zwart-witfotografie. Zijn internationale succes bereikte hij echter met *Z* (1969), een intrigerende veroordeling van het kolonelsregime in Griekenland, zijn geboorteland. Hij won hiermee in 1970

de Oscar voor Beste Buitenlandse Film. Dankzij het wereldwijde succes kon hij doorgaan met het maken van politieke thrillers. Yves Montand, die in *Z* werd vermoord, wordt in *The Confession* (*L'Aveu,* 1970) door de Tsjechische politie gemarteld en in *State of Siege* (*État de Siège,* 1972) in Uruguay gekidnapt. *Missing* (1982) – Costa-Gavras' eerste Amerikaanse film, die in Cannes de prijs won voor Beste Regisseur – is het verhaal van een man die op zoek gaat naar zijn zoon die door de militaire junta in Chili is gearresteerd. *Amen* (2002) is een film over het door het Vaticaan en paus Pius XII doodzwijgen van de massavernietiging van de joden.

In deze scène *uit* Missing *zoeken Beth (Sissy Spacek) en haar schoonvader (Jack Lemmon) tussen de lichamen in het lijkenhuis naar haar verloren echtgenoot.*

Wes **Craven**

● 1939- 📺 AMERIKAANS 🎬 1972-

🎞 24 😈 Horror

Wes Craven, een voormalig universitair docent met een graad in de filosofie, is een van de meer bedachtzame en welbespraakte Amerikaanse regisseurs. Om die reden is het nogal verrassend dat hij zich heeft gespecialiseerd in horrorfilms.

Craven begon zijn filmcarrière als productie-assistent. Vervolgens maakte hij enkele films samen met Sean S. Cunningham, die later de *Friday the 13th*-serie zou verfilmen, waarvan *Together* (1971) de bekendste was. Cravens onafhankelijk gefinancierde *Last House on the Left* (1972) was een groteske maar intelligente horrorfilm, gebaseerd op Ingmar Bergmans *De Maagdenbron*. Een groep sadisten verkracht, martelt en vermoordt twee 17-jarige meisjes, waarna ze via een aantal toevalligheden in handen vallen van een van de ouders van een van de meisjes, die hen met gelijke munt betaalt. De kloof tussen arm en rijk, stad en platteland, jong en oud en Cravens fascinatie voor geweld weerspiegelen de sociale onrust in die periode. Het zijn thema's die ook in veel van zijn volgende films voorkomen,

Filmposter, *1984*

met name in de gemankeerde western *The Hills Have Eyes* (1977). Het merendeel van het werk van Craven in de jaren '80 is niet erg interessant, met uitzondering van *A Nightmare on Elm Street* (1984), met de kinderlokker Freddy Krueger (gespeeld door Robert Englund) die de dromen bevolkt van de kinderen van de ouders die hem vermoord hadden. Het was de meest originele horrorfilm uit dat decennium. De vervolgfilms waren een stuk minder, met uitzondering van *Wes Cravens New Nightmare* (1994). Een nieuwe serie horrorfilms, *Scream* 1, 2 en 3 (1996, 1997, en 2000) was een postmoderne variatie op 'done-to-death slasher movies', en *Red Eye* (2005) is a psychologische thriller over een jonge vrouw die door een medepassagier tijdens een nachtvlucht in een vliegtuig wordt geterroriseerd.

*In **Scream** worden de journaliste Gale Weathers (Courtney Cox) en de studenten Randy (Jamie Kennedy) en Sidney (Neve Campbell) door een gemaskerde moordenaar geterroriseerd.*

David **Cronenberg**

- 1943- 🏳 CANADEES ⚖ 1969-
- 🎞 18 🎭 Horror, drama

David Cronenbergs films handelen over misselijkmakende verbeelding en voyeurisme, waarbij geweld en seks onlosmakelijk met elkaar verbonden zijn.

Shivers (1975), de eerste horrorfilm van Cronenberg die een groot publiek bereikte, gaat over door seks geobsedeerde zombies. *Rabid* (1977) vertelt het verhaal van een met de pest besmette vrouw op zoek naar mensenbloed; *Scanners* (1981) is een combinatie van horror, sciencefiction en thriller; en *Videodrome* (1982) gaat over de effecten van geweld in films. *Crash* (1996), over autoongelukken en sadomasochisme, en *A History of Violence* (2005) hebben ook geweld als thema. Cronenberg combineert de angst voor ouderdom, ziekte en transformatie met de potentiële zwarte kanten van de technologie in *The Fly* (1986) en *Dead Ringers* (1988).

In The Fly *verandert de excentrieke wetenschapper Seth Brundle (Jeff Goldblum) tijdens een gruwelijk mislukt wetenschappelijk experiment in een vlieg.*

BELANGRIJKSTE FILMS

1981	Scanners
1982	Videodrome
1986	The Fly
1988	Dead Ringers
1996	Crash
2005	A History of Violence

Alfonso **Cuarón**

- 1961- 🏳 MEXICAANS ⚖ 1991-
- 🎞 5 🎭 Drama

Cuarón had zijn doorbraak in Hollywood met de comedy Love in the Time of Hysteria (1991), over een vrouwenversierder die er ten onrechte van verdacht wordt aan aids te lijden.

Cuaróns sensitieve benadering van het victoriaanse kinderboek *A Little Princess* (1995) wekte op grote schaal bewondering (Warner Bros. bracht de film nogmaals uit nadat hij de eerste keer was geflopt). Een moderne versie van *Great Expectations* (1998), met Ethan Hawke, Gwyneth Paltrow en Robert De Niro, was echter een mislukking.

Luisa (Ana Lopez Mercado) *en twee teenagers (Diego Luna en Gael Garcia Bernal) leren over het leven, de liefde en de vriendschap in de roadmovie* Y tu Mamá También.

BELANGRIJKSTE FILMS

1995	A Little Princess
2001	Y tu Mamá También
2004	Harry Potter en de Gevangene van Azkaban

Maar deze flop was waarschijnlijk het beste dat hem kon overkomen. Cuarón keerde terug naar Mexico en verfilmde daar *Y tu Mamá También* (2001), zijn eerste internationale kaskraker. Dit leverde hem de opdracht op tot het verfilmen van het derde Harry Potterboek, *Harry Potter en de Gevangene van Azkaban* (2004) voor Warner Bros.

George **Cukor**

● 1899-1983 📖 AMERIKAANS 🎬 1930-1981

🎞 55 🎩 Comedy, musical, drama

De naam George Cukor roept het beeld op van verfijnde dinertjes met elegante mensen die op de juiste wijze met elkaar converseren – niet vulgair, maar ook niet al te snobistisch.

George Cukors carrière had een moeilijke start. In 1932 werd hij als regisseur van de musical *One Hour with You* vervangen door Ernst Lubitsch. En zeven jaar later werd Cukor ook de regie van *Gone with the Wind* uit handen genomen. Bij MGM onderscheidde hij zich echter met producties als *Dinner at Eight* (1933), *David Copperfield* (1935) en *Romeo and Juliet* (1936). Niet lang daarna zou hij de reputatie krijgen van 'vrouwen-regisseur'; zelfs de titels van veel van zijn films verwijzen hiernaar: *Little Women* (1933) en *The Women* (1939), met een geheel vrouwelijke cast; *Camille* (1936) en *Two-faced Woman* (1941) met Greta Garbo; *A Woman's Face*

Filmaffiche, *1964*

(1941) met Joan Crawford; *Les Girls* (1957) en *My Fair Lady* (1964), waarmee hij zijn enige Oscar won. Zijn favoriete actrice, Katharine Hepburn, die hij in zijn eerste film regisseerde, *A Bill of Divorcement* (1932), schitterde in *Holiday* (1938), speelde een

BELANGRIJKSTE FILMS	
1933	Dinner at Eight
1933	Little Women
1935	Sylvia Scarlett
1935	David Copperfield
1936	Camille
1938	Holiday
1939	The Women
1940	The Philadelphia Story
1949	Adam's Rib
1954	A Star is Born
1964	My Fair Lady

grappige rol in *The Philadelphia Story* (1940) en een gevoelige rol in *Sylvia Scarlett* (1935).

Later maakte Cukor enkele wat ruwere comedy's, zoals *Adam's rib* (1949),

Pat and Mike (1952) en drie films met Judy Holliday, waarvan *Born Yesterday* (1950) de beste is. Cukor bereikte zijn hoogtepunt in de jaren '50 met *A Star is Born* (1954) met Judy Garland en James Mason. Zijn gebruik van licht, kleur en kostuums in deze film overtrof alles wat voor die tijd op het cinemascopescherm was verschenen.

Greta Garbo *en Robert Taylor worden geregisseerd door Cukor (achter de stoelkruk) op de set van* Camille. *William Daniels is de cameraman.*

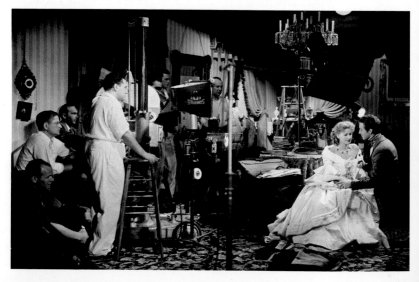

Michael **Curtiz**

◯ 1888-1962 🏳 HONGAARS (AMERIKAANS) 🎬 1912-'62
🎞 160 🎭 Drama

Michael Curtiz was de typische studioregisseur uit de gouden tijd van Hollywood. In de 27 jaar dat hij onder contract stond van Warner Bros. maakte hij meer dan 150 films.

In de jaren '30 en '40 van de 20e eeuw was Curtiz, die ook veel films in Hongarije en Oostenrijk heeft gemaaakt, de ideale regisseur voor Warner Bros.: hij filmde snel en economisch. Hij maakte meer dan tien films met Errol Flynn, inclusief enkele van zijn beste avonturenfilms, zoals *The Adventures of Robin Hood* (1938). Hij regisseerde James Cagney in *Angels With Dirty Faces* (1938) en *Yankee Doodle Dandy* (1942), waarmee Cagney zijn enige Oscar won. Ook Joan Crawford won haar enige Oscar met een film van Curtiz, *Mildred Pierce* (1945), een fantastische film noir. Zijn bekendste film is *Casablanca* (1942).

Clarence (William Powell) *en Vinnie (Irene Dunne) met hun zoons, gespeeld door Johnny Calkins, Martin Milner, Jimmy Lydon en Derek Scott, in* Life With Father *(1947).*

BELANGRIJKSTE FILMS

1937	Kid Galahad
1938	The Adventures of Robin Hood
1938	Angels With Dirty Faces
1942	Casablanca

Jules **Dassin**

◯ 1911- 🏳 AMERIKAANS 🎬 1942-1980
🎞 24 🎭 Film noir, drama

De reputatie van Jules Dassin is gebaseerd op slechts vijf films, waarvan er drie in Hollywood zijn gemaakt voor hij, om politieke redenen, werd gedwongen het land te verlaten.

Jules Dassins eerste films waren een mengeling van comedy en drama, tot hij *Brute Force* (1947) maakte, een rauw gevangenisdrama. Hij realiseerde zich toen dat zijn talent in de film noir lag en maakte *The Naked City* (1948) en *Thieves' Highway* (1949), die zich beide kenmerkten door het dramatische gebruik van de locaties, net als *Night and the City* (1950), dat speelde in een armoedige Londense omgeving. Nadat Dassin zich

Richard Widmark *in een scène uit* Night and the City *(1950), een van Dassins beste films. Het verhaal speelt in een armoedig deel van Londen.*

BELANGRIJKSTE FILMS

1947	Brute Force
1948	The Naked City
1949	Thieves' Highway
1950	Night and the City
1956	Rififi
1957	He Who Must Die
1960	Never on Sunday
1964	Topkapi

in Frankrijk had gevestigd, regisseerde hij *Rififi* (1956), een veel nagebootste film die vooral opviel door een 22 minuten durende scène van een roofoverval waarin geen woord werd gesproken. Na zijn huwelijk met de Griekse actrice Melina Mercouri nam zijn carrière een andere wending. Zij werd zijn ster in de rol van een prostituee, zowel in *He Who Must Die* (1957) als in *Never on Sunday* (1960) en in de door hem verfilmde Griekse klassiekers als *Phaedra* (1962). In *Topkapi* (1964), een comedy-thriller spelend in Instanbul, paste hij het thema van de roofoverval weer met groot succes toe.

Cecil B. **DeMille**

🌑 1881-1959 📕 AMERIKAANS 🎬 1913-1956

🎞 72 🏆 Epos, western, comedy, melodrama

**Cecil B. DeMille, wiens naam het beeld op-
roept van immense casts en grootschalige
decors, is vooral bekend vanwege zijn bijbelse
verfilmingen. In de 'Gouden Eeuw' van Hollywood maakte hij echter ook andersoortige films.**

Na een aantal westerns, waaronder *The
Squaw Man* (1913), een van de eerste grote
Hollywoodfilms, haalde Cecil Blount
DeMille Geraldine Farrar, sopraan bij de
New Yorkse Metropolitan Opera naar
Hollywood om *Carmen* (1915) te spelen.
In 1918 maakte hij een serie komische
films, met in zes van deze Gloria Swanson
in de hoofdrol. Vervolgens verfilmde hij
The Ten Commandments (1923), waarin het
bijbelse verhaal vergeleken wordt met een
modernere versie. Seks en religie komen
aan bod in *King of Kings* (1927), *The Sign
of the Cross* (1932) en *The Crusades* (1935).
In zijn enige musical, *Madam Satan* (1930),
komt een bizarre scène op een zeppelin
voor. Het bad met melk in *Cleopatra* (1934),
met Claudette Colbert, is een mooi
voorbeeld van zijn obsessie met badscènes.

DeMille's beste periode liep van
1937 tot 1947, waarin hij *The Plainsman*
(1937), *North West Mounted Police* (1940)
en *Unconquered* (1947) regisseerde,
alle met Gary Cooper. Het waren
patriottistische films over de pioniers
van Amerika, hun kracht, hun

doorzettingsvermogen
en hun mannelijkheid.
DeMille, die zichzelf ook
als pionier beschouwde,
gaf veel van zijn films een
bombastische vorm. Hij
keerde weer terug naar
de Bijbel met *Samson
and Delilah* (1949). Toen
hij werd geprezen voor
zijn verfilming van het verwoesten van de
tempel antwoordde DeMille bescheiden:
'Dat is te danken aan het boek Richteren,
niet aan mij'. *The Greatest Show on Earth*
(1952), over het circus, waar hij zich zeer
toe aangetrokken voelde, was zijn eerste
film sinds 1934 die in zijn eigen tijd
speelde.

Filmaffiche, *1938*

Charlton Heston *als Mozes in* The
Ten Commandments*; DeMille's
verfilming kenmerkt zich door een
cast met duizenden figuranten.*

Jonathan **Demme**

● 1944- 🎬 AMERIKAANS 🎥 1974-
🎞 22 🎭 Thriller

Nadat hij al jaren als een veelbelovend regisseur werd beschouwd brak Demme eindelijk echt door met *The Silence of the Lambs* (1991).

Demme had al drie lowbudgetfilms geregisseerd voordat hij met *Citizens Band* (1977) een iets groter publiek bereikte. Hij had succes met *Melvin and Howard* (1980), over de vriendschap tussen de multimiljonair Howard Hughes en een pompbediende, en *Married to the Mob* (1988), maar dat was niets vergeleken met *The Silence of the Lambs*, een psychologische thriller die, ondanks het onderwerp – seriemoorden en kannibalisme – nooit sensationeel wordt. Hiermee won hij vijf Oscars, inclusief die voor Beste Film en Beste Acteur. Demme verfilmde vervolgens *Philadelphia* (1993), de eerste publieksfilm over de ziekte aids.

Anthony Hopkins *won een Oscar met zijn rol van dr Hannibal Lecter, een psychiater die psychopaat wordt en een vrouwelijke FBI-agente helpt met het opsporen van een seriemoordenaar in* The Silence of the Lambs.

Jacques **Demy**

● 1931-1990 🎬 FRANS 🎥 1961-1988
🎞 12 🎭 Fantasy, musical

Jacques Demy, de schepper van moderne sprookjes, was een van de weinige Franse regisseurs die musicals verfilmde.

Demy groeide op in Nantes (zie *Jacquot de Nantes*, 1991, de film van zijn weduwe Agnès Varda), het decor van zijn eerste film, *Lola* (1961). De constructie en de lange volgshots doen denken aan het werk van Max Ophüls, aan wie de film is opgedragen. Ook is de film beïnvloed door Stanley Donen en Gene Kelly's muzikale comedy *On The Town* (1949), met zijn zeelieden, toevallige ontmoetingen en kortstondige liefdes. *Les Demoiselles de Rochefort* (1967) was een directe hommage aan de MGM-musical, een feit dat nog onderstreept werd door het casten van Gene Kelly. In zijn meeslepende musical *Les Parapluies de Cherbourg* (1964) worden de dialogen gezongen op muziek van Michel Legrand. *La Baie des Anges* (1963), een liefdesverhaal aan de Franse Rivièra, is een van de meest levendige verfilmingen van goklust, terwijl *Model Shop* (1969), Demy's enige Amerikaanse film, het vervolg is op *Lola*.

Catherine Deneuve *en Anne Vernon in een scène uit* Les Parapluies de Cherbourg, *Demy's kleurrijke musical die voor Deneuve de grote doorbraak betekende.*

Brian **De Palma**

◯ 1940- 🏳 AMERIKAANS ⚑ 1967-

📽 28 🎭 Gangster, thriller, actie

Aan het begin van zijn carrière gold Brian De Palma als 'Hitchcock-imitator'. Met zijn eigen gewelddadige thrillers maakte hij zich geleidelijk los van die reputatie.

In de films *Sisters* (1973), *Carrie* (1976), *Obsession* (1976), *Dressed to Kill* (1980), *Blow Out* (1981) en *Body Double* (1984) zijn elementen terug te vinden uit Alfred Hitchcocks *Psycho*, *Vertigo* en *Rear Window* – meisjes onder de douche, voyeuristische moordenaars, seksuele obsessies en vrouwen in gevaar. De Palma beheerst vooral de manipulatieve film, met name de parallelmontage en split-screentechniek. Een van De Palma's grootste successen was *Carrie*, de film die Sissy Spacek tot ster verhief. Minder op Hitchcock geïnspireerd waren de gangsterfilms *The Untouchables* (1987), met een Oscar voor Sean Connery voor de Beste Mannelijke Bijrol, *Scarface* (1983) en *Carlito's Way* (1993). Die films

De naamgevende heldin *Carrie (Sissy Spacek) neemt in de laatste scène van* Carrie, *een verfilming van een boek van Stephen King, verschrikkelijk wraak.*

dragen onmiskenbaar de signatuur van De Palma; in de laatste twee van die drie is Al Pacino onweerstaanbaar. *Mission: Impossible* (1996), afgeleid van de ook door De Palma geregisseerde televisieserie uit de jaren '60, was een enorm succes. Kenmerkend voor zijn flamboyante camerawerk is de openingsscène van *Snake Eyes* (1998), waarin een politicus voor het oog van een enorme menigte bij een bokswedstrijd wordt vermoord.

Flyer, *1993*

BELANGRIJKSTE FILMS	
1973	Sisters
1976	Carrie
1983	Scarface
1987	The Untouchables
1993	Carlito's Way
1996	Mission: Impossible

Publiciteitsfoto *uit* The Untouchables, *met Charles Martin Smith, Kevin Costner, Sean Connery en Andy Garcia als de mannen die de door Robert De Niro fraai gespeelde gangster Al Capone achtervolgen.*

Vittorio **De Sica**

🌑 1901-1974 🎬 ITALIAANS 🎞 1940-1974

🎬 26 👤 Neorealistisch drama, melodrama, comedy

De neorealistische films van Vittorio De Sica veranderden het aanzien van de Italiaanse film. Hij noemde zijn films 'een stem voor de armen en ongelukkigen, en een statement tegen de onverschilligheid van de maatschappij tegenover het lijden'.

De regisseur *achter de camera bij een buitenopname voor* Umberto D., *een schrijnende film over een oude man die ondanks de armoede zijn waardigheid tracht te behouden.*

BELANGRIJKSTE FILMS	
1948	Sciuscià
1948	Ladri di Biciclette
1951	Miracolo a Milano
1952	Umberto D.
1960	La Ciociara
1970	Il Giardino dei Finzi-Contini

De Sica was in de jaren twintig en dertig een succesvol acteur, regisseerde vervolgens vier comedy's en brak daarna door met het dramatische en scherp realistische *I Bambini ci Guardano* (*De Kinderen Kijken Naar Ons*, 1942), een van de eerste neorealistische films uit Italië. In die film werkte De Sica voor het eerst samen met Cesare Zavattini, die later nog veel andere scenario's met hem zou schrijven. Zij vertrouwden de camera de verantwoordelijkheid toe het leven weer te geven zoals het is, zonder gebruikmaking van de traditionele compromissen.

Met *Sciuscià* (*Schoenpoets*, 1946) bewees De Sica nogmaals een gevoelig regisseur van kinderen te zijn. De film speelt in Rome tijdens de bezetting door de geallieerden en behandelt het belangrijkste thema van de neorealisten, de armoede in naoorlogs Italië. De door niet-acteurs gespeelde film won als eerste niet-Engelstalige Film een ere-Oscar (tot 1956 kregen buitenlandse films slechts eervolle vermeldingen). Toch moest De Sica zelf geld bijeenscharrelen voor wat zijn beroemdste film zou worden, *Ladri di Biciclette* (*De Fietsendieven*, 1948). *Miracolo a Milano* (*Mirakel in Milaan*, 1951) is een voorloper van het werk van Fellini en Pasolini. Na *Umberto D.* (1952), een ode aan zijn vader, keerde De Sica terug naar de comedy, maar *La Ciociara* (*Twee Vrouwen*, 1960), waarmee Sophia Loren de Oscar voor Beste Actrice won, was een grimmige vertelling over een moeder en dochter die in 1943 in Italië trachtten te overleven. Weer later won hij met *Il Giardino dei Finzi-Contini* (*De Tuin van de Finzi-Contini's*, 1970)*, over de Italiaanse betrokkenheid bij de holocaust, de Oscar voor de Beste Buitenlandse Film.

Stanley **Donen**

● 1924- 📖 AMERIKAANS 🏆 1949-

🎬 27 🎭 Musical, thriller, comedy

Stanley Donen begon zijn carrière als danser en choreograaf op Broadway, maar behaalde zijn grootste successen in Hollywood met zijn MGM-musicals. In vier van zijn films werkte hij samen met Gene Kelly.

Bij hun eerste kans om samen een film te regisseren bedachten Stanley Donen en Gene Kelly het vrolijke en vernieuwende *On the Town* (1949). Het als ballet uitgevoerde verhaal volgt drie matrozen die 24 uur vrij hebben in New York; het openingsnummer werd ook in die stad opgenomen. Daarna volgde een van de bekendste Hollywoodmusicals ooit, *Singin' in the Rain* (1952), en een derde samen met Kelly gemaakte film, *It's Always Fair Weather* (1955), over drie soldaten die bij een reünie na de Tweede Wereldoorlog merken dat ze niets gemeen hebben. Donen maakte solo onder andere het uitbundige *Seven Brides for Seven Brothers* (1954) en *Funny Face* (1957). Toen de Hollywoodmusicals terugliepen maakte

Gene Kelly *en Stanley Donen werken de details uit voor* Singin' in the Rain. *Kelly speelde niet alleen een hoofdrol maar regisseerde de film ook samen met Donen.*

Donen twee indrukwekkende Hitchcockachtige thrillers, *Charade* (1963) en *Arabesque* (1966), en verder amusante comedy's als *Indiscreet* (1958), *Surprise Package* (1960) en het komische drama *Two for the Road* (1967), over de huwelijksperikelen van een Brits stel.

Albert Finney *en Audrey Hepburn als getrouwd stel in* Two for the Road, *een van de beste films van Stanley Donen.*

Filmaffiche, *1954*

BELANGRIJKSTE FILMS

1949	On the Town (met Gene Kelly)
1952	Singin' in the Rain (met Gene Kelly)
1954	Seven Brides for Seven Brothers
1955	It's Always Fair Weather (met Gene Kelly)
1957	Funny Face
1963	Charade
1967	Two for the Road

Aleksandr **Dovzjenko**

◉ 1894-1956 ▯ OEKRAÏNS ☰ 1926-1948

▤ 13 Ⓥ Drama

De films van de op een Oekraïnse boerderij opgegroeide Aleksandr Dovzjenko zijn lyrische lofzangen op zijn geboortegrond.

BEKENDSTE FILMS	
1927	Zvenigora
1929	Arsenal
1930	Zemlya
1932	Ivan
1935	Frontier (Aerograd)

De eerste film van Aleksander Dovzjenko was *Zvenigora* (1927), een allegorie annex laatste stuiptrekking van de avant-garde van de Russische film. Daarna volgden

drie verfilmde politieke gedichten over zijn geboorteland. *Arsenal* (1929) ging over collectivisering en had grote invloed op bewegingen in andere landen, *Zemlya* (*Aarde*, 1930) is een pastorale symfonie waarin het met bloed van de boeren verwezenlijkte landelijke paradijs wordt uitgebeeld en *Ivan* (1932), zijn eerste film met geluid, toont de bouw van een waterkrachtproject. Ondanks de Russische bureaucratie behielden ook zijn latere films een pittig tempo en een heldere fotografie.

In Zemlya, *Dovzjenko's meesterwerk, geeft de regisseur in lyrische beelden over geboorte, leven en dood blijk van zijn liefde voor zijn vaderland en de bevolking.*

Carl **Dreyer**

◉ 1000 1060 ▯ DEENS ☰ 1919-1964

▤ 24 Ⓥ Drama

In de relatief weinige films die hij in een halve eeuw maakte, bereikte Carl Dreyer met misleidend eenvoudige middelen een krachtig effect en een ingetogen emotionele intensiteit.

BEKENDSTE FILMS	
1925	Du skal ære din hustru
1928	La Passion de Jeanne d'Arc
1932	Vampyr
1943	Vredens Dag
1955	Ordet
1964	Gertrud

Een van Dreyers eerste werken, *Mikaël* (1924), schurkt aan tegen het Duitse expressionisme, terwijl het feministische *Du skal ære din hustru* (*Gij zult uw vrouw eren*, 1925) vooral natuurlijk is; de gemeenschappelijke noemer is de formele schoonheid. Die kwaliteit komt ook terug in *La Passion de Jeanne d'Arc* 1928), de baanbrekende stomme film die hij in Frankrijk maakte. Bij *Vampyr* (1932) verbleken de meeste andere horrorfilms, en *Vredens Dag* (1943) toont de heksenjacht in een 17e-eeuws Deens dorpje, waar de vrouw van de predikant wegens hekserij wordt verstoten. De film werd gezien als allegorie voor het bezette Denemarken en Dreyer moest vluchten naar Zweden, waar hij tot het einde van de oorlog bleef. *Ordet* (1955), een film over een herrijzenis op het platteland, geeft blijk van een opmerkelijk spiritueel optimisme.

Gertrud (1964), die Dreyer maakte na een pauze van tien jaar, vertelt het verhaal van een operazangeres en haar relatie met een aantal geliefden. Het werd zijn laatste film, en opmerkelijk is vooral de diep aangrijpende, serene sfeer.

In Vampyr *zorgen Dreyers briljante gebruik van schaduw, licht en camerabeweging voor een zenuwslopende en ijzingwekkend spannende sfeer.*

Clint **Eastwood**

● 1930- ꒰ AMERIKAANS ⚖ 1971-

⊞ 25 ꒰ Western, thriller, actie, drama

Clint Eastwood vestigde zijn naam in de jaren '50 en '60 als acteur. Vanaf de jaren '70 verwierf hij geleidelijk steeds meer bewondering als regisseur, waarbij vooral zijn persoonlijke westerns de aandacht trokken.

Clint Eastwood *is de oude trainer Frankie Dunn, Hillary Swank is Maggie, een serveerster die door boksen aan haar verleden tracht te ontkomen, in* Million Dollar Baby.

Halverwege de jaren '60 groeide Clint Eastwood dankzij drie spaghettiwesterns van de Italiaan Sergio Leone uit tot superster. Daarna speelde hij in vijf films van Don Siegel de eenzame held, met name als Harry Callahan in *Dirty Harry* (1971). In de films waarin hij zowel regisseur als hoofdrolspeler was, zijn elementen van Leone en Siegel terug te zien. Siegels invloed is evident in de eerste door Eastwood geregisseerde film, de beklemmende thriller *Play Misty for Me* (1971), de invloed van Leone in de western *High Plains Drifter* (1973). Eastwood vormde zichzelf langzaam om tot een antiheld, want steeds vaker ging er

Filmaffiche, *1976*

achter de macho een man met onvolkomenheden schuil. *The Outlaw Josey Wales* (1976), *Bronco Billy* (1980), *Pale Rider* (1985), zijn meest klassieke western, en het met een Oscar bekroonde *Unforgiven* (1992), maakten hem tot een van de grote helden van zijn genre. Hij bewees zijn veelzijdigheid met de politiefilms *Sudden Impact* (1983), waarin hij terugviel op Dirty Harry, *The Rookie* (1990) en *Mystic River* (2003), de filmbiografieën *Bird* (1987), over jazzmuzikant Charlie Parker, en *White Hunter, Black Heart* (1990), over de regisseur John Huston (gespeeld door Eastwood) het liefdesverhaal *The Bridges of Madison County* (1995) en de boksfilm *Million Dollar Baby* (2004). Die laatste film werd opnieuw bekroond met een Oscar.

Jimmy *(Sean Penn) reageert ziedend als hij hoort dat zijn dochter vermoord is, in* Mystic River. *Regisseur Eastwood zorgde voor een angstaanjagend realistische film.*

BELANGRIJKSTE FILMS

1971	Play Misty for Me
1976	The Outlaw Josey Wales
1987	Bird
1992	Unforgiven
2003	Mystic River
2004	Million Dollar Baby

Blake **Edwards**

● 1922- 🎬 AMERIKAANS 🎞 1955-

🎞 37 🎥 Comedy, drama

De carrière van Blake Edwards is vooral gestoeld op de *Pink Panther*-films en een reeks zoetzure comedy's met in de hoofdrol zijn vrouw Julie Andrews.

Een van de eerste films van Blake Edwards was *This Happy Feeling* (1958), waarvan de titel zijn werk mooi samenvat. *The Pink Panther* (1964) was het begin van een serie van acht, waarin Peter Sellers zes keer als de onhandige inspecteur Clouseau optrad. Edwards maakte ook zeven films met Julie Andrews, waaronder *10* (1979) en *Victor/Victoria* (1982), een *gay comedy* in beide betekenissen van het woord. Zijn naam vestigde Edwards echter met *Breakfast at Tiffany's* (1961), een verfilming van een kort verhaal van Truman Capote met in de hoofdrol een lieflijke Audrey Hepburn als Holly Golightly. *Days of Wine and Roses* (1963) is een verrassend sombere, realistische film over alcoholisme, met Jack Lemmon, die een van zijn stevigere rollen speelt.

BELANGRIJKSTE FILMS

1959	Operation Petticoat
1961	Breakfast at Tiffany's
1963	Days of Wine and Roses
1964	The Pink Panther
1982	Victor/Victoria

Inspecteur Clouseau (Peter Sellers) *en zijn vrouw (Capucine) in* The Pink Panther *Zijn uitbeelding van de wat simpele Franse politieagent met zijn belachelijke accent maakte Sellers wereldberoemd.*

AUDREY HEPBURN

De elfachtige Audrey Hepburn (1929-1993) bood tegenwicht aan de wat voluptueuze trend van de jaren '50. Met haar eerste Amerikaanse film, *Roman Holiday* (1953), won ze een Oscar voor haar vertolking van een prinses die incognito een verhouding met een journalist krijgt. Zij was vaak het onschuldige meisje dat oudere mannen achter zich aan kreeg, zoals Humphrey Bogart in *Sabrina* (1954), Gary Cooper in *Love in the Afternoon* (1957), en Fred Astaire in Stanley Donens *Funny Face* (1957). Ze was ook helemaal het wat kinderlijke poppetje Natasha in *War and Peace* (1956), met haar eerste man Mel Ferrer, en de aan haar geloof twijfelende Belgische non in *The Nun's Story* (1959). In *Breakfast at Tiffany's* (1961) zong ze 'Moon River' heel ontroerend, maar in *My Fair Lady* (1964) werden haar liedjes door iemand anders gezongen; het maakte haar optreden niet minder betoverend. Hepburn was net zozeer stijlicoon als actrice.

Sergei **Eisenstein**

◉ 1898-1948 ⌷ RUSSISCH ⚡ 1924-1944

🎞 7 🏆 Propaganda, avant-garde

Sergei Eisenstein is onbetwist een van de grootste cineasten aller tijden. Hij vestigde zijn naam niet alleen in de praktijk, maar hij was ook een van de grootste theoretici uit het vak. Ondanks de strenge regels van de Sovjet-Unie wist hij de zeven films die hij maakte van een heel eigen stempel te voorzien.

Het gezicht van de baas die niet aan de eisen van de arbeiders tegemoetkomt, wordt in Staking als visuele metafoor in één beeld gevangen met de kop van een aap.

In Eisensteins eerste film, *Stachka* (*Staking*, 1924), zijn al veel van zijn stilistische kenmerken te zien: karikaturen, visuele metaforen en schokkende overgangen; een fabrieksbaas perst een citroen uit als de politie tegen stakende arbeiders optrekt, en als de politie de arbeiders in elkaar slaat zijn er beelden uit het abattoir in verwerkt. Wat Eisenstein 'dynamische montage' noemde wordt heel effectief gebruikt in de trapscène in Odessa in *Battleship Potemkin* (1925).

Eisenstein perfectioneerde zijn op techniek gestoelde 'intellectuele montage', die de kijker niet alleen emotioneel moest treffen maar ook tot denken moest aanzetten, in *Oktyabr* (*Ten Days That Shook The World*, 1927). Het aantal opnames, 3200, was meer dan het dubbele van *Potemkin*, en waarschijnlijk meer dan in welke andere film uit die tijd ook. De emotionele, ritmische film toont de bestorming van het winterpaleis, de sloop van het beeld van de tsaar en een dood wit paard dat van een ophaalbrug in de rivier glijdt. De film was de afsluiting van Eisensteins trilogie over de Russische Revolutie. Terugkerend thema in die films was het gebruik van het wiel als metafoor voor verandering: *Stachka* eindigde met verlies, *Potemkin* in een gedeeltelijke triomf en *Oktyabr* in de totale victorie. De machthebbers waren niet te spreken over *Oktyabr*, want Eisenstein hoorde in hun ogen niet met een zo gevoelig onderwerp als de revolutie te experimenteren. Hij

MONTAGE

In 1920 werd in Moskou *The Birth of a Nation* vertoond. 'Die film speelde een enorme rol in de ontwikkeling van de montage van de Russische film,' zei Eisenstein daarover. Later ging hij in cross-cutting en parallelle actie veel verder dan D.W. Griffith. Toch begreep Lev Kuleshov al voor Eisenstein wat wij tegenwoordig heel gewoon vinden, namelijk dat de rangschikking van de opnames op de montagetafel allesbepalend is. Kuleshov kwam bijna per ongeluk tot dit inzicht: door het gebrek aan materiaal ten tijde van de burgeroorlog ging hij nieuwe films maken door oude beelden in een andere volgorde opnieuw te gebruiken.

Een vrouw is door Kozakken in het gezicht geschoten nadat zij heeft geprotesteerd tegen het optreden van de soldaten bij de slachting op de trap in Odessa, in *Battleship Potemkin*.

probeerde de partij te paaien met *Old and New* (*Staroye i Novoye*, 1928), maar hij kon de ironie daarin toch niet helemaal loslaten. Dat uit zich in het huwelijk van een koe met een stier en in de scene waarbij de melk in de karnmachine heel even stilstaat alvorens orgastisch in het gezicht van een vrouw te spatten.

In 1931 zegde de linkse Amerikaanse schrijver Upton Sinclair de financiering toe van *Que Viva Mexico!* (1931). Het moest een vierdelige semidocumentaire over Mexico worden, maar Eisenstein overschreed deadlines en budgetten. De financiering werd stopgezet, waardoor hij niet aan de montage toekwam. Er bestaan nu diverse later gemonteerde versies van de film, en de barokke, met een vleugje erotiek geladen beelden maken het verlies des te betreurenswaardiger. Voor de nooit voltooide film *Bezhin Lug* (1936) verweet men Eisenstein 'formalisme', en dat beantwoordde hij met het patriottische *Aleksander Nevskij* (1938), een zeer vermakelijk epos met ontroerende beelden en een theatraal

gebruik van de muziek van Prokofiev. Daarna wendde Eisenstein zijn aan de opera, kabuki, Shakespeare en de Russische iconen ontleende beeldspraak aan voor *Ivan The Terrible* (*Ivan Groznyy*, 1944-1946). Van de bedoelde drie delen werden er slechts twee voltooid. Stalin stemde in met deel 1, maar hij onthield het project zijn verdere goedkeuring; wellicht zag hij te veel van zichzelf terug. Deel 2 werd pas tien jaar na hun beider dood vertoond. *Ivan The Terrible* is Eisensteins hoogtepunt, de film waarin hij zijn streven naar een synthese van alle kunsten wist te verwezenlijken.

Sovjetleider Lenin (Vasili Nikandrov) vergadert in de als documentaire opgenomen film Oktyabr; de film markeert de tiende verjaardag van de Russische Revolutie.

Eisenstein (rechts met hoed)
regisseert Ivan The Terrible II *in de winter van 1943 in Kazachstan.*

BELANGRIJKSTE FILMS

1924	Stachka
1925	Battleship Potemkin
1927	Oktyabr
1928	Old and New
1938	Aleksander Nevskij
1944	Ivan The Terrible deel I
1946	Ivan The Terrible deel II (vrijgegeven 1958)

Rainer Werner
Fassbinder

● 1946-1982 📖 DUITS ♟ 1969-1982

🎞 30 🎭 Melodrama

De eenmans-filmindustrie Rainer Werner Fassbinder was in twaalf jaar tijd zeer productief, wat tot een verrassend, consistent en vermakelijk oeuvre leidde.

Rainer Werner Fassbinder begon in 1969 met het maken van films, en hij groeide al snel uit tot de voorman van een nieuwe generatie regisseurs die de Duitse film na dertig jaar weer op de kaart zette. Zijn films, vaak met zijn favoriete actrice Hanna Schygulla in de hoofdrol, tonen een harteloos en hebzuchtig naoorlogs Duitsland. De personages worden vaak geteisterd door de kilheid van het stedelijke landschap en grijpen niet zelden naar geweld. Dat gebeurt bijvoorbeeld in *Die Dritte Generation* (1979), een film over een groep terroristen in Berlijn. *Angst essen Seele auf* (1973), een van de vele op de melodramatische Hollywoodfilms van Douglas Sirk geïnspireerde werken van

Hanna Schygulla (Karin) *en Margit Carstensen (Petra) in de op Fassbinders eigen spel met macht en verlangen gebaseerde film* Die Bitteren Tränen der Petra Von Kant.

Fassbinder, leunt zwaar op *All That Heaven Allows* (1955). De film gaat over een eenzame vrouw die een relatie met een jongere Arabische man krijgt. De vrouw staat bij Fassbinder vaak centraal, en in *Die Ehe der Maria Braun* (1978), *Lola* (1981) en *Die Sehnsucht der Veronika Voss* (1982) gaat het steeds weer over vrouwen die trachten te overleven in een cynisch Duitsland. In deze herscheppingen van een tijdperk gebruikt hij een flamboyantere stijl dan met de statische cameravoering uit zijn eerdere films. Een terugkerend thema is de seksualiteit als middel van de sterkere om de zwakkere te manipuleren; dat kan in heteroseksuele vorm, zoals in *Effi Briest* (1974) en *Lili Marleen* (1980), of in homoseksualiteit, zoals in *Die Bitteren Tränen der Petra von Kant* (1972) en *Faustrecht der Freiheit* (1975).

In zijn korte leven *regisseerde Fassbinder naast films ook werk voor toneel en televisie. Daarnaast schreef en fotografeerde hij, en hij produceerde zijn films vaak zelf.*

BELANGRIJKSTE FILMS

1971	Händler der Vier Jahreszeiten
1972	Die Bitteren Tränen der Petra Von Kant
1973	Angst essen Seele auf
1974	Effi Briest
1975	Faustrecht der Freiheit
1975	Mutter Küsters' fährt zum Himmel
1978	Die Ehe der Maria Braun
1978	In einem Jahr mit 13 Monden
1981	Lola
1982	Die Sehnsucht der Veronika Voss

Filmaffiche, *1979*

Federico **Fellini**

● 1920-1993 |▥| ITALIAANS 🏆 1950-1990
🎬 19 😊 Comedy, drama

De geniale dompteur Federico Fellini riep een wereld als een circus in het leven, met de mensen als groteske of onschuldige clowns.

De eerste twaalf jaar na zijn komst naar Rome uit zijn geboorteplaats Rimini schreef Fellini scenario's, onder andere voor Roberto Rossellini. In tegenstelling tot Rossellini was Fellini geen neorealist, en toen hij zelf ging regisseren ontwikkelde hij zijn eigen mythologie. 'Als er geen film was, was ik misschien wel circusdirecteur geworden,' zei hij ooit, maar het omgekeerde was ook waar: dat hij nooit regisseur was geworden als het circus niet had bestaan. Het circus speelt, als metafoor én als realiteit, een belangrijke rol in zijn films. In *La Strada* (1954) speelt Fellini's vrouw

Fellini regisseert Richard Basehart als de koorddansende gek in La Strada, *een film die hij omschreef als 'de complete catalogus van mijn hele mythologische wereld'. Anthony Quinn was de andere Amerikaan in de film.*

BELANGRIJKSTE FILMS	
1953	I Vitelloni
1954	La Strada
1959	La Dolce Vita
1963	8½
1965	Giulietta degli Spiriti
1972	Roma
1973	Amarcord
1976	Casanova

Mastroianni speelt Guido Anselmi, *een regisseur met een creatieve blokkade in 8½. Fantasie en realiteit zijn in deze film op onnavolgbare wijze met elkaar verweven.*

Giulietta Masina een onschuldige clown die wordt mishandeld door een reiziger (Anthony Quinn), die begrijpt dat hij pas van haar kan houden als ze dood is. De film won de eerste Oscar voor de Beste Buitenlandse Film en maakte Fellini wereldberoemd. Hij gebruikte Masina's Chaplinachtige personage als de 'onschuldige' hoer opnieuw in *Le Notti di Cabiria* (1956). Marcello Mastroianni speelde Fellini's alter ego in *La Dolce Vita* (1959) en in *8½* (1963); de titel van die laatste film verwees naar het aantal werken dat Fellini op zijn naam had staan (inclusief coproducties). Deze verwijzingen naar zichzelf zijn een terugkerend thema in Fellini's werk. Autobiografische elementen waren er ook in het in zijn geboorteplaats opgenomen *I Vitelloni* (1953), *Roma* (1972) en *Amarcord* (1973), een lieflijke schets van het verleden.

David **Fincher**

● 1962- 🎬 AMERIKAANS 🎬 1995-

🎬 6 🎭 Thriller

Met *Fight Club* (1999), een anarchistische aanval op consumentisme, kapitalisme en zelfs de beschaving als geheel, maakte David Fincher wellicht de meest subversieve film voor een groot publiek van zijn tijd.

De thema's van *Fight Club* stamden weliswaar uit het boek van Chuck Palahniuk, maar Fincher (een succesvolle regisseur van reclamefilms) omarmde het materiaal zeer enthousiast. Eenzelfde morbide mensenhaat is te zien in de mislukte *Alien 3* (waar Fincher later afstand van nam) en het macabere *Se7en* (1995), een film over een seriemoordenaar waarvan het einde doet denken aan de schokkende afloop van de korte verhalen van de Argentijn Jorge Luis Borges. Ook *The Game* (1997), over een uit de hand gelopen spel, was wel iets voor Borges, maar daarmee was hij wel in de minderheid. Fincher verbaasde zich over de vijandelijke reacties op *Fight Club*, die verscheen in een tijd dat men zich grote zorgen maakte over het geweld in films. *Panic Room* (2002), een formele oefening in het binnenskamers werken met spanning, was daar een reactie op, maar met *Zodiac* (2006) keerde Fincher terug naar het thema van de seriemoord.

Filmaffiche, *1995*

Robert **Flaherty**

● 1884-1951 🎬 AMERIKAANS 🎬 1922-1949

🎬 8 🎭 Documentaire

Robert Flaherty wordt vaak gezien als de aartsvader van de documentaire. In zijn werk uit de tijd van de stomme film getuigde hij van het belang van primitieve gemeenschappen en het evenwicht tussen mens en natuur.

Voor zijn eerste documentaire, *Nanook of the North* (1922), woonde Flaherty 16 maanden bij de Inuit. Vanwege het succes nodigde Paramount Flaherty uit ook een 'Nanook' over de Stille Zuidzee te maken. Hij woonde twee jaar op de Samoa-eilanden en legde daar in *Moana* (1926) een soort Hof van Eden vast; het was een schril contrast met het jagen, vissen en koken in de koude hel van het noorden.

Gainsborough Studios bood hem de vrije hand voor *Man of Aran* (1934), en hij woonde twee jaar op de Aran-archipel, voor de kust van Ierland. *The Land* (1942) werd weliswaar nooit voltooid, maar betekende wel het afscheid van Flaherty van het vastleggen van exotische gemeenschappen en vormde de overstap naar films over bekendere levens. De film vormde de opmaat naar *Louisiana Story* (1948), een poëtisch stukje americana dat laat zien hoe een jongen de zoektocht naar olie in het moeras van de zuidelijke Verenigde Staten beleeft.

Joseph Boudreaux *speelt een jongen met zijn geliefde wasbeer in* Louisiana Story, *een film die de relatie tussen de mens en de natuur belicht.*

Victor **Fleming**

◉ 1883-1949 |▢ AMERIKAANS ⚖ 1920-1948

▦ 45 ☺ Divers

Victor Fleming maakte deel uit van een team van deskundigen en zat toevallig bij MGM toen daar *Gone With the Wind* (1939) en *The Wizard of Oz* (1939) gemaakt moesten worden.

Fleming was weliswaar regisseur van twee van de meest succesvolle films aller tijden, maar die worden maar zelden als zijn films gezien. Dat komt doordat die films vooral als studioproducties worden beschouwd: grote delen van *Gone With the Wind* waren bedacht door producent David O. Selznick, George Cukor leidde ten minste drie lange scènes en Sam Wood maakte de film af toen Fleming ziek werd. King Vidor regisseerde de zwart-witopnames van *The Wizard of Oz*, maar Fleming maakte de rest van de film. Acteurs werkten graag met hem: hij haalde het beste naar boven uit Gary Cooper in *The Virginian* (1929), Clark Gable in *Red Dust* (1932) en uit Spencer Tracy, die voor zijn rol in *Captains Courageous* (1937) een Oscar won. Zijn favoriete actrice was Jean Harlow, met wie hij onder meer werkte in *Red Dust* (1933) en *Bombshell* (1933).

Dorothy (Judy Garland) *met de Tinnen Man (Jack Haley), de Vogelverschrikker (Ray Bolger) en de Laffe Leeuw (Bert Lahr) in* The Wizard of Oz.

Clark Gable en de zwoele *Jean Harlow in* Red Dust, *een zinderende romance die zich afspeelt in Indochina. Gable werd een van de grootste sterren van MGM.*

BELANGRIJKSTE FILMS

1925	Lord Jim
1929	The Virginian
1932	Red Dust
1933	Bombshell
1934	Treasure Island
1937	Captains Courageous
1939	Gone With the Wind
1939	The Wizard of Oz

John **Ford**

⬤ 1895-1973 🏳 AMERIKAANS 🎬 1917-1966
🎞 122 🤠 Western, drama

Meer dan wie ook bezorgde John Ford (Sean Aloysius O'Fearna) de western zijn commerciële en artistieke status. Hij schiep een persoonlijke, herkenbare wereld die is uitgegroeid tot een wezenlijk onderdeel van het Amerikaanse erfgoed.

De westerns van John Ford geven een romantisch beeld van het Wilde Westen. Ze tonen een verdichte versie van het Amerikaanse verleden, waar mannen helden zijn die de levens van de vrouwen en kinderen in het fort, het dorp of op de boerderij beschermen. Geboorte, dood, begrafenissen, huwelijken en feesten gaan gepaard met gezang (vaak van tegen de indianen strijdende cavaleristen) en drankmisbruik. Met *Stagecoach* (1939) diende zich de echte Ford-western aan. Zijn schaarse on-Amerikaanse avonturen leverden twee Ierse films op: *The Informer* (1935), een sfeervol drama ten tijde van de Ierse opstand, en *The Quiet Man* (1952), een liefdesverhaal. Deze films, en ook het in Wales gesitueerde *How Green Was My Valley* (1941), leverden John Ford Oscars op voor de Beste Regisseur.

Op het hoogtepunt van The Searchers *verlaat Ethan Edwards (John Wayne) het huis van zijn familie om naar zijn eenzame leven buiten terug te keren.*

BELANGRIJKSTE FILMS

1939	Stagecoach
1939	Young Mr. Lincoln
1940	The Grapes of Wrath
1948	Fort Apache
1956	The Searchers
1962	The Man Who Shot Liberty Valance

In de jaren '30 gebruikte Ford de jeugdige, edelmoedige uitstraling van Henry Fonda als de verpersoonlijking van het Amerikaanse idealisme, eerst als *Young Mr. Lincoln* (1939), daarna als Tom Joad in *The Grapes of Wrath* (1940). In de Tweede Wereldoorlog maakte Ford een reeks documentaires die goed voor de moraal waren, en daarna ging hij weer westerns maken. De beste films waren *My Darling Clementine* (1946), met Fonda, en *She Wore a Yellow Ribbon* (1949), met John Wayne, de aanvoerder van de Ford Stock Company (de groep acteurs die Ford het meest gebruikte). *The Searchers* (1956) was Fords ultieme pioniersfilm, waarbij Wayne in de gedesillusioneerde, naar zijn door indianen gevangengenomen nicht zoekende officier, onmiskenbaar enige verbittering tentoonspreidde. *The Man Who Shot Liberty Valance* (1962) was de laatste western van Ford met John Wayne. Ondanks een ruim budget maakte hij er uit nostalgie een zwart-witfilm van.

Milos **Forman**

◉ 1932- TSJECHISCH, AMERIKAANS 1963-
 12 Biografie, comedy, kostuumdrama

Kenmerkend voor de stijl van filmmaken van de in 1968 uit Tsjechoslowakije gevluchte Milos Forman zijn de zachtaardige, ironische humor en een scherp oog voor het menselijk gedrag.

Mede door het gebruik van overwegend niet-acteurs kregen films als *Black Peter* (1963) en *Loves of a Blonde* (1965), beide over jongeren die met hun ouders botsen, een grappige frisheid. Met *The Fireman's Ball* (1967), een satire over de bureaucratie, kwam Forman in botsing met het gezag. Al voor de Russische inval ging hij naar de Verenigde Staten, waar hij triomfeerde met *One Flew Over the Cuckoo's Nest* (1975). Hij won er vijf Oscars mee, waaronder die voor Beste Film en Beste Regie. Die twee Oscars won hij opnieuw voor *Amadeus* (1984), die grotendeels in Tsjechoslowakije werd opgenomen.

Tom Hulce *als Mozart in* Amadeus. *Formans aangrijpende portret van de componist is rijk aan interessante details, kent een krachtige dramatiek en biedt prachtige muziek.*

BELANGRIJKSTE FILMS

1965	Loves of a Blonde
1967	The Fireman's Ball
1975	One Flew Over the Cuckoo's Nest
1984	Amadeus
1999	Man on the Moon

John **Frankenheimer**

◉ 1930-2002 AMERIKAANS 1957-2000
 29 Thriller, drama

John Frankenheimer maakte naam als tv-regisseur voordat hij naar het witte doek overstapte. Zijn werk is realistisch, met een voorkeur voor sterke plots en situeringen.

De eerste twee door John Frankenheimer geregisseerde films, *The Young Stranger* (1957) en *The Young Savages* (1961), gingen over het destijds populaire thema jeugdcriminaliteit. Een andere kant van de jeugd belichtte hij in *All Fall Down* (1961), waarin de 24-jarige Warren Beatty de nadelen van het verleiden van oudere vrouwen ontdekt. *Birdman of Alcatraz* (1962) speelt zich vrijwel helemaal in een gevangenis af, maar dankzij de intensiteit van de regie en een hypnotiserende Burt Lancaster staat de film als een huis. *The Manchurian Candidate*

Robert Stroud *(Burt Lancaster) geniet van een jonge zwaluw in* Birdman of Alcatraz, *een waargebeurd verhaal over een gevangene die uitgroeit tot groot ornitholoog.*

(1962) was zowel een sociaal-politieke satire als een thriller, een combinatie die hij volhield in *Seven Days to May* (1964), over de op handen zijnde overname van de macht in de Verenigde Staten door het leger. Lancaster speelde weer de hoofdrol in *The Train* (1964), een intelligent en aangrijpend oorlogsdrama waarin het Franse verzet tracht te voorkomen dat een trein vol Franse kunst Duitsland bereikt. *French Connection II* (1975) was in veel opzichten een betere film dan William Friedkins *The French Connection* (1971), waarop Frankenheimers film het vervolg was.

BELANGRIJKSTE FILMS

1962	The Manchurian Candidate
1962	Birdman of Alcatraz
1964	The Train
1966	Seconds
1975	French Connection II

Stephen **Frears**

◑ 1941- 🏳 BRITS 🎭 1971-

🎬 16 🎭 Divers

De films van Stephen Frears vormen een geniale schets van modern Engeland. Met uitzondering van *Dangerous Liaisons* (1988), een verfilming van De Laclos' boek uit 1782, heeft hij altijd over zijn geboorteland gefilmd.

Na wat televisiewerk en een pauze van 13 jaar tussen zijn eerste (*Gumshoe*, 1971) en zijn tweede film (*The Hit*, 1984) beleefde Stephen Frears zijn doorbraak met *My Beautiful Laundrette* (1985), over de seksuele, sociale en raciale vooroordelen in het Engeland van Thatcher. *Sammy and Rosie Get Laid* (1987) heeft hetzelfde onderwerp, en *Prick Up Your Ears* (1987) gaat over de homoseksuele toneelschrijver Joe Orton. Frears' Amerikaanse films waren minder succesvol, en met *Mrs. Henderson Presents* (2005), over het 'ondeugende' Windmill Theatre, keerde hij naar Engeland terug.

Judi Dench *speelt Laura Henderson, de weduwe die het vooroorlogse Engeland schokte door naakte vrouwen op het podium te vertonen, in* Mrs. Henderson Presents.

BELANGRIJKSTE FILMS

1985	My Beautiful Laundrette
1987	Sammy and Rosie Get Laid
1987	Prick Up Your Ears
1988	Dangerous Liaisons
2005	Mrs. Henderson Presents

Sam **Fuller**

◑ 1911-1997 🏳 AMERIKAANS 🎭 1948-1989

🎬 23 🎭 Oorlog, thriller, western

Sam Fuller maakte confronterende, rauwe films, die een weerspiegeling vormden van zijn ervaringen als journalist van de roddelpers en in het Amerikaanse leger.

BELANGRIJKSTE FILMS

1957	Run of the Arrow
1957	Forty Guns
1961	Merrill's Marauders
1963	Shock Corridor
1964	The Naked Kiss
1980	The Big Red One

In Jean-Luc Godards *Pierrot le Fou* (1965) speelde Sam Fuller zichzelf, en zei hij: 'Film is als een slagveld, met liefde, haat, actie, geweld, dood, kortom: emotie.' Tot zijn 'emotionele' films behoorden *Shock Corridor* (1963) en *The Naked Kiss* (1964), twee melodrama's waarin ook flink wordt gevochten. Toch zal Fuller vooral om zijn oorlogsfilms worden herinnerd. *The Steel Helmet* (1950) en *Fixed Bayonets* (1951), waarin Amerikanen van allerlei komaf moesten vechten om te overleven, waren de eerste van zijn harde, realistische oorlogsfilms. In *Merrill's Marauders* (1961) worden de Japanners in Birma weggevaagd, terwijl het Europa van de Tweede Wereldoorlog helemaal tot zijn essentie wordt teruggebracht in *The Big Red One* (1980), Fullers meesterwerk.

Lee Marvin *(rechts) speelt de door vele oorlogen geharde sergeant, en Mark Hamill is het groentje in* The Big Red One.

Abel **Gance**

● 1889-1981 |♔ FRANS ☕ 1911-1971

🎞 42 🎭 Epos, kostuumdrama, melodrama

Abel Gance was een van de grote pioniers uit het tijdperk van de stomme film. Zijn artistieke top bereikte hij met *Napoléon* (1927), een briljante tentoonstelling van vrijwel alles wat er destijds op filmgebied mogelijk was.

Aan het begin van zijn carrière experimenteerde Abel Gance met allerlei technieken. In *La Folie Du Docteur Tube* (1915) gebruikte hij de subjectieve camera en vervormende spiegels. *J'Accuse* (1919; tweede versie 1938), een pacifistisch pamflet waarin een driehoeksverhouding model staat voor de verschrikkingen van de oorlog, werd in de Eerste Wereldoorlog tijdens de echte strijd opgenomen. Aan het begin vormen de infanteristen de letters van de titel van de film, aan het einde staan de dode soldaten uit hun graven op. Als contrast is in de slotscène ook een overwinningsparade naar de Arc de Triomphe te zien. Voor het ambitieuze project *La Roué* (1922) gebruikte hij de snelle montage, waarmee hij Eisenstein dus eigenlijk ruim voor was. Gance's indrukwekkendste film was *Napoléon* (1927), die voor het eerst in een marathonsessie van vijf uur in de Parijse Opéra werd vertoond. Hij filmde uit de hand (en bond ook een camera op de rug van een paard), maakte gebruik van groothoeklenzen, legde beelden over elkaar heen en toonde verschillende beelden tegelijk. Gance's romantische visuele fantasie doorstond de komst van geluid in de film niet. In zijn latere, melodramatische films gebruikte hij vaak dezelfde ideeën als in de stomme film, zoals uit *La Dixième Symphonie* (1918). *Un Grand Amour de Beethoven* (1936) is een merkwaardige paradox: de film toont met geluidloze beelden van violen, vogels en klokken hoe de grote componist onder het doof worden leed. Zoals Beethoven problemen had met het verdwijnen van zijn gehoor, zo had Gance het juist moeilijk met de komst van geluid.

Gewonde soldaten *worden na de Eerste Wereldoorlog verwelkomd, in de eerste versie van J'Accuse (1919), de antioorlogsfilm van Gance.*

Jean-Luc **Godard**

⬤ 1930- 〔⌶〕 FRANS 🎬 1959-

🎞 39 🎭 Drama, politiek drama, satire

De ook zeer bij andere kunsten en de politiek betrokken Godard heeft een revolutionaire nieuwe filmtaal geschreven, vrij van de dominante burgerlijke cultuur van het westen.

Met zijn eerste film, *À Bout de Souffle* (1960), vestigde Jean-Luc Godard zich onmiddellijk als een van de sterren van de Nouvelle Vague. In zijn tweede film, *Le Petit Soldat* (1960), schetst hij een ambivalent beeld van de oorlog in Algerije. In *Vivre sa Vie* (1962) gebruikt Godard tekst, citaten en interviews à la Brecht, waardoor de film het karakter van een documentaire krijgt. Kleur krijgt een symbolische betekenis in *Pierrot le Fou* (1965), een verbijsterende studie van geweld en relaties. *Deux ou Trois Choses que*

Ferdinand (Jean-Paul Belmondo) *rust even uit na een bizarre achtervolging, een van zijn vele wilde avonturen met Marianne (Anna Karina) in* Pierrot Le Fou.

Je sais d'Elle (1967) gaat over Parijs, de stad die Godard altijd heeft geïnspireerd, en *Weekend (*1967) is een vlijmscherpe kritiek op de moderne Franse maatschappij. Daarna stapte Godard enige tijd over op experimenten met 16mm-film en video, maar hij keerde terug naar het grote toneel met *Tout va Bien* (1972). Sinds 1980 is er een volwassenere Godard opgestaan: zijn latere films zijn beschouwende, poëtische essays over eigentijdse onderwerpen, en dagen het publiek uit anders te gaan denken.

Anna Karina *speelt Natascha Von Braun en Eddie Constantine is Lemmy Caution, een Amerikaanse geheim agent, in het in een futuristische stad en met een minimum aan licht opgenomen* Alphaville.

BELANGRIJKSTE FILMS

1960	À Bout de Souffle
1962	Vivre sa Vie
1963	Le Mépris
1964	Bande à Part
1965	Alphaville
1967	Deux ou Trois Choses que Je sais d'Elle
1967	Weekend
1990	Nouvelle Vague
1999	Éloge de l'Amour
2003	Notre Musique

Alejandro **González Iñárritu**

◐ 1963- 🎬 MEXICAANS ⚖ 2000-

🎞 6 🎭 Drama

De aanvankelijk als diskjockey, componist, televisieproducent en reclamedeskundige werkzame Iñárritu maakte op het filmfestival van Cannes in 2000 een verpletterende indruk met zijn debuutfilm *Amores Perros*.

Amores Perros, die Iñárritu samen met schrijver Guillermo Arriaga maakte, zou aanvankelijk een reeks korte films over het leven in Mexico worden, maar liep uit op een drieluik van los met elkaar verweven, vol vuur en passie vertelde verhalen. Het duo zette de samenwerking in elkaar overlappende tragedies over sociaal onrecht voort in *21 Grams* (2003), maar gebruikte daarvoor nog meer verschillende hoofdrolspelers en tijden. Iñárritu werkt met extreme contrasten en grote emoties, maar heeft het talent om daarmee weg te komen.

BELANGRIJKSTE FILMS

2000	Amores Perros
2003	21 Grams
2006	Babel

Jorge Salinas *is de gewelddadige Luis in* Amores Perros; *elk van de drie verhalen gaat over honden, en de oorspronkelijke titel was dan ook 'Liefde is een teef'.*

Peter **Greenaway**

◐ 1942- 🎬 BRITS ⚖ 1980-

🎞 12 🎭 Avant-garde

In zijn beklemmende beelden van vreemde, op de schrijvers Borges en Kafka geënte werelden geeft Peter Greenaway blijk van zijn fascinatie voor cijfers, kaarten, het Engelse landschap, vogels, naakt en watermassa's.

Greenaway maakte experimentele films, tot zijn elegante deconstructie van een kostuumdrama, *The Draughtsman's Contract* (1982), een succes werd. Greenaway gaat voorbij de beperkingen van de film en creëert een wereld waarin andere kunsten en media een grote rol spelen. Wie bereid is de traditionele opvattingen over het vertellen van verhalen los te laten, zal Greenaway zeker waarderen.

BELANGRIJKSTE FILMS

1980	The Falls
1982	The Draughtsman's Contract
1985	A Zed and Two Noughts
1987	The Belly of an Architect
1988	Drowning by Numbers
1989	The Cook, The Thief, His Wife, and Her Lover
1996	The Pillow Book

Tomás Alea **Gutiérrez**

◐ 1928-1996 🎬 CUBAANS ⚖ 1962-1994

🎞 15 🎭 Politiek drama

Tomás Alea Gutiérrez, de belangrijkste regisseur van Cuba, schuwt de kritiek op zijn eigen land niet. Hij dankt zijn reputatie aan zijn veelzijdigheid en vindingrijkheid.

Hij maakte in 1955 een documentaire over mijnwerkers, maar pas na de revolutie van 1959 kreeg Gutiérrez de ruimte om zijn 'revolutionaire' speelfilms te maken. Na *La Muerte de un Burócrata*, (*De dood van een bureaucraat*, 1966), een mooie satire op de bureaucratie, volgde Gutiérrez met zijn meesterwerk, *Memorias del Subdesarrollo* (*Herinneringen aan onderontwikkeling*, 1968), een subtiele, ironische kijk op de rol van de intellectueel in het nieuwe Cuba. In *Fresa y Chocolate* (*Aardbeien en chocola*, 1993) stelt Gutiérrez moedig de behandeling van homoseksuelen in Cuba aan de orde.

BELANGRIJKSTE FILMS

1966	La Muerte de un Burócrata
1968	Memorias del Subdesarrollo
1993	Fresa y Chocolate

D.W. **Griffith**

● 1875-1948 | ▣ AMERIKAANS | ⚑ 1908-1932

▤ 33 ♛ Epos, melodrama, kostuumdrama

D.W. Griffith, *met de megafoon in de hand, regisseert de acteurs uit een van de vier verhalen van* Intolerance *(1916), het moderne Amerikaanse verhaal.*

Met *The Birth of a Nation* (1915), zijn epische vertelling over de Amerikaanse Burgeroorlog, overtuigde Griffith de wereld van het feit dat film een volwassen kunstvorm was.

Griffith, de zoon van een soldaat van de zuidelijke staten in de Burgeroorlog, begon in 1908 als regisseur bij Biograph Studios. Griffith's *In Old California* (1910) was de eerste in Hollywood gemaakte film. Met Billy Bitzer (die bijna al zijn films opnam) maakte Griffith honderden korte filmpjes, waarbij hij het vak al doende onder de knie kreeg. Rond 1911 was hij bekend met close-ups, kon hij dezelfde scène op meerdere manieren opnemen en begreep hij hoe de montage werkte. Hij was een onvervalste reactionair. In de opmerkelijke film *The Birth of a Nation* komen alle technische vernieuwingen uit zijn vroege werk tot hun recht. Als reactie op de kritiek dat de film racistische elementen bevatte maakte Griffith daarna *Intolerance* (1916), waarin hij zijn thema's in vier verhaallijnen belichtte. Intussen probeerde hij zich uit alle macht aan de greep van de studio's te ontworstelen, wat er in 1919 toe leidde dat hij met Charlie Chaplin, Douglas Fairbanks en Mary Pickford United Artists oprichtte. Enkele van zijn meest aansprekende films maakte hij met zijn favoriete actrice, Lillian Gish. Zij speelde in *Broken Blossoms* (1919), *True Heart Susie* (1919), *Way Down East* (1920) en *Orphans of the Storm* (1921). Door zijn benepen wereldbeeld en de opkomst van nieuwe regisseurs en geluid in de film raakte Griffith geleidelijk uit beeld. Zijn eerste film met geluid, *Abraham Lincoln* (1930), mislukte, en hij sleet zijn laatste jaren als zonderling.

BELANGRIJKSTE FILMS	
1915	The Birth of a Nation
1916	Intolerance
1919	True Heart Susie
1919	Broken Blossoms
1920	Way Down East
1921	Orphans of the Storm

Filmaffiche, *1930*

Lasse **Hallström**

● 1946- 〽 ZWEEDS ☻ 1977-
🎭 17 🎦 Drama

Dankzij het succes van *Mitt liv som hund* (*Mijn leven als hond*, 1985) werd Lasse Hallström gevraagd om in Hollywood te komen werken. Daar viel hij op door de liefdevolle manier waarop hij zijn verhalen vormgaf.

Mijn leven als hond is het vertederende verhaal over een jeugd in een Zweeds dorpje. De hoofdrol wordt gespeeld door een 12-jarige wiens moeder overlijdt en die zijn hond kwijtraakt, maar de film wordt nooit schattig of sentimenteel. Iets van die toon is terug te zien in zijn tweede Hollywoodfilm, *What's Eating Gilbert Grape?* (1993), met Johnny Depp en een indrukwekkende, jonge Leonardo DiCaprio als diens autistische broer. Zowel die film als *The Cider House Rules* (1999), de verfilming van het boek van John Irving, met in de hoofdrol Michael Caine, verwierven veel lof.

BELANGRIJKSTE FILMS

1985	Mijn leven als hond
1993	What's Eating Gilbert Grape?
1999	The Cider House Rules
2000	Chocolat
2005	Casanova

Ingemar (Anton Glanzelius) *met zijn geliefde huisdier in* Mijn leven als hond. *Hallström werd genomineerd voor de Oscars voor de Beste Regie en de Beste Film.*

Michael **Haneke**

● 1942 〽 OOSTENRIJKS ☻ 1989
🎭 9 🎦 Psychologisch drama

Veel films van Michael Haneke zijn schokkend, niet door het geweld maar door de kille en onverschillige verbeelding daarvan.

Haneke, een van de bekendste regisseurs van Oostenrijk (hoewel hij werkt in Frankrijk), beschouwt zijn films als commentaar op de Europese maatschappij en de Amerikaanse film. *Benny's Video* (1992) en *Funny Games* (1997) analyseren de oorzaak en gevolgen van geweld op een jeugd die ogenschijnlijk immuun is voor sadisme. Hij hekelde burgerlijk gedrag in *La Pianiste* (2001) en *Caché* (2005), en bleek aanhanger van de opvatting dat niets wat wij in de maatschappij doen privé is.

Filmaffiche, *1997*

BELANGRIJKSTE FILMS

1997	Funny Games
2001	La Pianiste
2005	Caché

Curtis **Hanson**

● 1945 〽 AMERIKAANS ☻ 1987
🎭 9 🎦 Thriller, drama

De voormalige filmcriticus Curtis Hanson werd, net als talloze anderen, regisseur dankzij de steun van Roger Corman.

Hanson begon met het maken van enkele onbeduidende films, maar hij schoof langzaam op naar de gelikte suspense. Dat leidde tot spannende films als *Bad Influence* (1987), *The Hand That Rocks the Cradle* (1992) en *The River Wild* (1994). Van een heel ander kaliber was de gestroomlijnde, maar authentieke verfilming van James Ellroy's labyrint-achtige boek *L.A. Confidential* (1997), waarin Russell Crowe, Guy Pearce en Kevin Spacey tot grote hoogte stegen. Sindsdien volgt Hanson een onvoorspelbaar, maar wel vaak succesvol en bezienswaardig pad met uiteenlopend werk als *Wonder Boys* (2000), *8 Mile* (2002) en *In Her Shoes* (2005).

BELANGRIJKSTE FILMS

1992	The Hand That Rocks the Cradle
1997	L.A. Confidential
2000	Wonder Boys
2002	8 Mile

Howard **Hawks**

🌑 1896-1977   📖 AMERIKAANS   🎬 1926-1970

🎞 41   🎩 Western, comedy, actie

Omdat zijn zelfverzekerde vertelstijl en de diversiteit van de genres waarin hij werkte niet meteen als 'kunst' werden erkend, kreeg Howard Hawks in Hollywood pas vele jaren na zijn dood de erkenning en de onsterfelijkheidsstatus die hij verdiende.

Veel van de persoonlijke interesses van Howard Hawks komen in zijn films terug. In de Eerste Wereldoorlog was hij piloot, waardoor zijn vier films over vliegen – *The Dawn Patrol* (1930), *Ceiling Zero* (1936), *Only Angels Have Wings* (1939) en *Air Force* (1943) – zeer authentiek zijn. Hij was ook autosportliefhebber, en de spanning van het raccircuit is voelbaar in *The Crowd Roars* (1932) en *Red Line 7000* (1965). Zijn

John Wayne, *de favoriete acteur van Howard Hawks, als kolonel Cord McNally, een legerofficier die in* Rio Lobo *(1970) rechtvaardigheid naar Texas komt brengen.*

liefde voor de sport inspireerde hem ook tot *Hatari!* (1962) en *Man's Favourite Sport* (1963). De camaraderie onder mannen die hun leven riskeren is een weerkerend thema, maar in zijn comedy's *Twentieth Century* (1934), *Bringing Up Baby* (1938), *His Girl Friday* (1940) en later ook *I Was a Male War Bride* (1949), draait het vooral om rolverwisselingen tussen man en vrouw en de strijd tussen de seksen. Het sensuele spel van Humphrey Bogart en Lauren Bacall in *To Have and Have Not* (1944) en *The Big Sleep* (1946), maar ook de verbijsterende opening van *Gentlemen Prefer Blondes* (1953) zijn wat dat betreft opvallend. John Wayne kwam onder Hawks tot opmerkelijk samenspel met Montgomery Clift in *Red River* (1948), met Dean Martin in *Rio Bravo* (1959) en met Robert Mitchum in *El Dorado* (1967).

BELANGRIJKSTE FILMS

1932	Scarface
1934	Twentieth Century
1938	Bringing Up Baby
1939	Only Angels Have Wings
1940	His Girl Friday
1944	To Have and Have Not
1946	The Big Sleep
1948	Red River
1959	Rio Bravo

Lauren Bacall als Vivian *en Humphrey Bogart als privédetective Philip Marlowe in* The Big Sleep, *een cynische verfilming van de gelijknamige thriller van Raymond Chandler.*

Werner **Herzog**

◔ 1942- 🏳 DUITS 🏆 1967

🎬 19 🎭 Epos, documentaire

Werner Herzog (Werner Stipetic), die voor zijn films door roeien en ruiten gaat, houdt van bizarre personages en laat die bij voorkeur in exotische omgevingen optreden.

Herzogs eerste film, *Lebenszeichen* (1967), speelt zich in de Tweede Wereldoorlog af op een Grieks eiland, waar een herstellende Duitse soldaat weigert bevelen op te volgen. De buitenstaander die weigert zich aan te passen is een weerkerend thema in het werk van Herzog. *Fata Morgana* (1971), gefilmd in de Sahara, is bij uitstek een film over buitenstaanders, terwijl *Auch Zwerge Haben Klein Angefangen* (1970) zich afspeelt op een door dwergen bewoond eiland en over de problemen rondom de bevrijding van de geest handelt. *Jeder Für Sich Und Gott Gegen Alle* (1974), over een wilde jongen die aan het begin van de 19e eeuw vanuit het niets verschijnt, is opnieuw een film over Herzogs fascinatie voor sociaal onaangepaste types. Herzogs grootste succes was *Aguirre, der Zorn Gottes* (1972). De in de Andes in Peru opgenomen film was de eerste van een reeks

Het door de mens dwars door de jungle van Peru slepen van een 320 ton wegend stoomschip in Fitzcarraldo werd zonder special effects volbracht en leverde een van de verbijsterendste scènes uit de filmgeschiedenis op

over obsessieve helden, gespeeld door de manische Klaus Kinski. De vreemde relatie tussen Kinski en Herzog werd ook het onderwerp van de documentaire *Mein liebster Feind* (1999). *Fitzcarraldo* (1982) gaat over nog maar eens een woeste tocht van Kinski en Herzog naar onontgonnen gebied, dit keer het Amazone-regenwoud. Hoofdrolspeler Brian is vastbesloten in het oerwoud een operagebouw tot stand te laten komen. 'Als ik nu met deze film zou ophouden,' zei Herzog toen het terrein steeds lastiger werd, 'zou ik een man zonder dromen zijn... Ik leid mijn leven of ik sterf met dit project.'

Filmaffiche van *Nosferatu* (1979)

BELANGRIJKSTE FILMS

1967	Lebenszeichen
1971	Fata Morgana
1972	Aguirre, der Zorn Gottes
1974	Jeder für Sich und Gott gegen Alle
1982	Fitzcarraldo
1999	Mein Liebster Feind

Alfred **Hitchcock**

◒ 1899-1980   ⬚ BRITS   ⚊ 1926-1976

▦ 58   👁 Thriller, horror, film noir

Tientallen jaren lang was Alfred Hitchcock de enige regisseur wiens naam en gezicht net zo beroemd waren als zijn acteurs. 'Hitch' had als bijnaam de 'Meester van de suspense', en hij gaf het thrillergenre een heel nieuw aanzien.

De in Londen geboren Hitchcock werd grootgebracht door de jezuïeten. In 1920 begon hij in de filmwereld, als ontwerper voor de teksten in de stomme film, maar hij werd al snel art director, scenarioschrijver en regie-assistent. Hitchcock regisseerde negen stomme films, waaronder *The Lodger* (1926), zijn eerste film over de onschuldige die in gevaar verkeert. Het was ook de eerste film waarin hij zelf meedeed, in het soort gastrolletje dat hij zichzelf daarna telkens weer zou toebedelen.

DE LOKROEP VAN HOLLYWOOD

In 1929 werd tijdens de productie van *Blackmail* geluid in de film geïntroduceerd, en de 30-jarige Hitchcock doorzag die nieuwe technologie heel snel. Hij monteerde in de film het steeds weerkerende woord 'mes' als echo in het hoofd van het schuldige meisje, op de ochtend na de moord. Na *Blackmail* vervolgde Hitchcock zijn carrière met een reeks fenomenale comedy-thrillers, waaronder *The Man Who Knew Too Much* (1934) en *The Lady Vanishes* (1938).

In 1940 nodigde David O. Selznick Hitchcock uit om in Hollywood de verfilming van Daphne du Mauriers boek *Rebecca* te regisseren. In die eerste Amerikaanse film speelden uitsluitend Britse acteurs, onder wie Laurence Olivier en Joan Fontaine. *Rebecca* werd een enorm succes, leverde Hitchcock de Oscar voor de Beste Film op en betekende het begin van zijn carrière in de Verenigde Staten, waar hij zijn verdere leven bleef wonen.

PSYCHOLOGIE, INTRIGE EN JACHT

Hitchcock had geen belangstelling voor de moraal, het onderwerp of de boodschap van zijn films, hij wilde alleen een spannend verhaal vertellen. Het zwaar aangezette katholicisme in *I Confess* (1953) en de schaamteloze psychologie in *Spellbound* (1945), *Psycho* (1960) en *Marnie* (1964) dienden uitsluitend de intrige.

De grootsheid van Hitchcocks films ligt op een ander vlak, in *Saboteur* (1942) bijvoorbeeld in de schelmse jacht als een ongelukkige passant bij een misdaad betrokken raakt en zijn onschuld moet bewijzen terwijl zowel de politie als criminelen hem op de hielen zitten. Vaak zorgt ook de onverwachte situering voor een impliciete spanning, zoals in *The Birds* (1963). Hitchcock wist zijn publiek ook altijd

> **'Ik zit vast in mijn hoek. Zelfs als ik Assepoester zou verfilmen, zou iedereen meteen naar het lijk op zoek gaan.'**
>
> **ALFRED HITCHCOCK**, *1965*

Paul Newman praat *met Alfred Hitchcock tijdens de opname van* Torn Curtain *(1966).*

DE BLONDINE VAN HITCHCOCK

Hitchcocks ideale heldin was de 'koele blondine', een vrouw die netjes en enigszins preuts overkomt, maar die sensueel reageert op passie of gevaar. Zijn heldinnen waren, in zijn eigen woorden, 'echte dames, die in de slaapkamer in een hoer veranderen'. Hun aantrekkingskracht was subtieler dan de openlijke seksualiteit van het type Marilyn Monroe.

Grace Kelly *als Lisa in* Rear Window, *een van Hitchcocks beste* thrillers; *haar tegenspeler in die film was de aan een rolstoel gekluisterde James Stewart.*

In Hitchcocks horrorfilm The Birds *krijgt Tippi Hedren te maken met een langdurige en kwaadaardige aanval uit een volkomen onverwachte hoek.*

BELANGRIJKSTE FILMS

1936	The 39 Steps
1938	The Lady Vanishes
1943	Shadow of a Doubt
1951	Strangers on a Train
1954	Rear Window
1958	Vertigo
1959	North by Northwest
1960	Psycho
1963	The Birds
1964	Marnie

te verrassen, bijvoorbeeld door halverwege *Psycho* zijn hoofdrolspeelster (Janet Leigh) brutaalweg te laten vermoorden.

Zijn gevoel voor locatie was bepaald extravagant, zoals wanneer het schot van de moord in *The Man Who Knew Too Much* (1934 en 1956) samenvalt met een klap van de bekkens bij een concert in de Londense Royal Albert Hall in de achtervolging op Mount Rushmore in *North By Northwest* (1959), of de wurging op de Londense Covent Gardenmarkt in *Frenzy* (1972). Van 1956 tot 1966 verzorgde Bernard Herrmann de pulserende muziek bij al Hitchcocks films. Die droeg enorm bij aan de spanning, zoals in *Vertigo* (1958), die door velen als zijn beste film wordt beschouwd.

Michael Caine *speelt Jack Carter, een gangster uit Londen die de dood van zijn broer onderzoekt in het gure Newcastle, in de aangrijpende cultfilm* Get Carter.

Mike **Hodges**

● 1932- 🏳 BRITS 🏆 1971-

🎬 10 👑 Gangster, sciencefiction

Met zijn eerste speelfilm, *Get Carter* (1971), initieerde Mike Hodges de trend van de meedogenloze, kille Britse misdaadfilm, onveranderlijk op smoezelige locaties.

Mike Hodges werkte vooral voor televisie en heeft in dertig jaar slechts negen speelfilms gemaakt, én een documentaire over films over seriemoordenaars, *Murder By Numbers* (2001). Zijn debuutfilm *Get Carter* was voor een Britse gangsterfilm ongebruikelijk grimmig en realistisch. Na de thriller *Pulp* (1972), maakte Hodges twee totaal verschillende sciencefictionfilms: *The Terminal Man* (1974) over een door een computer in zijn hoofd gewelddadige man, en het ironische *Flash Gordon* (1980). Hodges keerde daarna terug naar thrillers en gangsterfilms met *Croupier* (1998) en *I'll Sleep When I'm Dead* (2003).

BELANGRIJKSTE FILMS

1971	Get Carter
1974	The Terminal Man
1980	Flash Gordon
1989	Black Rainbow
1998	Croupier

Ron **Howard**

● 1954- 🏳 AMERIKAANS 🏆 1969-

🎬 17 👑 Divers

Ron Howard is al ruim twintig jaar een van de succesvolste regisseurs van Hollywood. Zijn films spreken een breed publiek aan, maar hebben geen duidelijke eigen signatuur.

Veel mensen zullen zich Ron Howard vooral herinneren als de slungelige, onhandige tiener Richie Cunningham uit de televisieserie *Happy Days*. Hij zei ooit dat hij regisseur was geworden om te voorkomen dat hij als acteur aan eenzelfde soort rol vast zou komen te zitten. Ook als regisseur laat hij zich moeilijk in een bepaalde hoek vastpinnen. Howard won prijzen voor serieuze films als *Apollo 13* (1995), *A Beautiful Mind* (2001) – een verkenning van het innerlijk van een genie dat hem Oscars voor Beste Film en Beste Regie opleverde – en *Cinderella Man* (2005), maar liet zien ook het lichtere genre te beheersen met comedy's als *Splash* (1984), *Cocoon* (1985), *Parenthood* (1989) en *Ed TV* (1999).

John Nash (Russell Crowe), *een geniaal wiskundige maar tevens paranoïde schizofreen, raakt geleidelijk verstrikt in zijn eigen waanwereld in* A Beautiful Mind.

BELANGRIJKSTE FILMS

1984	Splash
1989	Parenthood
1995	Apollo 13
1999	Ed TV
2001	A Beautiful Mind
2006	The Da Vinci Code

Hou Hsiao-Hsien

● 1947- 🎌 TAIWANEES 🎬 1979-

🎞 17 🎭 Drama

De films van Hou Hsiao-Hsien, internationaal de bekendste regisseur van de Taiwanese New Cinema-beweging uit de jaren '80, zijn prachtige, subtiele composities.

De meeste films van Hou uit de jaren '80 zijn semi-autobiografisch. Ze verbeelden de frustraties over het opgroeien in het landelijke Taiwan van de jaren '50 en '60 en de problemen voor de individuele ontwikkeling door de familieverplichtingen. *The Boys from Fengkuei* (*Fengkuei-lai-te Jen*, 1983), zijn vierde film, was niet alleen voor hemzelf een overgang, maar ook het teken dat de Taiwanese film volwassen aan het worden was. De film, over drie jongeren die van hun vissersdorp naar de stad trekken, was moderner en universeler dan eerdere films uit Taiwan. Na die film volgde *A Summer at Grandpa's* (*Dongdong de Jiaqi*, 1984), waarin kinderen grappige, maar ook angstige ervaringen opdoen; Hou legt die glashelder en resoluut vast. In *A Time to Live, a Time to Die* (*Tong nien*

Hajime (Tadanobu Asano), een boekverkoper die in zijn vrije tijd treingeluiden opneemt in Café Lumière (Kôhî Jikô, 2005). De film is een ode aan Yasujiro Ozu.

BELANGRIJKSTE FILMS

1983	The Boys from Fengkuei
1984	A Summer at Grandpa's
1985	A Time to Live, a Time to Die
1989	City of Sadness
1998	Flowers of Shanghai
2005	Café Lumière

wang shi, 1985), opnieuw een familiedrama rondom een kind, vervolmaakte Hou zijn eenvoud in stijl met zijn rijkgeschakeerde tapijt van kleine details. Sinds *City of Sadness* (*Beiqing Chengshi*, 1989), een ingewikkeld panorama over het leven in Taiwan, experimenteert Hou steeds weer met lange, gewetensvol vormgegeven steutelscènes en elliptische verhaallijnen. *Flowers of Shanghai* (*Hai shang hua*, 1998), dat zich tegen het einde van de 19e eeuw in een bordeel afspeelt, was zijn eerste historische film. Het is wellicht zijn meest toegankelijke film: emotioneel zeer geladen, zonder sentimenteel te worden.

John **Huston**

● 1906-1987 🄿 AMERIKAANS 🏆 1941-1987

🎞 38 😃 Divers

De films van John Huston weerspiegelen zijn brede, masculiene interesses, maar onder de ruige buitenkant gaan een subtiele tederheid en een romantisch idealisme schuil.

John Huston, de zoon van acteur Walter Huston en de vader van Angelica en Danny die ook allebei acteren, leidde een afwisselend bestaan als schilder, bokser, ruiter, jager, acteur en schrijver alvorens hij zich op regisseren ging toeleggen. Hij debuteerde raak met *The Maltese Falcon* (1941), met in de hoofdrol zijn favoriete acteur Humphrey Bogart. Hij regisseerde zijn vader en Bogart in *The Treasure of the Sierra Madre* (1948), een film over de hebzucht van de mens. Dat thema keert terug in *Key Largo* (1948) met Bogart en Lauren Bacall, en in *Beat the Devil* (1954), een parodie op *The Maltese Falcon* en op Bogart. Zijn helden zijn vaak eenzame types, zoals Toulouse-Lautrec (*Moulin Rouge*, 1953), kapitein Ahab (*Moby Dick*, 1956), Freud (in de gelijknamige film, 1962), de verslagen boksers in *Fat City* (1972) en de predikant in *Wise Blood* (1979). *The Misfits* (1961), met onder anderen Clark Gable, Montgomery Clift en Marilyn Monroe, was in feite een film over verliezers. In Hustons beste films

overheersen fatalisme en ironie. Een van de mooiste voorbeelden daarvan is *The Asphalt Jungle* (1950). Hij maakte twee uitstapjes naar het Afrikaanse oerwoud met *The African Queen* (1952), met in de hoofdrollen Bogart en Katharine Hepburn, en *The Roots of Heaven* (1958), over ten dode opgeschreven olifanten. Hustons laatste film, het op een kort verhaal van James Joyce gebaseerde en in zijn nieuwe thuisland Ierland opgenomen *The Dead* (1987), vormde een aangrijpend afscheidsdocument.

Filmaffiche, 1950

Tim Holt, *Walter Huston en Bogart als de door hebzucht naar elkaar gedreven goudzoekers in* The Treasure of the Sierra Madre; *John Huston won er de Oscar voor Beste Regie mee.*

BELANGRIJKSTE FILMS

1941	The Maltese Falcon
1948	The Treasure of the Sierra Madre
1948	Key Largo
1950	The Asphalt Jungle
1952	The African Queen
1954	Beat the Devil
1961	The Misfits
1967	Reflections in a Golden Eye
1972	Fat City
1987	The Dead

Kon **Ichikawa**

🌐 1915- 🎬 JAPANS ⚱ 1947-

🎞 80 🎭 Divers

De maatschappijkritische Kon Ichikawa maakt films van een grote visuele schoonheid: 'Ik was vroeger schilder en denk nog altijd zo.'

Kon Ichikawa's eerste films waren satirische comedy's, maar de films waarmee hij zijn naam in het Westen vestigde waren niet om te lachen. Zowel *The Burmese Harp (Biruma no Tategoto*, 1956) als *Fires on the Plain (Nobi*, 1959) tonen in zwart-wit het leed rond de nederlaag van het Japanse leger, en in *Conflagration (Enjo*, 1958), steekt een man een volgens hem vervuilde tempel in brand. Ichikawa maakt magnifiek gebruik van de breedte van het scherm in *Odd Obsession (Kagi*, 1959), *Alone in the Pacific (Taiheiyo Hitori-botchi*, 1963), *An Actor's Revenge (Yukinojo Henge*, 1963) en *Tokyo Olympiad (Tokyo Orimpikku*, 1965), een technisch en creatief geniaal meesterwerk.

Mizushima *(Shoji Yasui, uiterst links) is een Japanse soldaat in Birma die tracht zijn bataljon te verzoenen met de Japanse overgave in 1945, in* The Burmese Harp.

BELANGRIJKSTE FILMS

1956	The Burmese Harp
1958	Conflagration
1959	Fires on the Plain
1959	Odd Obsession
1963	An Actor's Revenge
1963	Alone in the Pacific
1965	Tokyo Olympiad

James **Ivory**

🌐 1928- 🎬 AMERIKAANS ⚱ 1963-

🎞 21 🎭 Kostuumdrama

James Ivory maakt zijn films in eigen beheer met de Indiase producent Ismail Merchant, met veelal scenario's van Ruth Prawar Jhabvala. Al zijn films zijn literair, ironisch, subtiel-intellectueel, en fraai vormgegeven.

Zijn eerste vier films maakte Ivory in India, en zij verraden de invloed van E.M. Forster, Satyajit Ray en Jean Renoirs *The River* (1951). De eerste, *Shakespeare-Wallah* (1965), volgt een Engels theatergezelschap op tournee door India en drijft licht de spot met de culturele pretenties van zowel de Britten als de Indiërs. De centrale thema's in Ivory's films zijn de botsing der culturen en het verlies van de onschuld, dus dat hij voor inspiratie bij Henry James en E.M. Forster uitkwam lag voor de hand. In *The Europeans* (1979) en *The Bostonians* (1984) was de hand van James overduidelijk terug te zien, en Ivory's verfilmingen van Forster – *A Room with a View* (1986), *Maurice* (1987) en *Howards End* (1992) werden grote successen. Zijn bewerking van Kazuo Ishiguro's *The Remains of the Day* (1993), over de door de ogen van de butler beschouwde teloorgang van illusies en de grandeur van weleer, werd ook een enorm succes.

Emma Thompson *speelt de huishoudster en Anthony Hopkins de hoofdbutler – beide 'overblijfselen' uit een ander tijdperk – in* The Remains of the Day.

BELANGRIJKSTE FILMS

1965	Shakespeare-Wallah
1979	The Europeans
1983	Heat and Dust
1984	The Bostonians
1986	A Room with a View
1990	Mr. and Mrs. Bridge
1992	Howards End
1993	The Remains of the Day

Peter **Jackson**

◔ 1961- 🪪 NIEUW-ZEELANDS 🎬 1988-

🎞 9 😀 Fantasy

Met *The Lord of the Rings* werd Peter Jackson de natuurlijke opvolger van de grote verfilmers van de fantasy, Steven Spielberg en George Lucas, en dat allemaal vanuit zijn geboorteland Nieuw-Zeeland.

De eerste film die Peter Jackson regisseerde was *Bad Taste* (1988), die hij in de weekeinden met vrienden opnam. Het is het verhaal over een buitenaardse fast-foodketen van ruimtewezens die op aarde naar voedsel voor hun hersenen komen zoeken. *Meet the Feebles* (1989), een parodie op *The Muppets*, was Jacksons eerste film met zijn vrouw Fran Walsh. *Braindead* (1992) was een zwarte comedy en tevens een van de bloedigste films aller tijden.

Heavenly Creatures (1994) is een verrassende wending, en een teken dat de volwassen Jackson meer is dan alleen maar enthousiast. Het op een beruchte moord in de jaren '50 gebaseerde verhaal gaat over de tienermeisjes Juliet en Pauline. Hun intense fantasieleven botst met de regels, en leidt ertoe dat ze de moeder van Pauline vermoorden. Jackson wees aanbiedingen af om in de

Peter Jackson *wordt wel de Hobbit genoemd, naar de fantasiewezens van Tolkien. Hij regisseert vol overgave, en altijd met een paars T-shirt aan.*

Naomi Watts is Ann Darrow, hier in handen van de door de computer samengestelde King Kong, een reusachtige aap boven op het Empire State Building.

VS vervolgfilms op horrorsuccesssen te komen maken en verleidde Hollywood ertoe naar hem te komen. Voor de horrorfilm *The Frighteners* (1996) bouwde hij zijn eigen special-effectsstudio, en daarna kreeg hij New Line Productions zo ver zijn verfilming van Tolkiens trilogie *The Lord of the Rings* te financieren. Drie jaar leidde dat tot het eerste deel van in totaal tien uur film. Het derde en laatste deel van de trilogie, *The Lord of the Rings: The Return of the King* (2003), won in 2004 de Oscars voor de Beste Film, de Beste Regie en het Beste Scenario.

King Kong (2005) is een vrijpostige remake van het origineel uit 1933. Jackson bewees er opnieuw zijn virtuositeit mee, maar ondanks het grote kassucces wist die film het publiek toch minder te raken dan de Tolkien-trilogie.

BELANGRIJKSTE FILMS

1994	Heavenly Creatures
1996	The Frighteners
2001	The Fellowship of the Ring
2002	The Two Towers
2003	The Return of the King
2005	King Kong

Jim **Jarmusch**

🌐 1953- 🎬 AMERIKAANS 🏆 1984-

🎞 10 😃 Comedy

De volkomen onafhankelijke regisseur Jim Jarmusch beschouwt de Amerikaanse droom in zijn excentrieke, minimalistische films door de ogen van curieuze landgenoten dan wel door 'vreemden in een vreemd land'.

De tweede film van Jarmusch, *Stranger Than Paradise* (1984), is een komische roadmovie waarin twee Hongaarse immigranten met de Verenigde Staten kennismaken. *Down By Law* (1986) vertelt het verhaal over twee Amerikanen die hun kijk op hun land moeten bijstellen als ze in de gevangenis belanden. *Mystery Train* (1989) laat Memphis zien door de ogen van een Japans stel, terwijl *Night on Earth* (1992) zich afspeelt in taxi's in Los Angeles, New York, Parijs, Rome en Helsinki. In de films van Jarmusch zijn de personages altijd op reis. Dat geldt ook

BELANGRIJKSTE FILMS	
1984	Stranger Than Paradise
1986	Down By Law
1989	Mystery Train
1992	Night on Earth
1999	Ghost Dog: The Way of the Samurai
2005	Broken Flowers

voor Don (Bill Murray), die het hele land doorkruist op zoek naar de moeder van zijn kind in *Broken Flowers* (2005).

Youki Kudoh *(Mitsuko) en Masatoshi Nagase (Jun) zijn een door de Amerikaanse populaire cultuur beïnvloed Japans stel in* Mystery Train.

Miklós **Jancsó**

🌐 1921- 🎬 HONGAARS 🏆 1960

🎞 47 😃 Politiek drama

De films die Miklós Jancsó in de jaren '60 en '70 maakte, zijn stuk voor stuk briljant vormgegeven drama's. Jancsó belicht de Hongaarse onafhankelijkheidsstrijd aan de hand van verzinnebeelding en symboliek.

Jancsó's zeer persoonlijke stijl kwam tot volle wasdom in *The Round-Up* (*Szegénylegények*, 1965), met al veel middelen en thema's uit zijn latere films.

BELANGRIJKSTE FILMS	
1964	My Way Home
1965	The Round-Up
1967	The Red and the White
1969	The Confrontation
1970	Agnus Dei
1972	Red Psalm
1974	Beloved Electra

De film speelt zich af op een verlaten Hongaarse vlakte, kort nadat in 1948 het verzet tegen de Oostenrijkse overheersing is ingestort, en schetst het conflict tussen de politieke onderdrukker en de onderdrukte. Jancsó's films zijn subtiel gechoreografeerd en de camera volgt vloeiend de handelingen van de personages en hun relatie tot de omgeving. Van de kleuren wordt met name rood veel symbolisch gebruikt, zoals in *The Confrontation* (*Fényes Szelek*, 1969), *Agnus Dei* (*Égi Bárány*, 1970) en *Red Psalm* (*Még Kér a Nép*, 1972). Deze vieringen van de vrijheid annex kreten van wanhoop brengt Jancsó in meesterlijke opnames en prachtig opgerekte sequenties in beeld.

Elektra *(Mari Töröcsik) neemt in* Beloved Electra, *Jancsó's versie van de Griekse mythe, deel aan een ritueel terwijl ze wacht op de terugkeer van haar broer.*

Jean-Pierre **Jeunet**

● 1953- ◖◗ FRANS ☰ 1991-

◫ 6 ☺ Fantasy, comedy

Het publiek verwacht bij de films van Jean-Pierre Jeunet niets anders dan een inventieve visuele stijl en een vleugje zwarte humor.

Jeunet en coregisseur Marc Caro begonnen hun filmoeuvre met het maken van een aantal bekroonde korte films. In hun eerste lange speelfilm, het bizarre, op

BELANGRIJKSTE FILMS	
1991	Delicatessen
1995	La Cité des Enfants Perdus
2001	Amélie

de Franse stripverhalen en de films van David Lynch en Terry Gilliam geïnspireerde *Delicatessen* (1991), hielden zij aan hun vreemde stijl vast. *La Cité des Enfants Perdus* (1995) is zelfs nog verbijsterender dan de voorganger. Die successen leidden Jeunet naar Hollywood, waar hij probeerde nog iets van het rammelende verhaal van *Alien: Resurrection* (1997) te maken. Terug in Frankrijk draaide Jeunet *Amélie* (2001), met in de hoofdrol Audrey Tautou. Die lichte, zeer opgeruimde comedy werd een wereldwijd succes. Tautou speelde ook de hoofdrol in het al even succesvolle *Un Long Dimanche de Fiançailles* (2004).

De jongensachtige *Audrey Tautou is Amélie, een serveerster die haar klanten wil opvrolijken. Jeunet doordrenkte de film met veel fel rood en groen.*

Neil **Jordan**

● 1950- ◖◗ IERS ☰ 1982-

◫ 14 ☺ Thriller, drama

Neil Jordan presenteerde zichzelf als een eigenzinnige en visionaire filmmaker, ten tijde van de wedergeboorte van de Britse filmindustrie in de jaren '80.

Het bijna surrealistische *Angel* (1982), de debuutfilm van Jordan, trok meteen de aandacht. Hoofdrolspeler is Stephen Rea (die in negen films van Jordan speelde), een jazzmuzikant uit Noord-Ierland die zijn saxofoon inruilt voor een machinegeweer. *The Company of Wolves* (1984), een nachtmerrie-achtig sprookje, doet eveneens surrealistisch aan, terwijl de Britse film noir *Mona Lisa* (1986) draait om de liefde van een kruimeldief voor een prostituee. Na een weinig succesvol uitstapje naar Hollywood keerde Jordan opgelucht terug naar vertrouwd Iers

BELANGRIJKSTE FILMS	
1982	Angel
1984	The Company of Wolves
1986	Mona Lisa
1992	The Crying Game
1996	Michael Collins
1997	The Butcher Boy

terrein met het volwassenwordingsdrama *The Miracle* (1991), het politieke drama met een vleugje sensatie *The Crying Game* (1992), de filmbiografie over de Ierse volksheld *Michael Collins* (1996), en een sombere kijk op de jeugd in *The Butcher Boy* (1997).

Ralph Fiennes *en Julianne Moore in* The End of the Affair *(1999), naar het boek van Graham Greene.*

Aki **Kaurismäki**

🌐 1957- 🏳 FINS 🏆 1981-

🎬 16 🎞 Comedy

De films van de non-conformist Aki Kaurismäki gaan vooral over zwijgzame sukkels met saaie baantjes in sombere omgevingen. Kaurismäki's droge humor komt daar mooi tot zijn recht.

Kaurismäkis heeft vooral sympathie voor de buitenstaander. *Ariel* (1988), over een ontslagen mijnwerker, is deel twee van zijn 'arbeiderstrilogie', die verder bestaat uit

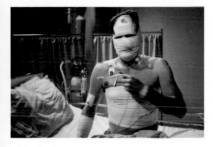

BELANGRIJKSTE FILMS

1988	Ariel
1989	Leningrad Cowboys Go America
1994	Take Care of Your Scarf, Tatjana (Pidä Huivista Iiinni, Tatjana)
2002	The Man Without a Past
2006	Lights in the Dusk

Shadows in Paradise (*Varjoja Paratüsissa*, 1986) en *The Match Factory Girl* (*Tulitikkutehtaan Tyttö*, 1989), stuk voor stuk tragi-comedy's over proletariërs. In *Leningrad Cowboys Go America* (1989) reist een groep potsierlijke musici door de Verenigde Staten, en ook in *Drifting Clouds* (*Kauas Pilvet Karkaavat*, 1996) en *The Man Without a Past* (*Mies Vailla Menneisyyttä*, 2002) spelen curieuze types de hoofdrol. Kaurismäki's filosofie wordt verwoord in *Drifting Clouds*: 'Het leven is kort en ellendig. Maak zoveel mogelijk plezier.'

In The Man Without a Past *krijgt een buitenstaander (Markku Peltola als 'M') een kans op een nieuw leven nadat hij bij een vechtpartij zijn geheugen kwijtraakt.*

Elia **Kazan**

🌐 1909-2003 🏳 AMERIKAANS 🏆 1948-2003

🎬 150 🎞 Drama, cult

Kenmerkend voor Elia Kazans films zijn de sociale thema's, de treffende locaties en het sterke acteerwerk. Up de hoorzittingen van de commissie-McCarthy verried hij in 1952 zijn vrienden, maar Kazan wordt wel als een van de beste Amerikaanse regisseurs ooit beschouwd.

Vanuit zijn werk in het theater en bij de Actors Studio had Kazan groot respect voor acteurs, en hij bood ze de ruimte om tijdens de opnames in hun rol te groeien. Daarmee

Vivien Leigh *is de broze en neurotische Blanche DuBois in A Streetcar Named Desire — hier is zij met Marlon Brando.*

dwong hij fenomenale acteerprestaties af, bijvoorbeeld van Marlon Brando in *On the Waterfront* (1954) en van Jo Van Fleet in *Wild River* (1960). Kazan bezorgde Brando de status van superster met *A Streetcar Named Desire* (1951), 'ontdekte' James Dean (*East of Eden*, 1955) en liet Jack Palance (*Panic in the Streets*, 1950), Lee Remick (*A Face in the Crowd*, 1957) en Warren Beatty (*Splendor in the Grass*, 1961) debuteren. Hij werkte samen met Tennessee Williams (in *A Streetcar Named Desire* en *Baby Doll*, 1956), en John Steinbeck (in *Viva Zapata*, 1952, en *East of Eden*).

BELANGRIJKSTE FILMS

1951	A Streetcar Named Desire
1954	On the Waterfront
1955	East of Eden
1957	A Face in the Crowd
1960	Wild River
1961	Splendor in the Grass

Buster **Keaton**

◗ 1895-1966 🎬 AMERIKAANS 🎞 1920-1929

🎞 12 😊 Comedy

Of Buster Keaton, de grote komiek uit de stomme film, een film nou officieel regisseerde of niet, hij was altijd verantwoordelijk voor het eindproduct. Dat leverde een reeks sublieme visuele comedy's op.

Vanaf 1920 was Keaton min of meer zijn eigen regisseur in tientallen korte films. Zijn vele grappen kwamen voort uit de montage, de keuze van camerastandpunt en zijn fenomenale timing. Zijn eerste lange film, *The Three Ages* (1923), was een parodie op D.W. Griffith's *Intolerance*, maar voor *Our Hospitality* (1922), *Go West* (1925) en *The General* (1926) maakte hij juist gebruik van Griffith's erfgoed. In *Sherlock Jr.* (1924) is Keaton een filmoperateur die in zijn eigen films belandt. Keatons reputatie nam met de komst van het geluid af, maar in de jaren '60 werd zijn werk herontdekt.

Buster Keaton *als de moedige, maar onbezonnen treinmachinist die zijn geliefde locomotief achtervolgt in* The General, *zijn eigen favoriete film.*

BELANGRIJKSTE FILMS

1922	Our Hospitality
1924	Sherlock Jr.
1924	The Navigator
1925	Seven Chances
1926	The General
1927	College
1928	Steamboat Bill Jr.

Abbas **Kiarostami**

◗ 1940- 🎬 IRAANS 🎞 1974-

🎞 14 😊 Drama

Dat de Iraanse cinema tot de beste ter wereld wordt gerekend is vooral te danken aan Abbas Kiarostami, die prachtig met de perceptie van de kijkers weet te spelen.

Abbas Kiarostami maakte al bijna twintig jaar films voordat hij doorbrak met *Where is the Friend's House?* (*Khane-ye Doust Kodjast?*, 1987), een lieve en grappige film over de loyaliteit van een kind. *And Life Goes On* (*Zendegi va Digar Hich*, 1992) volgt een regisseur die na een aardbeving op zoek gaat naar de kinderen die in zijn film speelden, en het door Kiarostami geschreven en geregisseerde *Through the Olive Trees* (*Zire Darakhatan Zeyton*, 1994)

BELANGRIJKSTE FILMS

1987	Where is the Friend's House?
1992	And Life Goes On
1994	Through the Olive Trees
1997	Taste of Cherry
1999	The Wind Will Carry Us (Bad ma ra Khahad Bord)
2002	Ten

gaat weer over het maken van *And Life Goes On*. Zijn handelsmerk, mensen die over lange wegen rijden, perfectioneerde Kiarostami in *Taste of Cherry* (*Ta'm e Guilass*, 1997), over de middelbare Badii, die vastbesloten is zelfmoord te plegen. Wanhopig op zoek naar hulp rijdt hij heen en weer over een slingerende weg om aan passanten te vragen of zij hem in zijn al gedolven graf willen begraven. De auto keert terug in *Ten* (2002), een roadmovie die tien gesprekken van mensen in auto's volgt tijdens hun rit door Teheran. Kiarostami zei ooit: 'Ik bedenk het materiaal niet, ik kijk gewoon en neem wat zich in het dagelijks leven aandient,' maar zijn realisme is met zorg geconstrueerd.

The Wind Will Carry Us *speelt in het Koerdische dorp Dareh. Het is een parabel over buitenstaanders die doen alsof ze op de begraafplaats naar een schat zoeken.*

Krzysztof **Kieslowski**

● 1941-1996 Ⓟ POOLS ⚖ 1976-1993

🎞 10 🎭 Drama

Met zijn malicieuze onderzoekingen van het conflict tussen de staat en zijn burgers werd Krzysztof Kieslowski vertegenwoordiger van de 'film van de morele onrust' in Polen.

Kieslowski was actief in de strijd voor een democratisch Polen, en via een omweg komen zijn inzichten ook terug in zijn films. Zijn ironische humanisme werd door het gezag echter niet gewaardeerd, en daarom werden *Blind Chance* (*Przypadek*, 1981), over het gevolg van het lot op het leven van een student medicijnen, en *No End* (*Bez Końca*, 1984), over de geest van een overleden advocaat die kijkt hoe zijn gezin het na zijn dood redt, tegengewerkt. Toen die films het buitenland bereikten en daarna twee korte films op basis van een televisieserie over de Tien Geboden (*Dekalog*) van hem bekend werden, was Kieslowski's naam gevestigd. *A Short Film About Killing* (*Krótki Film o Zabijaniu*, 1988) is een film tegen de doodstraf die laat zien dat het doden van misdadigers door de overheid net zo erg is als de moord op een taxichauffeur door een jonge zwerver. *A Short Film about Love* (*Krótki*

Irene Jacob als de Poolse zangeres Veronika in La Double Vie de Véronique, *over de parallelle levens van twee door Jacob gespeelde vrouwen in Polen en Frankrijk.*

Krzysztof (Henryk Baranowski) *is hoogleraar aan de universiteit. Hij gelooft in logica, maar krijgt te maken met het onvoorspelbare lot, in* Dekalog.

Film o Milosci, 1988) gaat over een 19-jarige postbeambte die in de ban raakt van de vrouw die in de flat tegenover hem woont. Na de val van het communisme ging Kieslowski in Frankrijk wonen, waar hij eerst *La Double Vie de Véronique* (1991) maakt en daarna de trilogie *Trois Couleurs: Bleu* (1993), *Trois Couleurs: Blanc* (1994) en *Trois Couleurs: Rouge* (1994).

BELANGRIJKSTE FILMS	
1981	Blind Chance
1988	A Short Film About Killing
1988	A Short Film About Love
1991	La Double Vie de Véronique
1993	Trois Couleurs: Bleu
1994	Trois Couleurs: Blanc; Trois Couleurs: Rouge

Stanley **Kubrick**

🌑 1928-1999 🎞 AMERIKAANS 🎬 1953-1999

🎞 13 🏆 Divers

Malcolm McDowell *speelt Alex, de leider van een gewelddadige tienerbende, in Kubricks sombere kijk op het toekomstige Engeland in* A Clockwork Orange.

De nauwgezetheid in zijn onderwerpkeuze, zijn langzame werkwijze en zijn teruggetrokken persoonlijkheid zorgden dat er voor elke film van Stanley Kubrick grote verwachtingen heersten.

De zeer pessimistische en claustrofobische films van Kubrick zijn veelal technisch en inhoudelijk meesterwerken. Het op de roman van Nabokov over een pedofiel gebaseerde *Lolita* (1962), is een wrange comedy vol 'perverse passie'. Kubricks antimilitarisme kwam voor het eerst naar voren in *Paths of Glory* (1957), een ironisch en ontroerend verhaal over de Eerste Wereldoorlog, en ging verder in de zwarte comedy *Dr. Strangelove* (1963). In *Full Metal Jacket* (1987) stelt hij de keiharde opleiding voor een zinloze oorlog (Vietnam) aan de orde. In zijn futuristische films is het thema vaak ontaarding. In *2001: A Space Odyssey* (1968) is de mens slechts een door de techniek gestuurde machine, en in *A Clockwork Orange* (1971) wordt de jeugd gehersenspoeld. In *The Shining* (1980) staat de gekte centraal, en in zijn laatste film, *Eyes Wide Shut* (1999), draait het om de seksuele fantasie. Dat het ook minder somber kan bewees Kubrick met *Barry Lyndon* (1975), waarmee hij een gevoelig en liefdevol beeld van de 18e eeuw schetst.

Kirk Douglas *produceerde en speelde de hoofdrol in Kubricks epos* Spartacus *(1958).*

Filmaffiche, *1987*

BELANGRIJKSTE FILMS

1957	Paths of Glory
1962	Lolita
1963	Dr. Strangelove
1968	2001: A Space Odyssey
1971	A Clockwork Orange
1975	Barry Lyndon
1987	Full Metal Jacket

IN VIETNAM
THE WIND DOESN'T BLOW
IT SUCKS

BORN TO KILL

Stanley Kubrick's
FULL METAL JACKET

Akira **Kurosawa**

● 1912-1998 📺 JAPANS 🏆 1943-1993
🎞 31 🎬 Epos

Akira Kurosawa, de bekendste Japanse regisseur in het Westen, dankt zijn grote internationale populariteit aan zijn sterk Amerikaans aandoende, maar trouw aan de Japanse tradities gebleven films.

Zelden was er in de filmwereld sprake van meer kruisbestuiving dan in het werk van Akira Kurosawa. Drie van zijn films zijn soepel omgezet in Hollywoodwesterns. *Rashomon* (1950), de eerste op grote schaal vertoonde Japanse film in het Westen, werd *The Outrage* (1964), *The Seven Samurai* (*Shichinin no Samurai*, 1954) werd *The Magnificent Seven* (1960), en *The Bodyguard* (*Yojimbo*, 1961) werd *A Fistful of Dollars* (1964). Sommige films van Kurosawa zijn hommages aan de Amerikaanse film, andere hebben een literaire achtergrond: *Hakuchi* (1951) is gebaseerd op *De idioot* van Dostojevski, *Donzoko* (1957) op *Op de bodem* van Gorki, *Throne of Blood* (1957) en *Ran* (1985) op respectievelijk *Macbeth* en *King Lear* van Shakespeare. De films zijn vooral prachtig vormgegeven, maar droevige eigentijdse vertellingen als *To Live* (*Ikiru*, 1952), over een man met kanker, en het familiedrama *I Live in Fear* (*Ikimono no Kiroku*, 1955) gaan dieper. In zijn flamboyante samuraifilms, zoals *The Hidden Fortress* (*Kakushi-toride no San-akunin*, 1958) en *Sanjuro* (*Tsubaki Sanjûrô*, 1962), combineert Kurosawa humor

BELANGRIJKSTE FILMS

1950	Rashomon
1952	To Live
1954	The Seven Samurai
1957	Throne of Blood (Kumonosu Jô)
1958	The Hidden Fortress
1961	The Bodyguard
1962	Sanjuro
1975	Derzu Uzala
1980	Kagemusha
1985	Ran

Filmaffiche, *1950*

met een rijke fantasie. Kleur en widescreen zorgen voor de perfecte omlijsting van een epische vertelling als *Derzu Uzala* (1975), maar ook voor *Kagemusha* (1980) en *Ran* (1985) met hun rode zonsondergangen, levendige regenbogen en vlagvertoon.

Het grootse *slagveld uit* Ran, *Kurosawa's ode aan Shakespeare's* King Lear, *waarin het gebrek aan inzicht van een militaire leider tot dood en verderf leidt.*

In The Seven Samurai *verzamelt een samurai (Takashi Shimura, rechts) zes werklozen om een dorp te bevrijden van handieten.*

Fritz **Lang**

🌑 1890-1976 🏳 DUITS-AMERIKAANS 🎬 1919-1960

🎞 46 😀 Film noir

De opmerkelijke *Peter Lorre in een van de meest beklemmende optredens ooit in de film, als de doodenge en tegelijk zielige psychopathische kindermoordenaar Hans Beckert in* M *(voor 'moordenaar') van Fritz Lang.*

Fritz Lang bekeek de wereld afstandelijk en met een sterk gevoel voor moraal. Hij had eigenlijk twee carrières, eerst in Duitsland (van 1919 tot 1932), daarna in Hollywood (van 1936 tot 1956).

Lang vestigde zijn reputatie in Duitsland met films als *Dr. Mabuse, der Spieler* (1922), een meesterlijke verbeelding van een decadente maatschappij. Het tweedelige *Die Nibelungen* (1924) maakt op indrukwekkende wijze gebruik van gestileerde studiodecors. De kolossale decors van *Metropolis* (1927) beelden een futuristische stadsfabriek uit waar slaven voor rijke bazen werken. Zijn eerste film met geluid, het op ware gebeurtenissen gebaseerde *M* (1931), is een ironisch sociaal commentaar op gerechtigheid, de doodstraf en de dominantie van de massa. Die thema's keerden terug in zijn eerste Amerikaanse film, *Fury* (1936). *Hangmen Also Die* (1943) was een fictieve vertelling van de moord op Gestapoleider Reinhard Heydrich. Lang bracht in die film toenemende weerzin tegen nazi-Duitsland in beeld. Hij was de dictatuur van zijn geboorteland ontvlucht, maar kreeg nu te maken met de tirannie van Hollywood: MGM plakte een happy end aan *Fury*, en Warner Bros. deed hetzelfde met *Cloak and Dagger* (1946). Toch bleef hij prachtige, duistere films over moord, wraak en verleiding maken, zoals *The Woman in the Window* (1944), *Scarlet Street* (1945), *Clash by Night* (1952) over de naoorlogse losbandigheid, films noir *The Big Heat* (1953) en *Human Desire* (1954), en *Beyond a Reasonable Doubt* (1956). De compromisloze, sobere visuele stijl van die films doet steeds weer aan het Duitse expressionisme denken.

BELANGRIJKSTE FILMS	
1922	Dr. Mabuse, der Spieler
1927	Metropolis
1931	M
1936	Fury
1943	Hangmen Also Die
1944	The Woman in the Window
1945	Scarlet Street
1952	Clash by Night
1953	The Big Heat
1954	Human Desire

Filmaffiche, Spione, *1927*

David **Lean**

● 1908-1991 🏳 BRITS 🏆 1942-1984

🎞 16 🎭 Epos, kostuumdrama

Nadat hij in de jaren '40 een reeks mooie films in de beste Britse traditie had gemaakt, regisseerde David Lean vijf internationale kaskrakers. Daardoor werd zijn naam bijna synoniem met de megaproductie.

David Lean regisseerde zijn eerste vier films, *In Which We Serve* (1942), *This Happy Breed* (1944) – het verhaal over de moedige Engelse lagere middenklasse –, *Blithe Spirit* (1945) – een mooie bewerking van een bovennatuurlijke schijnvertoning – en *Brief Encounter* (1945) samen met de schrijver Noel Coward. Die laatste film gebaseerd op een eenakter van Coward (die het scenario schreef), is een van de sprekendste combinaties van romantiek en realiteit die ooit verbeeld werd. Door het fraaie evenwicht tussen het vol passie vertelde verhaal en de ingetogen dialogen, de acteerprestaties van Trevor Howard en Celia Johnson, en het vloeiende camerawerk, is het Leans beste film geworden. Hierna volgden twee geweldige verfilmingen van Charles Dickens, *Great Expectations* (1946) en *Oliver Twist* (1948), allebei met briljant camerawerk (van Guy Green) en acteerwerk. Leans vakmanschap kwam ook tot uiting in de

Judy Davis *maakt als Adela Quested een noodlottige tocht op een olifant naar de Malabar-grotten met dr. Aziz (Victor Banerjee) in* A Passage to India.

drie films die hij met zijn vrouw Ann Todd maakte, vooral in *The Sound Barrier* (1952). Met zijn grote filmproducties *The Bridge on the River Kwai* (1957), *Lawrence of Arabia* (1962), *Doctor Zhivago* (1965), *Ryan's Daughter* (1970) en *A Passage to India* (1984) won hij in totaal 23 Oscars. Vanwege de enorme omvang van deze producties maakte Lean in de laatste 27 jaar van zijn leven nog maar vijf films.

BELANGRIJKSTE FILMS	
1942	In Which We Serve
1945	Brief Encounter
1946	Great Expectations
1948	Oliver Twist
1954	Hobson's Choice
1957	The Bridge on the River Kwai
1962	Lawrence of Arabia
1965	Doctor Zhivago

Leans op het boek *van Boris Pasternak gebaseerde epos* Doctor Zhivago *vertelt het verhaal van de arts en dichter Yury Zhivago (Omar Sharif) voor en tijdens de Russische Revolutie.*

Ang Lee

◐ 1954- 🏳 TAIWANEES 🎬 1991-

🎞 8 🎭 Divers

Ang Lee was aanvankelijk een ster in de filmhuizen, maar na drie films stapte hij over op het grote werk. Hij heeft een fijne neus voor de wensen van het publiek en legt zich toe op de studie van de menselijke natuur.

De eerste twee films van Lee's charmante trilogie over de generatiekloof in een gezin spelen zich af in New York, waar hij studeerde. *Pushing Hands* (*Tui shou*, 1991) gaat over een oudere man die bij het gezin van zijn zoon in de Verenigde Staten woont, *The Wedding Banquet* (*Hsi yen*, 1993) over een homoseksuele man die een verstandshuwelijk aangaat en zijn ouders ervan tracht te overtuigen dat het een echte relatie betreft. De derde film is *Eat Drink Man Woman* (*Yin Shi Yan Nu*, 1994), waarin de relatie van een verweduwde kok met zijn drie dochters centraal staat. Dit is de enige van zijn films die Lee helemaal in Taiwan opnam, en hij bevestigt daarin dat hij herkenbare en geloofwaardige personages met

In The Ice Storm *spelen Kevin Kline, Joan Allen en Christina Ricci het disfunctionerende gezin Hood, van wie het leven door noodweer op zijn kop wordt gezet.*

oprechte emoties en humor in het leven weet te roepen. Hierna verfilmde Lee Jane Austens *Sense and Sensibility* (1995), een film waarmee hij de vooroordelen weersprak dat Aziatische regisseurs thematisch nogal beperkt waren.

Die mythe haalde hij verder onderuit met *The Ice Storm* (1997), over een rijk gezin uit New England in 1973, en met de western *Ride with the Devil* (1999). Hij keerde terug naar het onderwerp Azië met *Crouching Tiger, Hidden Dragon* (*Wo Hu Cang Long*, 2000), waarin vooral de scènes met vechtsporten opvielen. Lee's aangeboren gevoeligheid kwam nooit beter tot zijn recht dan in *Brokeback Mountain* (2005), waarin hij heel subtiel de machocultuur onder cowboys ondermijnt.

Heath Ledger *als Ennis en Jake Gyllenhaal als Jack zijn geliefden die lijden onder de sociale intolerantie ten aanzien van homoseksualiteit in* Brokeback Mountain.

BELANGRIJKSTE FILMS

1994	Eat Drink Man Woman
1997	The Ice Storm
2000	Crouching Tiger, Hidden Dragon
2005	Brokeback Mountain

Spike **Lee**

🌑 1957- 🏳 AMERIKAANS 🎬 1983-

🎞 17 👑 Politiek drama

Hét keerpunt in de film van de zwarte Amerikanen was de komst van Spike Lee, wiens films tal van tot dan toe onontgonnen thema's vanuit een zwart perspectief belichtte.

Zwarte regisseurs als Melvin Van Peebles, Gordon Parks en Sidney Poitier effenden in de jaren '70 het pad dat Spike Lee een decennium later insloeg. Waar zijn voorgangers zich vooral op een zwart publiek richtten, maakte Lee films voor alle geledingen in de maatschappij. Hij sneed gevoelige onderwerpen aan als drugs en relaties tussen verschillende rassen (*Jungle Fever*, 1991), zwarte muziek (*Mo' Better Blues*, 1990) en zwarte politiek (*Malcolm X*,

Denzel Washington *werd genomineerd voor een Oscar voor zijn rol in* Malcolm X, *Lee's filmbiografie over de nationalistische leider.*

Jungle Fever, Spike Lee's *schrijnende schets van de houding tegenover ras en de drugscultuur, was het debuut-film van Halle Berry; ze speelde een crackverslaafde.*

1992). Lee's eerste speelfilm, *She's Gotta Have It* (1986), werd beïnvloed door de Franse Nouvelle Vague en gaat over de relatie van een seksueel bevrijde vrouw met haar drie minnaars. De film kostte slechts 170.000 dollar en leverde een veelvoud daarvan op. Dat de culturele identiteit een speerpunt van Lee is, bleek ook in *Do the Right Thing* (1989), een verhaal dat zich afspeelt op een bloedhete dag in een pizzeria in Brooklyn, waar de raciale spanningen hoog oplopen. De meest controversiële scène toont een aantal acteurs die hun discriminerende verwensingen recht naar de camera schreeuwen.

Met zijn radicale aanpak, de briljante vormgeving, de levendige cinematografie en de ingewikkelde (en harde) soundtrack bewijst Lee zijn vakmanschap. Het succes van de film stelde hem in staat *Malcolm X* te maken, maar niet nadat hij Warner Bros. had gekapitteld omdat ze de film aanvankelijk aan Norman Jewison toewezen. Met die film over de vereerde zwarte Amerikaanse politieke activist, bewees Lee dat hij amusement goed met maatschappijkritiek kon combineren.

BELANGRIJKSTE FILMS	
1986	She's Gotta Have It
1989	Do the Right Thing
1991	Jungle Fever
1992	Malcolm X
1994	Crooklyn
1995	Clockers

Mike **Leigh**

◐ 1943- ▯ BRITS ☲ 1971-

▤ 9 ☺ Comedy

Mike Leigh heeft als zeer onafhankelijk regisseur een heel eigen manier van werken ontwikkeld, en die heeft geleid tot een reeks hilarische schetsen van alledaagse levens.

In de 17 jaar tussen zijn eerste (*Bleak Moments*, 1971) en zijn tweede film (*High Hopes*, 1988) bouwde Mike Leigh een voortreffelijk televisieoeuvre op. Bij zijn terugkeer naar de film ging hij aan de

slag met een groep acteurs die hij liet improviseren, zonder dat iemand wist waar het precies heenging. Dat leidde tot films over mensen aan de zelfkant, met de nadruk op de taal en humoristische beeldspraak. De films van Leigh zijn ook sociaal bewust, maar niet belerend als het gaat over onderwerpen als racisme (*Secrets and Lies*, 1996) of abortus (*Vera Drake*, 2004). Zijn historische film *Topsy-Turvy* (1999) is een prachtige ode aan het toneel.

Marianne Jean-Baptiste *als Hortense en Brenda Blethyn als Cynthia delen een verleden in* Secrets and Lies, *een meeslepend verhaal over familie en verzoening.*

Sergio **Leone**

◐ 1929-1989 ▯ ITALIAANS ☲ 1961-1984

▤ 8 ☺ Western

De Italiaan Sergio Leone waagde het om het Amerikaanse genre bij uitstek, de western, opnieuw uit te vinden en van een ritualistische stijl te voorzien.

Sergio Leone's op Kurosawa's *Yojimbo* (1961) gebaseerde *A Fistful of Dollars* (1964) en *For a Few Dollars More* (1965) maakten deel uit van een reeks films van Italiaanse makelij, de zogenaamde spaghettiwesterns. Kenmerkend zijn een zwijgzame held die geduldig op wraak wacht; bedachtzame gezichten in grote, verstilde close-ups; lange, trage en draaiende shots en de muziek van

Ennio Morricone. 'Als je moet schieten, moet je schieten en niet praten,' zo wordt gezegd in *The Good, the Bad and the Ugly* (1966), en dat vat de filosofie van de films aardig samen. Na het succes van *Once Upon a Time in the West* (1968), het ultieme voorbeeld van Leone's stijl, gebruikte hij een vergelijkbare grootse aanpak voor zijn verfilming van het misdaaddrama *Once Upon a Time in America* (1984).

Clint Eastwood *is Manco, een geharde premiejager op zoek naar een sadistische moordenaar en zijn bende gangsters, in* For a Few Dollars More.

Ken **Loach**

● 1937- ⫯ BRITS 🏆 1967-

🎞 18 🎭 Sociaal drama

Ken Loach, een van de belangrijkste regisseurs van zijn tijd, heeft altijd compromisloos vastgehouden aan zijn socialistische en esthetische principes.

Loach zette zijn eerste schreden op het regiepad in de jaren '60 met sociaal-realistische televisieseries, waaronder *Cathy*

BELANGRIJKSTE FILMS	
1967	Poor Cow
1969	Kes
1990	Riff Raff
1993	Raining Stones
1998	My Name is Joe
2006	The Wind That Shakes the Barley

Come Home (1966). Ondanks het succes van *Kes* (1969) vond hij voor volgende projecten maar moeilijk financiers. Bij zijn terugkeer in de jaren '90 bleek hij volwassen en zelfverzekerd. *Raining Stones* (1993), *Ladybird Ladybird* (1994), *My Name is Joe* (1998) en *Sweet Sixteen* (2003) getuigen van begrip en respect voor de arbeiders, zonder sentimenteel te worden. Hij zegt zelf. 'Ik vind het heel belangrijk dat mensen gehoord worden naar wie anders niemand luistert en die eigenlijk non-personen zijn geworden.'

Filmaffiche, *1969*

Joseph **Losey**

● 1909-1984 ⫯ AMERIKAANS 🏆 1949-1984

🎞 31 🎭 Divers

Joseph Losey had al films in Hollywood gemaakt toen hij door de heksenjacht van McCarthy gedwongen werd naar Engeland te verhuizen. Daar werd hij een scherpe waarnemer van de sociale mores.

Voordat hij vanwege vermeende linkse sympathieën op de zwarte lijst belandde maakte Losey in Hollywood vijf films, waaronder de thrillers *The Prowler* (1951), *The Big Night* (1951) en *M* (1951), een waardige remake van de klassieker van Fritz Lang. In Engeland ging hij deel uitmaken van de 'nieuwe realisten', maar hij ontwikkelde wel een meer barokke visuele stijl met grootse decors, uitvoerige camerabewegingen en schokkende invalshoeken. Hij werkte aan drie ingetogen films samen met schrijver Harold Pinter, en *The Servant* (1963), *Accident* (1967) en *The Go-Between* (1970) zijn alledrie scherpe analyses van het Britse klassensysteem. De op een strip van Peter O'Donnell gebaseerde pop-artfilm *Modesty Blaise* (1966) is de leukste en meest ontspannen film van Losey.

BELANGRIJKSTE FILMS	
1951	The Prowler
1962	Eva
1963	The Servant
1966	Modesty Blaise
1967	Accident
1970	The Go-Between
1977	Mr. Klein

Dominic Guard *als schooljongen Leo en Alan Bates als keuterboer Ted in* The Go-Between, *een film over het klassenonderscheid en de invloed ervan op een jongen.*

Ernst **Lubitsch**

◐ 1892-1947 📛 DUITS (AMERIKAANS) 🎬 1918-1947

🎞 46 🎭 Comedy

Ernst Lubitsch bracht de puriteinse VS Europese gebruiken en hedonisme. Hij ontwikkelde zijn eigen stijl van elegantie, gevatheid, scherpte en cynisme. Die pasten mooi bij zijn afwisselende thema's en werden de 'Lubitsch touch' genoemd.

In Duitsland maakte Lubitsch onder andere een aantal ironisch-historische liefdesfilms, zoals *Madame DuBarry* (1919), met Pola Negri. In Hollywood begon hij zijn carrière met sprankelende stomme films, waaronder *Lady Windermere's Fan* (1925). Met zijn musicals met Maurice Chevalier en Jeannette McDonald en de

Emil Jannings *is Lodewijk XV en Pola Negri diens maîtresse in* Madame DuBarry, *de film die zowel de regisseur als de actrice beroemd maakte.*

comedy's *Trouble in Paradise* (1932) en *Design for Living* (1933) nam hij zijn kijkers serieus, in de commerciële film een zeldzaamheid. Tegen het einde van de jaren '30 maakte Lubitsch een reeks zeer amusante romantische comedy's: *Angel* (1937), met een schitterende Marlene Dietrich, *Ninotchka* (1939), een grappig verhaal over een Russische volkscommissaris (Greta Garbo) die door de slechte, westerse waarden verleid wordt, en *The Shop Around the Corner* (1940), een humoristische aaneenschakeling van vergissingen, met James Stewart. In de oorlog maakte Lubitsch de klassieke Hollywood-comedy *To Be or Not to Be* (1942), nota bene over de bezetting van Polen door de nazi's.

Filmaffiche, *1937*

GRETA GARBO

De liefde tussen het bijzondere gezicht van Greta Garbo (1905-1990) en de camera maakte van haar misschien wel de grootste filmdiva aller tijden. Haar privéleven en de publieke Garbo werden samen één, zij was de mysterieuze godin die 'Ik wil alleen gelaten worden' leek te zeggen. Garbo was beroemd om haar klassieke tragische rollen, zoals in *Queen Christina* (1933), *Anna Karenina* (1935), en *Camille* (1937), dus voor *Ninotchka* (1939) kondigde MGM trots 'Garbo lacht!' aan.

BELANGRIJKSTE FILMS	
1932	Trouble in Paradise
1933	Design for Living
1934	The Merry Widow
1936	Desire
1937	Angel
1939	Ninotchka
1940	The Shop Around the Corner
1942	To Be or Not to Be

George **Lucas**

● 1944- 🏳 AMERIKAANS 🎬 1971-
🎞 6 🎲 Sciencefiction

Star Wars (1977) veranderde alles, zeker voor de 33-jarige die de film schreef en regisseerde. Dat was George Lucas, een telg uit de eerste generatie die het vak op de academie leerde.

Lucas kwam Hollywood binnen via zijn vriendschap met Francis Ford Coppola, en hij registreerde het maken van Coppola's *The Rain People* (1969). Toen Coppola de American Zoetrope-studio stichtte, maakte Lucas er ook deel van uit. Een van hun eerste producties was een sciencefictionfilm naar aanleiding van het studieproject van Lucas, *THX-1138* (1971), maar die film bleek te sober voor een groot publiek.

Charles Martin Smith *speelt een sukkelige 20-jarige, 'The Toad', in American Graffiti; het personage is gemodelleerd naar Lucas zelf.*

Tijdens de Vietnamoorlog overwoog Lucas daar naar het voorbeeld van Joseph Conrads *Heart of Darkness* een documentaireachtige film op te nemen. In plaats daarvan maakte hij *American Graffiti* (1973), een nostalgisch beeld van het tienerleven in Californië in de vroege jaren '60, met auto's, meisjes en rock-'n-roll. Zo koud en afstandelijk als *THX-1138* was, zo warm en emotioneel was *Graffiti*. Het was sinds *Easy Rider* ook de eerste film

van een jongere generatie in Hollywood die flink geld opleverde. Lucas zette zich vervolgens aan zijn droomproject, een sciencefictionfilm in de geest van de serie *Flash Gordon* waar hij als kind dol op was geweest. De opnames kostten moeite, want Lucas had weinig gevoel voor acteurs en de special effects kwamen al doende tot stand. Dat *Star Wars* de eerste megafilmhit ooit werd, was dan ook een verrassing. Het maakte Lucas wel de rijkste man van Hollywood. Hij wijdde zich daarna aan zijn specialeffectsbedrijf, Industrial Light and Magic (ILM), en werd producent. In de jaren '80 produceerde hij uiteenlopende films, van *Raiders of the Lost Ark* (1981) tot *Howard the Duck* (1986). In 1980 en 1983 maakte hij nog twee *Star Wars*, maar Lucas regisseerde pas weer bij het maken van drie volgende films in de serie, vanaf 1999; die werden afgekraakt, maar nog wel veel bekeken.

BELANGRIJKSTE FILMS

1971	THX 1138
1973	American Graffiti
1977	Star Wars
1980	The Empire Strikes Back
1983	Return of the Jedi
1999	Star Wars: Episode I – The Phantom Menace
2002	Star Wars: Episode II – Attack of the Clones
2005	Star Wars: Episode III – Revenge of the Sith

Anthony Daniels *is de gouden, in metaal gehulde androïde C-3PO. Hij wordt hier in Tunesië geregisseerd voor Star Wars; Daniels speelde in alle zes de Star Wars-films.*

Baz **Luhrmann**

◐ 1962- 🎏 AUSTRALISCH 😷 1992-

🎬 3 🎭 Musical, drama

Deze flamboyante regisseur maakte dwars tegen de heersende mode in drie artificiële, romantische films. Achteraf noemde hij ze zijn 'rode-doektrilogie', een verwijzing naar hun openlijk theatrale karakter.

De eerste film in Luhrmanns trilogie is *Strictly Ballroom* (1992), een liefdesverhaal in de wereld van het amateur-stijldansen. De film beleeft zijn climax als de geliefden Scott (Paul Mercurio) en Fran (Tara Morice) uit hun strak geregisseerde dans losbreken en een heel spannende eigen uitvoering presenteren. Luhrmann, zelf ook een iconoclast, ging naar Hollywood en maakte daar misschien wel de minst orthodoxe verfilming van Shakespeare

Leonardo DiCaprio *en Claire Danes in* Romeo + Juliet; *de retro-moderne stijl van de film combineert kastelen en wapenrustingen met kogelvrije vesten en gettoblasters.*

aller tijden: zijn *Romeo + Juliet* (1996) speelde zich af in een bendeoorlog in hedendaags Mexico. Luhrmanns eerste musical, *Moulin Rouge!* (2001), voltrekt zich in het Parijs van de late 19e eeuw. Ewan McGregor en Nicole Kidman zingen sommige van de liedjes uit de musical zelf, maar ze playbacken ook een aantal klassiekers van Elton John, David Bowie en Marc Bolan. Van Luhrmann zijn meer films te verwachten waarin hij zijn talent voor het op heel eigen wijze hervertellen van bekende verhalen de ruimte geeft.

BELANGRIJKSTE FILMS	
1992	Strictly Ballroom
1996	Romeo + Juliet
2001	Moulin Rouge!

Sidney **Lumet**

◐ 1924- 🎏 AMERIKAANS 😷 1957-

🎬 42 🎭 Misdaad, drama

Sidney Lumet maakt deel uit van de eerste generatie televisieregisseurs die overstapte naar de film. Zijn films worden gekenmerkt door natuurlijk spel en veel uiterlijk vertoon.

Zeven van de eerste negen films van Lumet maakte hij in zwart-wit. De eerste en de beste daarvan was *12 Angry Men* (1957). Die speelt zich af in de kamer van

BELANGRIJKSTE FILMS	
1957	12 Angry Men
1962	Long Day's Journey into Night
1965	The Pawnbroker
1973	Serpico
1975	Dog Day Afternoon
1981	Prince of the City
1988	Running on Empty
1990	Q and A

een jury, maar door Lumets montage en cameraopstellingen wordt de film nooit statisch. Er volgden drie verfilmingen van grote Amerikaanse toneelschrijvers, met Tennessee Williams' *The Fugitive Kind* (1959), Arthur Millers *Vu du Pont* (1961) en Eugene O'Neills *Long Day's Journey into Night* (1962). Lumet is echter op zijn best tussen de politie, misdadigers en de corruptie van de stad, zoals in *Serpico* (1973), *Dog Day Afternoon* (1975) en *Prince of the City* (1981), die zich afspelen in zeer realistische New Yorkse sferen.

Al Pacino *is een New Yorkse poltieagent in het op een waargebeurd verhaal gebaseerde* Serpico. *Achter hem zit zijn vriendin Laurie, gespeeld door Barbara Eda-Young.*

David **Lynch**

🌑 1946- 🏳 AMERIKAANS ⚑ 1977-

🎬 11 🎭 Horror, thriller

David Lynch heeft een enorme schare volgelingen bereid gevonden zijn bizarre en labyrinthische droomwereld te betreden.

De eerste film van David Lynch, *Eraserhead* (1977), was een vrijwel helemaal 's nachts opgenomen zwart-witfilm. De verwarrende nachtmerrie kwam rechtstreeks uit de surrealistische kunst en het Duitse expressionisme en sprak zowel intellectuelen als liefhebbers van horror aan; dat laatste geldt voor veel van Lynch's werk. *The Elephant Man* (1980), een veel conventionelere film, roept medelijden op voor de vreselijk misvormde John Merrick (gespeeld door een zwaar geschminckte John

Hurt). De meest representatieve film van Lynch is wel *Blue Velvet* (1986), met elementen van satire, misdaad en horror. Die keren terug in het zeer cryptische *Mulholland Drive* (2001). Een heel andere kant van Lynch is te zien in *The Straight Story* (1999), die de langzame vooruitgang vastlegt van een op een grasmaaier reizende man.

Filmaffiche, *1977*

BELANGRIJKSTE FILMS	
1977	Eraserhead
1980	The Elephant Man
1986	Blue Velvet
1992	Twin Peaks
1999	The Straight Story
2001	Mulholland Drive

Leo **McCarey**

🌑 1898-1969 🏳 AMERIKAANS ⚑ 1929-1961

🎬 24 🎭 Comedy, drama

De carrière van Leo McCarey als regisseur kende drie fases: korte films met Laurel en Hardy, absurde en gevatte comedy's, en sentimentele romantische comedy's.

Tot de korte films die McCarey tussen 1927 en 1931 met Laurel en Hardy regisseerde, behoorde *Putting Pants on Philip* (1927), de eerste film die de beide komieken als echt duo maakten. Tussen 1932 en 1937 regisseerde McCarey de komieken Eddie Cantor (*The Kid From Spain*, 1932),

W.C. Fields (*Six of A Kind*, 1934), de Marx Brothers (*Duck Soup*, 1933) en Harold Lloyd (*The Milky Way*, 1936), maar ook Cary Grant in *The Awful Truth* (1937), een van de leukste kluchten aller tijden. Tot de derde fase in McCarey's loopbaan, na 1937, horen *Love Affair* (1939), en de remake daarvan, *An Affair to Remember* (1957). Bing Crosby was de charmante priester in *Going My Way* (1944) en *The Bells of St Mary's* (1945), beide zo ingenieus gemaakt dat ook de atheïst ervoor door de knieën ging.

Filmaffiche, *1957*

Cary Grant *is Nickie, een rijke vrijgezel die in* An Affair to Remember *verliefd wordt op de door Deborah Kerr vertolkte Terry, een voormalige nachtclubzangeres.*

BELANGRIJKSTE FILMS	
1933	Duck Soup
1934	Ruggles of Red Gap
1937	Make Way for Tomorrow
1937	The Awful Truth
1939	Love Affair
1940	My Favourite Wife
1944	Going My Way
1945	The Bells of St Mary's
1957	An Affair to Remember

Alexander Mackendrick

● 1912-1993 📺 AMERIKAANS (BRITS) 🎬 1949-1967

🎞 9 🏆 Comedy

De in de VS geboren Alexander Mackendrick ging na de Tweede Wereldoorlog voor de Ealing Studios in Londen werken. Daar droeg hij bij aan de ontwikkeling van de op realistische observatie gebaseerde comedy.

Mackendricks eerste film, *Whisky Galore* (1949), speelt zich af op een Schots eiland dat verstoken is van zijn levenselixer, whisky. *The Ladykillers* (1955), een zwarte comedy over een bende die probeert een oude vrouw te vermoorden, was de laatste Ealing-comedy. Mackendrick maakte daarna *Sweet Smell of Success* (1957), zijn debuut in zijn geboorteland. De scherp met zijn eerdere werk contrasterende film toont Burt Lancaster als machtige columnist en Tony Curtis als de slaafse persagent, tegen een zwart-witte achtergrond van avondlijk New York en met veel sfeervolle jazz.

Alec Guinness *(midden) is Sidney Stratton in* The Man in the White Suit; *Stratton ontdekt een soort textiel die niet slijt, iets waar de textielindustrie niet blij mee is.*

BELANGRIJKSTE FILMS

1949	Whisky Galore
1951	The Man in the White Suit
1954	The Maggie
1955	The Ladykillers
1957	Sweet Smell of Success

Dusan **Makavejev**

● 1932- 📺 SERVISCH 🎬 1965-

🎞 11 🏆 Experimenteel

De onafhankelijke en anarchistische films van Dusan Makavejev vormen paradoxale essays. Het zijn vaak een soort collages, waarin op grappige, maar ook dramatische wijze meerdere beelden naast elkaar bestaan.

Jarenlang stuitte Makavejev, de enige regisseur uit het voormalige Joegoslavië die internationaal bekend was, op tegenwerking door het gezag in zijn vaderland. In zijn eerste films, *Man is Not a Bird (Covek Nije Tica,* 1965) en *The*

BELANGRIJKSTE FILMS

1965	Man is Not a Bird
1967	The Switchboard Operator
1968	Innocence Unprotected
1971	Mysteries of the Organism
1974	Sweet Movie

Switchboard Operator (Ljubavni Slucaj Ili Tragedija Sluzbenice P.T.T., 1967) gebruikt hij stukjes uit documentaires, lezingen en natuurfilms om de levens van zijn personages vorm te geven. *Mysteries of the Organism (W.R.– Misterije Organizma,* 1971) gaat over de psycholoog en filosoof Wilhelm Reich en zijn seksueel bevrijdende praktijken, en biedt een samenvloeiing van stijlen. Makavejev onderzocht de erotiek verder in *Sweet Movie* (1974) en *Montenegro* (1981). Voor *Innocent Unprotected (Nevinost Bez Zastite,* 1968), verknipte hij de eerste Servische film aller tijden, uit 1942.

Montenegro vertelt *het verhaal van een groep excentrieke, in Stockholm wonende, voormalige Joegoslaven.*

Terrence **Malick**

● 1943- 🎬 AMERIKAANS 🏆 1973-
🎞 4 🎖 Drama, oorlog, epos

Terrence Malick maakte in dertig jaar tijd slechts vier films, maar het zijn wel stuk voor stuk parels in hun genres.

Allevier de films van de raadselachtige Malick draaien om het verlies van de onschuld, de mythische verdrijving uit de Hof van Eden en de Amerikaanse hang naar geweld. Ze behoren alle tot een ander genre, en ze spelen allemaal in het verleden: de misdaadfilm *Badlands* (1973) in de Midwest van de jaren '50, het plattelandsepos *Days of Heaven* (1978) in Texas vlak voor de VS bij de Eerste Wereldoorlog betrokken raakte, de oorlogsfilm *The Thin Red Line* (1998) tijdens de Amerikaanse campagne tegen Japan in de Tweede Wereldoorlog, en het kostuumdrama *The New World* (2005) in de 17e eeuw in Virginia, de tijd van de eerste Engelse kolonisten. De met zorg gemaakte films zijn ironisch, fatalistisch

Colin Farrell, *als John Smith, wordt verliefd op Q'Orianka Kilcher, als Pocahontas, in* The New World, *Malicks vertelling over de kolonisatie van de VS.*

en gelaagd, met meerdere verhaallijnen, en ze behandelen weerkerende situaties vanuit wisselende perspectieven.

BELANGRIJKSTE FILMS	
1973	Badlands
1978	Days of Heaven
1998	The Thin Red Line
2005	The New World

Louis **Malle**

● 1932-1995 🎬 FRANS 🏆 1956-1994
🎞 21 🎖 Drama

De tussen Frankrijk en de VS pendelende Louis Malle was, zoals de titel van zijn film *Le Feu Follet* **(***Het Dwaallicht***, 1963) ook zegt, een ongrijpbare regisseur.**

'Ik wil altijd graag thema's, personages en situaties blootleggen die onacceptabel lijken,' legde Louis Malle uit. Tot zijn onderwerpen behoren overspel in *Les Amants*, 1958), incest in *Le Souffle au Coeur*, 1971) en kinderprostitutie in *Pretty Baby* (1978). In *My Dinner with Andre* (1981) filmde hij 110 minuten lang twee mensen die tijdens het eten een gesprek voeren. *Lacombe Lucien* (1974) was een van de eerste Franse films die de minder fraaie kanten van het leven in het door Duitsland bezette Frankrijk toonde: de 'held' is een arbeider die met de nazi's collaboreert. In *Au Revoir, Les Enfants* (1987) komen de favoriete thema's van Malle – de Franse collaboratie met de nazi's, de nauwe band tussen moeder en zoon en een niet-sentimentele kijk op de jeugd – allemaal samen.

Gaspard Manesse *en Raphael Fejtö in het op Malle's jeugd gebaseerde* Au Revoir, Les Enfants.

BELANGRIJKSTE FILMS	
1958	Les Amants
1971	Le Souffle au Coeur
1973	Lacombe Lucien
1978	Pretty Baby
1980	Atlantic City
1987	Au Revoir, Les Enfants

Joseph L. **Mankiewicz**

◗ 1909-1993 ▯ AMERIKAANS ♟ 1946-1972

▤ 19 ♖ Comedy, drama

People Will Talk (1951) is de toepasselijke titel van een van de films van Joseph L. Mankiewicz. Het witte doek was voor hem een plek om zijn puntige en satirische scenario's te vertonen.

De films van Mankiewicz leunen zwaar op de dialogen, maar het zijn geen verfilmde toneelstukken. Hij heeft een elegante visuele stijl, experimenteert vaak met het verhaal (dat hij graag vanuit verschillende standpunten belicht) en gebruikt veel flashbacks. *A Letter to Three Wives* (1949) is het verhaal van drie echtgenotes – Deborah (Jeanne Crain), Lora (Linda Darnell) en Rita (Ann Sothern) – in een buitenwijk, die zich afvragen welke echtgenoot er met de plaatselijke femme fatale vandoor zal gaan. Zowel de dialoog en het spel als het nauwkeurig geregistreerde

Filmaffiche, *1959*

BELANGRIJKSTE FILMS

1947	The Ghost and Mrs. Muir
1949	A Letter to Three Wives
1950	All About Eve
1952	Five Fingers
1953	Julius Caesar
1954	The Barefoot Contessa
1955	Guys and Dolls
1959	Suddenly Last Summer

milieu maken de film erg grappig. *All About Eve* (1950), is een gifpijl in de richting van de New Yorkse toneelwereld, met Bette Davis in een glansrol als de pinnige, op leeftijd gerakende ster Margo Channing. *The Barefoot Contessa* (1954) is een al even venijnig pamflet over de filmindustrie. *Five Fingers* (1952) is een als semi-documentaire gemaakte film over spionage met in de hoofdrol James Mason, die ook Brutus speelde tegenover Marlon Brando als Marcus Antonius in *Julius Caesar* (1953). In die film wist Mankiewicz de hang van Hollywood naar groots spektakel nog te onderdrukken, maar in *Cleopatra* (1963) niet meer. Brando speelde ook in *Guys and Dolls* (1955), zijn én Mankiewicz' enige musical.

Gokker Sky Masterson *(Brando) 'corrumpeert' heilsoldate Sarah Brown (Jean Simmons) in de stijlvolle musicalklassieker* Guys and Dolls.

Anthony **Mann**

⬤ 1907-1967 📛 AMERIKAANS 🏆 1942-1967

🎬 39 🏆 Western, epos

Tussen 1950 en 1960 regisseerde Anthony Mann elf westerns vol haat-liefdeverhoudingen, pijn, geweld, wraak en eer, onveranderlijk opgenomen in een broeierig landschap.

Mann toonde in zijn westerns een stoerdere, meer verbitterde James Stewart dan tot dan te zien was in bijvoorbeeld *The Glenn Miller*

BELANGRIJKSTE FILMS

1950	Winchester '73
1951	The Tall Target
1952	Bend of the River
1953	The Naked Spur
1954	The Glenn Miller Story
1954	The Far Country
1955	The Man from Laramie
1958	Man of the West
1961	El Cid

De legendarische Spaanse strijder *El Cid (Charlton Heston) wordt getroost door zijn verloofde Jimena (Sophia Loren), in het spectaculaire epos* El Cid.

Story (1954). Naast *Man of the West* (1958) met in de hoofdrol Gary Cooper, behoren *Winchester '73* (1950), *Bend of the River* (1952), *The Naked Spur* (1953), *The Far Country* (1954) en *The Man from Laramie* (1955) tot de sleutelfilms uit het westerngenre. De plechtige rituelen uit de westerns wijken maar weinig af van de ridderlijke tradities in Manns epos *El Cid* (1961).

Michael **Mann**

⬤ 1943- 📛 AMERIKAANS 🏆 1981-

🎬 10 🏆 Avontuur, romantiek, thriller

Mann verdiende een vermogen met de gelikte televisieserie *Miami Vice*. Zijn carrière doet op het eerste gezicht wel wat denken aan die van de regisseurs van reclamespotjes die in diezelfde tijd naar de film overstapten.

Net als zijn tijdgenoten Tony Scott en Adrian Lyne is Michael Mann een stilist met een voorkeur voor moderne decors. Maar waar Scott en Lyne tevreden lijken als ze hun weerspiegeling in een glimmend oppervlak kunnen zien, betoont Mann zich een ouderwetse existentialist. In neo-noir-thrillers als *Thief* (1981), *Manhunter* (1986) en *Heat* (1995) is de sociale vervreemding van de man welhaast een obsessie. *The Last of the Mohicans* (1992), het verhaal over de geadopteerde Mohikaan

BELANGRIJKSTE FILMS

1981	Thief
1986	Manhunter
1992	The Last of the Mohicans
1995	Heat
1999	The Insider

Will Graham *(William Petersen), een gewezen FBI-agent, jaagt in de op het boek* Red Dragon *van Thomas Harris geënte film* Manhunter, *op een seriemoordenaar.*

Hawkeye (Daniel Day-Lewis) en diens verhouding met Cora (Madeleine Stowe), de dochter van een Britse kolonel, geeft een oprecht beeld van het Amerika van de 18e eeuw. Daarna verlegde Mann zijn grenzen met *The Insider* (1999) gebaseerd op het waargebeurde verhaal over een klokkenluider. *Ali* (2001) en *Collateral* (2004) doen de situaties waarop ze zijn gebaseerd niet helemaal recht, maar Mann blijft een van de boeiendste filmmakers van zijn tijd.

Chris **Marker**

◐ 1921- 📖 FRANS ⚑ 1956-

🎞 18 😃 Documentaire

Door zijn creatieve gebruik van geluid, beeld en tekst is Chris Marker met zijn poëtische, politieke en filosofische documentaires tot een vooraanstaand regisseur uitgegroeid.

In *Lettre de Sibérie* (1958) stelt de als Christian François Bouche-Villeneuve geboren Chris Marker de objectiviteit van documentaires aan de kaak door een fragment drie keer met steeds ander commentaar te vertonen. Het invloedrijke *Cuba Sí!* (1961) omvat twee lange interviews met Fidel Castro.

BELANGRIJKSTE FILMS	
1958	Lettre de Sibérie
1961	Cuba Sí!
1963	Le Joli Mai
1962	La Jetée
1977	Le Fond de l'Air est Rouge
1983	Sans Soleil
1997	Level Five

In *Sans soleil* (1983) tracht Marker de onthechtheid die hij in Japan, West-Afrika en IJsland voelt te benoemen. Met dezelfde buitenstaandersblik maakte hij *Le Joli Mai* (1963) over zijn eigen stad, samengesteld uit 55 uur interviews met mede-Parijzenaren. Zijn enige poging tot fictie is *La Jetée* (1962), een halfuur durend, geheel uit stills opgebouwd verhaal over een kernoorlog. In *Level Five* (1997) rekt Marker de grenzen van de 'documentaire' met gebruikmaking van videotechnologie verder op.

Helene Chatelain *in* La Jetée, *over een kernoorlog; het geniale gebruik van stills en de sobere vertelling maken de film tegelijk meeslepend en spookachtig.*

Jean-Pierre **Melville**

◐ 1917-1973 📖 FRANS ⚑ 1948-1972

🎞 12 😃 Gangster, film noir

Jean-Pierre Grumbach koos voor zijn nieuwe achternaam als hommage aan de door hem zeer bewonderde schrijver Herman Melville. De grootste invloed op zijn films hadden echter de Amerikaanse gangsterfilms en de film noir. Zelf inspireerde hij weer diverse onafhankelijke Amerikaanse filmmakers.

Bob le Flambeur (1956) en *Deux Hommes dans Manhattan* (1959), Melville's eerste twee onafhankelijke lowbudgetfilms, nam hij op locatie op in respectievelijk Parijs en New York. Zijn moedige, vrije stijl voegde een nieuw element aan de thriller toe, en de acht door hem gemaakte films spelen zich af in een wereld van smoezelige cafés, hotels en nachtclubs waar moord en verraad aan de orde van de dag zijn. *Le Samoeraï* (1967) volgt een koelbloedige moordenaar (Alain Delon) met een

BELANGRIJKSTE FILMS	
1950	Les Enfants Terribles
1956	Bob le Flambeur
1963	Le Doulos
1963	L'Aîné des Ferchaux
1966	Le Deuxième Souffle
1967	Le Samoeraï
1969	L'Armée des Ombres

erecode op zijn laatste dag. Melville zat zelf in het Franse verzet en drie van zijn films, waaronder het tragische *L'Armée des Ombres* (1969), gaan over Frankrijk in bezettingstijd.

Roger Duchesne *bereidt met zijn kompanen een overval op een casino voor in* Bob le Flambeur; *de film wordt als voorloper van de Franse Nouvelle Vague gezien.*

Sam **Mendes**

● 1965- 🏳 BRITS 🏆 1999-
🎬 3 📺 Drama

BELANGRIJKSTE FILMS

1999	American Beauty
2002	Road To Perdition
2005	Jarhead

Na een snelle carrière in het theater wist Sam Mendes al met zijn eerste speelfilm, *American Beauty* (1999), de Oscar voor de Beste Regie in de wacht te slepen. De film won een tweede Oscar als de Beste Film van het jaar.

Nadat Steven Spielberg in 1998 de met een Tony bekroonde en door Mendes geregisseerde toneelvoorstelling *Cabaret* zag, besloot hij Mendes uit te nodigen om voor zijn firma Dreamworks *American Beauty* te maken. Mendes' zelfverzekerde debuut toonde de ellende van een disfunctionerend gezin, midlifecrises en de generatiekloof. Gesteund door veteraan Conrad Hall gebruikte Mendes drie stijlen door elkaar: strak gecomponeerde scènes voor het verhaal, vloeiende beweging om de fantasie weer te geven, en door één van de personages met de hand gefilmde

Kevin Spacey *als Lester Burnham, die zichzelf bevrijdt van zijn 'kleine leventje' in* American Beauty*, een film over liefde, vrijheid en het gezin.*

videobeelden. Hall filmde ook *Road To Perdition* (2002), Mendes' duistere hommage aan de gangsterfilms uit de jaren '30. *Jarhead* (2005), een ironische kijk op de eerste Golfoorlog, bevestigde het visuele talent van Mendes.

Fernando **Mereilles**

● 1955- 🏳 BRAZILIAANS 🏆 1998-
🎬 4 📺 Drama, comedy, thriller

Mereilles' *City of God (Cidade de Deus,* 2002) maakte deel uit van een opmerkelijke opleving van de Latijns Amerikaanse cinema. Dankzij dat debuut was Mereilles ook buiten Brazilië meteen een veelgevraagd regisseur.

Nadat Mereilles voor een mede door hemzelf opgericht onafhankelijk bedrijf de kinderfilm *The Nutty Boy 2 (Menino Maluquinho 2: A Aventura*, 1998) en de comedy *Maids (Domésticas*, 2001) had gemaakt, bewerkte hij een boek over het geweld tussen de jeugdbendes in een van de armste *favelas* van Rio de Janeiro tot *Cidade de Deus* (2002). Het harde licht, de snelle montage, de versnelde actie, de plotselinge overgangen en het gebruik van de handcamera maakten het tot een razendsnelle film die het gevaarlijke leven in de sloppenwijken feilloos registreert. Dezelfde

Alexandre Rodrigues *als Rocket, een fotograaf met onbeperkte toegang tot de* favelas *om verslag te doen van de gewelddadige bendeoorlogen, in* Cidade de Deus*.*

opgefokte stijl, die de indruk wekt dat Mereilles bijna bang is bij één onderwerp te blijven hangen, gebruikte hij soms weer voor de Britse film *The Constant Gardener* (2005). Die film over de meedogenloze jacht op winst van de drugshandel is een sociale en politieke thriller naar een van de bestsellers van John Le Carré.

BELANGRIJKSTE FILMS

2002	Cidade de Deus
2005	The Constant Gardener

Filmaffiche, *2005*

Lewis **Milestone**

◔ 1895-1980   🎬 AMERIKAANS   🏆 1925-1962

🎞 37   🏅 Divers

Lewis Milestone regisseerde een breed scala aan films, maar vanwege zijn absolute tophit *All Quiet on the Western Front* **(1930) zal hij voor altijd met oorlogsfilms worden geassocieerd.**

Milestone haalde nooit meer helemaal het niveau van de Oscar-winnende film *All Quiet on the Western Front*, een van de meest verbijsterende antioorlogsfilms aller tijden, maar *A Walk in the Sun* (1946), over de Tweede Wereldoorlog, en *Pork Chop Hill* (1959), over de oorlog in Korea,

BELANGRIJKSTE FILMS	
1930	All Quiet on the Western Front
1931	The Front Page
1932	Rain
1936	The General Died at Dawn
1940	Of Mice and Men
1946	A Walk in the Sun
1946	The Strange Love of Martha Ivers
1959	Pork Chop Hill

mochten er zeker zijn. Tot zijn beste 'vredes'-films behoorden de snelle comedy *The Front Page* (1931), een musical over de depressie *Hallelujah I'm a Bum* (1933), en de prachtige bewerking van het boek van John Steinbeck *Of Mice and Men* (1940). Andere opmerkelijke films zijn *Rain* (1932) en *The Strange Love of Martha Ivers* (1946), twee melodrama's met sterke rollen van Joan Crawford en Barbara Stanwyck, en de sfeerrijke thriller *The General Died at Dawn* (1936).

George (Burgess Meredith) *en Mae (Betty Field) luisteren naar de simpele Lennie (Lon Chaney jr.) in* Of Mice and Men, *een verhaal over niet te verwezenlijken dromen.*

Anthony **Minghella**

◔ 1954-   🎬 BRITS   🏆 1991-

🎞 6   🏅 Drama

De getalenteerde toneelschrijver (en ook nog even academicus) Anthony Minghella schreef jarenlang voor de televisie alvorens hij ook zelf films ging regisseren.

De eerste film die Minghella voor de BBC maakte, *Truly Madly Deeply* (1991), was het zeer Engelse antwoord op het speciaal voor Demi Moore geschreven *Ghost*: schattig en sentimenteel, maar met een wrange ondertoon. Zijn eerste Hollywoodfilm was het wollige *Mr. Wonderful* (1993). Hierna verfilmde hij samen met producent Saul Zaentz het door Michael Ondaatje geschreven oorlogsepos *The English Patient* (1996), een groots project dat Minghella niet minder dan negen Oscars opleverde. Minghella

BELANGRIJKSTE FILMS	
1991	Truly Madly Deeply
1996	The English Patient
1999	The Talented Mr. Ripley
2003	Cold Mountain
2006	Breaking and Entering

veroverde zijn eigen niche met semi-intellectuele literaire films als *The Talented Mr. Ripley* (1999, vijf Oscarnominaties) en *Cold Mountain* (2003, zes nominaties, één winnaar).

The Talented Mr. Ripley, *over een gestolen identiteit, met Gwyneth Paltrow, Jude Law en Matt Damon.*

Vincente **Minnelli**

🌐 1903-1986 🎬 AMERIKAANS 🎬 1942-1976

🎞 33 🎭 Musical, melodrama

De wereld van Vincente Minnelli bestaat uit schoonheid, fantasie, felle kleuren, stijlvolle decors en een zorgvuldige kostumering. Fred Astaire, Judy Garland, Gene Kelly, Cyd Charisse en Leslie Caron verzorgen de dans en muziek.

Vincente Minnelli verfilmde voor MGM zeven zeer succesvolle musicals. Hij debuteerde met de geheel zwarte musical *Cabin in the Sky* (1943), waarin tal van de sterren van die tijd een rol speelden. In *Meet Me in St. Louis* (1944), de eerste technicolorfilm, portretteerde Minnelli met een liefdevol oog voor historisch detail het leven van een gezin uit 1903. Hoogtepunten zijn de liedjes van de stralende Judy Garland (met wie Minnelli in 1945 trouwde). De decors van *The Pirate* (1948)

Filmaffiche, *1958*

Judy Garland zingt 'The Trolley Song' met Tom Drake en talloze anderen in Meet Me in St Louis, *een van de eerste en meest extravagante films in technicolor.*

zijn erg strak gestileerd, maar door het spel van Garland en Gene Kelly wordt het nooit een verfilmd toneelstuk. Kelly schittert (met Leslie Caron) in *An American in Paris* (1951), die met een 18 minuten durend ballet wordt afgesloten. *The Band Wagon* (1953), met Fred Astaire in zijn beste filmrol, omvat het liedje dat al het werk van Minnelli samenvat: 'That's Entertainment.' Van zijn latere cinemascopefilms bereikt alleen *Gigi* (1958) een vergelijkbaar niveau. In twee van Minnelli's 'gewone' films, *The Bad and The Beautiful* (1953) en *Lust for Life* (1956), schittert Kirk Douglas, respectievelijk als megalomane filmproducent en als Vincent Van Gogh. *Some Came Running* (1959) is een weelderig, provinciaals melodrama met als sterren Shirley MacLaine en Frank Sinatra.

Gene Kelly *en Leslie Caron zingen en dansen door 'Parijs', te midden van de decors in Hollywood, in* An American in Paris; *de film won zes Oscars.*

BELANGRIJKSTE FILMS

1944	Meet Me In St. Louis
1948	The Pirate
1951	An American in Paris
1953	The Bad and the Beautiful
1953	The Band Wagon
1956	Lust for Life
1958	Gigi
1959	Some Came Running

Kenji **Mizoguchi**

● 1898-1956 📖 JAPANS 🏆 1923-1956

🎬 89 👑 Kostuumdrama

Van de ruim 80 films die Kenji Mizoguchi regisseerde, haalden slechts enkele het Westen. Die toonden echter aan dat hij een van de grootste regisseurs aller tijden was.

Van 1922 tot 1936 werd Mizoguchi gedwongen films te maken waar zijn hart niet bij lag, maar geleidelijk ontwikkelde hij een eigen stijl en thema's. Zijn humanistische kijk op de wreedheden van feodaal Japan richt zich vooral op het lijden van de vrouw. Mizoguchi maakte gebruik van lange scènes en shots en beweegt de camera heel rustig; mede door het gebruik van langzame fade-overs en een minimum aan close-ups is zijn montage beperkt. Door in tijden van crisis wat meer afstand te nemen, verdiept hij de sympathie voor de personages. Zijn bekendste films zijn *The Life of Oharu* (*Saikaku Ichidai Onna*, 1952), *Tales of Ugetsu* (*Ugetsu Monogatari*, 1953) en *Sansho the Bailiff* (*Sanshô Dayû*, 1954), stuk voor stuk prachtig vertelde verhalen.

BELANGRIJKSTE FILMS	
1936	Osaka Elegy
1936	Sisters of the Gion
1939	The Story of the Last Chrysanthemums
1946	Utamaro and his Five Women
1952	The Life of Oharu
1953	Tales of Ugetsu
1954	Sansho the Bailiff
1956	Street of Shame

Yoru No Onnatachi (Women of the Night, *1948) is een emotioneel verhaal over het liefje van een dealer die ontdekt dat haar minnaar het ook met haar zus houdt.*

Michael **Moore**

● 1954- 📖 AMERIKAANS 🏆 1989-

🎬 8 👑 Documentaire

Vanaf het moment dat hij zijn persoonlijke documentaires ging maken is Michael Moore een hinderlijke luis in de pels geweest van fanatiek rechts, de niet-geëngageerde zakenwereld en gewetenloze politici.

Michael Moore heeft de documentaire eigenhandig vanuit de kelder naar een centraal podium in de filmwereld getild. Meestal is hij zelf het middelpunt van zijn bozige en soms komische onderzoeken naar sociale misstanden. In *Roger and Me* (1989) is Moore de ik-persoon uit de titel, en Roger de directeur van General Motors onder wiens leiding de fabriek in Flint in Michigan (waar Moore woont) gesloten werd. In *Bowling For Columbine* (2002) volgt Moore leden van de wapenlobby, die hij bijna persoonlijk beschuldigt van medeplichtigheid aan de schietpartij op een middelbare school in Colorado. *Fahrenheit 9/11* (2004) is een aanval op de 'stomme blanke mannen' – *Stupid White Men* is de titel van een boek van Moore over de presidentsverkiezingen van 2002.

Michael Moore (rechts) in de controversiële film Fahrenheit 9/11, *zijn afrekening met de regering van George W. Bush en diens oorlog tegen de terreur.*

BELANGRIJKSTE FILMS	
1989	Roger and Me
2002	Bowling for Columbine
2004	Fahrenheit 9/11

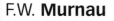

F.W. **Murnau**

● 1888-1931   🎬 DUITS   🎭 1919-1931

🎬 21   🎭 Drama, fantasy

F.W. Murnau (Frederich Wilhelm Plumpe) en Ernst Lubitsch waren twee totaal verschillende regisseurs, maar ze waren wel de twee Duitse sterren in Hollywood. Murnau kwam om bij een auto-ongeluk op weg naar de Paramount Studios, en hij liet vijf meesterwerken na.

Murnau liet voor het eerst van zich horen met bovennatuurlijke vertellingen. Zijn *Nosferatu, eine Symphonie des Grauens*, (1922), is de eerste en een van de engste van alle films over Dracula. *Der Letzte Mann* (1924) is wat uitvoering betreft expressionistisch, maar grenst ook aan de *Kammerspielfilm* (huiskamertoneel), de film gaat over gewone mensen en bevat ook iets van maatschappijkritiek. Het ontroerende verhaal over een oude portier in een hotel (Emil Jannings) die tot toiletbewaker wordt gedegradeerd, wordt helemaal zonder tekst verteld. De door het hotel speurende camera, de subjectieve opnames en de dronkemansdroom maken woord en overbodig. Jannings was

Emil Jannings *als Mephisto verleidt Faust (Gösta Ekman), ter beslechting van een weddenschap om de aarde tussen God en Satan, in Murnaus film Faust.*

BELANGRIJKSTE FILMS

1922	Nosferatu, ein Symphonie des Grauens
1924	Der Letzte Mann
1926	Faust
1927	Sunrise: A Song of Two Humans
1931	Tabu: A Story of the South Seas

opnieuw de ster in *Herr Tartüff* (1925) en *Faust* (1926), twee studiofilms met aan de oude meesters ontleende beeldspraak. In Hollywood regisseerde Murnau *Sunrise* (1927), het verhaal van een boer die zijn toegewijde vrouw wil doden omdat hij een ander heeft. De combinatie van Duitse en Amerikaanse techniek, het licht en de vloeiende camera maken de film tot een poëtisch meesterwerk. De studio voegde echter een happy end aan de film toe, en greep ook in bij twee andere films. Als reactie begon Murnau (met Robert Flaherty) voor zichzelf en ging hij naar de Stille Zuidzee voor de opnames van *Tabu* (1931), over een jonge visser die verliefd wordt op een maagd op Tahiti. De film won een Oscar voor de Beste Cinematografie.

George O'Brien *is de boer Anses en Janet Gaynor zijn vrouw Indre, in Sunrise; de boer wordt verliefd op een vrouw uit de stad, die voorstelt dat hij zijn echtgenote vermoordt.*

Mike **Nichols**

🌑 1931- 🎭 AMERIKAANS 🏆 1966-

🎞 19 🎭 Comedy, drama

Mike Nichols (Michael Igor Peschkowsky) viert zowel aan Broadway als in Hollywood triomfen met zijn gladde voorstellingen en zijn gestroomlijnde films. Zijn werk is uitdagender en degelijker dan het meeste van zijn collega's.

Niets uit de carrière van Mike Nichols had grotere invloed dan *The Graduate* (1967), die hem een Oscar voor de Beste Regie

opleverde. De film, die Dustin Hoffman tot ster verhief, sprak een jong publiek aan, zeker ook door de muziek van Simon and Garfunkel. Na een reeks mindere films kwam Nichols terug met *Working Girl* (1988), een romantische comedy die ook scherp naar werkende vrouwen kijkt. *Postcards from the Edge* (1990) gaat over de relatie tussen een Hollywoodster en haar labiele dochter, en *Primary Colors* (1998) gaat over een politicus die veel wegheeft van Bill Clinton.

Nichols debuteerde met Who's Afraid of Virginia Woolf? *In die film, die diverse Oscars won, spelen Richard Burton en Elizabeth Taylor een verbitterd middelbaar echtpaar.*

Manoel **de Oliveira**

🌑 1908- 🎭 PORTUGEES 🏆 1942-

🎞 31 🎭 Kostuumdrama, documentaire

Manoel de Oliveira is een van de origineelste en diepzinnigste kunstenaars die de filmwereld rijk is. Zijn productiefste periode bereikte hij pas op hoge leeftijd, en hij bleef films schrijven en maken tot ruim na zijn 90e verjaardag.

Ten tijde van de dictatuur van Salazar (1932-1968) was Oliveira veroordeeld tot jaren van stilzwijgen en inactiviteit. Daardoor was hij al in de zeventig toen hij kon beginnen met het bevredigen van zijn nieuwsgierigheid naar verlangen, angst, schuld en ondergang door het maken van films. Veel van zijn films zijn bewerkingen van literaire werken. Om die literaire kwaliteiten ten volle tot hun recht te laten komen maakt hij veelvuldig gebruik van lange, vaste shots, en hij herhaalt die shots dan regelmatig in prachtig vormgegeven kleurenbeelden. Oliveira bewaakt zijn oeuvre streng: hij liet vastleggen dat *Memories and Confessions* (*Visita ou Memórias e Confissões*, 1982) pas na zijn dood mag worden vertoond.

Ema *(Leonor Silveira) is de sensuele schoonheid die een verstandshuwelijk aangaat in* Abraham Valley, *een gekweld portret van privileges, passie en eenzaamheid.*

Max **Ophüls**

● 1902-1957 ⏱ DUITS ⚑ 1930-1955

🎬 21 🎭 Kostuumdrama, melodrama

Lola Montès vertelt het verhaal van de stoutmoedige, maar geruïneerde Lola (Martine Carol), hier met de door Peter Ustinov geniaal vertolkte circusdirecteur.

Het belangrijkste thema van Max Ophüls was de vluchtigheid van de liefde. Zijn bitterzoete, nostalgische films spelen zich in het verleden af, waarbij de draaiende camerabewegingen het vervliegen van de tijd uitbeelden.

Aan het begin van *La Ronde* (1950) loopt de ceremoniemeester door een filmstudio naar een fin-de-siècle-decor, trekt een operagewaad aan en zet een draaimolen in werking. Het is het alter ego van Ophüls, en de films zijn draaimolens die op de wijs van een wals bewegen. In *Le Plaisir* (1952) beweegt de camera met hem mee, en hij blijft op de steeds snellere muziek zwieren tot hij valt. In *Lola Montès* (1955) laat de meester zijn zweep in het midden van een circusring klappen als hij merkt dat de heldin wegdroomt, en de camera draait 360 graden om haar verleden te onthullen. Alles verwordt tot gesloten cirkels terwijl diverse stellen in *La Ronde* van partner wisselen en nadat de oorbellen van *Madame de...* (1953) van hand tot hand zijn gegaan.

Na in Duitsland *Leibelei* (1932), het verhaal over een gedoemde liefde, en vier andere films te hebben gemaakt, ging Ophüls naar de VS. De enige film die

BELANGRIJKSTE FILMS

1932	Leibelei
1940	De Mayerling à Sarajevo
1948	Letter From an Unknown Woman
1950	La Ronde
1952	Le Plaisir
1953	Madame de...
1955	Lola Montès

hij daar maakte die naar zijn Europese werk verwees was *Letter From an Unknown Woman* (1948). In 1949 maakte hij in Parijs *La Ronde* met de top uit de Franse filmwereld het op drie verhalen van Guy de Maupassant gebaseerde *Le Plaisir* het grappige tussendoortje *Madame de...* en *Lola Montès*, zijn enige kleurenfilm en dankzij cinemascope een wonder van ruimtelijkheid.

Anton Walbrook, de wereldwijze verteller, en Simone Signoret, the prostituee Leocadie, in La Ronde, over een keten van relaties in het Wenen van rond 1900.

Nagisa **Oshima**

● 1932- 🏳 JAPANS 🏆 1959-

🎬 26 🎭 Drama

De invloed van de Nouvelle Vague is voelbaar in het werk van Nagisa Oshima; hij maakt vooral stimulerende, verontrustende en provocerende metaforen van de Japanse sociale waarden.

Zowel *Death By Hanging* (*Koshikei*, 1968) als *Boy* (*Shonen*, 1969) ontleden het Japanse sociale leven kritisch. De eerste gaat over een veroordeelde man wiens lichaam weigert te sterven, de tweede vertelt hoe

BELANGRIJKSTE FILMS

1960	The Sun's Burial (Taiyo no Hakaba)
1968	Death by Hanging
1969	Diary of a Shinjuki Thief
1969	Boy
1971	The Ceremony (Gishiki)
1976	In the Realm of the Senses
1978	Empire of Passion
1999	Taboo (Gohatto)

een jongen van zijn ouders leert hoe hij zich door auto's kan laten aanrijden zodat zij geld van de verzekering kunnen opstrijken. Oshima stelt in *Diary of a Shinjuki Thief* (*Shinjuku dorobo nikki*, 1969) seksuele vrijheid gelijk aan opstand, maar berucht is *In the Realm of the Senses* (*Ai no corrida*, 1976), over obsessieve seks van een gangster met een hoer. *Empire of Passion* (*Ai No Borei*, 1978) is al even broeierig.

In een spookachtige *scène uit Oshima's historische drama* Empire of Passion *keert Gisaburo (Takahiro Tamura), een vermoorde riksjarijder, als geest terug.*

Yasujiro **Ozu**

● 1903-1963 🏳 JAPANS 🏆 1927-1962

🎬 54 🎭 Drama, comedy

Het werk van Ozu laat zich moeilijk omschrijven zonder in trivialiteiten te vervallen, maar binnen hun eigen kaders zijn de films rijk aan humor, emoties en psychologische en sociale inzichten.

Het werk van Yasujiro Ozu is beslist consistent. Hij is nooit getrouwd, maar behalve in zijn vroege films – lichtvoetige, op Hollywood geënte comedy's – is een centraal thema de relatie in gezinnen uit de middenklasse, en vooral de generatiekloof. Hij heeft zijn hele leven met dezelfde acteurs, actrices en technici gewerkt. Ook stilistisch en thematisch lijken de films uit zijn volwassen tijd veel op elkaar – dat geldt zelfs voor de titels – en hij werd dan ook meer in beslag genomen door de interactie tussen personages dan door het verhaal. Na 1930 gebruikte hij geen zachte beeldovergangen meer en hij bewoog de camera maar zelden. Elk van zijn scènes kent een grote formele schoonheid, die vaak met beelden van buiten en met muziek wordt benadrukt.

Keiji Sada *en Yoshiko Kuga drinken thee in* Ohayo, *een remake van Ozu's eerste film* I Was Born, But … *(1932); het zijn beide liefdevolle portretten van een jeugd.*

BELANGRIJKSTE FILMS

1947	The Record of a Tenement Gentleman
1949	Late Spring (Banshun)
1951	Early Summer (Bakushû)
1953	Tokyo Story (Tokyo Monogatari)
1956	Early Spring (Soshun)
1958	Equinox Flower (Higanbana)
1959	Good Morning (Ohayo)
1960	Late Autumn (Akibiyori)
1961	The End of Summer (Kohayagawa-ke No Aki)
1962	An Autumn Afternoon (Sanma No Aji)

Georg Wilhelm **Pabst**

⬤ 1885-1967   🏳 DUITS   🎬 1923-1956

🎞 31   🎭 Drama, oorlog

Dwingende beschrijvingen van menselijke vernedering in een corrupte maatschappij. De films van Pabst kwamen uit een Duitsland dat gekenmerkt werd door snelle inflatie en de opkomst van het nazisme, en zorgde voor een grote verschuiving van expressionisme naar realisme in de Duitse film.

Het is niet eerlijk tegenover Pabst, maar toch vallen in zijn beste films zijn actrices op, en niet de regisseur: de 20-jarige Greta Garbo, op de rand van de prostitutie in *Die Freudlose Gasse* (1925); Brigitte Helm als het eenzame blinde meisje in *Die Liebe der Jeanne Ney* (1927); Lotte Lenya in *Die Dreigroschenoper* (1931); en vooral de Amerikaanse Louise Brooks in *Büchse der Pandora* (1928) en *Tagebuch einer Verlorenen* (1929). *Büchse der Pandora* is een sterrenvehikel voor Louise Brooks, met haar zwarte kortgeknipte haar dat haar speelse gezicht omlijst en waarvan iedere uitdrukking is doordrenkt met erotiek. Het karakter dat ze neerzet – Lulu, de vrouw die mannen vernietigt – werd een van de iconen van de film en inspireerde Pabst tot het maken van haar beste werk, *Tagebuch einer Verlorenen* (1929). De film onderzoekt wederom de sociale en economische ineenstorting van het

De mysterieuze *Greta Garbo speelt Greta Rumfort, haar tweede hoofdrol, in* Die Freudlose Gasse *(1925), over het donkere leven in Wenen na de Eerste Wereldoorlog.*

naoorlogse Duitsland met een meedogenloze beschrijving van een heropvoedingschool voor meisjes. Zowel *Westfront 1918* (1930), de eerste geluidsfilm van Pabst, als *Kameradschaft* (1931), pleitte voor de zaak van internationale broederschap. De eerste eindigt met de hand van een Franse soldaat in die van een Duitse; de laatste gaat over Duitse mijnwerkers die hun Franse kameraden redden uit een mijnschacht waar ze vast zijn komen te zitten. Hoewel de *Dreigroschenoper* van Pabst een enigszins softere bewerking is van de Bertolt Brecht / Kurt Weill musical, bevat het nog genoeg antiburgerlijke vinnigheid. Onder de nazi's maakte Pabst drie historische films, waaronder *Paracelsus* (1943). Als een vorm van boetedoening zijn zijn latere films een aanval op het antisemitisme; de meest opmerkelijke is *Der Prozeß* (1948).

Westfront 1918 *van Pabst geeft een realistisch beeld van het prikkeldraad en de loopgraven in de Eerste Wereldoorlog, gezien door de ogen van vier jonge Duitse soldaten.*

BELANGRIJKSTE FILMS	
1927	Die Liebe der Jeanne Ney
1928	Büchse der Pandora
1929	Tagebuch einer Verlorenen
1931	Dreigroschenoper
1931	Kameradschaft

Sergei **Paradjanov**

◖ 1924-1990 🏳 GEORGISCH 🏆 1954-1988

🎞 11 👕 Kostuumdrama

De poëtische, schilderachtige, adembenemende films zijn niet alleen een verkenning van de historie en folklore van het geboorteland van deze grote regisseur, maar ook van zijn persoonlijke universum.

Geboren in Georgië uit Armeense ouders, werd hij in 1974 drie jaar gevangengezet in de Sovjet-Unie vanwege verschillende 'misdaden'. Zijn eerste film die in het westen te zien was, *Shadows of Forgotten Ancestors* (Tini Zabutykh Predkiv, 1964) toont zijn opmerkelijke talent voor lyriek en

In The Shadows of Forgotten Ancestors *speelt Ivan Mikolajchuk (midden), hier in het traditionele kostuum van de Oekraïense Hutsuls, een tragische held.*

weelderigheid. Zijn liefde voor muziek, dansen en kostuums bereikte haar top met *The Colour of Pomegranate* (*Sayat Nova*, 1969), de sprekende beelden – een serie vertoningen – die de gedichten uitbeelden van de 18de-eeuwse Georgische dichter Sayat Nova. In zijn laatste film *Ashik Kerib* (*Ashug-Karibi*, 1988) zit op het einde een witte duif op een zwarte camera en fladdert van het verleden de toekomst in.

BELANGRIJKSTE FILMS

1963	The Stone Flower
1964	Shadows of Forgotten Ancestors
1969	The Colour of Pomegranates
1988	Ashik Kerib

Alan **Parker**

◖ 1944- 🏳 BRITS 🏆 1976-

🎞 14 👕 Musical, thriller, drama

De films van Alan Parker kenmerken zich door technische bravoure, sterke, vaak kritische verhalen en een voorkeur voor het theatrale.

Alan Parkers films tonen zijn talent voor nieuwe en doortastende ideeën (hij was eerst een succesvol reclamemaker). In zijn eerste film, *Bugsy Malone* (1976), spelen kinderen de rol van gangsters in het Chicago van de jaren 1920. Het controversiële *Midnight Express* (1978), het grootste succes van Parker, is gebaseerd op het ware verhaal van een jonge Amerikaan die in Istanbul in de gevangenis terechtkomt voor het smokkelen van drugs. Ook sterke films, maar meer politiek vooruitstrevend, zijn *Birdy* (1985), die zich afspeelt in een legerhospitaal tijdens de Vietnamoorlog, en *Mississippi Burning* (1988), een drama over

BELANGRIJKSTE FILMS

1976	Bugsy Malone
1978	Midnight Express
1985	Birdy
1988	Mississippi Burning
1991	The Commitments
1996	Evita

mensenrechten. Daartegenover staan *Fame* (1980) een musical die jonge mensen volgt op de American Academy of Performing Arts, en *Evita* (1996), een bewerking van de toneelmusical. Vreemd genoeg spelen alleen Pink Floyd's *The Wall* (1982) en *The Commitments* (1991) zich af op de Britse eilanden.

Madonna *speelt de hoofdrol van Evita Perón in* Evita, *gebaseerd op de musical van Andrew Lloyd Webber.*

Pier Paolo **Pasolini**

🌑 1922-1975 🏳 ITALIAANS 🏆 1961-1975

🎬 12 😊 Satire, drama

Hoewel de films van Pier Paolo Pasolini hun wortels hebben in het Italiaanse neorealisme, zijn ze doortrokken van ideologie en mythe.

Pasolini was een bekende schrijver, dichter en scenarioschrijver voordat hij zijn eerste film *Accatone* (1961) maakte. Hij gebruikte zijn kennis van Rome voor zijn realistische beschrijving van een verlaten stedelijk landschap, dat zijn fascinatie voor sociale verschoppelingen laat zien. *Il Vangelo Secondo Matteo* (1964) is een poging om Jezus te laten zien als een gewone Italiaanse plattelander. *Edipo Re* (1967) heeft, hoewel trouw aan Sophocles, een proloog en een epiloog die zich afspelen

De kwajongen *Perkins (Ninetto Davoli)) is het onderwerp van spot in de seksueel expliciete vertolking van* The Canterbury Tales, *opgenomen in Canterbury, VK.*

BELANGRIJKSTE FILMS

1961	Accatone
1964	Il Vangelo Secondo Matteo
1967	Édipo Re
1968	Teorema
1971	Il Decameron (Decamarone)
1972	I Racconti di Canterbury (The Cantebury Tales)
1974	Il Fiore Delle Mille e Una Notte (Arabian Nights)
1975	Salò o le 120 Giornate die Sodoma

in het moderne Rome. Pasolini behandelt de middenklasse voor het eerst in *Teorema* (1968), waarin de leden van een burgerlijke familie seksueel bevrijd worden door een vreemdeling. *Il Decameron* (1971), *I Racconti di Canterbury* (1972) en *Il Fiore Delle Mille e Una Notte* (1974) vormen een trilogie, waarin de vrije geest van het origineel goed wordt vastgelegd. De laatste tien minuten van zijn laatste film, *Salò o le 120 Giornate die Sodoma* (1975), een moderne versie van de roman van De Sade, behoren tot de meest opmerkelijke in de filmgeschiedenis.

Jezus Christus *(Enrique Irazoqui) gekust door Judas (Otello Sestili) in* Il Vangelo Secondo Matteo.

Sam **Peckinpah**

◗ 1925-1984 ▯ AMERIKAANS 🎬 1961-1983

🎞 15 🤠 Western

Omdat hij werd geassocieerd met de opkomst van het levendige geweld op het scherm in de jaren 1960 in Hollywood, waren de lyrische filmportretten van Sam Peckinpah een ontnuchtering.

Sam Peckinpah, geboren en getogen op een ranch in Californië, ging naar de militaire academie en was tijdelijk bij de marine. Die achtergrond is duidelijk in zijn films te zien: een masculiene wereld waar mannelijkheid en onafhankelijkheid getoond worden via geweld. Vandaar zijn nostalgie voor het oude westen, waar mannen helden zijn en vrouwen onderdanig. Het terugkerende thema van 'een onveranderde man in een veranderd land' wordt geïntroduceerd in zijn tweede speelfilm, *Ride the Hight Country* (1962) met Randolph Scott en Joel McCrea als ouder wordende pistoolhelden in een herfstig landschap. William Holden en zijn bende in *The Wild Bunch* (1969), die zich afspeelt in 1914, proberen te leven als bandieten uit een andere tijd, hoewel de

Controversieel en gedreven; *Peckinpah werd beschreven als de gewelddadige dichter van de film en kreeg de minder vleiende bijnaam 'bloederige Sam'.*

scènes van bloedbaden het jaar laten zien waarin de film gemaakt werd. *The Ballad of Cable Hogue* (1970) is een ander klaaglied op het oude westen, maar meer met Peckinpahs scherpe gevoel voor humor. Steve McQueen in de titelrol van *Junior Bonner* (1972), een nogal ontroerend karakter, doet anachronistisch aan (eigenlijk als de regisseur zelf) in het westen nieuwe stijl, zijn eigen morele waarden volgend en levend op de rand van de maatschappij. Peckinpah had een voortdurende strijd met de producers, die hij zag als de slechteriken. Hij keurde bijvoorbeeld *Major Dundee* (1965) af, toen deze door anderen was gemonteerd (een langere versie, dichter bij de versie van de regisseur, werd in 2005 uitgebracht).

Billy (Kris Kristofferson) *en Pat (James Coburn) spelen oude vrienden die tegenover elkaar komen te staan in de western uit 1973* Patt Garrett en Billy the Kid.

BELANGRIJKSTE FILMS

1962	Ride the High Country
1965	Major Dundee
1969	The Wild Bunch
1970	The Ballad of Cable Hogue
1973	Pat Garrett and Billy the Kid
1974	Bring Me the Head of Alfredo Garcia

Wolfgang **Petersen**

◯ 1941-   🏳 DUITS   ⬚ 1981-

▦ 13   ☷ Drama

Zeer kundig in het in elkaar zetten van suspense, maar nauwelijks geïnspireerd in het kiezen van scripts, doet Wolfgang Petersen het beste met wat hij krijgt aangeboden.

Het Hollywoodwerk van Petersen bevat *In the Line of Fire* (1993), Clint Eastwood op het lijf geschreven, het homerische epos *Troy* (2004) met Brad Pitt en Eric Bana en de mysterieuze thriller *Shattered* (1991), die hij zelf schreef. Maar *The Perfect Storm* (2000) was een teleurstelling en *Air Force One* (1997) inhoudsloos. Desondanks zal Petersen altijd herinnerd blijven om die

Das Boot, *oorspronkelijk een Duitse miniserie, veranderde Petersens carrière en bracht hem naar de wereld van de kassuccessen in Hollywood.*

ene film, *Das Boot* (1981), een intens, dapper, claustrofobisch onderzeeboot- drama. De film veroorzaakte een sensatie in Duitsland door zijn sympathieke por- tretten van pragmatische marinemensen die hun werk doen. De film was, misschien verrassend, net zo populair in de VS. Daar werd hij genomineerd voor zes Oscars (Petersen voor zijn regie en het scenario). De reputatie van de film als moderne klassieker staat nog steeds als een huis.

BELANGRIJKSTE FILMS	
1981	Das Boot
1993	In the Line of Fire
2004	Troy

Roman **Polanski**

◯ 1933-   🏳 POOLS   ⬚ 1962-

▦ 17   ☷ Drama

Het leven van Polanski heeft veel invloed gehad op de onderwerpen van zijn films. Ze tonen een nogal somber beeld van de mensheid, maar ze worden verteld met een absurdistische humor.

Geboren uit Poolse ouders die naar het concentratiekamp werden gestuurd, herziet Polanski het Polen uit de jaren 1940 in de Oscarwinnende film *The Pianist* (2002), zijn eerste film in zijn geboorteland sinds *Het Mes op het Water* (*Nóz w Wodzie*, 1962). Er is weinig onderscheid tussen nachtmerrie en realiteit in veel van zijn films. Mia Farrow gilt: 'This is not a dream, It is reality,' in *Rosemary's Baby* (1968) als ze denkt dat ze zwanger is geraakt van de duivel. We zijn getuige van de 'realiteit' als Catherine Deneuve instort als de muren van haar kamer tot leven komen in *Repulsion* (1965). Seks is een rode draad in

BELANGRIJKSTE FILMS	
1962	Het Mes op het Water
1965	Repulsion
1965	Cul-de-Sac
1968	Rosemary's Baby
1974	Chinatown
1976	The Tenant
2002	The Pianist

zijn werk: seksuele rivaliteit (*Het Mes op het Water*), seksueel afgrijzen (*Repulsion*), seksuele vernedering (*Cul-de-Sac*, 1965) en incest (*Chinatown*, 1974). De wrede moord op zijn vrouw Sharon Tate werd gevolgd door zijn verfilming van *Macbeth* (1971), het met bloed doordrenkte stuk van Shakespeare.

Adrian Brody *speelt Wladyslaw, een Pools-joodse pianist die getuige is van de nazi-vervolgingen, in* The Pianist.

Michael **Powell,**
Emeric **Pressburger**

● 1905-1990 (Powell), 1902-1988 (Pressburger)

🏳 BRITS (Powell), HONGAARS (BRITS)

(Pressburger) 🎬 1939-1972 (Powell), 1942-1956

(Pressburger) 🎞 50 (Powell), 16 (Pressburger)

🎭 Fantasy, musical, oorlog

De films die voorzien zijn van de ongebruikelijke credits 'Geproduceerd, geschreven en geregisseerd door Michael Powell en Emeric Pressburger' zijn excentrieke, grappige fantasieën. Ze contrasteren erg met de realistische benadering van de Britse film in die periode.

In 1939 werkte Michael Powell (als regisseur) voor het eerst samen met de Hongaar Emeric Pressburger (als scriptschrijver) aan *The Spy in Black*. Zo begon een van de meest innige creatieve samenwerkingen in de geschiedenis van de film. Hun werkrelatie was zo nauw, dat ze – hoewel Pressburgers bijdrage vooral bestond uit schrijven en Powell het voor het zeggen had op de studiovloer – gezamenlijk de eer kregen voor het regisseren van hun films. Dit heeft bijgedragen aan hun merkwaardige mengeling van het typisch Britse en de Midden-Europese. Er is een mystieke liefde voor Engeland in *A Canterbury Tale* (1944) en voor Schotland

Filmaffiche, *1959*

in *I Know Where I'm Going* (1945), en voor Brits patriottisme en moed in *One of Our Aircraft is Missing* (1942) en *The Small Back Room* (1948). Toch zijn de meest sympathieke karakters gespeeld door verschillende Duitse acteurs, in *The Spy in Black* (Conrad Veidt, 1939), en het controversiële *The Life and Death of Colonel Blimp* (Anton Walbrook, 1943). *A Matter of Life and Death* (1946), *The Red Shoes* (1948), *The Tales of Hoffmann* (1951), en *Oh... Rosalinda!* (1955), staan dichter bij de wereld van de Hollywood musicals van Vincente Minelli dan welke Britse film ook. Beide onderzochten de aard van de film en de verbondenheid met theater, schilderijen en muziek. *The Red Shoes*, misschien de populairste film van het duo, is ook een allegorie van de toewijding van de regisseurs aan de kunst, in de persoon van Boris Lermontov, de impresario van de balletdanser in de film. Van de twaalf films die ze maakten tussen 1943 en 1956 waren er negen in technicolor (cinematografie Jack Cardiff, camera Christopher Challis) met flamboyante sets en ontwerpen (Hein Heckroth

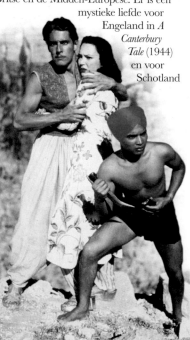

John Justin, *June Duprez en Sabu in* A Thief of Bagdad, *een vroege Powell-Berger-Whelan film.*

en Alfred Junge). De studiosets van Junge voor *Black Narcissus* (1947) zorgden voor de sfeer van een klooster in de Himalaya, waar nonnen worstelen met verlangen. Een onstuimige mengeling van godsdienst en erotiek loopt ook door het wonderbaarlijk vreemde *A Canterbury Tale*, waarin een man lijm gooit over de hoofden van meisjes die afspraakjes maken met militairen. Het team ging uit elkaar na de Tweede Wereldoorlog-avonturenfilm *Ill Met By Moonlight* (1956). Alleen had Powell nooit meer hetzelfde succes, hoewel het perverse *Peeping Tom* (1959), over een psychopathische moorde-naar die zijn slachtoffers fotografeert op het moment van hun dood, vol zit met verschillende niveaus van interpretatie en door de jaren heen een betere reputatie kreeg. In de jaren 1970 werd Powell 'herontdekt' door Martin Scorsese en Francis Ford Coppola, die projecten met hem opzetten. In 1981 werd hij benoemd als adviseur bij de Zoetrope Studio's van Coppola en in 1984 trouwde hij met de editor van Scorsese, Thelma Schoonmaker.

Moira Shearer *speelt Victoria, een jonge danseres, met Léonide Massine in* The Red Shoes, *een romance die zich afspeelt in de wereld van het ballet.*

In One of Our Aircraft is Missing *spelen Robert Beatty, Emrys Jones en Bernhard Miles de bemanning van een bommenwerper, die wanhopig probeert te overleven.*

Otto **Preminger**

● 1905-1986   🏴 OOSTENRIJKS (V.S.)   🏆 1931-1980

🎬 37   🎞 Film noir, thriller

De beste films van Otto Preminger die vanaf 1935 in de VS zijn gemaakt, zijn sfeervolle misdaad-melodrama's.

Als jonge man zag Preminger veel rechtszaken omdat zijn vader officier van justitie was in Wenen. Veel van zijn films zijn opgebouwd als stukjes bewijs in een strafzaak, waarin de karakters zichzelf verraden door hun obsessies. In *Laura* (1944) wordt een

BELANGRIJKSTE FILMS	
1944	Laura
1945	Fallen Angel
1947	Daisy Kenyon
1956	The Man with the Golden Arm
1959	Anatomy of a Murder
1960	Exodus
1962	Advise and Consent

detective verliefd op een 'dode' vrouw. Moorden en rechtszaken komen ook voor in *Fallen Angel* (1945) en *Whirlpool* (1949). In *The Thirteenth Letter* (1951) staat een hele stad terecht, en rechtszaken staan ook centraal in *The Court-Martial of Billy Mitchell* (1955), *Saint Joan* (1957) en *Anatomy of a Murder* (1959). Deze worden gezien als Premingers belangrijkste films, samen met *Daisy Kenyon* (1947) met Joan Crawford. Preminger streed met de censuur over *The Moon is Blue* (1953) en *The Man with the Golden Arm* (1956). In de jaren 1960 maakte hij kaskrakers als *Exodus* (1960) en *Advise and Consent* (1962).

James Stewart, *Ben Gazarra en Arthur O'Connell bespreken de verdediging in* Anatomy of a Murder.

Vsevolod **Pudovkin**

● 1893-1953   🏴 RUSSISCH   🏆 1926-1953

🎬 13   🎞 Epos, kostuumdrama

Vsevolod Pudovkin, een vertegenwoordiger van de experimentele Russische stomme film, werd later in zijn carrière gedwongen om de lijn van de Communistische Partij te volgen.

Pudovkin en zijn tijdgenoot Eisenstein behoorden tot de eerste grote theoretici van de film. Een vergelijking werd gemaakt toen de twee een film regisseerden over hetzelfde onderwerp, op dezelfde locatie, op hetzelfde moment. *The End of St. Petersburg* (*Konets Sankt-Peterburga*, 1927) van Pudovkin is menselijker en minder gestileerd dan *Ten Days that Shook the World* (*Oktyabr*) van Eisenstein, die de effecten van de revolutie in 1917 op een ongeschoolde jongen

van het platteland laat zien. De eerste speelfilm van Pudovkin, *Mother* (*Mat*, 1926) is de bewerking van de onsamenhangende roman van Maxim Gorky tot een strak geconstrueerde vertelling. Zijn laatste grote stomme film, het gepassioneerde *Storm Over Asia* (*Potomok Chingis-Khana*, 1928) vertelt het verhaal van Bair (Valeri Inkishanov), een Mongoolse nomade die zijn volk leidt tegen de Britse bezettingsmacht.

In deze dramatische scène *uit* Storm Over Asia, *wordt Bair, de Mongoolse pelsjager, gevangen genomen door Britse soldaten.*

BELANGRIJKSTE FILMS	
1926	Mother
1927	The End of St. Petersburg
1928	Storm Over Asia

Nicholas **Ray**

◐ 1911-1979 ⚲ AMERIKAANS 🎬 1948-1963

🎞 20 🎬 Film noir, western, epos

Zelfs binnen de context van de Hollywoodstudio wist Nicholas Ray een aantal 'off-beat' films te maken, die zich richtten op vreemde karakters en gebruikmaakten van dynamische uitsneden en theatrale kleuren.

Een fragment voorafgaand aan *They Live By Night* (1948), de eerste speelfilm van Ray, laat ons kennismaken met Cathy en Farley, het noodlottige bandietenpaar, en heeft als ondertitel: 'Deze jongen, dit meisje, zijn nooit goed voorgesteld aan de wereld waarin wij leven.' Deze verklaring is van toepassing op de meeste van Ray's karakters, zoals Nick (John Derek), de jongen uit de sloppen die berecht wordt voor moord in *Knock on Any Door* (1949), Dixon (Humphrey Bogart) de eenzelvige filmschrijver met sadistische neigingen in *In a Lonely Place* (1950), en de misantropische agent Jim (Robert Ryan) in *On Dangerous Ground* (1951). Zij, samen met Jim, Judy en Plato (James Dean, Natalie Wood en Sal Mineo) in *Rebel Without a Cause* (1955) en Ed (James Mason), verslaafd aan cortisone in *Bigger Than Life* (1956), zijn allemaal eenlingen die proberen contact te maken met de wereld. Zoals Johnny (Sterling Hayden) zegt in *Johnny Guitar* (1954), 'I'm a stranger here myself'. Ray's gebruik van kleur en de choreografische actieopnames suggereren een vorm van musical, hoewel hij nooit een musical maakte. De antropologie in *The Savage Innocents* (1960), de ecologie in *Wind Across the Everglades* (1958) en de neuroses van mannelijke hoofdrolspelers zoals Jeff (Robert Mitchum) in *The Lusty Men* (1952), zijn kenmerken die deze films ongebruikelijk maakten voor die tijd. De sombere kant van Ray werd onderdrukt in de epische films *King of Kings* (1961) en *55 Days at Peking* (1963). Zijn laatste werk *Lightning Over Water* (1980) handelt over zijn leven met een hersentumor.

Joan Crawford, *hier met Ben Cooper en Scott Brady, was een van de vrouwen in* Johnny Guitar, *de andere was Mercedes McCambridge. De film is zowel een psychologische studie als een indringend sociaal commentaar.*

BELANGRIJKSTE FILMS	
1948	They Live By Night
1950	In a Lonely Place
1953	Johnny Guitar
1955	Rebel Without a Cause
1956	Bigger Than Life
1958	Wind Across the Everglades

Satyajit **Ray**

● 1921-1992 INDIA 🎬 1955-1991

🎞 31 🎭 Drama

Rays films, die vooral gaan over het treffen tussen traditionele en moderne geloven, bieden geen gemakkelijke antwoorden, maar onthullen het menselijke gezicht van zijn enorme land.

Pather Panchali (*Song of the Road*, 1955), *Aparajito* (*The Unvanquished*, 1956) en *Apur Sansar* (*The World of Apu*, 1959) zijn wereldwijd bekend als de Apu-trilogie en vestigden de internationale roem van Ray. De meeste van zijn thema's zijn verwerkt in de trilogie, vooral het effect van veranderingen op individuen. *The Music Room* (*Jalsaghar*, 1958) richt zich op een ouder wordende aristocraat die probeert vast te houden aan de tijd die voorbij is, terwijl in *The Ches Players* (*Shatranj ke Khilari*, 1977) een 19e-eeuwse nawab de golf van veranderingen probeert te stoppen. *The Lonely Wife* (*Charulata*, 1964) en *Days and Nights in the Forest* (*Aranyer Din Ratri*, 1969) zijn beide subtiele meesterwerken, die de invloed van Jean Renoir en Anton Tsjechov laten zien.

In The Chess Players, *overlegt nawab Wajid Ali Shah (Amjad Khan) met zijn eerste minister (Victor Banerjee) voordat hij van zijn troon wordt gestoten door de Britten.*

BELANGRIJKSTE FILMS

1955	Pather Panchali (Song of the Road)
1956	Aparajito (The Unvanquished)
1958	Jalsaghar (The Music Room)
1959	Apur Sansar (The World of Apu)
1963	The Big City
1964	Charulata (The Lonely Wife)
1969	Aranyer Din Ratri (Days and Nights in the Forest)
1973	Distant Thunder
1975	The Middle Man
1977	The Chess Players

Carol **Reed**

● 1906-1976 BRITS 🎬 1933-1972

🎞 28 🎭 Thriller

Met het regisseren van een aantal drama's met daarin geweldige acteurs, creëerde Carol Reed films die rijk waren aan sfeer en omgeving.

De meeste van de successen van Carol Reed waren literaire bewerkingen met complexe hoofdfiguren. Hij weet briljant de spanning vast te houden in zijn eerste succes *Odd Man Out* (1947), waarin de laatste uren beschreven worden van een gewonde schutter van de IRA die op de vlucht is. Reed bereikte de top van zijn carrière met twee films waarvan de scripts van Graham Greene waren: *The Fallen Idol* (1948), een intens claustrofobisch drama vanuit het perspectief van een kind op de volwassen wereld, en *The Third Man* (1949) een sfeervolle thriller in de schaduwwereld van het naoorlogse Wenen. Hij probeerde de sfeer van zijn eerdere films opnieuw te treffen in *The Man Between* (1953), en keerde terug naar Greene met *Our Man in Havana* (1959). Een van zijn grotere projecten was de Oscarwinnende musical *Oliver!* (1968).

Noël Coward, *Alec Guinness en Burl Ives krijgen instructies op de set van Our Man in Havana, een satirische comedy over spionage in Cuba.*

BELANGRIJKSTE FILMS

1940	Night Train to Munich
1941	Kipps
1947	Odd Man Out
1948	The Fallen Idol
1949	The Third Man
1959	Our Man in Havana
1968	Oliver!

Jean **Renoir**

● 1894-1979 ◻ FRANS ☙ 1925-1970
𝄃 37 ☺ Drama, klucht, musical

De carrière van Jean Renoir omvat bijna de hele filmhistorie van expressionisme tot neorealisme. Zijn films reiken van film noir tot aan Hollywoodstudioproducties en van de periode van de technicolorspektakels tot aan de snelle televisietechnieken.

Als zoon van Pierre-August Renoir, de impressionistische schilder, ging Jean Renoir films maken om zijn vrouw (Catherine Hessling, een van de modellen van zijn vader) tot een ster te maken. Hij liet haar vreemd gestileerde manier van acteren zien in zijn eerste vijf stomme films. Maar Renoir kwam pas echt tot bloei als regisseur met de komst van het geluid, dat hij briljant wist te gebruiken. Hij regisseerde Michel Simon in drie van zijn eerste geluidsfilms, waaronder *Boudu Sauvé des Eaux* (1932), waarin Simon, die een zwerver speelt, het onaangepaste karakter is dat gevangen zit in een burgerlijk huwelijk. De films van Renoir zijn gelijkmatig: er komen geen helden en misdadigers in voor. De drie krijgsgevangenen in *La Grande Illusion* (1937), uit de werkende klasse, de middenklasse en de aristocratie, zijn verbonden in broederschap. In *La Règle du Jeu* (1939) zijn de bedienden even belangrijk als hun heren. 'Het slechte aan deze wereld is, dat iedereen zijn redenen heeft,' zegt een karakter in de film. Het

lukte Renoir om tijdens de Tweede Wereldoorlog zijn stijl te behouden in de VS en zelfs de studio's ervan te overtuigen om *The Southerner* (1945) op locatie op te nemen. Na zijn terugkomst in Europa maakte hij drie operetteachtige films over de keuze

Filmaffiche, *1937*

tussen het theater en het leven: *Le Carrosse d'Or* (1953) met Anna Magnani; *French Can-Can* (1955) met Jean Gabin; en *Elena et les Hommes* (1956) met Ingrid Bergman. De films van Renoir zijn unieke samenvoegingen van emoties, realisme, fantasie, tragedie en klucht.

Jean Gabin *en Simone Simon spelen in* La Bête Humaine, *een psychologische thriller over een treinmachinist met zelfmoordneigingen, gebaseerd op de roman van Émile Zola*

Alain **Resnais**

◕ 1922-   🎬 FRANS   🎬 1959-

🎞 15   🎭 Drama, romantiek, oorlog

Alain Resnais mengt herinnering, verleden en heden, verlangen en voldoening, en hij behandelt geluid, woorden, muziek en beelden op een gelijkwaardige manier.

In *Hiroshima Mon Amour* (1959) heeft een Franse actrice een verhouding met een Japanse architect. Het speelt zich af in een herbouwd Hiroshima dat nog steeds is getraumatiseerd door de verschrikkingen van de atoombom, beelden van het verleden van de actrice, van Frankrijk in oorlogs-

tijd schieten door haar hoofd. *L'Année Dernière à Marienbad* (1961) veranderde het concept van subjectieve tijd in de film. *Muriel* (1963) lijkt aan de oppervlakte realistischer, maar is net zo gestileerd en bovennatuurlijk als zijn eerdere films. Deze drie meesterwerken werden nooit meer geëvenaard, hoewel *La Guerre est Finie* (1966), het portret van een ouder wordende banneling in Frankrijk, uit het Spanje van Franco, en *Providence* (1977), een nachtmerrie die beleefd wordt door een stervende romanschrijver, in de buurt komen.

Elle (Emmanuele Riva) *en Lui (Eiji Okada) troosten elkaar in* Hiroshima Mon Amour; *de film laat de fixatie zien van Resnais met geheugen, verleden en tijd.*

BELANGRIJKSTE FILMS	
1959	Hiroshima Mon Amour
1961	L'Année Dernière à Marienbad
1963	Muriel
1966	La Guerre est Finie
1974	Stavisky
1977	Providence
1997	On connaît la Chanson

Tony **Richardson**

◕ 1928-1991   🎬 BRITS   🎬 1959-1990

🎞 21   🎭 Avontuur, drama, romantiek

Aan het begin van zijn carrière was Tony Richardson de meest representatieve regisseur van het nieuwe Britse realistische 'Kitchen sink'- drama. Later maakte hij een aantal bewerkingen uit de literatuur.

Als lid van een groep scenarioschrijvers en filmmakers die bestempeld werden als 'angry young men', richtte Tony Richardson samen met Karel Reisz en John Osborne in 1958 Woodfall Films op, om films te produceren over het sociaal realisme. Zijn eerste twee speelfilms waren scherpe versies van stukken van Osborne, *Look Back in Anger* (1959) en *The Entertainer* (1960).

Albert Finney *speelt Tom, een 18-eeuwse Engelsman die houdt van vrouwen, eten en wilde avonturen in* Tom Jones; *hier maakt hij Sophie (Susannah York) het hof.*

BELANGRIJKSTE FILMS	
1959	Look Back in Anger
1960	The Entertainer
1961	A Taste of Honey
1962	The Loneliness of the Long Distance Runner
1963	Tom Jones
1968	The Charge of the Light Brigade

Richardson mengde de Franse Nouvelle Vague-technieken met die van hemzelf voor *A Taste of Honey* (1961) en *The Loneliness of the Long Distance Runner* (1962), waarschijnlijk zijn beste films. In groot contrast hiermee stond *Tom Jones* (1963) waarin de pseudoheroïsche, 18e-eeuwse roman van Henry Fielding wordt omgevormd tot een stoeipartij van filmische trucs. In de laatste films van Richardson, die hij in de VS maakte, ontbrak het typische Britse stempel dat wel in zijn eerdere films aanwezig was.

Leni **Riefenstahl**

🌐 1902-2003 🏳 DUITS 🎬 1932-1944

🎞 5 🎭 Documentaire, propaganda

Ondanks haar ontkenning dat haar documentaires de nazipartij en de Olympische Spelen in Berlijn bejubelden, maakte ze die briljant tot grote propagandaspektakels.

Riefenstahl speelde zelf in haar eerste speelfilm *Das Blaue Licht* (1932), een 'bergenfilm', waarin indrukwekkende bergen een belangrijke rol speelden. Hitler was onder de indruk en zorgde ervoor dat ze 40 cameramensen kreeg om de bijeenkomsten van Nürnberg in 1934 te filmen, met de titel *Triumph des Willens* (1935). In de film zien we Hitler als een wagneriaanse held die afdaalt naar de middeleeuwse stad.

BELANGRIJKSTE FILMS	
1932	Das Blaue Licht
1935	Triumph des Willens
1938	Olympia
1944	Tiefland

De zon schijnt op zijn hoofd als een halo, terwijl verrukte gezichten naar hem op kijken. Riefenstahl werd toen belast met het filmen van de Olympische Spelen van Berlijn in 1936; dat werd *Olympia* (1938). Ze werd in 1945 door de geallieerden op een zwarte lijst gezet en kon zeven jaar niet werken. Na die tijd maakte ze *Tiefland* (1954) af, waaraan ze in 1935 was begonnen.

Originele Duitse poster voor Triumph des Willens. *De innovatieve cameratechnieken van Riefenstahl en haar revolutionaire benadering van muziek en cinematografie maakt dit tot een van de grootste propagandafilms.*

Jacques **Rivette**

🌐 1928- 🏳 FRANS 🎬 1960-

🎞 20 🎭 Avant-garde, fantasy, comedy

De films van Jacques Rivette zijn uitdagend, intellectueel onderzoekend en compromisloos lang. Ze zijn waarschijnlijk de meest ondergewaardeerde onder het werk van de Franse Nouvelle-Vague-regisseurs.

Het is ironisch dat voor een regisseur die zo betrokken is bij de film, het theater het meeste van Jacques Rivettes werk beheerst. Een van de voornaamste thema's is 'het toneelstuk binnen de film', dat hij onderzocht in zijn eerste speelfilm, *Paris Nous Appartient* (1961), waarin een groep van amateur-acteurs bijeenkomt in een verlaten zomers Parijs om het stuk *Pericles* van Shakespeare op te voeren. Parijs is de constante achtergrond van zijn films, zo realistisch mogelijk gezien, maar wel met fantasiescénes. Een van zijn meest toegankelijke films is *Céline et Julie Vont en Bateau* (1974) een briljante, komische overpeinzing over de aard van fictie. Het onderzoek van Rivette naar het functioneren van creativiteit bereikte zijn hoogtepunt in *La Belle Noiseuse* (1991). De gekwelde strijd van een artiest om zichzelf op het podium te uiten, wordt hier pijnlijk duidelijk gemaakt.

Camille (Jeanne Balibar), *een toneelspeelster, jaagt op een kwijtgeraakte ring in* Va Savoir, *een comedy, die zich afspeelt tegen een achtergrond van theater.*

BELANGRIJKSTE FILMS	
1961	Paris Nous Appartient
1966	La Religieuse
1968	L'Amour Fou
1974	Céline et Julie Vont en Bateau
1991	La Belle Noiseuse
1994	Jeanne la Pucelle
2001	Va Savoir

Glauber **Rocha**

◔ 1938-1981 ▣ BRAZILIAANS ⚏ 1962-1980
▦ 10 ♨ Drama

De radicale films van Glauber Rocha zetten de culturele tradities van Brazilië voort. Vaak zet hij primitieve en moderne facetten van zijn land tegenover elkaar. Rocha gebruikt rituele theatrale technieken en politieke teksten.

Rocha was de leider van de groep Cinema Novo, een coöperatie opgezet in de late jaren 1950, die tot doel had de Braziliaanse film onder de invloed van Amerika uit te krijgen. *Deus E o Diablo na Terra do Sol*

(*God en de duivel in het land van de zon*, 1964) en *Antonio das Mortes* (*O Dragão da Maldade Contra o Santo Guerreiro*, 1969) spelen zich af in het noordoosten van Brazilië waar de plattelanders worden uitgebuit door bandieten, multinationals en de kerk. Gedwongen tot een tien jaar durende ballingschap door de militaire junta, maakte Rocha in Afrika *Der Leone have Set Cabeças* (1970). Zijn schreeuw om internationale revolutie komt tot uiting in de vijf talen die in de titel voorkomen. De films van Rocha hebben diverse regisseurs beïnvloed, zoals John Ford, Sergei Eisenstein en Luis Buñuel.

Geraldo Del Ray *als de boer Manuel in* Deus E o Diablo na Terra do Sol, *over een huurmoordenaar van de kerk en de landeigenaren, in het arme Braziliaanse achterland.*

Nicolas **Roeg**

◔ 1928- ▣ BRITS ⚏ 1970-
▦ 14 ♨ Cult, thriller

Het is niet verassend dat de complexe en moeilijk te vatten films van Nicolas Roeg, een van de weinige grote cinematografen die de succesvolle overstap maakte naar het regisseren, visueel verbluffend zijn.

Roeg werkte 12 jaar in de filmindustrie als cameraman voordat hij samen met Donald Cammell zijn eerste speelfilm regisseerde, *Performance* (1970). De film is een bizar psycho-seksueel, psychedelisch drama, met Mick Jagger als een rockster op z'n retour en James Fox als huurmoordenaar op de vlucht. Warner Bros. was met afschuw vervuld door de caleidoscoop aan seks en geweld in de film en hield de film twee jaar tegen. *Performance* maakte van Roeg direct een cultregisseur en zijn aanhangers waren zelden teleurgesteld in zijn films, zoals de thriller *Don't Look Now* (1973), de rare sciencefictionfilm *The Man Who Fell to Earth* (1976) en *Bad Timing* (1980) over een sadomasochistische affaire tussen Alex (Art Garfunkel), een psychoanalyticus, en Milena (Roegs vrouw Theresa Russell), een jonge vrouw in Wenen.

John Baxter *(Donald Sutherland) die het verdronken lichaam van zijn dochter terugvindt in* Don't Look Now, *de krachtige en raadselachtige thriller van Roeg.*

In deze scene uit Le Genou de Claire *praat Aurora (Aurora Cornu) met de sensuele tiener Claire (Laurence de Monaghan), wier knieën het object van fantasie zijn.*

Eric **Rohmer**

◯ 1920- 🏳 FRANS 🏆 1959-

🎬 22 🎭 Comedy

Eric Rohmer: 'Ik ben minder bezorgd om wat mensen doen, dan om wat er omgaat in hun hoofd terwijl ze het doen.' Hoewel de meeste van zijn films zich richten op de dialoog, zijn het zeker geen conversatiefilms.

De karakters in Rohmers comedy's vol vergissingen, worden vooral gekenmerkt door hun relatie met de andere sekse. Uiteindelijk zijn het de luxueuze, hedonistische decors en de verleidelijke karakters waar de conversaties, vertellingen en dagboekfragmenten in de plots over gaan. Voor films die voor een groot deel gaan over het weerstaan van verleidingen zijn ze aantrekkelijk erotisch. In elk deel van de 'Six Moral Tales'-serie wijst een man seks met een vrouw af om ethische redenen. In *La Collectioneuse* (1967) wijst een intellectueel de avances van een losbandige nymfomane af. (Hoe ouder Rohmer werd, hoe vaker er jonge meisjes in zijn films verschenen). In *Ma Nuit chez Maud* (1969) deelt een man op een kuise manier het bed met een mooie vrouw. De diplomaat Jerome (Jean-Claude Brialy) verblijft tijdens de zomer in een vakantieverblijf aan een meer

BELANGRIJKSTE FILMS

1969	Ma Nuit chez Maude
1970	Le Genou de Claire
1980	La Femme de l'Aviateur
1983	Pauline à la Plage
1986	Le Rayon Vert
1989	Conte de printemps
1992	Conte d'hiver
1996	Conte d'été
1998	Conte d'automne

en gunt zichzelf het intense genoegen om de knie van een tiener vast te pakken in *Le Genou de Claire* (1970); als erotisch moment net zo sterk als een bedscène. In Rohmers tweede serie, 'Comedies et Proverbs', zijn de karakters minder uitgesproken. Zijn geestige onderzoeken naar de illusie van de liefde gaan door in 'Contes des quatre saisons'.

Étienne (Didier Sandre), *een professor, en de jonge Rosine (Alexia Portal) gefotografeerd in* Conte d'Automne, *een bitterzoete kijk op de liefde.*

Roberto **Rossellini**

◐ 1906-1977 🎬 ITALIAANS 🏆 1940-1977

🎞 30 🎭 Cult, drama, horror

Passie en menselijkheid komen steeds terug in de films van Roberto Rossellini tijdens de drie fases van zijn carrière: neorealisme, de melodrama's met Ingrid Bergman, en de films over heiligen en historische figuren.

In Stromboli *realiseert Karin (Ingrid Bergman) zich dat ze weliswaar is ontsnapt uit een krijgsgevangenenkamp, maar nu gevangen zit in het huwelijk.*

Hoewel de term neorealist voor het eerst van toepassing was op *Ossessione* (1942) van Luchino Visconti, waren het de drie films van Rossellini over: 'het verzet', *Roma Città Aperta* (1945), 'de bevrijding', *Païsà* (1946 en 'naoorlogse onrust', *Germania Anno Zero* (1947) die de stijl vestigden. Gefilmd met weinig hulpmiddelen in natuurlijke omgevingen, beschrijven de films historische gebeurtenissen in menselijke termen met een verbluffende directheid. Kinderen zien

we als het middelpunt van het lijden. In *Germania Anno Zero* pleegt een jongen zelfmoord omdat hij niet in staat is zijn familie van eten te voorzien in het bezette naoorlogse Duitsland. In 1950 trouwt Rossellini met Ingrid Bergman en hij laat haar, in plaats van glamourrollen, intense rollen spelen. Bergman vraagt om vergeving op de top van een vulkaan in *Stromboli* (1950), verzorgt de armen en zieken in *Europa '51* (1952), is getuige van een wonder in *Viaggio in Italia* (1953) en wordt tot zelfmoord gedreven in *La Paura* (1954), allemaal films over het huwelijk in crisis. De reeks werd onderbroken door *Francesco, Giullare di Dio* (1950) waarin het leven van een heilige wordt beschreven. Na zijn scheiding van Bergman maakte Rossellini historische en religieuze speelfilms, vooral voor televisie, waaronder biografische films over Socrates, Augustinus van Hippo, De' Medici en Alcide de Gasperi, de eerste naoorlogse president van Italië. *La Prise de Pouvoir par Louis XIV* (1966), die ook in de bioscoop werd vertoond, laat zien zien hoe macht verwordt tot routine en rituelen. *Il Messia* (1976) over Christus was zijn laatste film.

Edmund *(Edmund Meschke), in* Germania Anno Zero *ziet een platgebrand Berlijn, waar hij een leven bij elkaar moet zien te scharrelen.*

BELANGRIJKSTE FILMS

1945	Roma Città Aperta
1946	Païsà
1947	Germania Anno Zero
1950	Stromboli
1952	Europa '51
1953	Viaggio in Italia
1959	Il Generale della Rovere
1966	La Prise de Pouvoir par Louis XIV

John **Sayles**

◯ 1950- ⫾ AMERIKAANS ⚌ 1980-1996
⊞ 15 ⚐ Drama

John Sayles is een van de weinige regisseurs die 'onafhankelijk' film maken omschrijft in een politieke betekenis.

Sayles volgde zijn eigen spoor met het maken van lowbudgetfilms, waarvoor hij de scripts zelf schreef en voor de bezetting van zijn films mensen vroeg uit een groep toegewijde vrienden en volgelingen (onder

wie Angela Bassett en Kris Kristofferson). Sayles was romanschrijver voordat hij film-maker werd en bereikte zelden de levens-echte indringendheid, zoals bijvoorbeeld John Cassavetes. De dialoog kan overdreven slim overkomen, terwijl het soms lijkt of het visuele later aan de film is toegevoegd. Desondanks was de intelligentie van Sayles overduidelijk en zijn toewijding in het filmen van rustige arbeidersverhalen is bewonderenswaardig. De mijlpalen van zijn werk zijn *Return of the Secaucus Seven* (1980); *City of Hope* (1991); en *Lone Star* (1996).

Chris Cooper *met Mary McDonnell als Elma, speelt Joe, een organisator van de vakbond, in Matewan. De film speelt in een mijnwerkersgemeenschap in de jaren '20.*

BELANGRIJKSTE FILMS

1980	Return of the Secaucus Seven
1987	Matewan
1991	City of Hope
1996	Lone Star

John **Schlesinger**

◯ 1926-2003 ⫾ BRITS ⚌ 1962-2000
⊞ 17 ⚐ Thriller, drama

Zich verplaatsend tussen Amerika en Engeland, beschouwde John Schlesinger zichzelf als een 'Midden-Atlantische' regisseur. Zijn films weerspiegelen deze kruisbestuiving.

In zijn eerste films introduceerde Schlesinger jonge acteurs als Alan Bates (*A Kind of Loving*, 1962), Tom Courtenay en Julie Christie (*Billy Liar*, 1963). De films spelen zich af in een zorgvuldig uitgebeelde omgeving van de werkende klasse. Hij verving de 'kitchen sink'-aankleding door die van 'swinging London' en klom op in de maatschappij met *Darling* (1965) een cynische, morele film. *Midnight Cowboy* (1969), de eerste van zijn Amerikaanse films, geeft een inkijk in New York en het Amerikaanse leven. Na het succes van *Marathon Man* (1976) met Dustin Hoffman — die het in deze film opneemt tegen een nazi in New York – werd Schlesinger aangemoedigd om meer Amerikaanse thrillers te maken. Zijn Britse films, zoals *Sunday, Bloody Sunday* (1971), een drama over een driehoeksverhouding, zijn persoonlijker en laten een diep begrip van het menselijk gedrag zien.

Dustin Hoffman *als oplichter Ratso Rizzo en Jon Voight als 'cowboy' Joe Buck spelen amorele antihelden in de zwakke plekken van New York in Midnight Cowboy.*

BELANGRIJKSTE FILMS

1962	A Kind of Loving
1963	Billy Liar
1965	Darling
1969	Midnight Cowboy
1971	Sunday, Bloody Sunday
1976	Marathon Man

Martin **Scorsese**

● 1942- ꤰ AMERIKAANS 🏆 1968-

🎞 20 🎭 Gangster, thriller

Het opwindende, duistere en obsessieve talent van Martin Scorsese is het beste te zien in zijn studies naar de Italiaans-Amerikaanse identiteit. Hij kijkt naar de plaatselijke machocultuur en het geweld dat zich openbaart in de misdaad.

De vindingrijkheid van Scorsese werd voor het eerst opgemerkt als bewerker en visueel regisseur van de rockdocumentaire *Woodstock* (1970). Roger Corman hielp bij het maken van zijn eerste speelfilm, *Boxcar Bertha* (1972), voortreffelijk werk van een leerling met een fijn gevoel voor couleur locale. Scorsese, een onrustige, nerveuze man, had een bedlegerige, astmatische kindertijd in een katholieke Siciliaanse

familie in Little Italy, New York. Hij wekt de indruk dat hij geobsedeerd is door zijn achtergrond, hoewel hij verklaart dat hij de demonen uit zijn kindertijd heeft uitgebannen door het maken van *Mean Streets* (1973). Deze film gaat over de schemerige wereld van kroegen en nachtclubs, waarin de kleine misdadigers, Charlie (Harvey Keitel) en zijn maat Johnny Boy (Robert de Niro) proberen te overleven. De zachte goedaardigheid tussen leden van de maffia, de pastamaaltijden, de aria's en de familie-rituelen camoufleren het geweld en het gebruik van wapens en werden bekende elementen in de films van Scorsese. Dezelfde omgeving zagen we terug in *GoodFellas* (1990), nu gezien door de ogen van de jonge Henry (Ray Liotta). In *Gangs of New York* (2002) herschiep Scorsese het Manhattan uit het midden van de 19e eeuw, op een epische schaal, waar de voorvaderen van de 'goodfellas' opereer-den. *Raging Bull* (1980), het verhaal van Jake La Motta – wereldkampioen boksen

BELANGRIJKSTE FILMS

1973	Mean Streets
1976	Taxi Driver
1977	New York, New York
1980	Raging Bull
1985	After Hours
1986	The Colour of Money
1988	The Last Temptation of Christ
1990	GoodFellas
1993	The Age of Innocence
2002	Gangs of New York

Een ongebruikelijke film voor Scorsese, The Age of Innocence, handelt over een man (Daniel Day Lewis, als Newland) die vast komt te zitten tussen zijn verlangen (naar Ellen, gespeeld door Michelle Pfeifer) en de realiteit.

Ray Liotta (midden) als 'wiseguy' Henry Hill, die ernaar verlangt om een gangster te zijn in Goodfellas, dat zich afspeelt in het New York van de jaren '70.

van 1949 tot 1951 – is een andere sterke studie van de hechte Italiaans-Amerikaanse gemeenschap met onderliggende codes en mannelijkheid. Eigenlijk een antibiografische film – in tegenstelling tot het meer conventionele *The Aviator* (2004) over Howard Hughes – die ons niets vertelt over het verleden van La Motta. In plaats daarvan toont de film ons de primitieve dierlijke mannelijke emoties. De favoriete acteur van Scorsese, Robert de Niro, won de Oscar voor Beste Mannelijke Hoofdrol voor de rauwe energie van zijn vertolking. Als het New York van *Taxi Driver* (1976) de stad is van de film noir van de jaren '40, dan is *New York, New York* (1977) de stad van de musicals uit de jaren '40. Nadat De Niro een jazzmuzikant had gespeeld in de laatstgenoemde film, speelde hij overtuigend de rol van een gestoorde aankomende komiek in de briljante zwarte comedy van Scorsese over roem in de showwereld, *The King of Comedy* (1983). Weg van het geweld dat veel

van zijn film domineert, betrad Scorsese succesvol de wereld van Merchant-Ivory met *The Age of Innocence* (1993) en lokte controverse uit met *The Last Temptation of Christ* (1988). In reactie op zijn critici die vonden dat zijn films onnodig geweld bevatten zei hij: 'Er is niet zoiets als onnodig geweld. Het is de realiteit, het is het echte leven, het heeft te maken met de toestand waarin de mens verkeert. Toen ik jong was en met christendom en het katholicisme te maken had, was er die onschuld, de lessen van Christus. Diep vanbinnen wil je denken dat mensen echt goed zijn, maar de realiteit weerspreekt dat.' In 2007 waren er vier Oscars voor *The Departed* (2006), waarin een undercoveragent en een geïnfiltreerde gangster elkaars pad kruisen. Eén hiervan was voor Scorsese (Best Achievement in Directing).

ROBERT DE NIRO

Intensiteit en harde professionaliteit zijn de sleutels tot de vroege carrière van Robert de Niro (geboren in 1943), de ware opvolger van Marlon Brando. Hij blonk uit in het vertolken van verschoppelingen, vooral in films van Martin Scorsese, zoals *Taxi Driver* (1976), *New York, New York* (1977), *Raging Bull* (1980) en *The King of Comedy* (1983). Na het maken van deze films kon hij makkelijk verder leven als taxichauffeur, saxofoonspeler, bokser of als stand-upcomedian. De Niro was ook geweldig als de jonge Don Corleone in *Godfather II* (1974) en als Vietnamveteraan in *The Deer Hunter* (1978).

Ridley Scott

● 1937- 🏳 BRITS 🎬 1979-

🎞 17 🎭 Sciencefiction, thriller

Ridley Scott, een van de beste visuele stilisten, kwam opzetten door de Britse reclame-industrie, samen met zijn jongere broer Tony, Alan Parker en Hugh Hudson.

Ridley Scott is in staat een parodie te maken op de overdreven ontwerpen van de reclame-esthetiek zoals de fantasyfilm *Legend* (1985), die op sommige momenten vergeleken kan worden met een reclame voor wc-papier. Met *Alien* (1979) herdefinieerde hij hoe ruimtereizen er zouden kunnen uitzien, en *Blade Runner* (1982) ging nog verder: hierin wordt een troosteloze toekomst, passend in het retrospectief van een denkbeeldige wereld getoond die zo waarheidsgetrouw is, dat het een cliché wordt. De beste films van Scott hebben

Ellen Ripley *(Sigourney Weaver als een van de eerste vrouwelijke helden in een film) is de enige overlevende van de ruimteschipbemanning in* Alien.

BELANGRIJKSTE FILMS	
1979	Alien
1982	Blade Runner
1991	Thelma and Louise
2000	Gladiator

sterke dramatische situaties die een basis zijn voor een mythische of brede politieke onderliggende mening, maar zelden gaat hij erg diep. Soms geprezen om zijn sterke heldinnen *(Alien; Thelma and Louise*, 1991; *GI Jane*, 1997; en *Hannibal*, 2001), lijkt hij de seksuele gelijkheid te onderschrijven, maar toont zelden enige interesse voor psychologie. Hij is geen natuurlijke actieregisseur, maar kan dit gebrek goed camoufleren. Zijn carrière kende pieken en dalen; hij bereikte een dieptepunt met de film over Christopher Columbus *1412: Conquest of Paradise* (1992), maar topte met het Oscarwinnende kostuumepos *Gladiator* (2000). Verassend genoeg bevat zijn filmografie ook een aantal zeer matige thrillers: *Black Rain* (1989), *Someone to Watch Over Me* (1987), *White Squall* (1996) en *Matchstick Men* (2003).

In Thelma and Louise *nemen Susan Sarandon (Louis) en Geena Davis (Thelma) een foto voordat zij beginnen aan een weekend waarin van alles misgaat.*

Ousmane **Sembene**

⬤ 1923- 🏳 SENEGALEES 🏆 1963

🎬 13 🎭 Comedy-drama

De comedy-drama's van Ousmane Sembene graven diep in de Afrikaanse maatschappij. Hij ziet zichzelf als de moderne reïncarnatie van de *griot*, de verhalenverteller van de stam.

Het favoriete thema van Ousmane is het effect van bijna 400 jaar kolonialisme op zijn land. Hij sloot zich aan bij de Vrije Franse Strijdkrachten die in 1942 vochten in Senegal. Zijn ervaringen tijdens de oorlog droegen bij aan de authenticiteit van twee van zijn films, *Emitai* (God van de donder, 1971) en *Camp de Thiaroye* (1987), over de Tweede Wereldoorlog gezien door Afrikaanse ogen. Zijn tweede film *Mandabi* (1968) was de eerste speelfilm die door een totaal Afrikaanse ploeg werd gemaakt in een autochtone Afrikaanse taal, Wolof, die in Senegal veel wordt gesproken. De meeste van de films van Sembene zijn in het Wolof en ze bevatten sociale boodschappen door middel van ironische humor en pathos.

Dorpsvrouwen *halen water in* Moolaadé *(bescherming). De film analyseert kritisch de praktijk van vrouwenbesnijdenis zoals die nog steeds voorkomt in delen van Afrika.*

BELANGRIJKSTE FILMS	
1968	Mandabi
1971	Emitai
1974	Xala
1987	Camp de Thiaroye
2004	Moolaadé

Bryan **Singer**

⬤ 1965 🏳 AMERIKAANS 🏆 1993.

🎬 13 🎭 Thriller, avontuur

Een serieuze filmmaker wiens beste werk is afgeleid van strips. Bryan Singer verscheen goed geschoold in de harde wereld van het populaire entertainment.

Singer heeft een beweeglijke, handzame camerastijl die het beste tot zijn recht komt in de plagende, sfeervolle, onafhankelijke culthit *The Usual Suspects* (1995). Hoewel hij afkeek bij de meesters van de film noir-thrillers, zoals Hitchcock en Scorsese,

BELANGRIJKSTE FILMS	
1995	The Usual Suspects
2000	X-Men
2006	Superman Returns

behield de film de originaliteit die eigen is aan Singer. Nauwelijks een voor de hand liggende keuze voor een beginnende Hollywood regisseur was *Apt Pupil* (1998), een nogal zwaarwichtige bewerking van een Stephen Kingverhaal over Todd (Brad Renfro), een tiener die in de ban raakt van een nazi die naast hem woont. De filmthema's fascisme en onderdrukking schijnen een indirect licht op de eerste twee *X-Men*-films van Singer (*X-Men*, 2000 en *X2*, 2003), met hun sympathieën voor een grote hoeveelheid zonderlingen en onaangepasten. Met het uitbrengen van *Superman Returns* (2006), keerde Singer terug naar het genre van het stripboek.

Wolverine *(Hugh Jackman) in* X-Men, *een sciencefictionspektakel, gebaseerd op de strips van Marvel uit de jaren '60, over mutanten.*

Douglas **Sirk**

● 1897-1987   🎞 AMERIKAANS   ⚖ 1934-1959

🎞 39   ♛ Melodrama, musical, drama

Hoewel vooral herinnerd als de regisseur van vier weelderige technicolor 'vrouwenfilms' uit de jaren '50 , maakte Douglas Sirk (Hans Detlev Sierck) ook comedy's, musicals, oorlogsfilms en westerns.

Sirk, geboren in Duitsland uit Deense ouders, maakte tien films in Europa onder zijn echte naam, voordat hij naar de VS ging. In Hollywood probeerde hij een hele reeks aan genres, allemaal in een onberispelijke stijl, met aandacht voor licht, decors en kostuums. Sirk regisseerde de vriendelijke George Sanders in drie sfeervolle periode-films, *Summer Storm* (1944), *A Scandal In Paris* (1946) en *Lured* (1947). Zijn kracht voor de soap werd voor het eerst duidelijk in *All I Desire* (1953), een Barbara Stanwyck-film. Dit leidde tot de melodrama's die hij in technicolor maakte voor Universal Pictures, te beginnen met *Magnificent Obsession* (1954).

Filmaffiche, *1956*

In de film speelt Rock Hudson Bob Merrick, die oogchirurg wordt om ervoor te zorgen dat Helen (Jane Wyman), wier blindheid zijn schuld is, weer kan zien. In *All That Heaven Allows* (1955) veroorzaakt de weduwe Cary (Wyman) een schandaal door te trouwen met haar veel jongere tuinman Ron (Hudson). In *Written on the Wind* (1956) heerst er in de familie van olietycoon Hadley alcoholisme, impotentie en ziekte. *Imitation of Life* (1959), over de hechte vriendschap tussen de zwarte Annie (Juanita Moore) en de blanke Lora (Lana Turner), zorgde voor een sentimenteel einde aan de gouden periode van Sirks Hollywoodmelo-drama's. Zijn beweeglijke camerawerk, zijn inventieve kleurgebruik, een oprecht medeleven met zijn karakters en een impliciete veroordeling van een hypocriete samenleving, overtroffen zijn soapopera's.

BELANGRIJKSTE FILMS

1952	Has Anybody Seen My Gal?
1953	Take Me to Town
1953	All I Desire
1954	Magnificent Obsession
1955	All That Heaven Allows
1956	Written on the Wind
1957	The Tarnished Angels
1959	Imitation of Life

Bob (Rock Hudson) *verzorgt Helen (Jane Wyman) in* Magnificent Obsession.

Victor **Sjöström**

● 1879-1960   🎬 ZWEEDS   🏆 1912-1937

🎞 54   🎭 Melodrama, kostuumdrama

De invloedrijkste regisseur uit de beginperiode van de Zweedse film liet een voorkeur zien voor het filmen in de natuurlijke omgeving, dat de relatie tussen het landschap en de psychologie van de karakters moest tonen.

Sjöström werd internationaal bekend met *Tösen från Stormyrtorpet* (*The Girl from Stormy Croft*, 1917), zijn bewerking van een roman van Selma Lagerlöf. *Körkarlen* (1921), een angstaanjagend verhaal dat vooral buiten is opgenomen en waarin hij zelf speelt, zorgde ervoor dat hij naar Hollywood werd gevraagd. Daar regisseerde hij negen films onder de naam Victor Seastrom. Hij maakte zijn eerste MGM-film, *He Who Gets Slap-ped* (1924), en regisseerde Greta Garbo in *The Divine Woman* (1928). Sjöström keerde terug naar Europa om te acteren, en is het bekendst van zijn rol in *Wilde Aardbeien* (1957).

BELANGRIJKSTE FILMS	
1917	The Outlaw and His Wife
1917	The Girl from Stormy Croft
1920	Karin, Daughter of Ingmar
1921	The Phantom Carriage
1924	He Who Gets Slapped
1926	The Scarlet Letter
1928	The Wind

In The Scarlet Letter *komt Lillian Gish als Hester Prynne uit de gevangenis, met haar onwettige baby. De letter A, voor adultress (overspelige), is op haar borst genaaid.*

Steven **Soderbergh**

● 1963   🎬 AMERIKAANS   🏆 1989

🎞 15   🎭 Drama

Hoewel hij pas 26 jaar was toen zijn eerste film *Sex, Lies and Videotape* (1989) de Gouden Palm in Cannes won, moest hij nog tot 2000 wachten voor hij een Oscar kreeg.

Na het low budget *Sex, Lies and Videotape* maakte Soderbergh ambitieuze films: *Kafka* (1991), spelend in het Praag van 1919; *King of the Hill* (1993), dat tijdens de depressie speelt; en het neonoire *Underneath* (1995). Daarna stapte hij de heersende stroming binnen met *Out of Sight* (1998), een misdaadfilm; *Erin Brockovich* (2000), over het blootleggen van misstanden; *Traffic* (2000), over de drugshandel, die hem de Oscar voor Beste Regisseur opleverde; en *Ocean's 11* (2001), *Ocean's 12* (2004) en *Ocean's 13* (2007).

BELANGRIJKSTE FILMS	
1989	Sex, Lies and Videotape
1998	Out of Sight
2000	Erin Brockovich
2000	Traffic
2001	Ocean's 11
2002	Solaris

Aleksandr **Sokurov**

● 1951   🎬 RUSSISCH   🏆 1987

🎞 20   🎭 Politiek drama

Aleksandr Sokurov, origineel en dapper, is wat stijl betreft een van de avontuurlijkste regisseurs van het begin van de 21e eeuw.

Sokurov maakte als eerste naam met *Mother and Son* (*Mat i Syn*, 1997), later gevolgd door het net zo briljante *Father and Son* (*Otets i Syn*, 2003). Hij maakte ook een intrigerende trilogie over drie machtige politieke leiders in de 20e eeuw: Hitler (*Molokh*, 1999), Lenin (*Telets*, 2001) en keizer Hirohito (*Solntse, The Sun*, 2005). In 2002 maakte hij een bijzonder film, *Russian Ark*. Deze film van 96 minuten bestaat maar uit één opname, gemaakt met een speciaal ontworpen 'steadycam'.

BELANGRIJKSTE FILMS	
1997	Mother and Son
1999	Molokh
2001	Telets
2002	Russian Ark
2003	Father and Son
2005	The Sun

Steven **Spielberg**

◗ 1946- ⅊ AMERIKAANS ⚖ 1975-

🎞 30 ♔ Avontuur, drama, sciencefiction

Spielberg, een van de beroemdste regisseurs van Hollywood, heeft een intuïtief gevoel voor de hoop en de angsten van zijn publiek. Zijn showvakmanschap heeft hem tot een van de grootste gemaakt, vergelijkbaar met Cecil B. DeMille, Frank Capra en Alfred Hitchcock.

BELANGRIJKSTE FILMS	
1975	Jaws
1977	Close Encounters of the Third Kind
1981	Raiders of the Lost Ark
1982	ET: The Extra-Terrestrial
1993	Jurassic Park
1993	Schindler's List
1998	Saving Private Ryan
2005	Munich

De eerste films van Spielberg waren beïnvloed door de techniek van Hitchcocks suspense. *Duel* (1971) is een psychologische thriller over paranoia, terwijl *Jaws* (1975) toeschouwers angsten aanjaagt door de gruwelen die in de oceaan op de loer liggen. Maar Spielberg wilde niet de 'nieuwe Hitchcock' worden. In plaats daarvan waren regelmatig kinderlijke onschuld en verwondering in zijn films terug te vinden. Twee hiervan gaan over bezoek van vriendelijke buitenaardse wezens: *Close Encounters of the Third Kind* (1977) en *ET: The Extra-Terrestial* (1982), beide grote hits. Hierna greep hij terug naar de actie-avonturenfilms *Raiders of the Lost Ark* (1981) en de twee vervolgen, die hem maakten tot een van de succesvolste regisseurs ooit. Spielberg, duidelijk een groot talent, wordt niet gehinderd door pretentie en politiek. In het midden van de jaren '80, nadat hij zijn eigen filmstudio, Dreamworks SKG, had opgericht, was hij in een positie dat hij alles kon filmen wat hij maar wilde. Hij keerde zich naar boeken: *The Colour Purple* (1985) van Alice Walker, met moeilijke onderwerpen als racisme, seksisme en lesbiennes in de VS aan het begin van de 20e eeuw.

Empire of the Sun (1987), gebaseerd op de oorlogs-herinneringen van J.G. Ballard, is een film die de moeite waard is, maar is niet duidelijk beter dan eerdere films over krijgsgevangenen. Spielberg toonde de vervolging van de joden in nazi-Duitsland met overtuiging in *Schindler's List* (1993), dat was gebaseerd op de roman van Thomas Keneally. Deze sombere, meeslepende aanval op de 'Endlösung' is waarschijnlijk zijn belangrijkste film, hoewel ook die enigszins wordt ondermijnd door een overblijfsel van sentimentaliteit. Een andere grimmige beschrijving van de oorlog, *Saving Private Ryan* (1998), laat de meest indrukwekkende gevechtsscènes zien, ooit in Hollywood gemaakt. Ogenschijnlijk op hetzelfde moment gemaakt als *Schindler's List* (Spielberg was de ene aan het monteren en de andere aan het opnemen) leek *Jurassic*

Liam Neeson *speelt de goedaardige Duitse zakenman Oskar Schindler, wiens geweten het wint van de hebzucht tijdens de Holocaust in* Schindler's List. *De film werd opgenomen in helder zwart-wit.*

Spielberg kondigde *met Jurassic Park, de film gebaseerd op de roman* The Lost World *van Michael Crichton, een revolutie van speciale effecten aan.*

Park (1993) zijn verzekeringspolis: een baanbrekend 'computer generated imagery'-(CGI-)spektakel met dinosaurussen. Het was puur vakmanschap en een kolossale kaskraker, maar ook een herinnering dat hij zijn films niet alleen van techniek, maar ook van complexiteit en diepte moest voorzien, zoals dat bijvoorbeeld Capra lukte in *It's a Wonderful Life*, of zoals dat Hitchcocks tweede natuur was. *Artificial Intelligence: AI* (2001) is waarschijnlijk de film waarmee hij het dichtst in de buurt komt met het bij elkaar brengen van de twee kanten van zijn werk – de verstandelijke kant die gerespecteerd wil worden en de entertainer die geliefd wil zijn.

TOM HANKS

Met zijn Oscarwinnende uitvoering van de door aids getroffen advocaat in *Philidelphia* (1993) liet Tom Hanks (geboren in 1956) zien dat hij een talent had voor serieuze rollen. Na Spencer Tracey was hij de eerste acteur die twee Oscars achter elkaar won. De tweede voor de titelrol over de simpele *Forest Gump* (1994). Sinds 1980 is Hanks bekend als de koning van de romantische comedy's. Dit kwam

vooral door drie hits: *Splash* (1984), *Big* (1988) en *Sleepless in Seattle* (1993). Hij bleef comedy's maken, maar zette hier wel serieuze rollen tegenover, zoals in *Saving Private Ryan* (1998) van Steven Spielberg en *The Da Vinci Code* (2006) van Ron Howard.

Josef von **Sternberg**

⬤ 1894-1969 |🚩 OOSTENRIJKS 🎬 1925-1957

🎞 24 🎭 Melodrama

Als icoon was Marlene Dietrich gecreëerd door Josef von Sternberg. Ze verscheen als de ultieme femme fatale in verschillende gedaanten in zeven van zijn films, die behoorden tot de meest sensuele, bizarre, exotische en onrealistische in de cinema.

De samenwerking tussen Josef von Sternberg en Marlene Dietrich was net zo iconisch als die tussen bijvoorbeeld Laurel en Hardy of Gilbert en Sullivan. Zonder Dietrich maakte Sternberg *Underworld* (1927), een van de weinige stomme films die over de georganiseerde misdaad gaat, en *The Docks of New York* (1928), die de grote armoede in de stad behandelde met een poëtische realiteit, die hij bereikte door zacht schaduwlicht (het handelsmerk van Sternberg). In *The Salvation Hunters* (1925), zijn eerste film, verklaarde Sternberg: 'Het zijn niet de omstandigheden, noch is het de omgeving –

Filmaffiche, *1932*

ons geloof beheerst onze levens!' Geboren in een arme familie van orthodoxe joden, bracht hij zijn kindertijd in honger door, net als de meeste van zijn vrienden in de straat. Deze ervaring is terug te zien in zijn manier van film maken, waarin hij de motivaties en het geloof van zijn karakters onderzoekt. *The Last Command* (1928), met Emil Jannings als de verbannen Russische generaal Dolgorucki die gedwongen wordt om figurant te zijn in een Hollywoodfilm over de Russische Revolutie, geeft een vreemd beeld van het Russische verleden. Jannings had ook een masochistische rol als Immanuel Rath, een leraar die in de greep komt van cabaretzangeres Lola in *Der Blaue Engel* (1930), de film waarin de wereld Dietrich ontdekt. Dietrich verschijnt vervolgens als Amy Lolly in *Morocco* (1930), als Spion X27 in *Dishonored* (1931), als Shanghai Lily in *Shanghai Express* (1932), Helen Faraday in *Blonde Venus* (1932), Catherina de Grote in *The Scarlet Empress* (1934) en als Concha Perez in *The Devil is a Woman* (1935). Niets wat Von Sternberg deed na deze films met Dietrich kon daar nog aan tippen, hoewel in *Anatahan* (1953) is te zien wat hij kon met alleen maar een simpele studio-opstelling en belichting.

Sternberg *(rechts) op de set van de film* Exquisite Sinner *(1926) met cameraman Max Fabian en de acteurs Conrad Nagel, Matthew Betz en Renée Adorée.*

George **Stevens**

◉ 1904-1975 🏳 AMERIKAANS 🏆 1933-1970
🎞 25 🏆 Divers

Met vooral veelvoudig filmen vanuit verschillende hoeken, deed George Stevens er 22 jaar over om zijn laatste acht films te maken.

In de jaren '20 regisseerde Stevens tworeelers (korte films op twee filmspoelen) van Laurel en Hardy en in de jaren '30 en '40 een aantal uiteenlopende films, waaronder comedy's met Catherine Hepburn, musicals

BELANGRIJKSTE FILMS	
1936	Swing Time
1939	Gunga Din
1942	Woman of the Year
1948	I Remember Mama
1951	A Place in the Sun
1953	Shane
1956	Giant

met Fred Astaire en een koloniale avonturenfilm, *Gunga Din* (1939). Zijn latere films waren persoonlijker, zijn werkmethodes langzamer en zijn stijl meer weloverwogen. *I Remember Mama* (1948) is een hartverwarmend comedy-drama; *A Place in the Sun* (1951) bevat close-ups van Montgomery Clift en Elizabeth Taylor; de klassieke western, *Shane* (1953) wordt gezien door de ogen van een jongen die een held aanbidt; en *Giant* (1956) is een epische western.

Een sprankelende *Elizabeth Taylor met Montgomery Clift in* A Place in the Sun, *over een verloren liefde, waarvoor Stevens een Oscar won.*

Oliver **Stone**

◉ 1946- 🏳 AMERIKAANS 🏆 1986
🎞 20 🏆 Actie, politiek drama, oorlog

Oliver Stone, een controversieel figuur die dat ook wil zijn, leerde over film van Martin Scorsese en leerde over het leven in Vietnam.

Stone is strijdlustig in alles wat hij aanraakt, wijst naar actuele onderwerpen en benadert deze vanuit een overduidelijk links perspectief. Zowel *Platoon* (1986) als *Born on the Fourth of July* (1989) putten uit zijn ervaringen in Vietnam en vallen de Amerikaanse buitenlandse politiek aan. *Salvador* (1986) is sympathiek als film

BELANGRIJKSTE FILMS	
1986	Platoon
1989	Born on the Fourth of July
1991	JFK
1994	Natural Born Killers

over rebellie; *Wall Street* (1987) is een satire op de mentaliteit van beurshandelaren; *JFK* (1991) speculeert over een militair-industrieel complot achter de moord op John F. Kennedy. De montage van Oliver Stone's films is een slagveld van schokkende uitsneden en versplinterde beelden. Op technisch niveau is *Natural Born Killers* (1994) een samensmelting van avant-gardistische en muzikale televisietechnieken die Hollywood nog niet eerder had gezien.

Woody Harrelson *en Juliette Lewis spelen een amoreel paar op een moorddadige 'cross-country' tour in* Natural Born Killers, *Stone's sensationele satire op media, seks en geweld.*

Erich **von Stroheim**

⬤ 1885-1957   📖 OOSTENRIJKS   ⚖ 1918-1933

🎬 9   👑 Kostuumdrama

Alleen de eerste twee films van de negen, geregisseerd door Erich von Stroheim, werden gemaakt zonder tussenkomst van een studio. Deze Oostenrijks regisseur behoort nog altijd tot de grootste figuren uit de filmgeschiedenis.

Erich von Stroheim werd geboren in Wenen, emigreerde naar de VS en werd een Amerikaans staatsburger en acteur. Hij voegde het 'von' toe aan zijn naam en beweerde een ex-legerofficier te zijn van adellijke afkomst. Door voortdurend wrede Pruisische officiers te spelen, kreeg hij de bijnaam 'de man die je graag haat'. Als regisseur was hij verkwistend met geld van de studio (zo bouwde hij een deel van Monte Carlo na op het terrein van Universal) waardoor Irving Thalberg, hoofd van de productie, hem een 'scènefetisjist' noemde. Maar de weelderigheid van de sets was essentieel in zijn visie van Europese decadentie in zijn cynische, geestige, erotische, Ruritaanse romances, rijk aan sociale en psychologische details.

In Foolish Wives *speelt Von Stroheim Sergius Karamzin als Don Juan die rijke vrouwen oplicht. Maude George speelt prinses Olga, zijn minnares.*

Queen Kelly (1928) is een ingekort, maar desalniettemin gek, sadomasochistisch meesterwerk, met daarin Gloria Swanson, ster van de stomme film. Zelfs *The Merry Widow* (1925) gebaseerd op een opera, had een zweem van decadentie. Anders dan zijn andere stomme films was *Greed* (1924) bijna helemaal op locatie gefilmd. Niet lang nadat hij werd verhinderd om zijn enige geluidsfilm af te maken, *Walking Down Broadway* (1933) vertrok Stroheim naar Frankrijk waar hij werkte als acteur. Hij ging nog een keer kort terug naar Hollywood voor *Sunset Boulevard* (1950) van Billy Wilder, met Gloria Swanson, waarin hij zijn laatste rol speelde, die van trouwe butler.

BELANGRIJKSTE FILMS

1918	Blind Husbands
1921	Foolish Wives
1924	Greed
1925	The Merry Widow
1927	The Wedding March
1928	Queen Kelly

De winnaar *van een grote loterij, Trina (Zasu Pitts) wordt geobsedeerd door geld in* Greed, *en brengt haar eigen leven en dat van de mensen om haar heen in verwarring.*

John **Sturges**

◯ 1911-1992 📖 AMERIKAANS 🎬 1946-1976

🎞 43 🏆 Western, actie

John Sturges wordt geassocieerd met actiefilms, vooral westerns. Zijn 'coole' stijl en interesse in individuen die het opnemen tegen krachten van buitenaf passen goed bij het genre.

In Sturges' grote hits, *The Magnificent Seven* (1960), een sterke western, die een bewerking is van *The Seven Samurai* (1954) van Akira Kurosawa, en *The Great Escape* (1963) met Steve McQueen, worden de prominente rollen gespeeld met een effectief beheerste agressie. *Escape from Fort*

BELANGRIJKSTE FILMS	
1953	Escape from Fort Bravo
1955	Bad Day at Black Rock
1957	Gunfight at the O.K. Corral
1959	Last Train from Gun Hill
1960	The Magnificent Seven
1963	The Great Escape
1976	The Eagle Has Landed

Bravo (1953) met William Holden, heeft alle ingrediënten van een goede western: intrige, actie, drama en romantiek. Andere stoere westerns zijn *Gunfight at the O.K. Corral* (1957) en *Last Train from Gun Hill* (1959), beide met Kirk Douglas. Een van de beste films van Sturges is *Bad Day at Black Rock* (1955), met Spencer Tracy als een eenarmige vreemdeling die terechtkomt in een kleine stad en het geheim ervan onthuld. Het is een van de weinige films die de problemen van Japanse Amerikanen tijdens de oorlog aansnijdt. Zijn laatste prestatie was de oorlogsfilm *The Eagle Has Landed* (1976).

Een vreemdeling *in de stad. John Macreedy (Spencer Tracy) ondervindt tegenstand van Hector David (Lee Marvin) en andere inwoners in* Bad Day at Block Rock

Preston **Sturges**

◯ 1898-1959 📖 AMERIKAANS 🎬 1940-1957

🎞 12 🏆 Comedy

De VS van Preston Sturges is een corrupt, druk land vol zonderlingen. De geestige zinnen, de visuele grappen en komische timing vormen een deel van de zure kijk op het Amerikaanse leven, hoewel zijn afkeer van mensen wordt getemperd door zijn affectie voor zijn karakters.

Sturges (Edmund P. Biden) werkte als scenarioschrijver in de jaren '30 en was een van de eerste regisseurs die zijn eigen scenario schreef (en dat deed hij voor al zijn films). Hij won in 1941 de Oscar voor het Beste Originele Scenario van *The Great McGinty* (1940). In *Sullivan's Travels* (1941) wil een regisseur van comedy's uit de eerste

Sullivan's Travels *met Joe McCrea (als Lloyd Sullivan) en Veronica Lake (als 'het meisje'), heeft een slim scenario, dat zelfs nu nog modern is.*

BELANGRIJKSTE FILMS	
1941	The Lady Eve
1941	Sullivan's Travels
1942	The Palm Beach Story
1944	The Miracle of Morgan's Creek
1944	Hail the Conquering Hero

hand armoede ervaren, om een serieus drama te kunnen maken. Maar hij realiseert zich dat mensen aan het lachen maken zijn grootste prestatie is. Sturges maakte mensen aan het lachen met zijn screwball-comedy's, zoals *The Lady Eve* (1941) en *The Palm Beach Story* (1942). Zijn satires over de kleine Amerikaanse stadjes, *The Miracle of Morgan's Creek* (1944) en *Hail the Conquering Hero* (1944), gebruiken het moederschap en het patriottisme voor de lach.

Istvan **Szabó**

● 1938- 🏴 HONGAARS 🏆 1964-

🎞 19 🎬 Historisch drama

Het hoofdthema van Istvan Szabó waren de kwellingen die Midden-Europa in de 20e eeuw moest ondergaan, vooral tijdens de naziperiode.

De tweede speelfilm van Istvan Szabó, *Apa* (*Father*, 1966) is een onderzoek naar de relatie van de jongere generatie met het verleden, gesymboliseerd door de dromen die een jongen heeft over zijn overleden vader. Szabó's belangrijkste werk is een trilogie: *Mephisto* (1981), waarin een acteur zijn ziel verkoopt omdat hij doorgaat met zijn kunst onder het naziregime; *Oberst Redl* (1984),

Klaus Maria Brandauer *als Alfred Redl in* Oberst Redl *zorgt gemaskerd voor een theatrale binnenkomst, een metafoor voor het bedrog en de intrige in de film.*

waarin het hoofd van de militaire inlichtingendienst in het Oostenrijks-Hongaars keizerrijk moet verbergen dat hij zowel biseksueel is als joods; en *Hanussen* (1988), waarin een Oostenrijkse korporaal helderziende wordt. In deze drie films speelt Klaus Maria Brandauer een karakter in onmin met de krachten van dat moment. Zowel deze films als *Sunshine* (1999), de saga over een joodse familie, en *Taking Sides* (2001) over het leven van Wilhelm Furtwängler tijdens het nazitijdperk, handelen over een op de loer liggend kwaad.

BELANGRIJKSTE FILMS	
1966	Father
1976	Budapest Tales
1981	Mephisto
1984	Oberst Redl
1988	Hanussen
1999	Sunshine
2001	Taking Sides

Quentin **Tarantino**

● 1963- 🏴 AMERIKAANS 🏆 1992-

🎞 5 🎬 Misdaad

Met zijn eerste twee films maakte Tarantino een bliksemcarrière. Dit kan mede verklaard worden door zijn intelligente en speelse benadering van de retoriek van het filmgeweld.

Tarantino kreeg zijn opleiding in goedkope videowinkels, die gewelddadige films, westerns en kung-fufilms verhuurden – de inspiratie achter zijn films. Hij putte ook uit de Amerikaanse B-misdaadfilms voor *Reservoir Dogs* (1992) en uit de ontleding van de noir-thema's door Jean-Luc Godard

voor *Pulp Fiction* (1994). Hij noemde zijn productiemaatschappij A Band Apart, naar *Bande à Part* (1964) van Godard. *Four Rooms* (1995) een reeks van in elkaar overlopende verhalen, was afgeleid van slapstick. Terugkerend naar vroegere thema's maakte hij *Jackie Brown* (1997) een kwajongensmisdaadfilm die zorgt voor de opleving van de carrière van de koningin van de 'blaxploitation' (films die aanvankelijk voor een zwart publiek gemaakt werden en waarin zwarte acteurs de hoofdrollen spelen) uit de jaren '70, Pam Grier. *Kill Bill, Volumes 1 en 2* (2003, 2004) zijn delen van een wraakverhaal, een opeenhoping van alles waar Tarantino van houdt in films.

Het geweld *is satire in deze scène uit* Pulp Fiction, *waar een digitale vlinder verschijnt tussen Vincent (John Travolta) en zijn partner in crime Jules (Samuel L. Jackson).*

BELANGRIJKSTE FILMS	
1992	Reservoir Dogs
1994	Pulp Fiction
1997	Jackie Brown
2003	Kill Bill: Volume 1
2004	Kill Bill: Volume 2

Andrei **Tarkovsky**

🌐 1932-1986 📹 RUSSISCH 🎬 1962-1986

🎞 7 🎭 Drama

Sommige van de meest persoonlijke en visueel krachtige statements uit Oost-Europa, komen uit de zeven films van Andrei Tarkovsky.

De rijke, beeldende sfeer van Andrei Tarkovsky was al aanwezig in zijn eerste film, *Ivan's Childhood* (*Ivanono Detstvo*, 1962), het verhaal van een weesjongen die voor de partizanen werkt tijdens de Tweede Wereldoorlog. Zijn beheersing van het medium werd verder bevestigd in *Andrei Rublev* (1966), acht gefantaseerde episodes uit het leven van de grote 15e-eeuwse iconische Russische schilder, die door het feodale Rusland reist en gaandeweg het praten afwijst, maar ook zijn kunst en geloof, vanwege het geweld dat hij ziet. Deze afgewogen, indrukwekkende gelijkenis over de positie van de artiest in de maatschappij, werd enkele jaren verboden door de sovjetautoriteiten. *Solaris* (1972), opnieuw uitgebracht door Steven Sonderbergh in 2002, is een verbluffende

Ignat Daniltsev (Aleksei) *wandelt met zijn moeder (Margarita Terekhova) in* The Mirror; *zijn bespiegelingen worden tegen de Russische geschiedenis afgezet.*

sciencefictionfilm die technisch overtuigt zonder afhankelijk te zijn van speciale effecten. Een ander soort sciencefiction was de benadering in *Stalker* (1979), die vertelt over een nachtmerrieachtige reis van de kale stalker (gids) met zijn twee maten door een verboden onbewoond gebied. Opgenomen in griezelig sepia, spookt de film door je hoofd lang nadat hij voorbij is. *The Mirror* (*Zerkalo*, 1975) zit vol met dromerige beelden die herinneringen en fantasieën oproepen uit het privé- en publieke leven van Tarkovsky, in de vorm van een visueel gedicht. De laatste film van Tarkovsky, *The Sacrifice* (*Offret*, 1986), is een postapocalyptisch drama, met als hoogtepunt een 10 minuten durende opname van een brandend huis.

Tarkovsky regisseert *Donatas Banionis die Kris Kelvin speelt, een psycholoog die naar het ruimtestation Solaris wordt gestuurd om de gebeurtenissen aan boord te onderzoeken.*

BELANGRIJKSTE FILMS

1962	Ivan's Childhood
1966	Andrei Rublev
1972	Solaris
1975	The Mirror
1979	Stalker
1986	The Sacrifice

Jacques **Tati**

🌐 1908-1982 🎬 FRANS 🎬 1949-1973

🎞 6 😊 Comedy

Als waarnemer van het moderne leven en de eigenaardigheden van de mens, reconstrueerde Jacques Tati de kunst van de visuele comedy, door deze naar een hoger plan te tillen.

Anders dan de films van Chaplin en Keaton, waren de comedy's van Tati niet rond hemzelf opgebouwd. Toch is hij een opmerkelijk komisch figuur als de lange,

sociaal eigenaardige Monsieur Hulot, wiens aanwezigheid geestige incidenten uitlokt. De films van Tati hebben weinig dialoog, maar de humor openbaart zich door middel van de lichaamstaal van gewone mensen, maar ook door de uiterst nauwgezet georganiseerde geluidseffecten. *Les vacances de Monsieur Hulot* (1953) laat, met komische realiteit, mensen op vakantie zien, terwijl *Mon Oncle* (1958) en *Playtime* (1967) gaan over de ridicule aspecten van de relatie van mensen met machines en architectuur.

Jacques Tati *als Monsieur Hulot op het strand in deze scène uit* Les vacances de Monsieur Hulot.

Jacques **Tourneur**

🌐 1904-1977 🎬 FRANS 🎬 1931-1965

🎞 36 😊 Horror, western

De reputatie van Jacques Tourneur was gebaseerd op vier horrorfilms, waarin het vindingrijke gebruik van licht en schaduw, en ruimte en beweging, meer de suggestie wekte van horror dan die echt uitbeeldde.

De zoon van de bejubelde stommefilmregisseur Maurice Tourneur, Jacques, ging in 1934 naar Hollywood, waarna hij Amerikaans staatsburger werd. Nadat hij een paar B-films had uitgebracht voor MGM, huurde Val Lewton, een producer bij RKO, hem in en samen ontwikkelden

ze een unieke stijl van lowbudgethorrorfilms. Zonder gebruik te maken van shockeffecten, gaf een subtiele uitbeelding van het macabere de films *Cat People* (1942), *I Walked With a Zombie* (1943) en *The Leopard Man* (1943) een zekere overtuiging. Veertien jaar later keerde Tourneur terug naar dit genre met *Night of the Demon* (1957). Zijn andere werk bevat westerns, avonturenfilms en een klassieke film noir, *Out of the Past* (1947), met Robert Mitchum als de typische privédetective die zich laconiek beweegt door een duistere atmosfeer van bedrog en moord.

Night of the Demon *behield Tourneurs suggestieve benadering van horror; het monster werd naar verluidt door de producent toegevoegd.*

François **Truffaut**

◉ 1932-1984 ◗▯ FRANS 🎭 1959-1984
🎞 21 👹 Avant-garde

**Enthousiasme en vrijheid van meningsuiting
karakteriseren de films van François Truffaut,
een leidende figuur in de Franse Nouvelle Vage.
En ze zijn onmiskenbaar gemaakt door iemand
die een zekere mate van onschuld wil behouden.**

'Zijn films belangrijker dan het leven?'
vraagt Jean-Pierre Léaud in *La Nuit
Américaine* (1973). Voor Truffaut moet het
antwoord liggen in de
bevestiging. De passie
die hij voelt voor het
filmmaken is te zien
in zijn films, die vol
zitten met filmische
toespelingen: *Tirez
sur le Pianiste* (1960) is
een eerbetoon aan de
Amerikaanse film noir,
Jules et Jim (1961) verwijst naar Chaplin
en Jean Renoir en *La Mariée Etait en Noir*
(1968) is geïnspireerd door het werk van
Hitchcock. Maar Truffaut is niet alleen
een imitator. Dit is het beste te zien in zijn
semi-autobiografische serie van vijf films
met Jean-Pierre Léaud, die zijn alter ego
Antoine Doinel speelt. De 12 jaar oude
Doinel wordt naar een heropvoedings-
school gestuurd in *Les Quatre Cents Coups*
(1959), alsof het Truffaut zelf was. De
serie volgt Doinel als hij ouder wordt en
verliefd in *Baisers Volés* (1968), trouwt en
een kind krijgt in *Domicile Conjugal* (1970),

Julie Christie *speelt een
dubbelrol als Clarisse/Linda
Montag in* Fahrenheit 451*: het
sciencefictionraadsel dat zich
afspeelt in een dystopia, en het
eerste werk van Truffaut in kleur.*

Originele filmaffiche, *1966*

scheidt en uiteindelijk schrijver wordt
in *L'Amour en Fuite* (1978). Deze
ogenschijnlijke lichtgewichtfilms
verbergen de pijn van Truffaut over het
verliezen van de jeugdige spontaniteit
en de moeilijkheden van de liefde.
Hij laat een breed scala aan stijlen en
onderwerpen zien, van de futuristische
nachtmerrie in *Fahrenheit 451* (1966), het
19e eeuwse tijdperk in *L'Histoire d'Adèle
H.* (1975), tot aan Frankrijk tijdens de
bezetting door de nazi's, in *Le dernier Métro*
(1980).

BELANGRIJKSTE FILMS

1959	Les Quatre Cents Coups
1960	Tirez le Pianiste
1961	Jules et Jim
1966	Fahrenheit 451
1967	La Mariée était en Noir
1968	Baisers Volés
1969	L'Enfant Sauvage
1970	Domicile Conjugal
1973	La Nuit Américaine
1978	La Chambre Verte

Op de *set van* L'Amour en Fuite,
*de laatste in de Antoine Doinel-
serie, regisseert Truffaut Claude
Jade, die Christine, de vrouw
van Doinel, speelt.*

Gus **Van Sant**

🌑 1952- 🏳 AMERIKAANS 🎬 1985-

🎞 11 🎭 Drama

Gus van Sant, een van de belangrijkste onafhankelijke regisseurs die naam maakte in de jaren '90, flirtte met de heersende stroming, maar keerde altijd weer terug naar zijn roots.

Gus van Sant brak al direct door met zijn eerste twee speelfilms over mogelijk niet-commerciële onderwerpen: junkies in *Drugstore Cowboy* (1989) en mannelijke hoeren in *My Own Private Idaho* (1991). Deze films maakten gelijk zijn interesse duidelijk in tot mislukking gedoemde jongeren en

In My Own Private Idaho *legt Mike (River Phoenix), een verlaten kind, grote afstanden af op zoek naar zijn moeder en het doel in zijn leven.*

de onaangepasten in de Amerikaanse maatschappij. Deze interesse kwam het sterkst naar voren in *Elephant* (2003), over de moordpartij in de Columbine school, waarin twee middelbare scholieren hun medescholieren neerschieten; en in *Last Days* (2005) over het problematische leven van popidool Kurt Cobain. *Good Will Hunting* (1997) over een wiskundig genie die als conciërge werkt, gaat ook weer over een buitenstaander, maar is minder somber.

BELANGRIJKSTE FILMS

1989	Drugstore Cowboy
1991	My Own Private Idaho
1997	Good Will Hunting
2002	Gerry
2003	Elephant
2005	Last Days

Agnès **Varda**

🌑 1928- 🏳 BELGISCH 🎬 1954-

🎞 20 🎭 Documentaire

In 1956 maakte fotografe Agnès Varda La Pointe-Courte, hoewel ze verklaarde zelden in een bioscoop te zijn geweest. De film zorgde voor haar reputatie als 'de moeder van de Franse Nouvelle Vague'.

Agnès Varda schreef, produceerde en regisseerde al haar films, zowel fictie als documentaires. In *Cléo de 5 à 7* (1961) zien we twee uur lang het verspilde leven van een nachtclubzangeres terwijl ze wacht op

BELANGRIJKSTE FILMS

1961	Cléo de 5 à 7
1965	Le Bonheur
1977	L'Une Chante, L'Autre Pas
1985	Sans Toit ni Loi
1991	Jacquot de Nantes
2000	Les Glaneurs et la Glaneuse

de medische uitspraak of ze zal blijven leven. Ieder triviaal ongelukje krijgt voor haar steeds meer belang, en we zien Parijs alsof het voor de eerste (of laatste) keer is. *L'Une Chante, l'Autre Pas* (1977) kwam voort uit de betrokkenheid van Varda met de vrouwenbeweging. Acht jaar later maakte ze *Sans Toit ni Loi* (1985), een van haar succesvolste films. Tussen haar fictieve films door maakte ze documentaires, die poëtische filmessays zijn, waaronder eerbetonen aan haar overleden man Jacques Demy.

Sandrine Bonnaire *is Mona, de verschoppeling in* Sans Toit ni Loi, *die haar laat zien als de belichaming van de ziel, vrij van sociale gebondenheid.*

Dziga **Vertov**

◉ 1896-1954 🏳 RUSSISCH ⚖ 1929-1954

🎬 4 😊 Documentaire, propaganda

Dziga Vertov maakte deel uit van de kunstbeweging in het begin van de Russische Revolutie. Zijn filmjournaals en documentaires waren de echo van Lenins bewering dat de de sovjetfilms de 'realiteit' moest tonen.

Er waren drie Kaufman broers: Denis, Mikhail en Boris. Boris werd een bejubelde cinematograaf in Frankrijk (waar hij twee van de films van Jean Vigo opnam) en in Amerika (waar hij een Oscar won voor *On the Waterfront*). Mikhail was cameraman in Rusland. Denis, werkend voor het Revolutionaire Filmcomité, veranderde zijn naam in Dziga Vertov – Oekraïense woorden die 'draaien en keren' betekenen. Hij bewerkte *Cinema Truth (Kino-Pravda)* en *Cinema Eye (Kino Glaz)*, een serie documentairefilms gemaakt voor filmjournaals tussen 1922 en 1925. Aan deze voegde Vertov, langzame, snelle, achteruitspelende bewegingen, opgesplitst beeld, animaties, tekst en fotografie toe. Al deze technieken werden gebruikt in zijn eerste speelfilm, *The Man with the Movie Camera (Chelovek s kino-apparatom*, 1929). De titel verwijst naar zijn broer, Mikhail Kaufman, die we in actie zien in deze beschrijving van het dagelijkse leven in

Dit schuine beeld *laat Vertov aan het werk zien achter de camera. Hij geloofde sterk dat het oog van de camera (kino-glaz) van groter belang was dan het menselijk oog.*

Deze opname *in een weeffabriek in* The Man with the Movie Camera *is een visueel eerbetoon aan de integratie tussen mens en machine.*

BELANGRIJKSTE FILMS
1929 The Man with the Movie Camera
1931 Enthusiasm
1934 Three Songs about Lenin

de Sovjet-Unie. Vertov experimenteerde daarna met geluid in *Enthusiasm (Entuziazm: Simfoniya Donbassa,* 1931) en bleef gebruikmaken van het mobiele camerawerk en ongebruikelijke posities. Het briljante van zijn techniek is ook duidelijk aanwezig in *Three Songs about Lenin (Tri pesni o Lenine,* 1934). De films van Vertov beïnvloedde de Britse documentairebeweging in de jaren '30. Zijn ideeën werden overgenomen door de regisseurs van de cinéma verité in Frankrijk in de jaren '60. Jean-Luc Godard formeerde de Groupe Dziga Vertov om van 1968 tot 1972 zijn films te promoten.

King **Vidor**

🔘 1894-1982 🎌 AMERIKAANS 🏆 1919-1959

🎞 57 🏆 Drama, melodrama, kostuumdrama

King Vidor staat bekend als de regisseur met de langste carrière: 67 jaar en meer dan 50 films. Zijn dominante persoonlijkheid komt in veel van deze films naar voren.

The Big Parade (1925) was een van de eerste films over de Eerste Wereldoorlog. Het begon als 'een serie films die de verschillende periodes in het leven van gewone Amerikaanse mannen en vrouwen beschrijft'. In *The Crowd* (1928) zijn John en Mary (Eleanor Boardman en James Murray) een paar dat net in New York is aangekomen en wiens hoopvolle verwachtingen teniet worden gedaan door werkloosheid en armoede. *Hallelujah!* (1929), de eerste geluidsfilm van Vidor, was een vooruitstrevende musical over zwarte mensen, opgenomen op locatie, waardoor de visuele poëzie van de stomme film kon worden behouden. Zijn technische virtuositeit is duidelijk aanwezig in films als *Stella Dallas* (1937) een melodrama met Barbara Stanwyck, de western *Duel in the Sun* (1946) en het epos *War and Peace* (1956).

Barbara Stanwyck *speelt Stella, een fabrieksmeisje uit de stad dat haar eigen geluk opoffert voor dat van haar dochter, in* Stella Dallas, *een drama over klassenverschillen.*

BELANGRIJKSTE FILMS

1925	The Big Parade
1928	The Crowd
1929	Hallelujah!
1931	The Champ
1934	Our Daily Bread
1937	Stella Dallas
1946	Duel in the Sun
1949	The Fountainhead
1956	War and Peace

Jean **Vigo**

🔘 1905-1934 🎌 FRANS 🏆 1930-1934

🎞 3 🏆 Drama

Weinig regisseurs met zo'n korte filmografie hebben zo'n grote invloed gehad op andere regisseurs als Jean Vigo.

Jean Vigo, zoon van een anarchist die in 1917 in de gevangenis stierf, erfde zijn vaders ideeën over autoriteit. In *Zéro de Conduite* (1933), die zich afspeelt in een vreselijke kostschool, organiseren vier jongens een opstand. De film, gebaseerd op de kindertijd van Vigo, laat vanuit het oogpunt van een kind het beeld van autoriteit zien. Volwassenen worden gezien als perverse, hypocriete en tirannieke leden van de gevestigde orde. De bekendste opname is het kussengevecht op de slaapzaal, die een besneeuwd wonderland van veren wordt, waarin een katholieke processie wordt nagespeeld en bespot. Truffaut en Godard zijn hier duidelijk door beïnvloed en de film had ook een directe invloed op *If...* (1968) van Lindsay Anderson. Vigo stierf op 29-jarige leeftijd aan tuberculose, voordat hij *L'Atalante* (1934) kon afmaken, het verhaal over een jonge man die zijn bruid meeneemt om te leven aan boord van een boot die rondvaart in de kanalen rond Parijs.

Het kussengevecht *in* Zéro de Conduite *is in slow-motion opgenomen. Het bewijst het talent van Vigo om sociaal commentaar te vermengen met unieke beelden.*

BELANGRIJKSTE FILMS

1930	À propos de Nice
1933	Zéro de Conduite
1934	L'Atalante

Luchino **Visconti**

● 1906-1976 📖 ITALIAANS 🏆 1942-1976
📇 14 🎭 Drama, spektakel

Luchino Visconti, aristocraat, marxist, neorealist, theater- en operadirecteur en handelaar in kunst, was een man van tegenstellingen, iets wat in zijn werk tot uiting komt.

Ondanks het feit dat hij een marxist was, werd Visconti aangetrokken tot de Europese burgerlijke kunst. 'Kunst is dubbelzinnig. Het is dubbelzinnigheid die tot wetenschap gemaakt is,' zegt de vriend van de componist Aschenbach in *Dood in Venetië* (1971). Visconti wordt zowel aangetrokken tot als afgehouden van een decadente maatschappij, wat hij verbeeldde in liefdevolle details. In *Il Gattopardo* (1963) kijkt prins Salina van Sicilië triest terug op de dood van de aristocratische wereld; Ludwig II van Bavaria (Helmut Berger) in *Ludwig* (1972) vecht tegen de cultuurbarbaren die het genie Richard Wagner niet kunnen waarderen, en in *Dood in Venetië* dreigt

Dirk Bogarde *levert een van zijn beste prestaties als Gustav von Aschenbach, een ouder wordende, zieke componist in* Death in Venice.

cholera de luxe van Hotel des Bains op het Lido weg te vagen. Hoewel hij de reputatie van neorealist kreeg, kwam alleen *La Terra Trema* (1948) in de buurt van het ideaal van het neorealisme, met de verhalen van de armoedige, op locatie opgenomen, Siciliaanse vissers. Binnen de gewoonten van de opera werkte Visconti het beste, zoals in het weelderige verdiaanse spektakel *Senso* (1954). *Rocco e i Suoi Fratelli* (1960) over een familie die het arme zuiden ontvlucht, is een poging terug te keren naar het neorealisme, ondanks de opera-achtige omvang.

Concetta (Lucilla Morlacchi) *en Angela (Claudia Cardinale) in het verbluffend gefotografeerde* Il Gattopardo, *dat zich afspeelt in het Italië van rond 1800*

BELANGRIJKSTE FILMS

1942	Ossessione
1948	La Terra Trema
1954	Senso
1960	Rocco e i Suoi Fratelli
1963	Il Gattopardo
1971	Dood in Venetië
1976	L'Innocente

Lars von **Trier**

◗ 1956- ▯ DEENS ♟ 1984-

🎞 10 👑 Drama

Er zijn net zo veel mensen fan van Lars von Trier, de beroemdste Deense regisseur sinds Carl Dreyer, als mensen die zijn werk maar niks vinden.

BELANGRIJKSTE FILMS	
1987	Epidemic
1991	Europa
1996	Breaking the Waves
1998	The Idiots
2000	Dancer in the Dark
2003	Dogville

Het debuut van Von Trier was *The Element of Crime* (*Forbrydelsens Element*, 1984), het eerste deel van zijn 'Europa in verval'-trilogie, die wordt gecompleteerd door *Epidemic* (1987) en *Europa* (1991). Ze werden

alle drie opgenomen in een combinatie van zwart-wit en kleur, met de sfeer van na de apocalyps. *Breaking the Waves* (1996), zijn eerste Engelstalige werk – gefilmd als een homevideo – en *Dancer in the Dark* (2000) waren onbeschaamd melodramatisch. De films in een denkbeeldig Amerika, *Dogville* (2003) en *Mandalay* (2005), waren experimenten in het gebruik van minimale decors. Met *The Idiots* (*Idoterne*, 1998) dwong hij op een choquerende manier verstandelijk gehandicapten te leren accepteren.

In het allegorische Dogville *is Grace (Nicole Kidman) een vluchteling die onderdak vindt in een dorpje, met de hulp van Tom Edison (Paul Bettany).*

Andrzej **Wajda**

◗ 1926- ▯ POOLS ♟ 1954-

🎞 35 👑 Kostuumdrama, oorlog

In de jaren '50 werd de oorlogstrilogie van Andrzej Wajda de stem van ontevreden jongeren. Een generatie later was Wajda wederom de stem van een Polen dat worstelde om politiek en economisch te overleven.

BELANGRIJKSTE FILMS	
1954	A Generation
1957	Canal
1958	Ashes and Diamonds
1960	Innocent Sorcerers
1961	Siberian Lady Macbeth
1970	Landscape After Battle
1976	Man of Marble
1981	Man of Iron
1983	Danton

De oorlogstrilogie van Wajda, *A generation* (*Pokolenie*, 1954), *Canal* (*Kanal*, 1957) en *Ashes and Diamonds* (*Popiól i Diament*, 1958), was bitter en antiromantisch. Door de censuur van midden jaren '60 tot midden jaren '70, was Wajda gedwongen zich te

wenden tot allegorische romans, maar zelfs hierin wist hij subtiel en ironisch te verwijzen naar het moderne Polen. Toen de censuur minder werd, keerde hij terug naar politieke onderwerpen die verwezen naar het recente verleden. *Man of Marble* (*Czlowiek z Marmuru*, 1976) beschrijft het leven van een arbeidersheld uit de jaren '50 die uit de gunst raakt. Het vervolg, *Man of Iron* (*Czlowiek z Zelaza*, 1981), ging over de strijd voor solidariteit.

Danton *(met Gérard Depardieu in de titelrol) speelt zich af in het onrustige Parijs van de jaren 1790.*

Raoul **Walsh**

◐ 1887-1980 📖 AMERIKAANS 🏆 1912-1964

🎬 134 🎭 Actie, oorlog, western

Luide, extraverte, pretentieloze en snelle avonturenfilms waren het handelsmerk van Raoul Walsh. De beste waren voor sterren als James Cagney, Humphrey Bogart en Errol Flynn.

De carrière van Walsh was bijna net zo lang als de historie van de film, die terugging tot 1910 toen hij begon als acteur en assistent van D.W. Griffith. Zijn bekendste stomme films als regisseur zijn *The Thief of Bagdad* (1924), die magische fototrucages bevat, en *What Price Glory?* (1926) een comedy die uitdraait op een antioorlogsdrama. Voor Warner Bros. maakte hij *The Roaring Twenties* (1939) een documentaire over het gangstertijdperk, met James Cagney als dranksmokkelaar. *High Sierra* (1941) onthult diepte in het werk van Walsh en gaf Humphrey Bogart zijn eerste driedimensionale rol. Walsh

Humphrey Bogart en George Raft als vrachtwagen-chauffeurs Paul en Joe, ontmoeten Ann Sheridan als Cassie, de vlotte serveerster in They Drive By Night.

nam de film opnieuw op als *Colorado Territory* (1949), een onvervalste tragische western. Errol Flynn speelde in zeven van Walsh' stoere avonturen, waarvan *They Died With Their Boots On* (1941) en *Gentleman Jim* (1942) noemenswaardig zijn. De beste periode van Walsh eindigde met *White Heat* (1949), waarin de moordenaar Cagney vanaf de top van een brandende olietank schreeuwt: 'Het is me gelukt, ma! Ik sta op de top van de wereld!'

High Sierra, een film noir met Bogart als Roy 'Mad Dog' Earle, een crimineel op de vlucht, en Ida Lupino als Marie Garson, de enige vrouw die hij kan vertrouwen.

BELANGRIJKSTE FILMS	
1924	The Thief of Bagdad
1926	What Price Glory?
1930	The Big Trail
1940	They Drive by Night
1941	High Sierra
1942	Gentleman Jim
1949	Colorado Territory
1949	White Heat

Peter **Weir**

🌑 1944- 🏳 AUSTRALISCH 🎬 1975-

🎞 15 😊 Actie, avontuur, historisch

De geboren filmmaker Peter Weir laat een enorme beheersing van sfeer, tempo en nuance zien, bij het maken van zijn symfonieën van bewegende beelden.

Hoewel niet zijn eerste film, was *Picnic at Hanging Rock* (1975) de film die Weir wereldwijd bekend maakte. Het was een sfeervol verhaal over de verdwijning van zeven meisjes tijdens een schoolreisje in 1900. De kunst van Weir om de film te voorzien van een authentiek gevoel van tijd en plaats, zorgde ervoor dat veel kijkers geloofden dat de film gebaseerd was op een waargebeurd verhaal (wat het niet was). De film plaatste Weir aan de top van de Australische New Wave. Het ontroerende, maar relatief conventionele *Gallipoli* (1981), zijn laatste Australische film tot dat moment, bevestigde thuis zijn reputatie als icoon. *The Year of Living Dangerously* (1982) is de eerste in een serie van Weirs films die de botsing tussen de moderne westerse wereld en oude culturen beschrijft. In *Witness* (1985) gaat een agent uit Philadelphia, John Book (Harrison Ford) undercover in een Amish-

Russell Crowe *reist over ruige zeeën als kapitein 'Lucky' Jack Aubrey in* Master and Commander.

gemeenschap. In *The Mosquito Coast* (1986) neemt een zichzelf uitvinder noemende Allie Fox (weer Harrison Ford) zijn familie mee de jungle in, om terug te keren naar de natuur, met desastreuze gevolgen. De films van Weir, er valt over te twisten, missen de diepzinnigheid, maar zeker de ernst van Andrei Tarkovsky. Maar hun films delen een uitstraling van spiritualiteit. In *Witness* is het gewone politieverhaal al snel vergeten, maar de beelden zonder woorden, waarin de gemeenschap samenkomt om een schuur te bouwen, blijft lang in het geheugen. *Fearless* (1993) is een spookachtige film over de overlevenden van een vliegtuigongeluk, en *The Truman Show* (1998) is een satire op reality-tv.

BELANGRIJKSTE FILMS

1975	Picnic at Hanging Rock
1981	Gallipoli
1985	Witness
1986	The Mosquito Coast
1989	Dead Poets Society
1993	Fearless
1998	The Truman Show
2003	Master and Commander: The Far Side of the World

Filmaffiche, *1975*

Orson **Welles**

◔ 1916-1985 🎬 AMERIKAANS 🎞 1941-1975

🎞 14 🎭 Film noir, drama

Het idee dat Orson Welles nooit meer een film kon regisseren die zich kon meten met *Citizen Kane* (1941) is hardnekkig. Slechts weinig Hollywoodregisseurs hebben een mooier oeuvre.

Als Welles een conformist was geweest, had hij misschien meer succes gehad. *Citizen Kane* (1941), zijn eerste lange speelfilm, ging in tegen de conventies van de chronologische vertelling en techniek van het film maken. In *F for Fake* (1973) vertelt Welles met genoegen anekdotes over kunstvervalsers, waarin wordt aangetoond dat 'kunst de leugen is, die ons de waarheid doet zien.' Is de verhalenverteller dan niets meer dan een grote leugenaar? In het prachtige komische gedicht en historisch epos *Chimes at Midnight* (1966) krijgt Falstaff, een van de beste leugenaars uit de literatuur, waardigheid in het portret van Welles. In *The Immortal Story* (1968) wil een rijke koopman een populaire zeemansmythe werkelijkheid laten worden. Macht is een blijvend motief in het werk van Welles, zichtbaar in het karakter van de megalomane krantenmagnaat Charles Kane in *Citizen Kane*; *Macbeth* (1948); *Othello* (1952); en het karakter van de miljonair Gregory Arkadin in *Confidential Report* (1955).

Orson Welles *is commandant Hank Quinlan in de klassieke film noir* Touch of Evil, *met Janet Leigh als Susie Vargas en bendeleider 'Uncle' Joe (Akim Tamiroff).*

In de verbazingwekkende *'spiegelhuis'-opname in* The Lady from Shanghai *staat Michael (Orson Welles), die vals beschuldigd wordt van moord, tegenover de mooie Elsa (Rita Hayworth).*

BELANGRIJKSTE FILMS

1941	Citizen Kane
1942	The Magnificent Ambersons
1947	The Lady from Shanghai
1948	Macbeth
1952	Othello
1955	Confidential Report
1958	Touch of Evil
1966	Chimes at Midnight

Een strijd om de macht staat centraal in *The Lady from Shanghai* (1947) en *Touch of Evil* (1958). RKO maakte een mindere montage van *The Magnificent Ambersons* (1942), maar het blijft een portret van een afglijdende familie in de 19e eeuw dat je niet loslaat.

William **Wellman**

◗ 1896-1975 🎬 AMERIKAANS 🏆 1923-1958

🎞 76 🎭 Diversen

Hoewel William Wellman meestal wordt geassocieerd met actiefilms die hem de reputatie opleverden dat hij altijd met mannen werkte, werkte hij met een scala aan genres in de beste Hollywoodtraditie.

Wellman kreeg zijn bijnaam 'Wild Bill' voor zijn ongeduld, zijn roekeloze persoonlijkheid en zijn werk als piloot tijdens de Eerste Wereldoorlog. Hij putte uit zijn oorlogservaringen voor *Men With Wings* (1938), een verhaal over de pioniers

Filmaffiche, *1937 Chicago*

BELANGRIJKSTE FILMS

1927	Wings
1931	The Public Enemy
1933	Wild Boys of the Road
1935	The Call of the Wild
1937	A Star is Born
1937	Nothing Sacred
1939	Beau Geste
1942	Roxie Hart
1943	The Ox-Bow Incident
1945	The Story of G.I. Joe
1954	The High and the Mighty

Jack (Charles Rogers) en David (Richard Arlen) zijn twee gevechtspiloten die beiden verliefd zijn op de verpleegster Mary (Clara Bowl) in Wings.

van de lucht; *Lafayette Escadrille* (1958), waarin zijn zoon zichzelf speelt; en *Wings* (1927), de eerste film die de Oscar voor Beste Film won. Anders dan de stoeremannen-eposen, zoals *The Call of the Wind* (1935), *Beau Geste* (1939), en *Buffalo Bill* (1944), was er ook *Wild Boys of the Road* (1933), een gevoelig verhaal over jonge mensen tijdens de depressie. Zijn origineel van *A Star is Born* (1937) zegt meer over Hollywood dan de twee latere bewerkingen; *Nothing Scared* (1937) is een snelle hilarische satire; *Roxie Hart* (1942) is een cynische parodie op de jaren '20 (opnieuw uitgebracht als de toneel- en bioscoopmusical *Chicago*); en *Magic Town* is een capraeske comedy over Grandview, een klein stadje dat staat voor al dit soort stadjes in de VS. Hij regisseerde vijf films met Barbara Stanwyck. Dankzij Wellman kwam Robert Mitchum op als ster in de semi-documentaire *The Story of G.I. Joe* (1945). James Cagney vond het sterrendom in een van de eerste van Warner's gangstercycli, *The Public Enemy* (1931).

Wim **Wenders**

● 1945- 🏳 DUITS 🎭 1970-
🎞 28 😊 Drama, muziek

Meer dan de meeste van zijn tijdgenoten is Wim Wenders zich bewust van de culturele invloed van Amerika op het naoorlogse Duitsland. Zijn films, of deze nu gemaakt zijn in de Verenigde Staten of in Duitsland, laten dit zien.

'De yanks hebben ons onderbewuste gekoloniseerd,' zegt een van de Duitse vrienden in *Im Lauf der Zeit* (1976), een complexe, subtiele, komische roadmovie. Wenders' films veroordelen dit niet, maar omarmen dit idee ook niet. Zijn karakters zijn eenzelvig en emotioneel belemmerd, maar als ze de weg op gaan, zijn veranderingen onvermijdelijk. De magnifiek gefotografeerde, rustige, lange reizen bereiken een metafysische dimensie. Zoals in *Paris, Texas* (1984), zijn grootste internationale succes. Hij keerde terug naar dat thema met *Don't Come Knocking* (2005).

BELANGRIJKSTE FILMS

1973	Alice in den Städten
1976	Im Lauf der Zeit
1977	Der Amerikanische Freund
1984	Paris, Texas
1987	Der Himmel über Berlin
1999	Buena Vista Social Club
2005	Don't Come Knocking

Eliades Ochoa *en Ibrahim Ferrer treden op in* The Buena Vista Social Club. *In deze documentaire volgt Wenders een groep 'vergeten' Cubaanse jazzmuzikanten.*

James **Whale**

● 1889-1957 🏴 BRITS 🎭 1930-1941
🎞 20 😊 Horror, musical

De naam James Whale is voor altijd verbonden aan het monster van Frankenstein, dat hij tot leven bracht in twee horrorklassiekers.

Na de opvoering van het stuk *Journey's End,* van R.C. Sheriff, werd Whale in 1930 uitgenodigd om naar Hollywood te komen om dit drama over de Eerste Wereldoorlog te verfilmen. Hij vierde triomfen met zijn derde film, *Frankenstein* (1931), waain zijn landgenoot Boris Karloff de titelrol speelde. Over het algemeen gaf Whale de voorkeur aan het werken met Britse acteurs: Charles

BELANGRIJKSTE FILMS

1931	Frankenstein
1932	The Old Dark House
1933	The Invisible Man
1935	The Bride of Frankenstein
1936	Show Boat

Laughton in *The Old Dark House* (1932), Claude Rains in *The Invisible Man* (1933) en Elsa Lanchester in *The Bride of Frankenstein (1935)*. Het is misschien dat Britse waardoor zijn horrorfilms, die vol zitten met zelfspot, vrij zijn van het Duitse expressionisme, dat vaak met dit genre wordt geassocieerd. Hij switchte vervolgens naar Hammerstein met de beste van de drie bioscoopversies van *Show Boat* (1936). De belangstelling voor Whale nam weer toe toen zijn levensverhaal verfilmd werd in *Gods and Monsters* (1998) van Bill Condon.

Filmaffiche, *1935*

Margaret (Gloria Stuart) *ontdekt de duistere geheimen van een oud landhuis, dat bewoond wordt door een vreemde familie, in* The Old Dark House.

Billy **Wilder**

● 1906-2002 ▯▯ AMERIKAANS 🎬 1933-1981

▦ 26 🎭 Comedy, romantiek, film noir

De films van Billy Wilder, die de nadruk leggen op het belang van de dialoog en de structuur van de plots zijn afgeleid van het satirische Weense theater, de geestige elegantie van Ernst Lubitsch en de ruwere screwball comedy's uit de jaren '30.

Filmaffiche, *1955*

De in Oostenrijk geboren Wilder begon zijn lange Hollywoodcarrière met het schrijven van films voor Ernst Lubitsch en Mitchell Leisen in de jaren '30. Als schrijver, regisseur en producer maakte hij succesvolle films in verschillende genres. Hij kreeg het onwaarschijnlijke aantal van acht Oscarnominaties als Beste Regisseur (tweede achter William Wyler, die er 12 had). Wilder was ook 12 keer genomineerd voor zijn scenario's, die hij gewoonlijk gezamenlijk schreef, eerst met Charles Brackett en vanaf 1957 met I.A.L. Diamond. De kritische films van Wilder onthullen vaak een romantische bitterheid, die voortkomt uit teleurstelling – het leven is niet perfect, de liefde wordt gedwarsboomd, mensen kunnen hebzuchtig zijn en de wereld gaat er niet op vooruit. *Sunset Boulevard* (1950) is een glorieuze zwanenzang op de ster van de stomme film, Norma Desmond (Gloria Swanson). Er zitten ook verschillende harteloze helden in zijn werk,

Barbara Stanwyck *en Billy Wilder op de set van* Double Indemnity, *een klassieke film noir over overspel, corruptie en moord, gebaseerd op een roman van James M. Cain.*

zoals de sensatiezoekende verslaggever Charles Tatum (Kirk Douglas) in *Ace in the Hole* (1951), de gluiperige verzekeringsagent Walter Neff in *Double Indemnity* (1944) en de slappe, uitbuitende zakenman J.D. Seldrake in *The Apartment* (1960), beiden gespeeld door Fred McMurray. Anderen zijn Dino, de zichzelf parodiërende Dean Martin als zanger van sentimentele liedjes in *Kiss Me, Stupid* (1964) en de bedrieglijke advocaat Willie Gingrich in *The Fortune Cookie* (1966) gespeeld door Walter Matthau. Wilders houding ten opzichte van hen is veroordelend. Zijn gevoeligheid bewaart hij voor de vrouwelijke karakters. Audrey Hepburn staat voor alles wat goed is in het leven als zij probeert te kiezen tussen de Larrabee broers (Humphrey Bogart en William Holden) in *Sabrina* (1945) en als zij pijnlijk gekwetst wordt door de middelbare playboy Frank Flannagan (Gary Cooper) in *Love in the Afternoon* (1957). Marilyn Monroe wordt neergezet als verleidelijk maar onschuldig, als zij Richard (Tom Ewell) beschermt tegen overspel in *The Seven Year Itch* (1955) en als ontroerend als zij 'Josephine' (Tony Curtis in een jurk)

BELANGRIJKSTE FILMS	
1942	The Major and the Minor
1944	Double Indemnity
1945	The Lost Weekend
1950	Sunset Boulevard
1951	Ace in the Hole
1953	Stalag 17
1954	Sabrina
1959	Some Like It Hot
1960	The Apartment
1961	One, Two, Three

vertelt hoeveel ze van Joe (Curtis met een broek) houdt in *Some Like It Hot* (1959). Shirley MacLaine wordt gered door C.C. Baxter (Jack Lemmon) in *The Apartment* (1960). *Fedora* (1978) behandelt een zelfde soort plot als die in *Sunset Boulevard*, over een Garbo-achtige ster. Het Lubitsch-gevoel is van toepassing op het regiedebuut van Wilder, *The Major and the Minor* (1942), waarin Susan (Ginger Rogers) zich voordoet als een 12-jarige om minder geld voor een treinkaartje te hoeven betalen. De drie bittere comedy's die zich afspelen in Duitsland, *A Foreign Affair* (1948) in een Berlijn dat is verwoest door de oorlog; *Stalag 17* (1953) in een krijgsgevangenkamp; en *One, Two, Three,* (1961) in een Berlijn dat is verdeeld door de muur, zijn invoelend maar ook buitengewoon grappig. *Some Like*

Humphrey Bogart *als de serieuze Linus, die bezwijkt voor de charmes van Sabrina (Audrey Hepburn) in* Sabrina, *de romantische comedy van Wilder.*

It Hot is een parodie op de gangsterfilm tijdens de drooglegging, en wordt in brede kring beschouwd als de grappigste film ooit. Wilder stapte over naar de opkomende film noir met *Double Indemnity* (1944), een donkere en pessimistische thriller, die wordt uitgebeeld met bijtende humor. *The Lost Weekend* (1945) is een van de eerste films die alcoholisme serieus behandelt.

Een scene *uit* Sunset Boulevard, *de harde, cynische kijk van Wilder op de showbusiness, met Gloria Swanson als Norma en William Holden als Joe Gillis.*

Robert **Wise**

● 1914-2005 🎞 AMERIKAANS 🎬 1944-1989

🎬 39 💬 Drama, musical

Hoewel de bekendste film van Robert Wise *The Sound of Music* (1965) was, gefilmd in prachtig Todd-AO en De Luxe Color, was zijn sterkste kant de korrelige, low budget zwart-witdrama's.

BELANGRIJKSTE FILMS	
1944	The Curse of the Cat People
1949	The Set-Up
1951	The Day the Earth Stood Still
1956	Somebody Up There Likes Me
1958	I Want to Live!
1961	West Side Story
1965	The Sound of Music

Robert Wise werd een van de leidende regisseurs in Hollywood door hard te werken en van genre naar genre over te stappen, zonder echter een eigen stempel op zijn films te drukken. Hij regisseerde enkele van de beste boksdrama's (*The Set-Up*, 1949), sciencefictionfilms (*The Day the Earth Stood Still*, 1951 – een intelligente antioorlogsklassieker) en horrorfilms (*The Haunting*, 1963). Wise debuteerde met enkele horrorfilms voor de Hollywoodproducer Val Lewton, zoals het vage *The Curse of the Cat People* (1944). Daarna maakte hij een aantal suspensedrama's met een stevige plot, waaronder *Born to Kill* (1947) en de voortreffelijke western met Robert Mitchum, *Blood on the Moon* (1948). The

Set-Up is een bovennatuurlijke bespiegeling, die goed past bij de levensangst van de boksdrama's, terwijl *Somebody Up There Likes Me* (1956), een biografie over de bokser Rocky Graziano (Paul Newman), bijna een direct antwoord hierop is. Het lukte Wise om realiteit te combineren met sociaal commentaar in de musical *The West Side Story* (1961), waarvoor hij de Oscar won voor Beste Regisseur. Dezelfde prijs won hij ook voor *The Sound of Music* (1965), een Broadwaymusical die hij briljant op het witte doek bracht. Hij kwam terug met sciencefiction in *Star Trek: The Motion Picture* (1979), de op drie na bestverdienende film in de geschiedenis van Paramount.

In West Side Story *voert een New Yorkse bende, The Sharks, aangevoerd door Bernardo (George Chakiris) een fantastische straatdans op.*

Wong Kar-Wai

● 1958 ⎕ CHINEES 🚩 1988-

🎬 8 ⑳ Avant-garde, romantiek

Wong Kar-Wei, een van de meest originele regisseurs die opkwam aan het einde van de 20e eeuw, behoort tot de tweede 'New Wave' van filmmakers in Hongkong die een innovatieve, niet-realistische benadering van film hebben.

De films van Wong bestaan uit indrukwekkende beelden (meestal van Hongkong) met complex geconstrueerde plots. Hieraan zijn stemming en sfeer toegevoegd, met nostalgische popmuziek als soundtrack en vervreemde, door de liefde verlaten karakters. Voor het bereiken van zijn filmische effecten werkt Wong samen met cinematograaf Chris Doyle en de acteurs William Chang, Maggie Cheung, Leslie Cheung en Tony Leung. Hij gebruikt parallel lopende verhalen waarin de karakters willekeurig elkaars pad kruisen, een techniek die het beste te zien is in de twee verhaallijnen van *Chungking Express* (*Chung Hing Sam Lam*, 1994). De eerste gaat over een agent die de bons heeft gekregen en die een heroïnekoerier ontmoet; de tweede over een serveerster die een obsessie heeft voor een andere agent. Het Hongkong van de jaren '60 is Wongs favoriete achtergrond. *Days of Being Wild* (*A Fei Jing Juen*, 1991)

Faye Wong *speelt in 2046 een menselijke robot aan boord van een denkbeeldige trein. Ze speelt ook de rol van Wang Jing Wen, de verloren liefde van de hoofdrolspeler, Chow Mo Wan.*

BELANGRIJKSTE FILMS

1994	Ashes of Time
1994	Chungking Express
1995	Fallen Angels
1997	Happy Together
2000	In the Mood for Love
2004	2046

speelt zich af in 1960 en laat de angsten zien voor de overdracht van het gebied aan China; *In the Mood for Love* (*Fa Yeung Nin Wa*, 2000) speelt zich ook af in de jaren '60, terwijl *2046* (2004) wisselt tussen de jaren '60 en de denkbeeldige toekomst in 2046. In al deze films vraagt Wong de toeschouwer de vanzelfsprekende ideeën over tijd en ruimte overboord te zetten. De ironisch getitelde film *Happy Together* (*Cheun Gwong Tsa Sit*, 1997) over een affaire tussen twee mannen, gebruikt zowel monochroom als kleur en is een van de weinige films die Wong buiten China heeft opgenomen.

De geliefden *Yiu-fai (Tony Leung) en Po-wing (Leslie Cheung) gaan op weg naar Buenos Aires in* Happy Together, *een film over het wezen van de liefde.*

John **Woo**

🌐 1946-   🏳️ CHINEES   🎬 1989-

🎞️ 36   🏆 Actie, thriller

De regisseur uit Hongkong verhuisde aan het begin van de jaren '90 naar Hollywood, voor de overdracht van het soevereine Britse gebied aan de Chinezen. Op dat ogenblik had hij de top van zijn creatieve kunnen al bereikt.

Woo worstelde om zich te onderscheiden van de verzameling snelgemaakte Oosterse vechtfilms uit Hongkong. Feitelijk vond hij een heel nieuw genre uit toe hij *A Better Tomorrow* (*Ying Hung Boon Sik*, 1986) uitbracht, een hriller in de stijl van de klassieke gangsterfilms uit Hollywood. De film laat overdreven geweld overgaan in opzichtige romantiek – bijna ridderlijk – en gaat over mannelijke vriendschap en eer. Dit genre, door de fans 'heroïsch bloedvergieten' genoemd, vormde in de volgende 10 jaar het hoofdbestanddeel van de films uit Hongkong. Sterk beïnvloed door Pierre Melville, Sam Peckinpah en Vincente Minelli, maakte Woo films met een grote mate van choreografie in de acties, die niets met de realiteit te maken hadden. Nadat Woo

Agent Sean Archer *(Travolta) neemt het op tegen terrorist Caster Troy (Cage) in* Face/Off, *waarin actie, sciencefiction en misdaad worden gecombineerd.*

in Hollywood een cultstatus had bereikt, volgden zijn meest extreme en persoonlijke films, de gangsterfilm die zich afspeelt in het Vietnamtijdperk *Bullet in the Head* (*Die Xue Jie Tou*, 1990) en de virtuose 'shoot-'em-ups' *The killer* (*Die Xue Shuan Xiong*, 1989) en *Hard-Boiled* (*Lashou Shentan*, 1992). Zijn uitbundige stijl – opnames uit draaiende hijskranen, volledige overzichten uit verschillende hoeken en het langzaam terugspelen – samen met zijn vuurgevechten met twee geweren werd veelvuldig gekopieerd in de jaren '90. Zijn beste Amerikaanse film, *Face/Off* (1997), is een film die een dubbel beeld oproept van de tegenstanders Caster en Sean (Nicholas Cage en John Travolta) die van identiteit verwisselen. Typerend voor Woo is het 'larger-than-life'-spel van de sterren, maar het sluit zijn filosofische ernst niet uit.

Jean-Claude Van Damme *promootte Woo (links) als de 'Martin Scorsese van Azië', waardoor Woo zijn eerste Amerikaanse film,* Hard Target *(1993) kon regisseren.*

BELANGRIJKSTE FILMS	
1989	The Killer
1990	Bullet in the Head
1992	Hard-Boiled
1997	Face/Off
2000	Mission: Impossible II

William **Wyler**

● 1902-1981 🏳 AMERIKAANS 🏆 1926-1970

🎬 61 🎭 Drama, epos, kostuumdrama, musical

De films van William Wyler zijn normaal gesproken sterk en smaakvol Oscarwinnend amusement dat ethische kwesties aftast.

Toen de in Duitsland geboren William Wyler in 1924 naar Hollywood kwam, werkte hij zich op van rekwisietenjongen tot regisseur van korte westerns. Hij werkte zeer nauwgezet, wat hem de bijnaam '99-take Wyler' opleverde. Zijn reputatie als maker van kwaliteitsfilms dankt hij aan zijn eerste versie van *These Three* (1936), gebaseerd op het stuk van Lillian Hellman, *The Children's Hour*. (Hij maakte in 1962 een remake, toen de lesbische verhouding in het stuk genoemd mocht worden.) Het camerawerk van Toland,

Filmaffiche, *1946*

vooral zijn deepfocusfotografie, gaf de films van Wyler een scherpte die ze anders niet zouden hebben gehad. Producer Sam Goldwyn hielp hem met sommige van zijn beste films, zoals *Dodsworth* (1936) en *Wuthering Heights* (1939). Andere Goldwyn-producties zijn *Dead End* (1937), over jeugdcriminaliteit in New York, en *The Little Foxes* (1941), een Hellman-drama met Bette Davis. Wyler regisseerde Davis ook in *Jezebel* (1938) en *The Letter* (1940). *The Best Years of Our Lives* (1946), een ontroerend portret van het naoorlogse Amerika, volgt drie soldaten die terugkeren uit de oorlog. De film won zeven Oscars. De uiterst nauwgezette stijl van Wyler vulde het bioscoopdoek met *Friendly Persuasion* (1956), een mooi verhaal over een Quakerfamilie die gedwongen wordt om de wapens op te nemen tijdens de Amerikaanse Burgeroorlog; *The Big Country* (1958), een enorme anti-western; en het epos *Ben-Hur* (1959).

Bette Davis *is de verleidelijke heldin Julie, en Henry Fonda is Preston – een verloofd paar dat op het punt staat om uit elkaar te gaan in het overtuigende periodedrama Jezebel.*

BELANGRIJKSTE FILMS

1938	Jezebel
1941	The Little Foxes
1942	Mrs. Miniver
1946	The Best Years of Our Lives
1953	Roman Holiday
1956	Friendly Persuasion
1958	The Big Country
1959	Ben-Hur
1968	Funny Girl

Franco **Zeffirelli**

◗ 1923- ⚑ ITALIAANS 🏆 1957-

🎬 18 🎭 Kostuumdrama, musical

Franco Zeffirelli, vooral een regisseur van weelderig opgezette opera's, doordrong zijn films met barokke beelden en luxe uitziende fotografie, decors en kostuums.

Maggie Smith als Lady Hester en Claudio Spadaro als Mussolini in Tea with Mussolini, *waarin vijf Britse en Amerikaanse vrouwen een verlaten kind opvoeden.*

BELANGRIJKSTE FILMS

1967	The Taming of the Shrew
1968	Romeo and Juliet
1979	The Champ
1982	La Traviata
1990	Hamlet
1999	Tea with Mussolini

'We hebben geen garantie voor het heden en de toekomst. Daarom is de enige keuze teruggaan naar het verleden... Ik ben een verlichte conservatief die voortdurend bezig is over onze grootvaders en vaders te vertellen,' aldus Zeffirelli, wiens films zich in het verleden afspelen of bewerkingen zijn van klassieke teksten. Zijn Shakespearefilms zijn druk en kleurrijk: in *The Taming of the Shrew* (1967) spelen Elizabeth Taylor en Richard Burton; *Romeo and Juliet* (1968) heeft een jeugdige energie; en Mel Gibson speelt een mannelijke *Hamlet* (1990). *Tea with Mussolini* (1999) is gebaseerd op Zeffirelli's eigen kindertijd.

Robert **Zemeckis**

◗ 1952- ⚑ AMERIKAANS 🏆 1984-

🎬 15 🎭 Comedy

Robert Zemeckis, een protegé van Steven Spielberg, behoort tot de meest ervaren regisseurs van Hollywood. Hij maakte naam met een serie geestige, mild satirische comedy's.

Zemeckis scoorde een hit met *Romancing the Stone* (1984), met Michael Douglas, Kathleen Turner en Danny DeVito, en overzag de enorm populaire *Back to the Future*-serie (1985, 1989, 1990) met een zeldzame scherpzinnigheid. In *Who Framed Roger Rabbit* (1988) combineert hij naadloos live-actie met traditionele animatie tot een modern resultaat. Met het ouder worden zijn helaas de menselijke elementen in zijn films vervangen door een groter accent op de technologie. In *The Polar Express* (2004) gebruikt hij gedigitaliseerde motion-capture animatietechnieken,

BELANGRIJKSTE FILMS

1985	Back to the Future
1988	Who Framed Roger Rabbit
1994	Forrest Gump
2000	Cast Away

Chuck Noland *(Tom Hanks) strandt op een afgelegen eiland in de Atlantische Oceaan na een vliegtuigongeluk, en herontdekt zijn prioriteiten in* Cast Away.

die resulteren in griezelig levensechte figuren. Twee van zijn films met Tom Hanks steken er bovenuit. *Forrest Gump* (1994) is een behoudend commentaar op de geschiedenis van de VS in de late 20e eeuw. De film won zes Oscars, onder andere voor Beste Film en Beste Regie. *Cast Away* (2000) is een opvallend modern Robinson Crusoeverhaal, dat beschouwd kan worden als het beste werk van de regisseur.

Zhang Yimou

🌐 1951- 🏳 CHINEES 🎬 1987-
🎞 14 🎭 Kostuumdrama, melodrama

Als een van de eerste afgestudeerden na het Mao-tijdperk, durfde Zhang Yimou in zijn films de morele dubbelzinnigheid en een impliciete reactie tegen de autoriteiten te laten zien.

Wat betreft de propagandafilms, waar ook hij in zijn jeugd mee te maken had gehad, weet voormalig cameraman Zhang zich te herinneren wat ze op de filmschool hadden gezegd: 'We zwoeren... dat we nooit dat soort films zouden maken.' *Red Sorghum (Hong Gao Liang*, 1987), zijn eerste speelfilm,

Flying Snow *(Maggie Cheung)* en Moon *(Zhang Ziyi) vechten tussen de herfstbladeren in het spectaculaire* Hero *(2000).*

voldeed aan die uitspraak, in zijn beschrijving van ingewikkelde relaties op het Chinese platteland, gefilmd in een prachtig landschap. *Ju Dou* (1990) is een drama over overspel, dat herinneringen oproept aan de film noir uit Hollywood in de jaren '40. *Raise the Red Lantern (Dahong Denglong Gaogao Gua*, 1991), *The Story of Qiu Ju (Qiu Ju Da Guan Si*, 1992) en *To Live (Huozhe*, 1994) gaan over de positie van de vrouw in de Chinese maatschappij, en in al deze films speelt de gewezen liefde van Zhang, Gong Li, mee.

BELANGRIJKSTE FILMS

1987	Red Sorghum
1990	Ju Dou
1991	Raise the Red Lantern
1992	The Story of Qiu Ju
1994	To Live

Fred Zinnemann

🌐 1907-1997 🏳 OOSTENRIJKS (AMERIKAANS)
🎬 1942-1982 🎞 21 🎭 Divers

De beste films van Zinnemann zijn menselijke en natuurgetrouwe films. En hoewel ze gaan over psychologische, politieke en sociale onderwerpen, blijven ze erg onderhoudend.

Zinnemann had een goed gevoel voor acteurs: Montgomery Clift (*The Search*, 1948), Pier Angeli en Rod Steiger (*Teresa*, 1950), Marlon Brando (*The Men*, 1950), Julie Harris (*A Member of the Wedding*, 1952), en Shirley Jones (*Oklahoma!*, 1955), maakten hun debuut in zijn films. *High Noon* (1952), een klassieke western, markeert het toppunt van zijn carrière. *From Here to Eternity* (1953), een film die zich afspeelt in de dagen voor Pearl Harbor, veranderde het imago van Frank Sinatra en Deborah Kerr. *Oklahoma!*, de musical, het melodrama *The Nun's Story* (1959) en de kostuumfilm *A Man for All Seasons* (1966) dragen zijn specifieke stempel.

BELANGRIJKSTE FILMS

1948	The Search
1948	Act of Violence
1950	The Men
1952	High Noon
1953	From Here to Eternity
1955	Oklahoma!

Cowboy Curly McLane *(Gordon MacRae) maakt Laurey Williams (Shirley Jones) het hof in* Oklahoma!*, zijn bewerking van de Rodgers en Hammerstein-musical.*

FILM
TOP-100

Het is altijd een enorme uitdaging om een definitieve lijst te maken van films die je 'gezien moet hebben', omdat oordelen per definitie zeer subjectief zijn. De volgende 100 films in dit deel van het boek hebben echter ongetwijfeld het publiek over de hele wereld ontroerd, geamuseerd of wijzer gemaakt. Deze films hebben de afgelopen honderd jaar onze kijk op de filmkunst veranderd en een onuitwisbare indruk achtergelaten.

De keuze voor deze 100 films werd door diverse criteria geleid. Hoewel er een klein aantal relatief nieuwe films bij staat – instantklassiekers zou men kunnen zeggen – is het merendeel van de films opgenomen omdat ze de tand des tijds hebben doorstaan. Behalve de echte klassiekers – films die regelmatig voorkomen op de lijstjes van filmgeschiedkundigen en recensenten, zijn ook publieks favorieten opgenomen.

Onder de films in dit deel bevinden zich meesterwerken uit de tijd van de stomme film, zoals *The Birth of a Nation* en *La Passion de Jeanne d'Arc*; comedy's als *City Lights* en *Women on the Verge of a Nervous Breakdown*; musicals als *42nd Street* en *The Sound of Music*. Je vindt hier horrorfilms, als *Nosferatu*; tekenfilms – van de met de hand getekende *Sneeuwwitje en de zeven Dwergen* tot de met de computer gemaakte *Toy Story* –; sciencefiction (*Star Wars*, natuurlijk) en epische verhalen (*The Lord of The Rings*-trilogie).

Tot de films die 'automatisch' op iedere lijst staan, onafhankelijk van persoonlijke voorkeuren, behoren die films die een vruchtbaar effect op de filmgeschiedenis hebben gehad, zowel technisch als esthetisch, zoals

Das Kabinett des Dr. Caligari, Nanook of the North, The Battleship Potemkin, Napoléon, Citizen Kane, Ladri di Biciclette (Fietsendieven) en *Breathless*. Andere zijn om minder duidelijke redenen belangrijk geweest, zoals *King Kong, His Girl Friday, L'Avventura, Bonnie and Clyde, Easy Rider, Taxi Driver* en *Annie Hall*.

De lijst is beperkt tot één film per regisseur, met als voornaamste reden dat het te gemakkelijk zou zijn om 100 films uit te kiezen met alleen werken van de grote regisseurs, zoals Alfred Hitchcock, Ingmar Bergman, Luis Buñuel, Federico Fellini, John Ford, Jean Renoir, Akira Kurosawa en Billy Wilder.

Iedere film die we van de bovenstaande regisseurs hebben gekozen zou ook door een andere titel vervangen kunnen worden: *North By Northwest, Psycho* of *Rear Window* in plaats van *Vertigo*; *Wilde aardbeien, Persona* of *Fanny en Alexander* in plaats van *Het zevende zegel*. Waarom niet *Viridiana* of *Belle de Jour* voor Buñuel? *Amarcord* of *8½* voor Fellini? John Ford, de maestro van de western, wordt vertegenwoordigd door *The Grapes of Wrath*, een niet-western. Is *The Rules of the Game* beter dan *La Grande Illusion*? Is *Rashomon* beter dan *The Seven Samurai*? Is *Some Like It Hot* een betere keuze dan *The Apartment*? Het was dus eigenlijk een luxeprobleem dat we bij het samenstellen hadden.

Ziyi Zhang speelt Jiao Long, *een impulsieve en lichamelijk sterke dochter van een edelman in* Crouching Tiger, Hidden Dragon, Ang Lee's grote succes uit 2000.

The Birth of a Nation | D.W. Griffith | 1915

The Birth of a Nation was een mijlpaal in de ontwikkeling van de film en blijft een van de meest controversiële films ooit gemaakt. Het epische verhaal volgt twee families tijdens en direct na de Amerikaanse Burgeroorlog.

De meer dan drie uur durende *The Birth of a Nation* was de eerste lange speelfilm van de Amerikaanse cinema. Alle innovaties uit Griffiths eerdere werk – cross-cutting, close-ups, dissolves en fades – bereikten hun volwassenheid in *The Birth of a Nation*. Een van kenmerken van de film was de integratie van een intiem, persoonlijk verhaal binnen het grotere geheel van een aantal historische gebeurtenissen – bijvoorbeeld de moord op president Lincoln en de kolkende massa's soldaten op de slagvelden. Griffith werkte niet met een scenario, maar had de complexe structuur van de film in zijn hoofd. Een groot deel van het eind van de film, waarin de slaven hun vrijheid krijgen, de held de Ku Klux Klan opricht en een zwarte man een blanke maagd achtervolgt die liever zelfmoord pleegt dan zich aan zijn wil te onderwerpen was, zelfs in 1915, voor velen te racistisch. Met als resultaat dat de film door de National Association for the Advancement of Colored People (NAACP) werd geboycot. Ondanks het racisme wordt de film door velen als een technisch meesterwerk beschouwd.

Filmaffiche, *1915*

CREDITS

productie	Epoch Producing Corporation
producent	D.W. Griffith
scenario	D.W. Griffith, Frank E. Woods, Thomas Dixon jr. Gebaseerd op Dixons romans *The Clansman* en *The Leopard's Spots*.
camera	G.W. 'Billy' Bitzer

LILLIAN GISH

De knappe en fijngevoelige Lillian Gish (1893-1993) was een uitgelezen actrice voor de stomme film. Ze was voor D.W. Griffith de ideale heldin – een combinatie van maagdelijke kuisheid en spirituele kracht, waarmee ze de victoriaanse sentimentaliteit van de door haar gespeelde, zichzelf opofferende heldinnen enigszins verlichtte. Gish speelde nog in films toen ze ver in de negentig was. Hoogtepunten waren Victor Sjöströms *The Wind* (1928) en Charles Laughtons *Night of the Hunter* (1955). In haar laatste film, *The Whales of August* (1987), speelde ook Bette Davis.

In The Birth of a Nation *speelt Lillian Gish de maagdelijke heldin Elsie Stoneman, die wordt gered van een 'lot erger dan de dood' door de Ku Klux Klan, opgericht door haar geliefde.*

Das Kabinett des Dr. Caligari | Robert Wiene | 1919

Das Kabinett des Doktor Caligari, waarvan de stijl ontleend is aan de schilderkunst en het theater, werd beschouwd als het eerste echte voorbeeld van het expressionisme in de filmkunst (zie kader). De film had een belangrijke invloed op de Duitse films in het volgende decennium en op de horrorfilm in het algemeen.

Caligari (Werner Krauss), een kermisartiest, hypnotiseert zijn knecht Cesare (Conrad Veidt) om hem een moord te laten plegen, waarna Cesare Jane (Lil Dagover), de vriendin van de jonge held (Friedrich Feher) om het leven brengt. De film, bedoeld als metafoor voor de Eerste Wereldoorlog, laat Caligari zien als de regering die haar wil aan het volk oplegt. Aan het eind zien we echter Caligari als de goedaardige directeur van een gekkenhuis en de held als de patiënt die zich de moord heeft ingebeeld. Door het verwrongen perspectief en het hoekige camerawerk wordt een nachtmerrieachtige atmosfeer geschapen, een stijl die bekend

Het vervormde perspectief van het decor heeft een bijna hypnotisch effect op het publiek, als weerspiegeling van de controle die Caligari heeft over zijn knecht Cesare.

staat als het 'Caligarisme'. De film had een directe invloed op James Whale's *Frankenstein* (1931) en *The Bride of Frankenstein* (1935), en beïnvloedde een aantal andere regisseurs, o.a. Tim Burton, die Johnny Depp als Edward Scissorhands modelleerde naar de gehypnotiseerde slaaf.

DUITS EXPRESSIONISME

Het expressionisme was een stroming in de grafische kunsten, literatuur, drama en film die tussen 1903 en 1933 haar bloeitijd had in Duitsland. In de film werd deze stroming gekenmerkt door een extreme stilering van decors, acteren, belichting en cameravoering. Het merendeel van de Duitse regisseurs uit de tijd van de stomme film is beïnvloed door Das Kabinett.

Das Kabinett des Dr. Caligari is hét voorbeeld van de Duitse expressionistische film. De stijl beïnvloedde een aantal horrorfilms, de zogenoemde 'schaduwfilms'.

CREDITS

producent	Erich Pommer voor Decla
scenario	Carl Mayer, Hans Janowitz
decorontwerp	Walter Röhrig, Hermann Warm, Walter Reiman
camera	Willy Hameister

Nosferatu: eine Symphonie des Grauens | F.W. Murnau | 1921

De film waarin Dracula de Vampier voor de eerste maal op het scherm verscheen, is nog altijd de meest aansprekende van alle films die over dit bovennatuurlijke wezen zijn gemaakt.

F.W. Murnau maakte in 1919 zijn debuut als filmregisseur, hetzelfde jaar waarin *Das Kabinett des Dr. Caligari* (*zie blz. 399*) werd uitgebracht. Hij was duidelijk zeer door dat werk beïnvloed. Het grootste deel van *Nosferatu* is echter op locatie opgenomen, met *chiaroscuro* – een techniek uit de schilderkunst waarbij de licht-donkercontrasten sterker worden uitgebeeld dan ze in werkelijkheid zijn (*zie blz. 141*) – waardoor een griezelige sfeer wordt gewekt. Murnau gebruikte ook speciale effecten, versnelde de beelden en gebruikte stukken negatieve film om een spookachtige rijtoer uit te beelden. Omdat Murnau Stokers verhaal uit 1897 zonder toestemming gebruikte werden de meeste kopieën vernietigd. *Nosferatu* is nu echter algemeen geaccepteerd als een klassieker uit het horrorgenre.

CREDITS	
productie	Prana Film
producent	Albin Grau, Enrico Dieckmann
scenario	Henrik Galeen, gebaseerd op Bram Stokers *Dracula*
camera	Fritz Arno Wagner

Het griezelige van de film *is gecentreerd in de spookachtige, dreigende, uitgemergelde figuur van de door Max Schreck vertolkte vampier.*

Nanook of the North | Robert Flaherty | 1922

CREDITS	
productie	Revillon Frères
producent	Robert Flaherty
scenario	Robert Flaherty
camera	Robert Flaherty

Nyla, Nanooks vrouw, *draagt haar zoon door het poollandschap. Nanook stierf de hongerdood twee jaar nadat Flaherty hem had gefilmd.*

Robert Flaherty's *Nanook of the North* had een grote invloed op de ontwikkeling van de documentairefilm. De film ontleent zijn kracht niet alleen aan de werkelijkheid maar ook aan het bijzondere contact tussen de Inuit en de cameraman.

Om deze documentaire over harde levensomstandigheden en doorzettingsvermogen te kunnen maken heeft Flaherty 16 maanden onder de Inuit van Canada's Hudson Bay geleefd. De film beschrijft een jaar uit het leven van Nanook, zijn vrouw Nyla en hun kinderen – met activiteiten als handeldrijven, vissen, jagen en het bouwen van een iglo. Flaherty liet hen sommige handelingen speciaal voor de camera uitvoeren, inclusief een scène waarin op een walrus wordt gejaagd. Om opnamen in een iglo te kunnen maken, liet hij een iglo bouwen die twee maal zo groot was als normaal, waarbij de helft van de iglo open werd gelaten om licht door te laten. Hoe merkwaardig dit ook klinkt, het stelde Flaherty wel in staat het leven vast te leggen van een door de oprukkende beschaving bedreigde bevolkingsgroep. Het was een nieuwe manier van filmen, waarbij het onderwerp in zijn waarde werd gelaten.

Battleship Potemkin | Sergei Eisenstein | 1925

Deze schitterende film bracht de Russische cinema en Sergei Eisenstein internationaal onder de aandacht. Hoewel vol dramatische scènes is de film met name bekend vanwege de 'trappenscène in Odessa', een van de meest aangrijpende scènes in de geschiedenis van de film.

Battleship Potemkin, gemaakt 20 jaar na de revolutie van 1905, beschrijft een incident waarbij de bemanning van een oorlogsschip in Odessa in opstand komt omdat ze bedorven voedsel moet eten. Nadat de leider van het protest door een officier is doodgeschoten, komen honderden burgers in opstand. Als een groot aantal van hen zich heeft verzameld op de trappen langs de haven om hun steun aan de muiters te betuigen, worden ze door regeringstroepen doodgeschoten. De soldaten lopen de eindeloos lijkende trappen af, achter de vluchtende burgers aan, waarbij het ritme van hun marcherende laarzen contrasteert met het geluid van vallende en stervende mensen onder wie een jongetje dat onder de voet wordt gelopen en een oudere vrouw

Een Russisch affiche *voor de film is een mooi voorbeeld van de bijzondere grafische stijl in die Sovjetperiode, die bekend stond als het structuralisme.*

die in haar gezicht wordt geschoten. De film was een schitterende demonstratie van de montagetheorieën van Eisenstein (*zie blz. 291*). Wat soms wordt vergeten, misschien vanwege de revolutionaire stijl van de film, is dat *Battleship Potemkin* ook een schitterend verhaal vertelt met uitgebalanceerde acteurs.

De trappenscène in Odessa *laat het moment zien waarop een kind in een kinderwagen zijn gruwelijke lot tegemoet gaat.*

CREDITS

studio	Goskino
producent	Jacob Blinkh
scenario	Sergei Eisenstein, Nina Agadzhanova
camera	Vladimir Popov, Eduard Tisse

Metropolis | Fritz Lang | 1926

De invloed van Fritz Langs *Metropolis* is duidelijk herkenbaar in films als *The Bride of Frankenstein* (1935), de *Batman*-films, *Modern Times* (1936), de *Star Wars*-cyclus en *Blade Runner* (1982). Hij bevatte technische innovaties die van grote invloed waren op de Hollywoodfilms uit de jaren '30 en '40.

Metropolis speelt in een futuristische stad, waar de verschopte arbeiders (ondergronds levend) in opstand komen tegen hun bazen, hiertoe aangezet door een kwaadwillende robot in de gedaante van een vroom meisje. Lang beschikte over een ongekend groot budget voor het creëren van de immense, realistische, op de New Yorkse skyline geïnspireerde decors. Om futuristische effecten te bereiken introduceerde Eugen Schüfftan het zogenoemde Schüfftan-proces, waarbij actie gecombineerd werd met modellen of andere kunstgrepen. Ondanks het einde – 'kapitaal' en 'werk' worden met elkaar verzoend door de liefde van de zoon van de fabriekseigenaar voor een arbeidersmeisje – kan *Metropolis* worden beschouwd als een allegorie op het totalitarisme. In 1984 voegde de componist Giorgio Moroder popmuziek toe en paste enkele scènes aan waardoor Langs film ook in de huidige tijd blijft verbazen.

Een Duits affiche *toont de robot tegen de skyline. Metropolis maakte als eerste film gebruik van science-fiction om de toenmalige maatschappij te bekritiseren.*

Het futuristische decor *van Metropolis is nog steeds indrukwekkend. Spiegels werden gebruikt om illusies te creëren, o.a. dit vliegtuig dat tussen de wolkenkrabbers vliegt.*

CREDITS	
studio	UFA
producent	Erich Pommer
scenario	Fritz Lang, Thea von Harbou
camera	Karl Freund, Günther Rittaur
ontwerp	Otto Hunte, Erich Kettelhut, Karl Vollbrecht
speciale effecten	Eugen Schüfftan

Napoléon | Abel Gance | 1927

Napoléon, Abel Gances meest ambitieuze en persoonlijke film, is in feite een staalkaart van bijna iedere techniek die in de stomme en sprekende film werd gebruikt. Het gebruik van een driedelig scherm was een voorloper van breedbeeldtechnieken als Cinerama, die pas 30 jaar later werden uitgevonden.

Albert Dieudonné *speelt Napoleon, in deze scène na een veldslag omringd door doden en gewonden. Dergelijke scènes typeren Gance' verlangen een 'rijkere en meer verheven vorm van filmkunst te creëren'.*

In deze historische en historiserende, uit zes episoden bestaande film laat regisseur Gance Napoleon Bonaparte zien als een nietzscheaanse übermensch, vanaf zijn kindertijd via zijn militaire opleiding, zijn ontmoeting met Joséphine (Gina Manès) tot zijn machtsovername. Met gebruikmaking van visuele metaforen laat Gance ons Napoleon zien als jonge militair die tijdens zijn opleiding door middel van een sneeuwbalgevecht aantoont een zeer goed strateeg te zijn. Het beroemdste deel van de film is de symbolische scène waarin Napoleon van Corsica naar Frankrijk terugvaart over een stormachtige, ruwe zee, afgewisseld met scènes van de politieke storm die in die tijd in Parijs raasde. Om dit effect te bereiken, maakte Gance gebruik van handcamera's, wijdhoeklenzen, sterk uitvergrote beelden en een snelle montage. *Napoléon* werd voor het eerst vertoond in de Parijse Opéra, in een vijf uur durende versie. Hij werd echter slecht ontvangen en later in verschillende verkorte versies uitgebracht. In 1980 reconstrueerde de Britse filmrestaurateur Kevin Brownlow de film, waarbij hij zo dicht mogelijk bij het origineel bleef, waarna *Napoléon* eindelijk het grote publiek en de erkenning kreeg die hij verdiende.

Polyvision *was een projectietechniek waarbij meerdere beelden werden gebruikt om een panorama te laten zien van thematisch met elkaar verbonden beelden.*

CREDITS

productie	West/Société-Générale de Films
scenario	Abel Gance
camera	Jules Kruger
muziek	Arthur Honegger

Un Chien Andalou | Luis Buñuel | 1928

Een balkon in de avond. Een man (Luis Buñuel) slijpt zijn scheermes. Hij kijkt naar een kleine wolk die naar de volle maan drijft. Dan komt het hoofd van een meisje in beeld, haar ogen wijd open. De wolk schuift over de maan. Het scheermes snijdt door het oog van het meisje.

CREDITS	
producent	Luis Buñuel
scenario	Luis Buñuel, Salvador Dalí
camera	Albert Duberverger

Aldus begonnen *Un Chien Andalou* – de titel heeft geen enkel verband met iets in de film – én de carrière van Luis Buñuel. Het was een van de heftigste openingsscènes van een film ooit. Volgens de Franse filmregisseur Jean Vigo, 'vertelt de proloog ons dat

we deze film met andere ogen moeten bekijken.' In deze film, gemaakt onder invloed van het 'surrealistisch manifest' (1924) van André Breton, in samenwerking met de kunstenaar Salvador Dalí, komt een aantal niet met elkaar verband houdende scènes voor die de logica van een droom moeten uitbeelden: mieren komen uit de palm van een afgehakte hand, priesters worden over de grond gesleept, een vrouwenoog wordt opengesneden en op twee piano's liggen dode ezels. Hoewel de film geen uitleg geeft, kunnen de beelden uit het onderbewustzijn gelezen worden als een studie naar onderdrukte seksuele impulsen.

De openingsscène *is de indrukwekkendste van de 17 surrealistische beelden die in de film worden gebruikt om te choqueren of te provoceren.*

La Passion de Jeanne d'Arc | Carl Dreyer | 1928

La Passion de Jeanne d'Arc **is een indringend portret van het menselijk lijden, een getormenteerde ziel in cinematografische beelden vastgelegd. Het is het mooiste voorbeeld van de mystieke stijl van Carl Dreyer.**

Dreyer baseerde zijn laatste stomme film op de verslagen van het 18 maanden durende proces tegen Jeanne d'Arc (Renée Falconetti) voor ze op de brandstapel kwam. Door alle gebeurtenissen in een enkele dag te concentreren, krijgt de film een enorme intensiteit. Dreyers constante en onvergetelijke gebruik van lange close-ups heeft sommige critici ertoe gebracht *La passion de Jeanne d'Arc* te betitelen als een film die uitsluitend uit dit soort shots bestaat. In feite bevat de film ook tilts, pans, medium

Reneé Falconetti *droeg geen make-up en moest haar hoofd kaal scheren voor haar rol in Dreyers film. Hier zien we Jeanne vlak voor ze op de brandstapel zal sterven.*

CREDITS	
productie	Société Générale des Films
scenario	Carl Dreyer, Joseph Delteil
camera	Rudolph Maté
kostuumontwerp	Valentine Hugo

shots en cross-cutting. De gezichten van de rechters worden zonder mededogen door de camera van Rudolph Maté vastgelegd. Maar het is met name het gekwelde gezicht van Falconetti, in haar enige speelfilm, dat in de herinnering blijft. Dreyer slaagde erin het 'publiek te laten voelen wat er in Jeanne d'Arc omging'. Maar ondanks dit lijden is het zien van de film een inspirerende ervaring.

All Quiet on the Western Front | Lewis Milestone | 1930

Deze film, gebaseerd op de bestseller van Erich Maria Remarque (*Im Westen nichts Neues*) maakte indruk doordat het verhaal deels vanuit het gezichtspunt van de Duitsers wordt verteld. De boodschap dat oorlog voor beide partijen een hel was, had als resultaat dat de film jarenlang in Frankrijk en Duitsland verboden was uit vrees voor het demoraliserende effect dat hij op de troepen zou hebben.

De krachtige pacifistische boodschap van Lewis Milestones film, gemaakt aan de vooravond van de sprekende film, overstijgt culturen en generaties. De film volgt zeven Duitse jongens die in 1914 van school gaan om, vol patriottistisch elan, voor hun land te vechten. Hun enthousiasme wordt al snel getemperd als ze de verschrikkingen van de oorlog in de loopgraven aan den lijve ondervinden. Met name de tracking shots van de aanvallen en tegenaanvallen en de doden die daarbij vallen zijn indrukwekkend. Sommige scènes waren zo realistisch dat ze gebruikt werden in documentaires over de Eerste Wereldoorlog.

Filmaffiche, *1930*

Voor de beroemde scène waarin Paul Baümer (Lew Ayres) – de enige van de zeven die nog in leven is – wordt gedood als hij een vlinder probeert te vangen, gebruikte de regisseur zijn eigen hand – dezelfde waarmee hij later de Oscar voor Beste Regisseur in ontvangst zou nemen.

Paul Baümer (Lew Ayres) zoekt dekking op een begraafplaats tijdens een hevige tegenaanval van Franse troepen als antwoord op een Duits bombardement.

CREDITS	
studio	Universal Pictures
producenten	Carl Laemmle, Universal Studios
scenario	Lewis Milestone, Maxwell Anderson, Del Andrews, George Abbott, Erich Maria Remarque
camera	Arthur Edeson, Karl Freund
filmprijzen	Oscars: Beste Film, Beste Regisseur

Der Blaue Engel | Josef von Sternberg | 1930

De eerste Duitse sprekende film, *Der Blaue Engel*, is vooral bekend als het debuut van Marlene Dietrich op het wereldtoneel. De film markeerde ook het begin van een opmerkelijke samenwerking tussen een acteur (Dietrich) en een regisseur (Sternberg).

De film vertelt de ondergang van een al oudere en puriteinse leraar, professor Immanuel Rath (Emil Jannings), die verliefd wordt op de verleidelijke nachtclubdanseres Lola Frohlich (Marlene Dietrich). Ze trouwt met hem maar blijft hem vernederen en bedriegen. *Der Blaue Engel* is een indrukwekkend verhaal over een beschaafde man die ten onder gaat aan een *amour fou* – mooi verbeeld in een aangrijpende scène waarin de bedrogen Rath, verkleed als clown, kraait als een jonge haan. Toch is *Der Blaue Engel*, ondanks het aangrijpende spel van Jannings, Dietrichs film. Josef von Sternberg zag een sensuele, mysterieuze en glamoureuze ster in haar, die een schitterend portret van een femme fatale zou kunnen neerzetten. Zittend op een

MARLENE DIETRICH

De carrière van Marlene Dietrich (1901-1992) kan verdeeld worden in drie perioden. Haar eerste films en theaterstukken in de jaren '20, de vijf jaren met Sternberg, waarin hij haar in zeven meesterwerken regisseerde als femme fatale, en de jaren vanaf 1935 waarin haar talent vaak werd misbruikt. Latere films waren Billy Wilders *A Foreign Affair* (1948) en Fritz Langs *Rancho Notorious* (1952).

barkruk, terwijl ze, schaars gekleed, 'Ich bin von Kopf bis Fuss auf Liebe eingestellt' zong, zorgde Dietrich ervoor dat de Duitse cinema een enorme impuls kreeg. De zwoele atmosfeer van de film, die zowel in het Engels als het Duits werd opgenomen, komt uitstekend naar voren door Sternbergs meesterlijk manipuleren van de belichtingstechnieken.

studio	UFA
producent	Erich Pommer
scenario	Josef von Sternberg, Robert Liebmann, Karl Vollmöller en Carl Zuckmayer, naar de roman *Professor Unrath* van Heinrich Mann.
camera	Gunther Rittau
muziek	Frederick Hollander

Marlene Dietrich als Lola, met hoge hoed, naaldhakken en zwarte nylonkousen, is een van de bekendste beelden uit de cinema; deze rol had haar internationale doorbraak tot gevolg.

City Lights | Charles Chaplin | 1931

Vier jaar nadat de sprekende film algemeen was ingevoerd, had Charlie Chaplin de moed met een nieuwe stomme film op de proppen te komen. Chaplin speelde niet alleen de geliefde 'kleine zwerver', maar produceerde en regisseerde ook de film, schreef het scenario en componeerde de muziek. Het publiek vond *City Lights* fantastisch en de critici beschouwden het als zijn beste werk.

Van zijn laatste geld koopt de Kleine Zwerver (Chaplin) een bloem van een blind bloemenmeisje (Virginia Cherill). Hij besluit om alles in het werk te stellen om haar haar gezichtsvermogen terug te geven. Hij slaagt hierin met het geld dat hij krijgt van een dronken miljonair die hij van de verdrinkingsdood redt. Als ze de enigszins vreemd uitziende zwerver voor de eerste keer ziet, herkent ze hem pas door de aanraking van zijn hand. Chaplins unieke talent is alom aanwezig in deze film, waarin hij op meesterlijke wijze overschakelt van satire naar pathos. Een van de grappigste scènes speelt in een boksring, waarbij Chaplin al dansend de scheidsrechter tussen zichzelf en zijn tegenstander houdt. Hoewel er gebruik werd gemaakt van geluidseffecten en muziek is *City Lights* in de eerste plaats een ode aan de stomme film.

Filmaffiche, *1931*

De kleine zwerver, *Chaplins handelsmerk, hier met het blinde bloemenmeisje, is geïnspireerd op Chaplins armoedige jeugd in het victoriaanse Londen. Dit karakter kwam in de meeste van zijn stomme films voor, waarbij pathos werd gecombineerd met het soort slapstick dat in de beginperiode van de film zo populair was bij het publiek.*

studio	United Artists
producent	Charles Chaplin
scenario	Charles Chaplin
camera	Gordon Pollock, Roland Totteroh en Mark Marklatt

42nd Street | Lloyd Bacon | 1933

Hoewel *42nd Street* een typische musical uit het begin van de jaren '30 was, voegde de film iets nieuws toe aan het genre door de verwijzingen naar de crisistijd en de contrasten tussen de danseressen in goedkope appartementen, en door Busby Berkeley's buitensporige ensceneringen van de showballetten.

CREDITS

studio	Warner Bros.
producenten	Hal B. Wallis, Darryl F. Zanuck
scenario	Rian James, James Seymour
camera	Sol Polito
choreografie	Busby Berkeley
kostuumontwerp	Orry-Kelly
muziek	Harry Warren, Al Dubin

Deze musical was de eerste van de drie die Warner Bros. in 1933 uitbracht; de andere twee waren *Gold Diggers of 1933* en *Footlight Parade*. Deze levendige, goedlopende films hadden grote invloed op het genre. *42nd Street*, hoewel geavanceerder dan voorgaande 'backstage'-musicals als *On with the Show!* (1929), en minder escapistisch, bevatte alle essentiële elementen van het genre: het met vallen en opstaan opzetten van een Broadwayshow en het eindigen met de succesvolle openingsavond. In dit geval neemt invalster Peggy Sawyer (Ruby Keeler) op het laatste moment de leidende rol over van Dorothy Brock (Bebe Daniels). De peptalk die ze van haar regisseur Julian Marsh (Warner

'En Sawyer, je gaat erin als een groentje, maar je komt eruit als een ster!'

JULIAN MARSH (WARNER BAXTER) TEGEN PEGGY SAWYER (RUBY KEELER)

Baxter) krijgt, vlak voor ze het toneel op gaat, is klassiek geworden in de showbusiness. Maar de meeste mensen zullen zich vooral de shownummers van Berkeley herinneren: 'Shuffle Off To Buffalo', 'Young and Healthy' en het titelnummer dat, net als de film, 'naughty, bawdy, gaudy en sporty' is.

Andy Lee (George E. Stone) *repeteert een tapdans met de danseressen; Peggy (Ruby Keeler), de gelukkige invalster, staat vooraan.*

Duck Soup | Leo McCarey | 1933

In hun vijfde film bereikt het komische talent van de vier Marx Brothers – Groucho, Chico, Harpo en Zeppo – zijn hoogtepunt. In deze surrealistische satire worden autoriteiten, gerespecteerde burgers, dictators en oorlogs-films (en oorlog) op de hak genomen.

1933 was een jaar van grote sociale en economische onrust: Hitler was in Duitsland aan de macht gekomen en de crisistijd in de VS bereikte zijn hoogtepunt. Een comedy die begint met een politieke crisis en eindigt met een oorlog lijkt dus zeer gepast voor die tijd. *Duck Soup* was echter in eerste instantie zowel commercieel als qua kritieken een grote flop. Het grote publiek zat niet te wachten op het cynisme en de anarchistische humor van de Marx Brothers, hoe grappig ook. In de film speelt Groucho de president van Freedonia, Rufus T. Firefly, die het naburige Sylvania de oorlog verklaart, omdat hij '... al een maand huur heeft betaald voor het slagveld'. Wat volgt is een serie krankzinnige scènes, inclusief de beroemde spiegelscène waarin Chico en Harpo, vermomd als Groucho, doen alsof ze

Rufus T. Firefly (Groucho Marx) *verleidt Gloria Teasdale (Margaret Dumont), de rijke weduwe van de vorige president, op een feestje georganiseerd om hem te verwelkomen als de nieuwe leider van Freedonia.*

elkaars spiegelbeeld zijn. *Duck Soup* bevat de essentie van het komische genie van de Marx Brothers (zonder de piano- en harpsolo's waardoor veel van hun andere films vaak werden onderbroken). Na deze film werd Zeppo theateragent en verhuisden de drie overgebleven Marx Brothers van Paramount naar MGM, waar ze onder meer *A Night at the Opera* (1935) opnamen, een van hun beste films.

The Marx Brothers – *Chico als Chicolini, Zeppo als luitenant Bob Roland, Harpo als Pinky en Groucho als Firefly – poseren voor een promotiefoto voor hun vijfde film,* Duck Soup.

CREDITS

studio	Paramount
producent	Herman J. Mankiewicz
scenario	Bert Kalmar, Harry Ruby
camera	Henry Sharp
muziek	Burt Kalmar, John Leipold, Harry Ruby

King Kong | Merian Cooper/Ernest Schoedsack | 1933

Ondanks twee remakes, in 1976 en 2005, en talloze imitaties, blijft de oorspronkelijke zwart-witversie van *King Kong* de mooiste. Het is bovendien nog steeds de maatstaf waaraan elke monsterfilm wordt afgemeten.

CREDITS	
studio	RKO
producenten	Merian C. Cooper, Ernest B. Schoedsack, David O. Selznick
scenario	James Ashmore Creelman, Ruth Rose, Edgar Wallace
camera	Edward Linden, J.O. Taylor, Vernon L. Walker, Kenneth Peach
special effects	Willis O'Brien

Kong, een reusachtige gorilla, bewoont het prehistorische Skull Island. Als hij Ann Darrow (Fay Wray) ziet, die deelneemt aan een filmexpeditie naar dit afgelegen gebied onder leiding van de impresario Carl Denham (Robert Armstrong), worden zijn oerinstincten geprikkeld en slaat hij helemaal door. Uiteindelijk wordt hij gevangengenomen en naar New York gebracht, waar hij op spectaculaire wijze om het leven komt (staande op het Empire State Building, terwijl hij de schaars geklede Wray in zijn armen houdt). De film werd beeldje voor beeldje gemaakt, met behulp van stop-motion (zie kader). Hoewel hij er groot uitziet was Kong een slechts 46 cm hoog model van metaal, rubber, katoen en konijnenbont. Het succes van de film is mede te danken aan het feit dat dit model een echte acteur leek, met echte, menselijke emoties.

Filmaffiche, *1933*

'Het waren geen vliegtuigen. Het was Beauty die het beest vermoordde.'

CARL DENHAM (ROBERT ARMSTRONG) OVER DE DOOD VAN KONG.

King Kong *slaat naar de tweedekkers die rond hem vliegen, terwijl hij balanceert op de top van het Empire State Building in de laatste scènes van de film.*

STOP-MOTION

Een van de eerste technieken voor special effects die ooit werd gebruikt was stop-motion. Hierbij werd beeldje voor beeldje gefotografeerd waardoor een onbezield object bewogen en verplaatst kon worden. Tussen twee opeenvolgende beelden wordt het object een heel klein beetje verplaatst waardoor, als de film wordt afgespeeld, de illusie van beweging ontstaat. Omdat er 24 beelden nodig zijn voor 1 seconde film kan het maanden duren om op die manier enkele minuten te filmen. Willis O'Brien was een pionier op dit gebied en *King Kong* was de kroon op zijn werk. Stop-motion met echte gebouwen en mensen is een variatie op deze techniek, die zeer effectief werd gebruikt in *Jason and the Argonauts* (1963). Dit proces wordt tegenwoordig nog steeds in animatiefilms toegepast.

Olympia | Leni Riefenstahl | 1938

Riefenstahls film over de Olympische spelen in Berlijn is een van de grootste kunststukken uit de cinema. De bewondering voor de film wordt echter getemperd omdat hij in opdracht van Hitler is gemaakt als een 'lofzang op de idealen van het nationaal-socialisme'.

CREDITS

productie	Tobis
producent	Leni Riefenstahl
scenario	Leni Riefenstahl
filmprijzen	Venetië: 'Mussolini Cup', Beste Film

Hitler gaf Riefenstahl alle tijd en middelen om deze vier uur durende documentaire te kunnen maken. Ze beschikte over vliegtuigen, zeppelins en 30 cameramannen en zou twee jaar bezig zijn met het monteren van de film. De technische hoogstandjes en de schoonheid van de beelden zijn heel imponerend; met name de vertraagde beelden in de duikscènes, de marathon als een lofzang op het uithoudingsvermogen en de bootrace onder een donker wordende hemel. De film is echter duidelijk bedoeld als propaganda voor de nazi's en kan niet de herinnering uitwissen aan de vervolging van de joden die op dat moment in nazi-Duitsland plaatsvond.

Het ontsteken van de olympische vlam *vormt het hoogtepunt van de proloog, waarin verband wordt gelegd tussen de schoonheid in het oude Griekenland en die van het Derde Rijk.*

La Règle du Jeu | Jean Renoir | 1939

La Règle du Jeu, gemaakt aan de vooravond van de Tweede Wereldoorlog, is Jean Renoirs meest complete en qua stijl meest complexe film. Hij geeft, geïnspireerd door de klassieke comedy's van Pierre Marivaux, Pierre de Beaumarchais en Alfred de Musset, een kritische inkijk in de Franse maatschappij, met name de hogere kringen.

De film speelt tijdens een jachtpartij georganiseerd door de graaf en de gravin La Chesnaye (Marcel Dalio en Nora Gregor). Tijdens deze jachtpartij komen seksuele spanningen aan de oppervlakte en worden de relaties tussen de aristocraten en de bedienden blootgelegd. De structuur, het verhaal en de plot creëren een dynamische mengeling van tragedie, melodrama en klucht waaraan de film zijn unieke karakter ontleent. Behalve memorabele acteerprestaties van met name Renoir zelf, als de vriendelijke paljas Octave, wordt de film gekenmerkt door indrukwekkende scènes, zoals de opnamen van konijnen en vogels en die na het diner, waarbij gebruik is gemaakt van adembenemende tracking shots en deep focus. De film, een financiële flop, was lange tijd verboden omdat de uitbeelding van de klassenverschillen in de Franse maatschappij 'te demoraliserend was'. Pas in 1956 zag men in dat het zonder enige twijfel om een meesterwerk ging.

Julien Carette *geeft een komisch optreden als de stroper Marceau.*

CREDITS

productie	Les Nouvelles Editions Françaises
producent	Claude Renoir
scenario	Jean Renoir, Carl Koch
camera	Jean Bachelet
editor	Marguerite Renoir
vormgeving	Eugène Lourié

Gone With the Wind | Victor Fleming | 1939

Filmaffiche, *1939*

Gone With the Wind **was de duurste en meest besproken film van zijn tijd. En het is ongetwijfeld een van de populairste, meest bekeken en succesvolste film ooit gemaakt.**

Toen David O. Selznick zei dat hij van plan was de bestseller van Margaret Mitchell over de Amerikaanse burgeroorlog te verfilmen, waarvan hij in 1936 de rechten had verkregen, antwoordde Victor Fleming hem dat 'deze film de grootste flop uit de geschiedenis zou worden' en de producent Irving Thalberg voegde daaraan toe dat '... een film over de burgeroorlog nog nooit een cent had opgebracht'. De spectaculaire scènes – zoals de brand in Atlanta, het feest op Twelve Oaks, en het beeld van de duizenden gewonde soldaten – brachten het oude Zuiden weer tot leven. Het centrale thema van de film is de relatie tussen de kwajongensachtige Rhett Butler en de koppige Scarlett O'Hara – schitterend gespeeld door Clark Gable en de Britse toneelspeelster Vivien Leigh.

CLARK GABLE

Clark Gable (1901-1960), een van de meest geliefde filmsterren aller tijden, maakte in de jaren '30 enkele van zijn beste films voor MGM, o.a. *Red Dust* (1932), in 1953 uitgebracht als *Mogambo* en *Mutiny on the Bounty* (1935). De enige film die hij maakte met Carole Lombard, met wie hij later trouwde, was *No Man of Her Own* (1932). Een van zijn eerste filmsuccessen was *It Happened One Night* (1934) waarmee hij de Oscar voor Beste Acteur won. Hij beschouwde zijn laatste film, *The Misfits* (1961), met Marilyn Monroe, als zijn beste werk sinds *Gone With the Wind.*

CREDITS

productie	Selznick International Pictures
producent	David O. Selznick
scenario	Sidney Howard, naar de roman van Margaret Mitchell
camera	Ernest Haller
enscenering	William Cameron Menzies
muziek	Max Steiner
kostuumontwerp	Walter Plunkett
filmprijzen	Oscars: Beste Film, Beste Actrice (Vivien Leigh), Beste Vrouwelijke Bijrol (Hattie McDaniel), Beste Regisseur, Beste Scenario, Best Kleurgebruik, Beste Camerawerk, Beste Art Direction, Beste Filmmontage, Technical Achievement Award

Vivien Leigh, *als de onstuimige Scarlett O'Hara, verlaat in het eerste deel van de film 's middags woedend een feestje.*

The Philadelphia Story | George Cukor | 1940

Hoewel *The Philadelphia Story* veel elementen heeft van de doorsnee screwballcomedy groeide de film door het sterke scenario en de regie van George Cukor uit tot een subtiele 'comedy of manners'.

Katharine Hepburn scoorde een grote hit op Broadway als Tracy Lord in *The Philadelphia Story*, een speciaal door Philip Barry voor haar geschreven rol. Ze kocht de filmrechten en koos haar favoriete regisseur en medespelers uit. Hepburn speelt een dominante, vervelde vrouw uit de hogere kringen die smelt in de armen van een cynische journalist, Mike Connor (James Stewart), die verslag moet doen van haar tweede huwelijk met de saaie George Kittredge (John Howard). Uiteindelijk valt ze voor de charmes van haar ex-man, C.K. Dexter Haven (Cary Grant). De film sprankelt vanaf de beroemde openingsscène waarin Grant, samen met zijn tas met golfclubs, door Hepburn uit huis wordt gezet.

Filmaffiche, *1940*

(Boven) John Howard (George) *en Cary Grant (rechter) kijken toe hoe een aangeschoten Katharine Hepburn (Tracy) in de armen ligt van James Stewart (Mike) aan de vooravond van haar huwelijk, na een middernachtelijke duik in het zwembad.*

KATHARINE HEPBURN

Hepburn (1907-2003), een van de grootste actrices aller tijden, stond bekend om haar weigering het 'Hollywoodspelletje' mee te spelen. Haar filmcarrière begon in de jaren '30 – ze won in 1933 de eerste van haar vier Oscars. Na een aantal flops kreeg ze de bijnaam 'Box-Office Poison', een naam die ze pas weer kwijtraakte door *The Philadelphia Story*. Een aantal films met Spencer Tracy, ook haar partner buiten de film, zoals *Adam's Rib* (1949) en *Pat and Mike* (1952) had veel succes vanwege de chemie tussen beide hoofdrolspelers. Ook met rollen in films als *The African Queen* (1951), *Suddenly Last Summer* (1959) en *The Lion in Winter* (1968) had ze groot succes.

CREDITS	
studio	MGM
producent	Joseph L. Mankiewicz
scenario	Donald Ogden Stewart, naar het gelijknamige toneelstuk van Philip Barry
camera	Joseph Ruttenberg
kostuumontwerp	Adrian
filmprijzen	Academy Awards: Beste Acteur (James Stewart), Beste Scenario

His Girl Friday | Howard Hawks | 1940

Howard Hawks' sprankelijke bewerking van de Ben Hecht en Charles MacArthur Broadwaycomedy *The Front Page* is een mooi voorbeeld van een screwballcomedy, met zijn halsbrekende snelheid, seksuele toespelingen, razendsnelle grappen en absurde situaties. Maar het is ook een bijtende satire over politieke corruptie en journalistieke normen, en een commentaar op de 'plaats van de vrouw' in de wereld.

CREDITS	
studio	Columbia
producent	Howard Hawks
scenario	Charles Lederer, naar de comedy *The Front Page* van Ben Hecht en Charles MacArthur
camera	Joseph Walker

Door de rol van het belangrijkste karakter – de topjournalist – te veranderen van een man (in het oorspronkelijke stuk) naar een vrouw, creëerde Hawks seksuele spanning tussen de meedogenloze en sluwe krantenredacteur Walter Burns (Cary Grant) en Hildy Johnson (Rosalind Russell), zijn ondergeschikte en ex-vrouw. Hildy staat op het punt de krant te verlaten om te trouwen met de volgzame verzekeringsagent Bruce Baldwin (Ralph Bellamy). De redacteur is vastbesloten haar te behouden, zowel voor de krant als zijn eigen bed, en bedenkt een plan om haar nog een laatste primeur te bezorgen. Dit plannetje wordt briljant uitgevoerd, met name door het goede spel van Grant en Russell, die een mooi beeld geven van de strijd tussen de seksen. Kenmerkend zijn de snelle, intelligente grappen en het gebruik van elkaar overlappende dialogen terwijl de karakters continu in beweging zijn. Ondanks het feit dat de film beperkt is tot twee locaties – het kantoor van de krant en de perskamer in de gevangenis, waar de journalist wacht op de executie van een anarchist vanwege het doden van een politieagent – lijkt de film in geen geval op een verfilmd toneelstuk.

Filmaffiche, *1940*

Rosalind Russell
als Hildy poseert tussen haar medespelers Cary Grant en Ralph Bellamy voor een promotiefoto voor de film.

The Grapes of Wrath | John Ford | 1940

John Steinbecks roman – een desolate visie op Amerika in de crisistijd – verschafte John Ford het materiaal om een van de tot dan toe weinige 'sociale' Hollywoodfilms te maken. Door zijn onbevoogdende benadering van 'gewone' mensen en de centrale thema's van familie en huis – typisch voor veel Ford-films – maakte Ford met deze film een sociaal statement.

Dit humanistische meesterwerk volgt de familie Joad, gedwongen hun land in de Dust Bowl van Oklahoma te verlaten, op weg naar het 'beloofde land' Californië. Aan het eind van hun lange tocht wacht hun echter niets anders dan uitbuiting, teleurstelling en ellende als ze ontdekken dat het magere loon dat aan immigranten wordt betaald nauwelijks genoeg is om van te leven. Hoewel *The Grapes of Wrath* zich richt op het nabije verleden heeft de film een nostalgische, poëtische uitstraling door de prachtige, kale beelden en de mooi belichte studio-opnamen. De topcameraman Gregg Toland, die later *Citizen Kane* zou verfilmen, filmde in een documentairestijl in zwart-wit met weinig licht, waardoor hij het uiterlijk en het gevoel van het platteland van Amerika in de jaren '30 mooi vastlegde. Henry Fonda speelde een zeer oprechte rol als Tom Joad, de archetypische Amerikaan die door het lot wordt geplaagd maar door wil gaan om zijn recht te halen. Zoals hij tegen zijn moeder zegt: 'Ik zal er zijn... Waar er ook voor het dagelijks brood gevochten moet worden... En als de mensen eten wat ze hebben verbouwd en wonen in de huizen die ze hebben gebouwd... zal ik er ook zijn.' Producent Darryl F. Zanuck stond op een positief einde, in tegenstelling tot het einde in de roman. Hij laat de onverzettelijke matriarch Ma Joad, briljant gespeeld door Jane Darwell, dan ook uitroepen dat 'ze ons niet kunnen wegpoetsen. We gaan door, Pa, voor altijd, omdat wij het volk vormen'.

Dorris Bowden, *Jane Darwell en Henry Fonda in hun oude vrachtwagen op weg naar Californië*

CREDITS

studio	20th Century Fox
producent	Darryl F. Zanuck
scenario	Nunnally Johnson, naar de roman van John Steinbeck
camera	Gregg Toland
filmprijzen	Oscars: Beste Regisseur, Beste Vrouwelijke Bijrol (Jane Darwell)

De moed en kracht *van Ma Joad (Jane Darwell) houden haar gezin bij elkaar.*

Citizen Kane | Orson Welles | 1941

In 1998 riep het American Film Institute (AFI) *Citizen Kane* uit tot beste Hollywoodfilm aller tijden. Sinds 1962 voert deze film ook de lijst van het Engelse filmtijdschrift *Sight And Sound* aan. Hoewel het etiket 'beste film ooit' natuurlijk niet alles zegt, voldoet *Citizen Kane* in het algemeen aan de verwachtingen.

Van de 25 jaar oude Welles, een nieuwkomer in de filmwereld, zou gezegd zijn dat hij regels had gebroken die hij niet kende. Doordat hij niet chronologisch te werk ging kon hij de rol van zijn hoofdrolspeler, de krantenmagnaat Charles Foster Kane, die vanuit verschillende, subjectieve invalshoeken wordt bezien, verdiepen. Het innovatieve gebruik van groothoek- en deep focus-lenzen, het creatieve gebruik van geluid, de grote decors, het titanische spel van Welles als Kane, stonden alle in dienst van de zoektocht naar de betekenis van 'Rosebud', het enige woord dat Kane aan het begin van de film op zijn sterfbed nog uit kan brengen. De krantenmagnaat William Randolph Hearst probeerde de film te laten verbieden omdat hij meende dat Kane een portret was van hemzelf. De film kon pas opgenomen worden nadat Welles RKO gedreigd had met een rechtszaak.

Orson Welles in de titelrol houdt een toespraak voor een gigantisch affiche van hemzelf in Madison Square Garden, tijdens zijn verkiezingscampagne voor gouverneur van New York.

Een van de hooghoekopnamen *van cameraman Gregg Toland laat Kane (Welles) zien met zijn beste vriend, Jedediah Leland (Joseph Cotten) tijdens de overname van een klein dagblad.*

CREDITS

studio	RKO
producent	Orson Welles
scenario	Orson Welles, Herman J. Mankiewicz
camera	Gregg Toland
editors	Robert Wise, Mark Robson
muziek	Bernard Herrmann
art director	Van Nest Polglase
filmprijzen	Oscar: Beste Oorspronkelijke Script

The Maltese Falcon | John Huston | 1941

The Maltese Falcon, **volgens velen de eerste film noir, is een van de meest overtuigende regiedebuten en misschien de beste remake ooit gemaakt: beter dan de twee andere versies (1931, 1936) van Dashiell Hammetts klassieke detectiveroman.**

In een hotellobby *ontmoet Sam Spade (Bogart) de huurling Wilmer Cook (Elisha Cook jr.). Bogart is de sentimentele antiheld die er zijn eigen ethiek op na houdt.*

Een van de vele debuten in deze film was het filmdebuut, op 61-jarige leeftijd, van toneelspeler Sydney Greenstreet. Hij speelt een van de drie mensen – de andere twee zijn Joel Cairo (Peter Lorre) en *femme fatale* Brigid (Mary Astor) – op zoek naar het waardevolle *objet d'art* dat de Maltese Falcon wordt genoemd. Het trio huurt privédetective Sam Spade (Humphrey Bogart) in om het te vinden. Bogarts rol van de laconieke Spade leverde hem nog vele andere rollen in detectivefilms op. Huston creëerde een broeierige, duistere wereld, waarin hij zijn karakters vaak op de voorgrond plaatste waardoor hun stilzwijgende reacties een nog groter gewicht kregen.

Humphrey Bogart *stond na zijn optreden in* The Maltese Falcon *model voor de koele, gewiekste detective in een groot aantal films.*

HUMPHREY BOGART

Humphrey Bogart (1899-1957) wordt tegenwoordig beschouwd als de archetypische antiheld – ruwe bolster, blanke pit. *High Sierra* (1941) was de eerste film waarin hij een sympathieke gangster speelde. Zijn faam werd gevestigd met *The Maltese Falcon* (1941), *Casablanca* (1942) en de vier films die hij maakte met Lauren Bacall. Zijn enige Oscar ontving hij voor Hustons *The African Queen* (1951).

CREDITS	
studio	Warner Bros.
producent	Hal B. Wallis
scenario	John Huston, naar de roman van Dashiell Hammett
camera	Arthur Edeson
muziek	Adolph Deutsch

The Little Foxes | William Wyler | 1941

Bette Davis was op haar best en regisseur William Wyler had dezelfde klasse als altijd in deze opmerkelijke filmbewerking van Lillian Hellmans broeierige toneelstuk dat zich afspeelt rond een hebzuchtige zuidelijke familie in het begin van de jaren 1900.

William Wyler en zijn cameraman Gregg Toland geven met hun filmversie van Lillian Hellmans toneelstuk, dat door de schrijfster zelf was bewerkt, een prachtig beeld van de benauwende atmosfeer in het huis waarin het machtsspel van de familie Gidden zich afspeelt. De spil om wie alles draait is Bette Davis als de door en door slechte Regina Giddens – koppig, gepassioneerd, tiranniek en inhalig. Ze spant samen met haar broers in een poging het familiekapitaal in bezit te krijgen, maar verraadt hen en perst hen af. Tolands gebruik van deep-focus fotografie is met name effectief in een letterlijk adembenemende scène waarin Regina weigert haar echtgenoot Horace

BETTE DAVIS

Bette Davis (1908-1989) vond zichzelf meer actrice dan filmster. Met haar rol in *Jezebel* (1938) won ze haar tweede Oscar. Andere successen waren *Dark Victory* (1939), *The Old Maid* (1939) en *Now, Voyager* (1942). Ze maakte als oudere actrice haar comeback in *All About Eve* (1950).

(Herbert Marshall) zijn medicijnen te geven, hoewel hij op het punt staat een hartaanval te krijgen: ze kijkt op de achtergrond toe hoe hij vecht voor zijn leven. *The Little Foxes* was de laatste van de drie films die Davis en Wyler samen hebben gemaakt, de andere twee waren *Jezebel* (1938) en *The Letter* (1940); elk had een bepaalde sprankeling die waarschijnlijk veroorzaakt werd door de liefdesrelatie die ze toentertijd met elkaar hadden.

Regina (Bette Davis) heeft onder het genot van een kopje koffie een zakenbespreking met haar schurkachtige broer Ben Hubbard (Charles Dingle, rechts) en industrieel William Marshall (Russell Hicks).

CREDITS

studio	RKO
producent	Sam Goldwyn
scenario	Lillian Hellman, naar haar gelijknamige toneelstuk
camera	Gregg Toland

To Be Or Not To Be | Ernst Lubitsch | 1942

Tijdens de Tweede Wereldoorlog regisseerde Lubitsch een van de succesvolste comedy's van Hollywood. *To Be Or Not To Be* had als thema de bezetting van Polen door de nazi's. Als antinazipropaganda had hij meer effect dan veel 'meer serieuze' pogingen.

CREDITS	
studio	United Artists
producenten	Alexander Korda, Ernst Lubitsch
scenario	Edwin Justus Mayer, Melchior Lengyel
camera	Rudolph Maté

Carole Lombard en Jack Benny spelen Maria en Joseph Tura, een echtpaar dat een theatergroep leidt dic in Warschau wordt opgehouden als de nazitroepen Polen binnenvallen. Als hem wordt gevraagd wat hij van Joseph vindt, antwoordt de zeer komische Gestapo-chef 'Concentratiekamp' Ehrhardt (Sig Ruman): 'Wat hij heeft gedaan voor Shakespeare, doen wij nu voor Polen.' Hoewel er veel grappen worden gemaakt en nazi's worden afgeschilderd als incompetente clowns, blijft het onderwerp vreselijk. Toen de film werd uitgebracht was niemand in de stemming om te lachen: Pearl Harbor was door de Japanners aangevallen, de nazi's veroverden Europa en Lombard was door een vliegtuigongeluk omgekomen. Toch is de film uiteindelijk een echte zwart-witklassieker geworden.

Professor Alexander Siletsky *(Stanley Ridges) met Maria (Carole Lombard). De Poolse academicus is een spion die het verzet tegen de nazi's wil breken.*

In Which We Serve | Noël Coward | 1942

In Which We Serve, een hommage aan hen die in de Tweede Wereldoorlog in de Royal Navy dienden, geeft een goed beeld van de gemoedstoestand van Groot-Brittannië in die tijd. Noël Coward schreef ook het scenario, componeerde de muziek en speelde de hoofdrol. David Lean was zijn assistent-regisseur.

Dit 'scheepsverhaal' wordt in flashback, vanuit een reddingsboot, verteld door de overlevenden van de HMS *Torrin,* een gebombardeerde Britse torpedobootjager. Het is mei 1941 en de *Torrin* patrouilleert langs de Europese kusten op zoek naar Duitse oorlogsschepen. In de buurt van Kreta wordt het door de vijand tot zinken gebracht. Onder leiding van Noël Coward als kapitein Kinross, een typische Britse commandant, bidt de bemanning om hulp. Hun verhalen en die van het schip worden in flashbacks verteld, zoals over de evacuatie in 1940 uit Duinkerken en het verlies van een groot aantal van hun kameraden. Centraal in de film staat de diepgevoelde liefde voor het schip, dat symbool staat voor de eenheid van het vaderland, zonder valse heroïek of vlagvertoon. Het gedrag van de bemanning, waarvan alle leden 'hun plaats kenden op de sociale ladder', werd gepresenteerd als het ideale model voor het gedrag van een maatschappij in oorlog. De film is ook bezienswaardig vanwege het debuut van de 19-jarige Richard Attenborough, die een deserterende stoker speelt.

Kapitein Edward V. Kinross *(Noël Coward) spreekt zijn bemanning toe voordat hun schip door de vijand tot zinken wordt gebracht.*

CREDITS

productie	Two Cities Films
producenten	Noël Coward, Anthony Havelock-Allan
scenario	Noël Coward
camera	Ronald Neame
filmprijzen	Speciale Oscar: 'outstanding production achievement'

De lichtmatroos *Shorty Blake (John Mills), een van de bemanningsleden van de HMS* Torrin, *flirt met Freda Lewis (Kay Walsh) in een trein.*

Casablanca | Michael Curtiz | 1942

De sterke plot, het exotische decor, de pikante dialogen, de schitterende acteerprestaties en de emotionele muziek van Max Steiner – met name als Dooley Wilson als Sam 'As Time Goes By' speelt – maken dat *Casablanca* nog altijd de belichaming is van de Hollywood-romance uit de jaren 1940.

In hetzelfde jaar dat *Casablanca* werd uitgebracht werd Noord-Afrika door Amerikaanse troepen bevrijd. Het grootste deel van de film speelt zich af in en rond het Café Américain, dat wordt gerund door Rick Blaine (Humphrey Bogart), een cynische eenling en wapensmokkelaar die bij het Franse verzet betrokken raakt als hij Victor Laszlo (Paul Henreid) probeert te helpen, een verzetsleider en echtgenoot van Ricks vroegere geliefde Ilsa Lund (Ingrid Bergman). Het ontroerende en gepassioneerde spel van Bogart en Bergman, met flashbacks van hun liefdesaffaire in het vooroorlogse Parijs, is een van de hoogtepunten uit de geschiedenis van de cinema. De film kwam echter op een manier tot stand die iedereen op de set in verwaring bracht. Iedereen, behalve Michael Curtiz, want hij hield de controle over de vele subplots en de uitgebreide cast van dit romantische oorlogsdrama. Naarmate de tijd verstrijkt wordt *Casablanca* almaar beter en beter.

De liefde tussen *Ilsa (Ingrid Bergman) en Rick (Humphrey Bogart) ontbrandt opnieuw als ze een laatste poging doet de papieren in handen te krijgen die haar man, die verzetsstrijder is, nodig heeft om Casablanca te kunnen verlaten.*

Filmaffiche, *1942*

CREDITS

studio	Warner Bros.
producenten	Hal B. Wallis, Jack L. Warner
scenario	Julius J. Epstein, Philip G. Epstein, Howard Koch
camera	Arthur Edeson
muziek	Max Steiner
filmprijzen	Oscars: Beste Film, Beste Regisseur, Beste Scenario

INGRID BERGMAN

De gezonde, natuurlijke uitstraling van de in Zweden geboren Ingrid Bergman (1915-1982) zorgde ervoor dat ze in de jaren '40 een populaire Hollywoodster word in films als *For Whom the Bell Tolls* (1943) en *Gaslight* (1944), waarmee ze de Oscar voor Beste Actrice won. Tot de andere rollen die ze in die tijd speelde behoorde Paula Alquist in Hitchcocks *Spellbound* (1945). Bergman, die een non had gespeeld in *The Bells of St. Mary's* (1945) en *Joan of Arc* (1948), choqueerde Hollywood in 1949 toen ze haar gezin verliet voor de Italiaanse regisseur Roberto Rossellini. Het zou nog jaren duren voor ze weer in een Amerikaanse film zou spelen; met *Anastasia* (1956) won ze opnieuw een Oscar – een teken van vergeving van Hollywood?

'Pak de gebruikelijke verdachten maar op,' *zegt Claude Rains (tweede van links) tijdens de climax van Casablanca als Paul Henreid (midden), Humphrey Bogart en Ingrid Bergman wachten op de nasleep van het neerschieten van de nazi-officier.*

Ossessione | Luchino Visconti | 1942

Ossessione was de eerste film die het etiket Italiaans neorealisme
kreeg opgespeld, een term bedacht door Antonio Pietrangeli, een
van de scenarioschrijvers van de film. Het was ook de eerste film
van Luchino Visconti, wiens gebruik van natuurlijke decors en
'gewone' mensen andere Italiaanse filmmakers zou inspireren.

Massimo Girotti *(Gino) en Clara
Calamai (Giovanna) spelen de
geliefden wier relatie
langzamerhand wordt bepaald door
schuld en wantrouwen.*

Gino (Massimo Girotti), een aantrekkelijke flierefluiter, en
Giovanna (Clara Calamai), de mooie en ongelukkige vrouw van
Bragana (Juan de Landa), een oude en vervelende herbergier,
krijgen een relatie met elkaar. Hun passie leidt ertoe dat ze
Bragana vermoorden, waarna hun relatie onvermijdelijk op een
tragedie uit loopt. Visconti gebruikte James M. Cains roman
over een fatale liefde op het Amerikaanse platteland, *The
Postman Always Rings Twice*, als uitgangspunt en paste deze toe
op het provinciale Italië. Omdat het oorlog was kon Visconti,
die de rechten van de roman had verworven, het stuk
ongestraft aanpassen door een nieuw karakter op te nemen,
wiens aanwezigheid de toch al met schuld beladen centrale
relatie nog verder ontregelt. Hoewel de film door het gebruik
van professionele acteurs en de sterke plot, minder
neorealistisch was dan zijn opvolgers,
contrasteerde hij door de aardse karakters
en de overduidelijke sensualiteit enorm met
de burgerlijke melodrama's uit die tijd.
Omdat hij al snel door de fascisten werd
verboden, kwam de film pas na de oorlog
uit. In de tussentijd was de roman van Cain
ook in Frankrijk verfilmd – *Le Dernier Tournant*
(1939). In 1945 en 1981 kwamen Hollywood-
remakes uit en in 1988 zelfs een Hongaarse
versie.

Filmaffiche,
1942

CREDITS	
productie	ICI Rome
producent	Libero Solaroli
scenario	Luchino Visconti, Antonio Pietrangeli, Giuseppe De Santis, Mario Alicata, Gianni Puccini
camera	Aldo Tonti, Domenico Scala

Les Enfants du Paradis | Marcel Carné | 1945

Marcel Carné beschreef zijn film als een 'hommage aan het theater', en niet ten onrechte: het script ademt de ziel van het Franse theater. De uitvergrote karakters, de diepgaande dialogen en de verhalende stijl van de productie zorgden ervoor dat deze film in de ogen van veel critici een van de beste is die ooit is gemaakt.

Filmaffiche, *1945*

Deze film heeft de diepgang en de complexiteit van een roman, hoewel de de handelingen en de karakters beperkt zijn tot de wereld van het Parijse theater in de jaren 1840. Het *'Paradis'* in de titel verwijst naar de bovenste rangen in het theater waar de goedkoopste plaatsen waren. Tot de figuren die de film bevolken behoren de klassieke acteur Frédérick Lemaître (Pierre Brasseur), de mimespeler Debureau (Jean-Louis Barrault) en de crimineel Lacenaire (Marcel Herrand) – alledrie gebaseerd op historische figuren. Ieder van hen is verliefd op de sensuele en vrijdenkende prostituee Garance (Arletty).

María Casarès maakte in deze film haar debuut, als de vrouw van Debureau. Carné en scenarioschrijver Jacques Prévert waren, als gevolg van de Duitse bezetting, gedwongen een 'escapistische' film te maken, zonder politieke lading. Toch zagen sommige commentatoren het karakter Garance als een uitbeelding van het vrije Frankrijk. Tegenwoordig wordt de film beschouwd als een zeer onderhoudend en intens romantisch beeld van die periode. Ironisch genoeg leed de carrière van Arletty grote schade vanwege haar relatie met een Duitse officier. Ze werd onder huisarrest geplaatst, mocht drie jaar niet werken en werd niet uitgenodigd voor de première.

De beroemde mimespeler, *Baptiste Debureau (Jean-Louis Barrault), met zijn vader Anselme (Etienne Decroux) en de verleidelijke Garance (Arletty).*

CREDITS	
productie	S.N. Pathé Cinema
scenario	Jacques Prévert
camera	Marc Fossard, Roger Hubert
ontwerp	Léon Barsacq, Raymond Gabutti Alexandre Trauner
muziek	Joseph Kosma
kostuumontwerp	Antoine Mayo

A Matter of Life and Death | Michael Powell, Emeric Pressburger | 1946

Met hun vierde gezamenlijke film leverden de producenten, schrijvers en regisseurs Michael Powell en Emeric Pressburger een zeer komisch product af dat een fantasiewereld verbond met een het moreel verhogend beeld van Engeland tijdens de Tweede Wereldoorlog.

Een Britse piloot, Peter Carter (David Niven) ontdekt nadat hij een vliegtuig-ongeluk heeft overleefd dat de hemelse machten een fout hebben gemaakt en dat hij eigenlijk dood behoort te zijn. Als hij op de operatietafel vecht voor zijn leven, terwijl de op hem verliefde June, een Amerikaanse radiotelegrafiste (Kim Hunter) toekijkt, ontspint zich in de hemel een debat of men hem wel of niet moet sparen. De regisseurs besloten de scènes op aarde in kleur te filmen en de scènes 'daar boven' in zwart-wit. Het verband tussen de twee werelden, de echte en de wereld in de geest van de piloot, wordt gesymboliseerd door een mechanische trap. Een van de onderliggende intenties van de plot was het vieren van de Engels-Amerikaanse samenwerking in de Tweede Wereldoorlog.

Op het hoogtepunt van de film *gebruiken de hemelse rechters de 'stairway to heaven' om over het lot van de bewusteloze Peter Carter te beslissen.*

Terug op aarde, *aangegeven door het gebruik van kleur, stelt June (Kim Hunter) de gewonde piloot Peter Carter (David Niven) voor de operatie gerust.*

CREDITS

productie	The Archers
producenten	Michael Powell, Emeric Pressburger
scenario	Michael Powell, Emeric Pressburger
camera	Jack Cardiff
ontwerp	Alfred Junge

It's a Wonderful Life | Frank Capra | 1946

Regisseur Frank Capra noemde *It's a Wonderful Life* zijn favoriete film, en het filmpubliek zal het zeker eens zijn met die keuze. Het verhaal van de film heeft overeenkomsten met Charles Dickens' *A Christmas Carol.* Om die reden kan deze film een echte kerstfilm genoemd worden.

CREDITS	
studio	RKO
productie	Liberty Films
producent	Frank Capra
scenario	Frank Capra, Frances Goodrich, Albert Hackett, naar het verhaal *The Greatest Gift* van Philip Van Doren Stern
camera	Joseph Walker, Joseph Biroc
muziek	Dmitri Tiomkin

Het tempo en de structuur van *It's a Wonderful Life* doen denken aan Capra's successen van voor de oorlog, met name *Mr. Deeds Goes to Town* (1936) en *Mr. Smith Goes to Washington* (1939), waarin de helden een burgerlijk ideaal stellen tegenover de machten van de corruptie in de maatschappij. George Bailey (James Stewart) belichaamt in deze film de typische Capraeske 'kleine man'. Hij wordt verliefd op Mary (Donna Reed), maar door financiële moeilijkheden raakt hij aan lager wal. Hij staat op het punt zelfmoord te plegen als hij wordt gered door zijn beschermengel Clarence (Henry Travers), die hem laat zien hoe anders de wereld zou zijn geweest als hij niet geboren was; Bedford Falls, het ideaalbeeld van de kleine Amerikaanse stad waar Bailey is opgegroeid, zou een smerige plek zijn geworden, doorkruist door snelwegen. De film was echter zeer sentimenteel en sloeg in eerste instantie niet aan bij het naoorlogse publiek.

JAMES STEWART

James Stewart (1908-1997) was een van de meest natuurlijke, ontspannen ogende acteurs uit de filmgeschiedenis. Hij speelde meestal karakters met wie het grote publiek zich uitstekend kon identificeren. De sensitieve maar ook intelligente Stewart was op zijn best met drie regisseurs: Frank Capra, die gebruikmaakte van zijn talent om naïviteit uit te stralen; Alfred Hitchcock, die zijn obsessieve kant ontdekte, en Anthony Mann, die hem de kans gaf zijn ietwat ruwere kant te laten zien in een aantal westerns in de jaren '50.

In de beroemde sloscène *van* It's A Wonderful Life, *beseft Bailey (Stewart) de waarde van de liefde van zijn gezin, nadat hij door zijn beschermengel is gered.*

Fietsendieven | Vittorio De Sica | 1948

Van alle films onder de noemer 'Italiaans neorealisme' is Vittorio De Sica's *Ladri di Biciclette* de bekendste en de meest aangrijpende. De film is nog altijd actueel, ondanks de verbeterde sociale omstandigheden in Italië, omdat het een van de geloofwaardigste vader-zoonrelaties op het witte doek bevat.

Fietsendieven, op locatie gefilmd in de arbeiderswijken van Rome, vertelt het eenvoudige verhaal van een werkloze man die een baan als plakker krijgt aangeboden. Om voor zijn werk een fiets te kopen leent hij geld van een pandjesbaas. De fiets wordt echter de eerste werkdag gestolen. Vanaf die tijd zoekt hij wanhopig, samen met zijn zoon, naar de dief. Als hij ontdekt dat de dief net zo arm is als hijzelf, besluit hij ook een fiets te stelen. De boodschap van de film is dan ook dat iedereen onder bepaalde omstandigheden tot zoiets in staat is. Na De Sica's succes in de VS met *Shoeshine* (1946), bood David O. Selznick aan *Fietsendieven* te produceren, met een ster als Cary Grant, maar De Sica weigerde, bracht het geld zelf bij elkaar en ging door met niet-acteurs op echte locaties. En met succes. Want juist door het on-Hollywoodse karakter sprak deze film zo aan.

Verbazing en wanhoop op het gezicht van Bruno (Enzo Staiola). De jongen is loyaal aan zijn vader en gaat samen met hem op zoek naar de gestolen fiets.

CREDITS

productie	Produzioni De Sica
producent	Giuseppe Amato, Vittorio De Sica
scenario	Cesare Zavattini, Oreste Biancoli, Suso D'Amico, Vittorio De Sica, Adolfo Franci, Gerardo Guerrieri
camera	Carlo Montuori
filmprijs	Oscar: Beste Niet-Engelstalige Film

ITALIAANS NEOREALISME

De oorsprong van het Italiaanse neorealisme moet gezocht worden in de 'realistische' of *verismo*-stijl van Verga en andere 19e-eeuwse schrijvers. De neorealistische filmers van de jaren '40 hielden zich bezig met het lijden van gewone mensen, als reactie op de frivoliteit in die tijd. Films, zoals *Shoeshine* (1946) van Vittorio De Sica, *Paisà* (1946) van Roberto Rossellini, *La Terra Trema* (1948) van Luchino Visconti en *Riso Amaro* (1949) van Giuseppe de Santis behandelden de problemen van de arbeidersklasse en de sociale omstandigheden waardoor ze werden veroorzaakt.

Roma, Città Aperta (1945) *was een van de eerste neorealistische films, opgenomen op locatie, met zowel professionele als amateurspelers.*

Letter from an Unknown Woman | Max Ophüls | 1948

Letter from an Unknown Woman, de tweede van de vier Hollywoodfilms van de Duitse emigrant Max Ophüls, speelt in Wenen rond 1900. Het is zijn enige 'buitenlandse' film die zich met zijn schitterende Europese werk kan meten. Het resultaat was een zeldzaamheid – een artfilm uit Hollywood!

Stefan (Louis Jourdan), de egocentrische concertpianist, realiseert zich uiteindelijk de consequenties van zijn daden als hij de brief leest die Lisa op haar sterfbed heeft geschreven.

Deze bitterzoete film handelt over de onbeantwoorde liefde van Lisa Berndle, een aangrijpende rol van Joan Fontaine, voor haar buurman, de concertpianist Stefan Brand (Louis Jourdan). Na een aantal jaren komen ze elkaar toevallig tegen en hebben ze een kortstondige affaire waarna Stefan opnieuw uit haar leven verdwijnt. De film suggereert dat Lisa, blind voor de werkelijkheid, in een romantische droomwereld leeft waarin haar liefde nooit vervuld zal kunnen worden. Gezien vanuit de vrouw toont de film ook hoe veel mannen tegen vrouwen aan kijken. Ophüls veranderde het oorspronkelijke einde van de roman van Stefan Zweig door de held een wisse dood in te sturen. In het begin vond men de film veel te sentimenteel. Later beschouwde men hem als een van de meest 'Europese' films die ooit in Hollywood is gemaakt.

CREDITS	
productie	Rampart
producent	John Houseman
studio	Universal-International
scenario	Howard Koch naar het verhaal van Stefan Zweig
camera	Franz Planer

'Tegen de tijd dat je dit leest, zal ik dood zijn'

OPENINGSZIN

Lisa (Joan Fontaine), in haar eenvoudige appartement, denkt na over haar ontmoeting met Stefan.

Passport to Pimlico | Henry Cornelius | 1949

Passport to Pimlico, een hommage aan de Britse oorlogsinspanningen, kenmerkt zich door humor en sociale observaties. Bovendien is het een uitdrukking van hoop in de naoorlogse periode.

CREDITS

studio	Ealing
producent	Michael Balcon, E.V.H. Emmett
scenario	T.E.B. Clarke
camera	Lionel Banes

In het naoorlogse Groot-Brittannië ontploft in Pimlico, een klein district in Londen, een bom waardoor schatten uit het Franse Bourgondië bloot komen te liggen. Hieronder bevindt zich een manuscript waarin, volgens de plaatselijke historica professor Hatton-Jones (Margaret Rutherford), geschreven staat dat Pimlico Bourgondisch bezit is. De inwoners zijn hierdoor niet langer gebonden aan de Britse wet, met als gevolg dat ze drinken als ze er zin in hebben en hun bonboekjes vernietigen. Grensposten worden opgericht en douaniers door- zoeken de lokale treinen. Deze lichtvoetige film laat zien hoe gewone mensen tot buitengewone dingen in staat zijn. Hij zette de nieuwe Labourregering voor schut, maar is toch te vriendelijk om een satire genoemd te worden; als Pimlico met dwang weer bij Engeland wordt gevoegd, waait de geest van het compromis weer door de straten.

De brandwachten Shirley (Barbara Murray) en Arthur (Stanley Holloway) ontdekken een eeuwenoud document, waarin staat dat Pimlico bij Frankrijk hoort.

EALING-COMEDY

Hoewel de Ealing Studios, in een voorstad van West-Londen, ook drama's en oorlogsfilms maakten, zal dit filmbedrijf met name geassocieerd worden met de comedy's die het tussen 1947 en 1955 produceerden. Hiervoor maakte men gebruik van scenario's van de hand van de eigen schrijvers van de studio, in het bijzonder van T.E.B. Clarke, die *Passport to Pimlico* (1949), *The Lavender Hill Mob* (1951) en *The Titfield Thunderbolt* (1953) schreef. Ook werd een kleine groep acteurs ingezet voor het creëren van naturalistische, enigszins geïdealiseerde comedy's.

The Ladykillers (1955), met Alec Guinness en Peter Sellers, markeerde het einde van een korte periode van zwarte comedy's in de Ealing Studios, die begon met *Hue and Cry* (1947).

The Third Man | Carol Reed | 1949

The Third Man, een van de succesvolste Britse thrillers, vertoont kenmerken van het Duitse expressionisme, het Italiaanse neorealisme en het werk van Orson Welles. Hoewel de laatste slechts 20 minuten in beeld is, is zijn aanwezigheid in de hele film voelbaar.

Deze donkere, maar speelse film, op basis van een scenario van Graham Greene, bestudeert het effect van de naoorlogse corruptie op economisch en sociaal gebied op het door de oorlog verscheurde Wenen. Het was de eerste Britse film die bijna geheel op locatie is opgenomen. Hierdoor heeft de film, ook dankzij de schitterende zwart-witbeelden, een zeer specifieke atmosfeer. Het moment, waarop Welles – als de doodgewaande zwendelaar Harry Lime nog in leven blijkt te zijn, is legendarisch. In die scènes gaat Holly Martins (Joseph Cotten) op zoek naar zijn verloren gewaande vriend in de nachtelijke straten van Wenen. In een deuropening zit een

Carol Reed droeg Robert Krasker op de camera schuin te houden. Door deze techniek wordt het moment dat Harry Lime (Orson Welles) binnenkomt, nog dramatischer.

miauwende kat. Martins draait zich om en we zien, terwijl de citermuziek van Anton Karas aanzwelt, de kat een paar schoenen likken. De camera draait omhoog en onthult het gezicht van Welles dat vanuit het duister naar voren steekt. De film begint en eindigt met dezelfde scène: de begrafenis van Harry Lime. De eerste keer als slachtoffer van een ongeval – de tweede keer als gewetenloze massamoordenaar.

CREDITS	
productie	British Lion, London Film Production
producent	Carol Reed
scenario	Graham Greene
camera	Robert Krasker
art director	Vincent Korda
muziek	Anton Karas
filmprijzen	Oscar: Beste Camerawerk in Zwart-Wit; Cannes: Beste Film

In de beroemde scène met het reuzenrad biedt Harry Lime Holly Martins (Joseph Cotten, zie foto) een partnerschap aan in zijn duistere penicillinehandel.

Orphée | Jean Cocteau | 1950

Deze geestige en aangrijpende film kan beschouwd worden als het centrale werk van Jean Cocteaus oeuvre. Hij maakt, samen met *Le Sang d'un Poète* en *Le Testament d'Orphée* deel uit van de Orpheus-trilogie. Cocteau zelf beschreef *Orphée* als een 'detectiveverhaal, deels gedrenkt in de mythe, deels in het bovennatuurlijke'.

De dichter Orpheus (Jean Marais) wordt verliefd op de Prinses van de Dood (María Casarès). Op zijn beurt wordt haar chauffeur (François Périer), de engel Heurtebise, verliefd op de vrouw van de dichter, Eurydice (Marie Déa). Heurtebise neemt Eurydice via een spiegel mee naar de onderwereld en Orpheus volgt hen om haar weer mee terug te nemen. 'Spiegels zijn de deuren waardoor de Dood komt en gaat. Kijk je hele leven naar jezelf in een spiegel en zie hoe de Dood aan het werk is als een stel bijen in een glazen korf,' zegt de engel. Hoewel Cocteau reverse slowmotion en negatieve beelden gebruikt om de Onderwereld op te roepen, is het huiselijke leven van meneer en mevrouw Orpheus 'realistisch' gefilmd, als uitdrukking van het thema van de dichter, gevangen tussen de werkelijkheid en de verbeelding.

Orpheus (Jean Marais) *drukt zijn gezicht tegen de spiegel alvorens hij, via het glas, de onderwereld betreedt op zoek naar zijn vrouw Eurydice (Maria Déa).*

Orpheus (Jean Marais) *houdt een boek open met een foto van Eurydice (Maria Déa). De aanwezigheid van Eurydice in persoon en op de foto weerspiegelt het subtiele spel van werkelijkheid en illusie.*

CREDITS	
productie	Films du Palais-Royal
producent	André Paulvé
scenario	Jean Cocteau gebaseerd op zijn eigen, gelijknamige toneelstuk
camera	Nicholas Hayer
ontwerp	Jean d'Eaubonne

Rashomon | Akira Kurosawa | 1950

Akira Kurosawa's *Rashomon* was de eerste Japanse film die op grote schaal in het westen te zien was. Mede om deze reden was het een belangrijke film, want hij opende de weg voor de vertoning van nog belangrijkere films van Kurosawa.

Deze vechtscène *in een bos is gefilmd met opmerkelijke licht- en schaduweffecten.*

In het feodale Japan reist een samurai, Takehiro (Masayuki Mori) genaamd, met zijn vrouw door de bossen. Een bandiet (Toshiro Mifune) vermoordt de samurai en verkracht zijn vrouw. Tijdens de rechtszaak wordt het incident op vier verschillende manieren beschreven, door de bandiet, de vrouw, een priester (Minoru Chiaki) en een houthakker (Takashi Shimura). De populariteit van de film was niet alleen te danken aan het intrigerende verhaal en het sterke spel, maar ook aan de onbekende achtergronden. Tegen de tijd dat *Rashomon* (vernoemd naar de stenen poort waar het verhaal wordt verteld) het westerse publiek had gewonnen voor de

Japanse cinema was Kurosawa in eigen land al een gevestigd regisseur. Van deze film is in Hollywood een remake gemaakt, de western *The Outrage* (1964), een van de drie samuraifilms van Kurosawa die aan de Hollywoodnormen zijn aangepast.

POINT OF VIEW

Point of view (P.O.V.) is een shot gefilmd onder een bepaalde hoek waardoor het lijkt alsof het beeld wordt gezien door de ogen van een karakter uit de film. Dit wordt bereikt door de camera vlak naast de acteur te plaatsen of op de plaats waar hij of zij zou moeten staan. De andere acteurs kijken vervolgens naar de plaats van de acteur. Een extreem voorbeeld van P.O.V. was Robert Montgomery's *The Lady in the Lake* (1946), waarin het hele verhaal wordt verteld zoals het gezien werd door de ogen van hoofdrolspeler Philip Marlowe.

CREDITS

studio	Daiei
producent	Minoru Jingo
scenario	Akiro Kurosawa, Shinobu Hashimoto naar twee korte romans van Ryunosuke Akutagawa
camera	Kazuo Miyagawa
filmprijzen	Oscar: speciale Oscar voor Beste Niet-Engelstalige Film uitgebracht in de VS in 1951; Venetië: Beste Film

Masako wiegt de *stervende Takehiro. De gebeurtenissen die leidden tot de dood van Takehiro onthullen de relativiteit van de waarheid.*

Singin' in the Rain | Gene Kelly, Stanley Donen | 1952

Singin' in the Rain, het hoogtepunt van de MGM-musicals, is een schitterende mengeling van nostalgie en satire met betrekking tot de triomfen en de beroering die de overgang van de stomme naar de sprekende film markeerden. Dit tijdperk wordt prachtig in beeld gebracht met kostuums en decors uit die tijd en een aantal bijzondere dansnummers.

CREDITS

studio	MGM
producent	Arthur Freed
scenario	Betty Comden, Adolph Green
camera	Harold Rosson
muziek	Arthur Freed, Nacio Herb Brown, Comden, Green, Roger Edens

Producent Arthur Freed, de grote man van de MGM-musicalfilms, had een uitstekend team op de been gebracht. Veel van de liedjes die hij samen met Nacio Herb Brown had geschreven voor de Hollywood-revue van 1929 zijn in de film opgenomen – inclusief de sprankelende titelsong. Dit beroemde lied maakte het danstalent van Gene Kelley als Don Lockwood onvergetelijk. Kelly's talent kwam ook tot uitdrukking in het 'Broadway Ballet', terwijl 'Make 'Em Laugh' het hoogtepunt van de carrière van de komische danser Donald O'Connor betekende. In een bepaald deel van het verhaal moet

De dansscène *waarin Don Lockwood (Gene Kelly) wordt betoverd door het goedgevormde, verleidelijke nacht-clubdanseresje en gangsterliefje (Cyd Charisse).*

Debbie Reynolds, schitterend in haar eerste grote rol als Kathy Selden, de stem van Lina Lamont, een filmster uit de tijd van de stomme film (een onvergetelijke rol van Jean Hagen), inspreken, omdat Lina's stem niet goed zou zijn voor een sprekende film. Ironisch genoeg werd Debbie's zangstem overgenomen door Betty Royce – die echter niet op de aftiteling voorkomt.

GENE KELLY

Toen Gene Kelly (1912-1996) 'Gotta Dance' zong in *Singin' In The Rain,* verwoordde hij zijn credo. Hij danste tussen 1942 en 1957 in 19 Hollywood-musicals. Samen met Fred Astaire behoorde hij tot de grootste dansers uit de filmhistorie. Kelly werkte ook als choreograaf en regisseur, onder andere in films als *Cover Girl* (1944) en *Anchors Aweigh* (1945).

Tokyo Monogatari | Yasujiro Ozu | 1953

Met *Tokyo Monogatari* (*Tokyo Story*), een van de beste en meest geprezen films van Yasujiro Ozu, maakte deze Japanse regisseur na zijn dood alsnog faam in het westen, toen de film, 20 jaar nadat hij was gemaakt, in 1972 in Amerika werd uitgebracht.

Een ouder echtpaar (Chishu Ryu, Chieko Higashiyama), dat bij de zee in het zuiden van Japan woont, brengt een bezoek aan hun kinderen en kleinkinderen in Tokyo. Niemand toont hun veel affectie, behalve Noriko (Setsuko Hara), de vrouw van hun overleden zoon. 'Wees vriendelijk voor je ouders als ze nog in leven zijn. Kinderlijke liefde reikt niet voorbij het graf,' zegt een eenvoudig Japans gezegde. In plaats hiervan luidt het echtpaar het idee dat ze hun volwassen kinderen tot last zijn. Als ze terugkeren naar huis sterft de vrouw en blijft de man alleen achter; zijn toekomst is ongewis.

Deze mooie, hartverscheurende film over de spanningen binnen een familie, de generatiekloof, de ouderdom en de druk van het stadsleven wijkt sterk af van het westerse melodrama. *Tokyo Monogatari* wordt gekenmerkt door uitstekend spel, een creatief gebruik van geluid – de puffende motoren van de boten, het gesis van de treinen – en subtiele binnenscènes naast overweldigende buitenopnames. Bovendien schoot Ozu zijn verhaal met zo weinig mogelijk camerabewegingen om iedere scène zo evenwichtig mogelijk in beeld te brengen.

Chishu Ryu *(links), Setsuko Hara en Chieko Higashiyama in een huiselijke scène.*

Het affiche *voor de toenmalige Academy Cinema in Londen.*

CREDITS

productie	Shochiku
producent	Takeshi Yamamoto
scenario	Yasujiro Ozu, Kôgo Noda
camera	Yuuharu Atsuta
muziek	Takanobu (of Kojun) Saitô

On the Waterfront | Elia Kazan | 1954

On the Waterfront, een heftig melodrama over sociaal bewustzijn, werd op locatie opgenomen in New York. Het laat Elia Kazans talent zien voor het behandelen van persoonlijke conflicten, uitgedrukt met een naturalistische, geïmproviseerde manier van spelen die hij bij de Actors Studio had geleerd.

Edie (Saint) praat *met Terry (Brando) op een dak naast een duiventil. De duiventil is eigendom van Edie's broer, voor wiens dood Terry deels verantwoordelijk is.*

Het verhaal gaat over een groep dokwerkers in de klauwen van een corrupte vakbondsman (Lee J. Cobb), die uiteindelijk hun uitbuiters belagen met behulp van de ex-bokser Terry Malloy (Marlon Brando, die de rol in eerste instantie weigerde omdat Kazan had samengewerkt met de communistenjagers uit die tijd), wiens broer Charley de rechterhand is van de vakbondsman, een liberale priester (Karl Malden) en een moedige jonge vrouw (Eva Marie Saint). Brando's sterke spel domineert de film. Met name de taxiscène waarin hij tegen zijn broer Charley (Rod Steiger) zegt: 'I coulda had class. I coulda been somebody. I coulda been a contender instead of a bum, which is what I am,' is onvergetelijk. Het camerawerk van Boris Kaufman en de muziek van Leonard Bernstein dragen ook sterk bij aan de sfeer van de film.

MARLON BRANDO

Het moderne acteren begon met Marlon Brando (1924-2004). In tegenstelling tot de sterren uit vorige generaties, benaderde Brando iedere rol weer anders. Soms was zijn spel gemanieërd maar altijd intelligent en vol intensiteit. Alleen Brando kon 4 miljoen dollar vragen voor een 10 minuten durend optreden in *Superman* (1978) en een topsalaris voor een korte rol, vlak voor het einde, in *Apocalypse Now* (1979).

CREDITS

studio	Columbia
producent	Sam Spiegel
scenario	Budd Schulberg
camera	Boris Kaufman
muziek	Leonard Bernstein
filmprijzen	Oscars: Beste Film, Beste Regisseur, Beste Acteur (Brando), Beste Vrouwelijke Bijrol (Eva Marie Saint), Beste Scenario, Beste Art Direction (Richard Day), Beste Filmmontage (Gene Milford). Venetië: Zilveren Leeuw

All That Heaven Allows | Douglas Sirk | 1955

Hoewel Douglas Sirks *All that Heaven Allows* de uitstraling heeft van een oppervlakkige soapopera, is het in wezen een enigszins gemaskeerde, kritische film over de Amerikaanse suburbia en de sociale onderdrukking van de vrouw in de middenklasse.

Filmaffiche, *1955*

Cary Scott (Jane Wyman), een nog aantrekkelijke weduwe van in de veertig met een uitstekende sociale positie in een stadje in New England, wordt door haar omgeving doodverklaard en door haar volwassen kinderen veroordeeld als ze een relatie krijgt met een veel jongere man, haar tuinman, Ron Kirby (Rock Hudson, Sirks favoriete acteur). Een van de mooiste scènes is die waarin de kinderen van Wyman, nadat ze geprobeerd hebben haar relatie met Hudson te verbreken, hun moeder, om de tijd door te komen, een televisietoestel als kerstcadeau geven. De scène eindigt met haar gezicht weerspiegelt in het lege televisiescherm. Door het vloeiende camerawerk, het creatieve gebruik van kleur en het uitstekende spel overstijgt deze film de gemiddelde 'tearjerker'. Rainer Werner Fassbinder gebruikte deze film als model voor zijn *Angst essen Seele auf* (1973), en Todd Haynes' *Far From Heaven* (2003) is een directe hommage aan Sirks werk.

De weduwe Cary *(Jane Wyman) overtreedt de conventies en vindt het geluk in de sterke armen van haar tuinman Ron (Rock Hudson).*

CREDITS

productie	Universal International
producent	Ross Hunter
scenario	Peg Fenwick
camera	Russell Metty

Rebel Without a Cause | Nicholas Ray | 1955

Rebel Without a Cause, een ontluisterende schreeuw om aandacht van jongeren, vervreemd van de volwassen wereld, zal altijd bekend blijven als de film van James Dean, in de rol die hem op het lijf geschreven bleek.

De behoefte van het individu aan liefde en begrip is het kernthema van deze film over drie jongeren: 'Plato' (Sal Mineo), die door zijn gescheiden ouders is verlaten, Judy (Natalie Wood), die vindt dat haar vader haar geen liefde heeft gegeven, en Jim (James Dean), die 'verscheurd is' door zijn dominante moeder en zijn slappe vader. In tegenstelling tot de vele films over jongeren die nog zouden volgen, wordt de schuld bij de ouders gelegd en niet bij de jongeren. De film beslaat in wezen één dag, met daarin een messengevecht, een 'chicken run' (een wedstrijd waarin met hoge snelheid naar de rand van een rotsklif wordt gereden) en de liefdesgeschiedenis tussen Jim en Judy.

JAMES DEAN

De roem van James Dean (1931-1955) is slechts gebaseerd op drie films – *East of Eden*, *Rebel Without a Cause* en *Giant* – alle gemaakt in het jaar van zijn dood. In deze films speelde hij een gecompliceerde jonge man met een gekwelde uitdrukking, een aarzelende stem en een grote gevoeligheid.

Nicholas Ray, die hiermee zijn eerste film in cinemascope maakte, een formaat waarin hij een ware meester zou worden, wist de tijdloze en directe gevoelens van de gefrustreerde jeugd prachtig vast te leggen. Merkwaardig genoeg zijn de drie jonge sterren op onnatuurlijke wijze om het leven gekomen. Dean kreeg een auto-ongeluk, Mineo werd vermoord en Wood is onder mysterieuze omstandigheden verdronken.

Als Jim (James Dean) *(uiterst rechts) naar het politie-bureau gaat nadat Buzz, een jeugdige bendeleider, in een 'chicken run' is omgekomen, komt hij de medebendeleden van Buzz tegen die net naar buiten komen.*

CREDITS

studio	Warner Bros.
producent	David Weisbart
scenario	Stewart Stern
camera	Ernest Haller

Pather Panchali | Satyajit Ray | 1955

Als vertegenwoordiger van de Indiase filmindustrie, die bijna geheel werd gedomineerd door escapistische musicalfilms, brak Satyajit Ray plotseling internationaal door met dit meesterwerk in de regionale taal van de Bengali. Door *Pather Panchali* veranderde de kijk op de Indiase filmkunst totaal.

Pather Panchali, volledig opgenomen op locatie, met niet professionele acteurs, vertelt het verhaal van Apu, een jongen die met zijn ouders, zijn zusje Durga en zijn oude tante op de rand van de armoede in een klein Bengaals dorpje woont. De titel betekent 'lied van de kleine weg' en het thema van de film is het reizen en het overschrijden van de grenzen van de kleine leefgemeenschap. We zien Apu en zijn zusje door het hoge gras naar de spoorlijn rennen om te kijken naar de trein die de mensen meeneemt naar de grote stad. In de volgende film van Ray, *Aparajito* (1956), het tweede deel van de trilogie die werd besloten met *Apur Sansar* (1959), zou de jongen zelf deze reis maken. Ray had moeite met het werven van fondsen voor zijn debuutfilm. Na 18 maanden filmen, toen hij op het punt stond het bijltje erbij neer te gooien, sprong de regering van West-Bengalen echter financieel bij.

Durga *(Uma Das Gupta) biedt gestolen guave aan aan haar oude tante Indir Thakrun (Chunibala Devi).*

CREDITS	
productie	Regering van West Bengalen
scenario	Satyajit Ray naar de roman van Bibhuti Bhushan Banerjee
camera	Subrata Mitra
muziek	Ravi Shankar

Harihar Ray *(Kanu Banerjee), Apu's vader, vecht om zijn gezin te voeden.*

The Night of the Hunter | Charles Laughton | 1955

De enige door de acteur Charles Laughton geregisseerde film is een prachtige parabel over goed en kwaad. De stijl is ontleend aan het Duitse expressionisme en de Amerikaanse primitieve schilderkunst. En de aanwezigheid van Lillian Gish als Rachel, de helende ziel, verwijst naar de drama's van D.W. Griffith.

Met 'love' en 'hate' *getatoeëerd op zijn handen speelt Robert Mitchum zijn onvergetelijke rol van psychopaat, jagend op zijn prooi.*

Het verhaal draait om Harry Powell, een psychopatische, vrouwenhatende priester (Robert Mitchum) die geld verdient voor het 'werk van God' door rijke weduwen te trouwen en te vermoorden. Powell zet zijn zinnen op Willa Harper (Shelley Winters), wier gevangenzittende echtgenoot een grote som geld heeft verborgen. Alleen de twee kinderen van het echtpaar, John (Billy Chapin) en Pearl (Sally Jane Bruce), weten waar het geld is verborgen. De kinderen slaan op de vlucht voor Harry en vinden onderdak bij een oude vrouw, Rachel (Lillian Gish), die hen met een geweer beschermt. Het kwaad – Powell – wordt vernietigd door de krachten van het goede en de onschuld, in de gedaante van de oude vrouw, de kinderen, de natuur en de dieren. Mitchum die de kinderen najaagt door het nachtelijke landschap, Gish die hen als een moederkloek beschermt en het onder water golvende haar van de vermoorde Winters, vormen enkele van de meest ijzingwekkende filmbeelden. Helaas zou dit, vanwege het magere succes, Laughtons enige film blijven.

CREDITS

studio	United Artists
producent	Paul Gregory
scenario	James Agee (herschreven door Laughton) naar de roman van Davis Grubb
camera	Stanley Cortez

Het Zevende Zegel | Ingmar Bergman | 1957

Met zijn 17e film verwierf Ingmar Bergman zich een plaats in de eregalerij der grote regisseurs. Deze film vertelt in schitterende beelden, ontleend aan vroege religieuze schilderingen, de wreedheid van het middeleeuwse leven, het verbranden van heksen, maar ook de vreugde en de nobele aspiraties van de mensheid.

De Dood met zijn zeis *gaat de ridder en zijn volgelingen voor in een middeleeuwse dodendans.*

Antonius Block (Max von Sydow), een 14e-eeuwse ridder, keert terug van de kruistochten met zijn aardse en cynische knecht (Gunnar Björnstrand) en ontdekt dat Zweden geteisterd wordt door de pest. Op zoek naar God ontmoet hij een groep toneelspelers, enkele aan de pest lijdende boeren en de Dood (Bengt Ekerot), met wie hij een partijtje schaak speelt in een poging zijn leven te verlengen.

Het Zevende Zegel (Det Sjunde Inseglet), dat Bergman 'een filmoratorium' noemde, is een van de eerste 'volwassen' films van deze regisseur. Hij is opgenomen in een zeer individualistische stijl, vol religieuze beelden die, merkwaardig genoeg, een goddeloos universum uitbeelden. De film onderzoekt ook de menselijke moraliteit, en Bergman gebruikt de figuur van de Dood om zijn ideeën over het bestaan en de religie tot uitdrukking te brengen.

De lange, indrukwekkende Von Sydow had veel succes met zijn rol van een man in spirituele verwarring. Ook Bibi Andersson, die 13 films met Bergman zou maken, maakte deel uit van de cast.

De Dood (Bengt Ekerot) *speelt schaak met de ridder (Max Von Sydow), die hoopt zijn tijd op aarde te kunnen verlengen door de Man met de Zeis te verslaan.*

CREDITS	
production	Svensk Filmindustri
producent	Allan Ekelund
scenario	Bergman naar zijn dramatische toneelstuk *Trämålning*
camera	Gunnar Fischer

Vertigo | Alfred Hitchcock | 1958

Hoewel *Vertigo* in eerste instantie zowel bij het publiek als de kritiek niet aansloeg, is het in de loop van de tijd een van de meest succesvolle films van Alfred Hitchcock geworden. Deze waardering was het gevolg van een beter begrip van de films van Hitchcock, zowel in thema als in stijl, waarvan *Vertigo* een schitterend voorbeeld is.

Privé-detective John 'Scottie' Ferguson (James Stewart) verlaat het politiekorps van San Francisco omdat hij een pathologische hoogtevrees heeft ontwikkeld. Hij wordt ingehuurd door een vriend, Gavin Elster (Tom Helmore), om diens suïcidale vrouw Madeleine (Kim Novak) te volgen. Scottie wordt verliefd op Madeleine, maar kan, vanwege zijn hoogtevrees, niet voorkomen dat ze van een klokkentoren springt. Na haar dood ontmoet de verwarde Scottie Judy (ook door Novak gespeeld) die hem doet denken aan Madeleine. Scottie probeert Judy, een brunette, om te vormen tot het exacte beeld van de blonde vrouw op wie hij verliefd was. *Vertigo* is een intrigerende studie over seksuele obsessie, waardoor de draai in het verhaal bijna irrelevant wordt. Door de tragische liefdesgeschiedenis was het een van de weinige Hitchcockfilms die het publiek emotioneel raakte. *Vertigo* staat ook bekend om het innovatieve gebruik van cameratechnieken, zoals forward zoom en reverse tracking shots, om de spanning nog te verhogen. Zelden heeft het pittoreske San Francisco er zo dreigend uitgezien en nog nooit was de meeslepende muziek van Herrmann zo effectief. Kim Novaks koele, afwezige spel past uitstekend bij de dromerige sfeer van de film als James Stewart zijn noodlot tegemoet gaat.

In de openingsscène *zien we James Stewart als een doodsbange politieman, hangend aan een dakgoot.*

CREDITS

studio	Paramount
producenten	Alfred Hitchcock en Herbert Coleman
scenario	Alec Coppel en Samuel Taylor
camera	Robert Burks
muziek	Bernard Herrmann
titelontwerp	Saul Bass

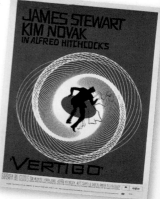

Affiche *ontworpen door Saul Bass*

Ashes and Diamonds | Andrzej Wajda | 1958

De Poolse cinema brak internationaal door met Andrzej Wajda's 'oorlogstrilogie' over het verzet van jonge mensen in Warschau. Het derde deel, *Ashes and Diamonds (Popiól i Diament)*, dat volgde op *A Generation* (1954) en *Kanal* (1957), is misschien wel Wajda's beste werk. Deze raadselachtige film brengt de 'Poolse ervaringen' tijdens de Tweede Wereldoorlog tot ver voorbij de eigen landsgrenzen.

De opmerkelijke *Zbigniew Cybulski als Maciek besmeurt, nadat hij tijdens een achtervolging is neergeschoten, de witte lakens aan een waslijn met zijn bloed.*

Op de laatste dag van de Tweede Wereldoorlog krijgt Maciek (Zbigniew Cybulski), het jongste lid van een nationalistische verzetsgroep in een Poolse provinciestad de opdracht Szczuka (Waclaw Zastrzezynski) te vermoorden, de nieuwe plaatselijke leider van de communisten. Tijdens het wachten in een hotel wordt hij verliefd op een barmeisje, Krystyna (Ewa Krzyzanowska) en ontdekt hij dat er nog meer in het leven is dan moorden – de mogelijkheid van liefde en geluk. Hij wordt verscheurd door zijn geweten en zijn loyaliteit aan de zaak waar hij voor leeft. De moordscène, de broeierige in slowmotion gefilmde polonaise en de dood van Maciek zijn zeer realistisch. De briljante Cybulski, zijn ogen verborgen achter een donkere zonnebril, belichaamt de sceptische nieuwe generatie, waaraan hij zijn reputatie dankt van 'de Poolse James Dean'. De acteur overleed in 1967 op 40-jarige leeftijd toen hij nog net een trein probeerde te halen.

CREDITS

productie	Film Polski
scenario	Jerzy Andrzejewski, Andrzej Wajda naar de roman van Andrzejewski
camera	Jerzy Wójcik
muziek	Jan Krenz, Michal Kleofas Oginski

Les Quatre Cents Coups | François Truffaut | 1959

Truffauts eerste speelfilm, gemaakt toen hij 27 was, is gebaseerd op zijn eigen slechte jeugdervaringen. Het was onmiddellijk een succes; in Cannes won hij de prijs voor beste regisseur. Truffaut bracht nog meer films uit met Antoine Doinel (Jean-Pierre Léaud) in de hoofdrol, met thema's als adolescentie, huwelijk, vaderschap en scheiding.

Jean-Pierre Léaud *(vierde van links)* *als Antoine Doinel in de rij op de tuchtschool waarheen hij werd gezonden na het stelen van een typemachine.*

CREDITS

productie	Les Films du Carrosse
producent	Georges Charlot
scenario	Marcel Moussy naar een verhaal van Truffaut
camera	Henri Decaë
muziek	Jean Constantin
filmprijs	Cannes: Beste Regisseur

Truffaut, de harde criticus van het tijdschrift *Cahiers du Cinéma*, werd door zijn schoonvader, een filmproducent, uitgedaagd om zelf een film te maken, met als resultaat *Les Quatre Cents Coups*. Een twaalf jaar oude Parijse jongen, Antoine Doinel (Jean-Pierre Léaud), verwaarloosd door zijn moeder en stiefvader, komt op het criminele pad terecht. Hij wordt naar een tuchtschool gestuurd, maar weet te ontsnappen naar de kust. De film heeft een prachtige losse toon als de jonge held gevolgd wordt door de straten van Parijs. De regisseur en de jonge hoofdrolspeler hadden een uitstekende band met elkaar, en de kwaliteit van de film is voor een groot deel te danken aan het spontane spel van het kind. De frons op zijn gezicht als hij naar de zee rent is een van de bekendste eindscènes uit de filmgeschiedenis. De titel is ontleend aan de uitdrukking *faire les quatre cents coups*, wat 'in moeilijkheden komen' betekent.

NOUVELLE VAGUE

Deze term slaat op de 'nieuwe golf' van regisseurs die vanaf 1959 hun eerste speelfilm maakten in Frankrijk. De belangrijkste impuls kreeg de beweging in Frankrijk van de critici-regisseurs van het invloedrijke tijdschrift *Cahiers du Cinéma*, geleid door François Truffaut en Jean-Luc Godard.

Jean-Luc Godard *was waarschijnlijk de meest radicale van de regisseurs van de Nouvelle Vague.*

Some Like It Hot | Billy Wilder | 1959

Billy Wilder's *Some Like It Hot*, een hoogtepunt in de naoorlogse Amerikaanse comedy, is een mengeling van parodie, slapstick, klucht en serieuze film. Hij is modern wat betreft de benadering van de seksualiteit, maar ouderwets als hommage aan de comedy's en gangsterfilms uit de jaren '30.

Twee jazzmusici (Tony Curtis, Jack Lemmon), op de vlucht voor gangsters, vermommen zichzelf als 'Josephine' en 'Daphne' en voegen zich bij een vrouwenband op weg naar Florida. In de trein sluiten ze vriendschap met Sugar Kane (Marilyn Monroe), de zangeres van de band. Het wordt gecompliceerd als 'Josephine' verliefd wordt op Sugar en 'Daphne' het hof wordt gemaakt door de miljonair Osgood Fielding III (Joe E. Brown). Als 'Daphne' uiteindelijk toegeeft dat ze een man is, antwoordt Osgood: 'Ach, niemand is perfect.' Curtis en Lemmon zijn uitstekend op dreef als travestieten. Curtis heeft zelfs een driedubbele rol: als zichzelf, als een vrouw met een donkere pruik en een hoge stem en als een oliebaron die lijkt op Cary Grant. Lemmon, op hoge hakken en met een blonde pruik, is erg komisch omdat hij zich zeer identificeert met zijn vrouwelijke rol. Monroe is heel sensueel en gevoelig en zingt twee snelle nummers uit de jaren '20.

Filmaffiche, *1959*

CREDITS

studio	United Artists
productie	Mirisch Company
scenario	Billy Wilder, I.A.L. Diamond
camera	Charles Lang
muziek	Adolph Deutsch
filmprijs	Oscar: Beste Kostuumontwerp

MARILYN MONROE

Het leven van Norma Jean Baker (1926-1962) – haar ongelukkige jeugd, haar huwelijken en de tragische omstandigheden van haar dood – is waarschijnlijk net zo bekend als haar films. Marilyn Monroe brak in 1953 bij het grote publiek door met het liedje 'Diamonds Are A Girl's Best Friend' in *Gentlemen Prefer Blondes*. In datzelfde jaar speelde ze in *How to Marry A Millionaire* met Betty Grable en Lauren Bacall en in 1955 schitterde ze in *The Seven Year Itch* (1955). Tegen die tijd was ze een grote ster die niet alleen kon zingen maar ook komische rollen kon spelen. In drama's zoals *Bus Stop* (1956) en *The Misfits* (1961), toonde ze zowel haar sensualiteit als haar kwetsbaarheid, een speciale combinatie waardoor ze tot op de dag van vandaag nog steeds heel populair is.

Sugar Kane *(Marilyn Monroe), repeteert met haar band in de trein naar Florida het nummer 'Runnin' Wild'. Tony Curtis en Jack Lemmon zien we in hun vermomming als vrouw achter haar rechterschouder.*

À Bout de Souffle | Jean-Luc Godard | 1960

Door deze film werd de anarchistische Jean-Paul Belmondo een ster, werd de carrière van Jean Seberg nieuw leven ingeblazen en liet de 29 jaar oude Jean-Luc Godard zien dat hij een van de grote namen was van de Franse Nouvelle Vague.

Patricia (Jean Seberg) *praat met Michel (Jean-Paul Belmondo), die onderdak zoekt in haar Parijse appartement om zich te verschuilen voor de politie.*

Het verhaal van Michel Poiccard, een jonge autodief (Belmondo), die een politieagent doodt en met zijn Amerikaanse vriendin Patricia Franchini (Seberg) op de vlucht slaat, was gebaseerd op een idee van François Truffaut en opgedragen aan Monogram Pictures, Hollywoods studio voor B-films. *À Bout de Souffle* trachtte de directheid van de Amerikaanse gangsterfilm te vatten door gebruik te maken van opnamen op locatie, jump cuts (die de gewone cuts vervingen) en een handcamera. Cameraman Raoul Coutard, die aan een groot aantal films van de Nouvelle Vague heeft meegewerkt, werd in een rolstoel rondgereden en fungeerde als een soort dolly, die de spelers over straat en in de gebouwen volgde. Om snelheid in het spel te krijgen, liet Godard de acteurs, die hun tekst niet uit hun hoofd mochten leren, tijdens het filmen achter elkaar in een rij staan. Godard, een voormalige criticus, brak bewust met de conventies van de film maar bracht tegelijkertijd een hommage aan datgene wat hij van waarde achtte in de Hollywoodfilm.

Filmaffiche, *1960*

CREDITS	
studio	Impéria
producent	Georges de Beauregard
scenario	Jean-Luc Godard
camera	Raoul Coutard
filmprijs	Berlijn: Beste Regisseur

La Dolce Vita | Federico Fellini | 1960

CREDITS

productie	Pathé Consortium Cinema, Riama Film
producent	Guiseppe Amato
scenario	Federico Fellini, Tullio Pinelli, Brunello Rondi, Ennio Flaiano
camera	Otello Martelli
muziek	Nino Rota
kostuumontwerp	Piero Gherardi
filmprijs	Cannes: beste Film

Federico Fellini's meest beruchte film veroorzaakte een sensatie toen hij werd uitgebracht. Het is een indrukwekkend, drie uur durend, in breedbeeld opgenomen panorama over de decadente moderne samenleving in Rome. Door deze film werden in het Nederlands de begrippen 'la dolce vita' en 'paparazzi' ingevoerd.

Het verhaal van de film volgt de roddeljournalist en zogenaamd serieuze schrijver Marcello Rubini (Marcello Mastroianni) gedurende zeven dagen en nachten, waarin hij de bekende en populaire plekken van Rome aandoet op zoek naar zichzelf. In de eindscène vangt hij een glimp van de onschuld op als hij in de avondschemering op het strand een jong meisje ziet. Hij kan echter niet horen wat ze zegt omdat ze door een strook water van elkaar gescheiden zijn. Tot de beruchte scènes behoren; het beeld van Christus dat over Rome vliegt; Marcello en een vervelde erfgename die een hoer oppikken voor een ménage à trois; een feest waarop de gastvrouw Nadia (Nadia Gray) een striptease doet en Marcello een vrouw als een paard berijdt. Met name Anita Ekberg als het blonde aankomende sterretje Sylvia dat Marcello op het feest probeert te verleiden, blijft in de herinnering hangen.

Filmaffiche, *1960*

Anita Ekberg, *als het aankomende Amerikaanse sterretje Sylvia, loopt aangeschoten de Trevifontein in Rome in.*

Saturday Night and Sunday Morning | Karel Reisz | 1960

Karel Reisz' eerste speelfilm, *Saturday Night and Sunday Morning*, een van de beste Britse films van na de oorlog en ongetwijfeld de beste en meest oprechte film van de Britse New Wave, die zich bezighield met de arbeidersklasse, maakte van Albert Finney, als de rebellerende antiheld, een nieuwe ster.

'Laat die schoften je er niet onder krijgen. Dat is een van de dingen die je moet leren. Ik wil gewoon een lekker leventje. De rest is onzin,' zegt de opstandige Arthur Seaton (Finney), die aan de draaibank werkt in de fabriek van Raleigh in Nottingham, in het noorden van Engeland. Hij heeft een verhouding met Brenda (Rachel Roberts). Brenda wordt zwanger en in de tussentijd ontmoet Arthur Doreen (Shirley Anne Field) in een pub en een huwelijk ligt op de loer. Albert Finney's 'angry young man' reageert met energie en humor

Arthur Seaton (Albert Finney), *een amorele, gedesillusioneerde arbeider, gaat naar bed met de getrouwde Brenda (Rachel Roberts) terwijl haar man nachtdienst heeft.*

CREDITS

productie	Woodfall Film Productions
producent	Tony Richardson, Harry Salzman
scenario	Alan Sillitoe naar zijn eigen roman
camera	Freddie Francis
muziek	Johnny Dankworth

op zijn omgeving. De film, met goed herkenbare types uit de arbeidersklasse, die voor die tijd nauwelijks in de bioscoop te zien waren, laat onomwonden de grauwe industriegebieden van Midden-Engeland zien, met zijn fabrieken, achterbuurten en pubs en het effect dat deze levensomstandigheden op menselijke relaties heeft.

FREE CINEMA

In het midden van de jaren '50 zette een groep Britse filmmakers de cinema op zijn kop. Ze vonden dat kunstenaars hun verantwoordelijkheid moesten nemen en films moesten maken buiten de commerciële kanalen om en 'de betekenis van het alledaagse leven' moesten verbeelden. Karel Reisz, Lindsay Anderson en Tony Richardson waren verbonden met de 'Angry Young Men' van de literatuur en de zogenoemde 'Kitchen Sink' van het theater.

Dit affiche voor Tony Richardsons *filmbewerking van* Look Back In Anger *weerspiegelt duidelijk de impact van John Osborne's revolutionaire toneelstuk.*

L'Avventura | Michelangelo Antonioni | 1960

De stijl van Antonioni bereikte zijn volwassenheid in *L'Avventura*. Door de minimale plot, de lange takes en de langzame tracking shots, de beperkte dialogen en de sterke relatie tussen de karakters en hun omgeving, kregen tijd en ruimte in de cinema een nieuwe betekenis.

CREDITS	
producent	Cino Del Duca, Raymond Hakim, Robert Hakim, Amato Pennasilico, Luciano Perugia
scenario	Antonioni, Elio Bartolini, Tonino Guerra
camera	Aldo Scarvarda
muziek	Giovanni Fusco

Anna (Lea Massari) en haar verloofde Sandro (Gabriele Ferzetti) bezoeken samen met een groep rijke mensen een Siciliaans eiland. Na een ruzie met Sandro verdwijnt Anna. Haar vriendin Claudia (Monica Vitti) gaat met Sandro op zoek naar haar en ze worden geliefden. Het bittere einde is niet erg conventioneel. Antonioni's weigering om uit te leggen waarom Anna verdween zette veel kwaad bloed. Toch werd de film een groot succes. Van belang voor hem was het effect dat het onopgeloste mysterie had op de vervreemde karakters in de film, met name op Vitti, die later nog in een aantal andere films van Antonioni zou spelen.

De vriendinnen Anna (Massari) *(links) en Claudia (Vitti) bereiden zich voor op een verblijf op een Siciliaans eiland, waar Anna op mysterieuze wijze zal verdwijnen.*

L'Année dernière à Marienbad | Alain Resnais | 1961

CREDITS	
producenten	Pierre Courau, Raymond Froment
scenario	Alain Robbe-Grillet
camera	Sacha Vierney
muziek	Francis Seyrig
filmprijzen	Venetië: juryprijs

Delphine Seyrig *als A, de naamloze vrouw die niet meer weet of ze een verhouding heeft gehad.*

Door het ontbreken van een chronologische structuur en objective realiteit, en door herinnering en verbeelding, verlangen en bevrediging, verleden, heden en toekomst met elkaar te vermengen creëerde Alain Resnais in zijn tweede speelfilm, een van de meest raadselachtige, erotische 'filmgedichten'.

In een groot barok buitenhuis met geometrisch ontworpen tuinen probeert X, een naamloze man (Giorgio Albertazzi) A, een vrouwelijke gast (Delphine Seyrig) ervan te overtuigen dat ze het jaar daarvoor een verhouding hebben gehad en dat ze M (Sacha Pitoëff), die misschien haar echtgenoot is, voor hem moet verlaten. Hoewel de stijl en structuur in die tijd velen voor een raadsel stelden, zijn het door elkaar halen van verleden en heden en de instant 'flash-ins', in plaats van de traditionele langzame flashbacks, tegenwoordig zeer gebruikelijk in de cinema. Hoe ingewikkeld ook, *L'Année Dernière à Marienbad* is in feite een variatie op de onuitroeibare romantische openingszin: 'Hebben we elkaar niet al eens eerder ontmoet?' De gestileerde kleding, de orgelmuziek, de opnamen van eindeloze gangen, het duizelingwekkende decor en de mysterieuze Seyrig zijn onvergetelijk.

Lawrence of Arabia | David Lean | 1962

Lawrence of Arabia, een van de intelligentste en spectaculairste kassuccessen ooit, is zowel een reisverhaal als een geschiedenisles en een avonturenfilm. Maar het is vooral een studie over een raadselachtige en controversiële militair. Peter O'Toole werd door deze film een internationale ster.

Robert Bolt vormde op briljante wijze het levensverhaal van T.E. Lawrence, een Britse legerofficier die in Arabië vocht, om tot een filmscenario. De film, gebaseerd op Lawrence's memoires, *The Seven Pillars of Wisdom*, begint met de dood van Lawrence (Peter O'Toole) in Engeland na een motorongeluk. In flashbacks zien we vervolgens de belangrijkste gebeurtenissen uit zijn tumultueuze militaire loopbaan; zijn vriendschap met Sherif Ali (Omar Sharif), zijn steun aan prins Feisal (Alec Guinness), zijn gevangenneming en marteling door de Turkse bei (José Ferrer) en de centrale rol die hij heeft gespeeld in de ontmanteling van het Ottomaanse rijk. Het verhaal bracht het beste in David Lean naar boven, die, net als zijn held, diep onder de indruk was van de schoonheid van de uitgestrekte Sahara, door cameraman Freddie Young op schitterende wijze vastgelegd. Het eerste beeld van Sharif, niet meer dan een stip aan de horizon, is misschien wel de meest indrukwekkende scène van de film.

Peter O'Toole *speelt kolonel Lawrence, een legendarische oorlogsheld die in de Eerste Wereldoorlog de Arabieren leidt in hun strijd tegen de Turken.*

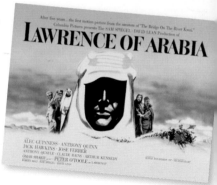

Filmaffiche, *1962*

'...dagdromers zijn gevaarlijke mensen ...ze brengen soms met open ogen hun dromen tot leven ...Zoals ik deed.'

T.E. LAWRENCE

CREDITS	
productie	Horizon
producent	Sam Spiegel
scenario	Robert Bolt, Michael Wilson, naar de memoires van T.E. Lawrence
camera	Frederick A. Young
muziek	Maurice Jarre
filmprijzen	Oscars: Beste Film, Beste Regisseur, Beste Camerawerk, Beste Art Direction (John Box, John Stoll, Dario Simoni); Beste Geluid (John Cox); Beste Filmmontage (Anne Coates), Beste Muziek

Dr. Strangelove | Stanley Kubrick | 1964

Stanley Kubrick's *Dr. Strangelove* laat de kernoorlog zien als de grootste absurditeit die de mensheid kan begaan. Het is een satire op diegenen die opgehouden zijn zich druk te maken over de bom, een meesterwerk van zwarte humor over een catastrofe die in die tijd zeer voorstelbaar was.

Kubrick wilde in eerste instantie *Dr. Strangelove Or: How I Learned to Stop Worrying and Love the Bomb* maken als een serieuze film over het onvermijdelijke einde van de Koude Oorlog. Hij verlegde de toon van de film echter naar het komische omdat hij, toen hij eenmaal aan het scenario werkte, merkte dat hij moeite had met enkele absurde elementen. De plot centreert zich op de pogingen van de Amerikaanse overheid om de B-52's terug te roepen die door Jack D. Ripper, de brigadegeneraal van de lucht-macht, zijn uitgezonden voor een nucleaire aanval op de Sovjet-Unie. Sterling Hayden als Ripper, die ervan overtuigd is dat de 'communisten' het drink-water vergiftigen om de seksuele potentie te laten afnemen, en George C. Scott als generaal 'Buck' Turgidson, belichamen Kubricks antimilitarisme.

Peter Sellers speelt drie briljante rollen: een kapitein van de RAF; de titelrol als een sinistere, aan zijn rolstoel gebonden Duitse wetenschapper wiens kunstarm onvrijwillig de nazigroet brengt; en een liberale president van de VS. De cirkelvormige Oorlogszaal, ontworpen door Ken Adam, staat centraal in Kubricks nachtmerrie. Door middel van comedy probeerde Kubrick het publiek bewust te maken van de mogelijkheid van een nucleaire oorlog.

Peter Sellers *(met zonnebril), in de titelrol als de krankzinnige wetenschapper, adviseert de president (ook Sellers, buiten beeld) in de Oorlogszaal.*

'Alstublieft heren, u kunt hier niet vechten, dit is de Oorlogszaal!'

PRESIDENT MERKIN MUFFLEY

CREDITS	
productie	Hawk Films
producent	Stanley Kubrick, Victor Lyndon
scenario	Stanley Kubrick, Terry Southern, Peter George (naar zijn eigen roman)
camera	Gilbert Taylor
ontwerp	Ken Adam

La Battaglia di Algeri | Gillo Pontecorvo | 1966

Regisseur Gillo Pontecorvo benaderde met deze film over de Algerijnse onafhankelijkheidsoorlog waarschijnlijk dichter de waarheid en de complexiteit van de problemen die hier aan de orde waren, dan met een documentaire mogelijk was geweest.

De guerillaoorlog die in 1954 werd gevoerd voor de Algerijnse onafhankelijkheid van Frankrijk, wordt hier gezien door de ogen van enkele van de deelnemers, in het bijzonder de voor een kleine diefstal opgepakte Ali La Pointe (Brahim Haggiag). Hij sluit zich bij het verzet aan nadat hij de executie van een medegevangene heeft bijgewoond en groeit, na bij het FLN te zijn ingelijfd, uit tot oorlogsheld. De film is opgenomen op de feitelijke locaties, van de achterafstraatjes in de kashba tot de brede avenues in de Franse wijk. Behalve Jean Martin, als kolonel Mathieu, bestond de cast volledig uit amateurs. De film wisselt korrelige 'journaalbeelden' af met opnames gemaakt met een handcamera en dramatische close-ups. De sterkste kant van deze film, die jarenlang in Frankrijk verboden was, is het feit dat hij de problemen en gezichtspunten van beide partijen aan de orde stelt. De martelingen van de Algerijnen door de Fransen worden getoond, maar ook een vreselijke scène waarin een vrouw een bom plaatst in een restaurant in de wetenschap dat ze onschuldige mensen zal doden. Eind jaren '60 werd de film door Amerikanen bekeken die tegen de Vietnamoorlog waren en in 2003 werd hij zelfs, aan het begin van de Golforlog, door het Pentagon bestudeerd.

Een smalle steeg *in de kashba, het islamitische deel van Algiers, waar patrouillerende Franse troepen stuiten op als vrouw verklede onafhankelijkheidsstrijders.*

CREDITS

productie	Casbah/Igor
producenten	Antonio Musu, Yacef Saadi
scenario	Gillo Pontecorvo, Franco Solinas
camera	Marcello Gatti
muziek	Gillo Pontecorvo, Ennio Morricone
filmprijs	Venetië: Beste Film

CINÉMA VÉRITÉ

Kino-pravda of 'film-waarheid' was een concept dat in de jaren '20 door de Rus Dziga Vertov is ontwikkeld. De term werd in de jaren '60 in Frankrijk gebruikt voor films van regisseurs als Jean Rouch en Chris Marker, die in hun werk de waarheid naar boven probeerden te halen door de werkelijkheid zo natuurlijk mogelijk weer te geven. Doordat de 16 mm-apparatuur steeds beter werd – inclusief het lagere gewicht van de camera – was het mogelijk om met slechts twee mensen een film te maken. Deze beweging ontwikkelde zich tegelijkertijd in de VS onder de naam 'Direct Cinema'.

Een van de rekruten *in* Basic Training *(1971), geregisseerd door Fred Wiseman, over het leven in een Amerikaans trainingscentrum in Fort Knox, Kentucky.*

Bonnie and Clyde | Arthur Penn | 1967

Bonnie and Clyde, een van de invloedrijkste Amerikaanse films over de psychologische en sociale kanten van de misdaad, bevat een dosis geweld in een mate die zeldzaam was voor een grote publieksfilm in die tijd.

'Ze zijn jong... ze zijn verliefd... en ze vermoorden mensen...' was de effectieve reclameboodschap voor deze zeer stijlvolle en compromisloze, op een waar verhaal gebaseerde gangsterfilm. Faye Dunaway en Warren Beatty schitteren als Bonnie Parker en Clyde Barrow, het beruchte gangsterduo dat het Amerikaanse middenwesten eind jaren '20, begin jaren '30 onveilig maakte. Later sloten zich nog bij hen aan: een jongen die in een benzinestation werkte, C.W (Michael J. Pollard), Clyde's broer Buck Barrow (Gene Hackman) en zijn vrouw Blanche (Estelle Parsons). In deze film worden de bankrovers geportretteerd als romantische helden – het zijn geliefden gevangen in een draaikolk van geweld en passie, mooi gefilmd met sepiabeelden en zorgvuldig uitgekozen muziek en decors. De zwarte comedy beweegt zich onafwendbaar naar het memorabele, vaak geïmiteerde einde: honderden kogels worden in het in slowmotion stervende paar gepompt. Het script was eerst aangeboden aan Jean-Luc Godard en François Truffaut. Deze weigerden echter. Toch is de invloed van de Franse Nouvelle Vague wel degelijk merkbaar in Arthur Penns regie.

De gangsters *Buck Barrow (Gene Hackman), Clyde Barrow (Warren Beatty) en Bonnie Parker (Faye Dunaway) beroven een bank.*

Filmaffiche, *1967*

CREDITS	
productie	Tatira-Hiller; Warner Bros.
producent	Warren Beatty
scenario	David Newman, Robert Benton
camera	Burnett Guffey
art director	Dean Tavoularis
filmprijzen	Oscars: Beste Vrouwelijke Bijrol (Estelle Parsons), Beste Camerawerk

The Wild Bunch | Sam Peckinpah | 1969

The Wild Bunch choqueerde vanwege de amorele uitbeelding van de Texaanse outlaws als helden en de enorme hoeveelheid geweld. Tegenwoordig wordt de film gezien als een beeld van 'onveranderde mannen in een veranderd land'.

In 1913 proberen Pike Bishop (William Holden) en zijn bende oudere outlaws op dezelfde manier te leven als in het oude Wilde Westen werd gedaan. Ze worden echter nagejaagd door prijsjagers – onder wie Pike's vroegere vriend Deke Thornton (Robert Ryan). Ze vluchten naar Mexico waar de bende in een zee van kogels ten onder gaat. *The Wild Bunch* geeft een beeld van de moraal van het oude Westen en is een overpeinzing over de oude, romantische western. Door het schitterende camerawerk van Lucien Ballard, en een uitgebreide montage – zes Panavision-camera's werden tegelijkertijd met verschillende snelheden gebruikt – is de film een lyrisch meesterwerk.

CREDITS	
productie	Seven Arts
studio	Warner Brothers
producenten	Phil Feldman, Roy N. Sickner
scenario	Walon Green, Sam Peckinpah, Roy N. Sickner
camera	Lucien Ballard
editor	Louis Lombardo
muziek	Jerry Fielding

De outlaws *Ben Johnson, Warren Oates, William Holden en Ernest Borgnine lopen door een Mexicaans stadje op weg naar het beslissende vuurgevecht.*

Easy Rider | Dennis Hopper | 1969

Easy Rider, gemaakt voor minder dan 400.000 dollar, was een onverwacht succes. De combinatie van drugs, popmuziek, geweld, motoren en de sfeer van de tegencultuur sprak een jong publiek aan en de film bracht meer dan 50 miljoen dollar op.

CREDITS	
productie	Columbia
producent	Peter Fonda
scenario	Dennis Hopper, Peter Fonda, Terry Southern
camera	László Kovács

Peter Fonda *(links) als Wyatt en Dennis Hopper als Billy; twee hippies op motoren op weg naar New Orleans... en hun vernietiging.*

Twee hippies, Wyatt (Peter Fonda) en Billy (Dennis Hopper), gaan per motor op zoek naar het 'echte Amerika'. Ze komen echter voornamelijk de vijandschap tegen van bekrompen plattelanders. Hun tocht eindigt als ze worden neergeschoten door een vrachtwagenchauffeur die hun manier van leven veracht. Stupiditeit, corruptie en geweld worden afgezet tegen de Amerikaanse vrijheidsdroom in Hoppers eerste speelfilm als regisseur (en Fonda's eerste als producent). Deze op de Amerikaanse 'Direct Cinema'-documentaires uit het begin van de jaren '60 voortbordurende film leunde sterk op de ervaring van cameraman László Kovács. De soundtrack bevat muziek van Jimi Hendrix, The Byrds, Steppenwolf en Bob Dylan.

Il Conformista | Bernardo Bertolucci | 1969

LI · ROMANI · SVBIECIT · ET · INPENS

Il Conformista is door het camerawerk van Vittorio Storaro een beklemmend meesterwerk over de mores van het alledaagse fascisme in het vooroorlogse Italië. Deze film, over zijn freudiaanse en politieke preoccupaties, was Bernardo Bertolucci's eerste grote commerciële succes.

Marcello Clerici (Jean-Louis Trintignant) heeft als kind een chauffeur neergeschoten die hem probeerde te verleiden. Deze ervaring, in combinatie met zijn eigen onderdrukte homoseksualiteit, doet hem beslissen een burgerlijk huwelijk aan te gaan met Giula (Stefania Sandrelli) en zijn diensten aan te bieden aan de Fascistische Partij. In 1938 wordt hem gevraagd zijn voormalige leraar, professor Quadri (Enzo Tarascio), leider van een antifascistische groepering, te vermoorden. Hij twijfelt echter over de missie. *Il Conformista* toont Bertolucci's flamboyante stijl – uitgebreide tracking shots, barokke camerahoeken, overvloedige kleureffecten, mooie decors en een indringend spel met licht en scha- duw. Trintignant speelt een zeer overtuigende rol, en ook Sandrelli en Dominique Sanda (als Anna, professor Quadri's jonge vrouw), die een gedenkwaardige tango met elkaar dansen, zijn op hun best.

Jean-Louis Trintignant *als Marcello met bloemen op weg naar een geliefde in Rome (boven).*

CREDITS	
producent	Maurizio Lodi-Fe
scenario	Bernardo Bertolucci naar de roman van Alberto Moravia
camera	Vittorio Storaro
muziek	Georges Delerue
kostuumontwerp	Gitt Magrini

The Godfather | Francis Ford Coppola | 1972

CREDITS

studio	Paramount
producent	Albert S. Ruddy
scenario	Francis Ford Coppola, Mario Puzo naar de roman van Puzo
camera	Gordon Willis
ontwerp	Dean Tavoularis
requisieten	Philip Smith
muziek	Nino Rota
kostuum-ontwerp	Anna Hill Johnstone
filmprijzen	Oscars: Beste Film, Beste Acteur (Marlon Brando), Beste Scenario (Coppola, Puzo)

Tijdens het huwelijksfeest *van zijn dochter luistert Don Corleone (Marlon Brando) in zijn werkkamer naar een van zijn gasten die hem smeekt zich met zijn vijanden 'bezig te houden'.*

Filmaffiche

Met deze film deed Francis Ford Coppola het publiek een 'offer it could not refuse'. Het verhaal, over de opkomst van de maffia en de familie Corleone in de jaren '40, geeft een gedetailleerd beeld van de rituelen en de relaties binnen een besloten gemeenschap. De film was een van de grootste successen van de jaren '70. In 1974 volgde *The Godfather II*, en in 1990 *The Godfather III*.

Maffiabaas Don Vito Corleone (Marlon Brando) maakt deel uit van een gemeenschap waar moord beschouwd wordt als 'niet iets persoonlijks, gewoon business'. Behalve buitensporig geweld toont de film de codes van loyaliteit, liefde, masculiene eer en de ondergeschiktheid van vrouwen die de familie bijeenhouden. Meer dan door de moorden was het publiek gechoqueerd door de scène waarin een Hollywoodtycoon wakker wordt en een bloederig paardenhoofd in zijn bed vindt. Coppola maakte op een meesterlijke manier gebruik van *chiaroscuro* voor de interieurs. En de cast, geleid door Brando, die een iconografische figuur neerzet met zijn schorre stem en zalvende handgebaren als hij overschakelt van de harde Godfather naar de vriendelijke paterfamilias, is uitstekend.

Brando zond, in plaats van zelf te gaan, een inheemse Amerikaanse vrouw naar de Oscaruitreiking als protest tegen de behandeling van de indianen in de VS.

AL PACINO

Al Pacino (geboren in 1940) heeft vele successen gekend sinds zijn overtuigende rol van Michael Corleone in de drie *Godfather*-films. Of hij nu een gangster speelt in *Scarface* (1983) of Shylock in *The Merchant of Venice* (2004), altijd weet hij het maximale uit zijn spel te halen. Hij werd acht maal voor een Oscar genomineerd; hij won slechts eenmaal, met zijn rol in *Scent Of A Woman* (1992).

Aguirre, der Zorn Gottes | Werner Herzog | 1972

Deze film, met een megalomane held in de hoofdrol, is een krachtig, hypnotiserend verhaal over de verdorvenheid van het imperialisme. Hij is onder uiterst moeilijke omstandigheden in het Andesgebied opgenomen. Het succes van *Aguirre, der Zorn Gottes*, toont echter aan dat de moeite niet vergeefs was.

CREDITS	
productie	Hessicher Rundfunk/Werner Herzog
producent	Werner Herzog
scenario	Werner Herzog
camera	Thomas Mauch
muziek	Popol Vuh

In de wildernis van Peru leidt een 16e-eeuwse Spaanse conquistador, Don Lope de Aguirre (Klaus Kinski), met hulp van inheemse slaven, een gevaarlijke expeditie over de bergen en langs een onbekende rivier op zoek naar het mythische konink-rijk El Dorado. De fascinatie voor dit verhaal, gebracht als waargebeurd, komt voort uit de schitterende natuuropnamen en het intense spel van Kinski. Het was de eerste van vijf films die hij met Herzog zou maken. De lange openingsscène van de leden van de expeditie die in de mist een berg afdalen is zeer indrukwekkend, net als de slotscène waarin de camera cirkelbewegingen maakt boven een vlot bezaaid met dode lichamen en door elkaar krioelende apen. Het verhaal wordt zeer beeldend verteld, slechts af en toe onder-broken door een korte dialoog. Dit bepaalt niet alleen het tempo van de film maar ook de sfeer. De actie van de film wordt ook meer door de bijzonderheden van het landschap – de film is opgenomen op locatie in het Peruviaanse regenwoud in de buurt van Puerto Maldonado – dan door de acteurs bepaald. Deze laatsten reageren sterk op hun omgeving, een weerspiegeling van de gekte en de koortsachtige halluci-naties die de verdoemde expeditie langzaam in haar greep krijgen.

Klaus Kinski, *de hoofdrolspeler van de film, zet een complex en angstaanjagend beeld neer van een geobsedeerd mens*

Nashville | Robert Altman | 1975

Deze porttrettering van een weekeinde in de muziekindustrie in Nashville, Tennessee, in de VS – de countryhoofdstad van de wereld – was een krachttoer wat betreft het manipuleren van karakters en geluid.

Om dit mozaïek van karakters, muziek, beelden en geluid te creëren gebruikte Altman16 sporen voor de dialogen en een continu bewegende camera, ritmische cuts, en on- and off-screen commentaar. Met name de openingsscène op de luchthaven van Nashville, waarin de 24 spelers worden geïntroduceerd, is opmerkelijk. Hoewel de film is gemaakt in het kader van het 200-jarig bestaan van de VS in 1976, laat *Nashville* ironisch genoeg juist de donkere kanten van het land zien, zoals racistische vooroordelen, zelfgenoegzaamheid en vulgariteit.

Karen Black *is Connie White, een countryzangeres die de afwezigheid van Barbara Jean (de 'koningin' van Nashville) benut om haar eigen carrière een duwtje te geven.*

CREDITS

studio	Paramount Pictures
producent	Robert Altman
scenario	Joan Tewkesbury
camera	Paul Lohmann
filmprijs	Oscars: Beste Lied:'I'm Easy' (Keith Carradine)

L'Empire des Sens | Nagisa Oshima | 1976

Nagisa Oshima's eerste grote commerciële succes hing, volgens velen, tegen pornografie aan. Voor anderen was het een serieuze benadering van thema's als onderdrukking en geslacht, de band tussen erotiek en de dood, en een artistieke doorbraak in het tonen van expliciete seks in een film.

Kichizo (Tatsuya Fuji), een getrouwde man, en Sada (Eiko Matsuda), een geisha, trekken zich in 1936 terug uit het militaristische Japan en leven verder in hun eigen wereld waarin ze op obsessieve wijze hun seksuele fantasieën kunnen uitleven. Uiteindelijk, op zoek naar het ultieme orgasme, wurgt Sada haar geliefde en castreert hem. Oshima's voyeuristische meesterwerk, gebaseerd op een berucht moordproces uit de jaren '30, is een mengeling van tederheid en ruwheid, van spontaniteit en ritueel. De oorspronkelijke titel, *Ai No Corrida*, verwijst naar een ritueel gevecht dat eindigt met de dood. In het midden van de jaren '70 veroorzaakte de film een storm van protest en waren er in verschillende landen problemen met de censuur. Hoewel de film ook nu nog kan choqueren, waren er, toen de film in 2000 opnieuw werd uitgebracht, nauwelijks problemen.

Nadat ze haar geliefde Kichizo (Tatsuya Fuji) tijdens het vrijen heeft gewurgd, bereidt de geisha Sada (Eiko Matsuda) zich voor op haar laatste, verschrikkelijke daad.

CREDITS

productie	Argos Films, Oshima Productions
producent	Anatole Dauman
scenario	Nagisa Oshima
camera	Hideo Itoh
filmprijs	Cannes: Beste Regisseur

Taxi Driver | Martin Scorsese | 1976

Dit zeer aangrijpende drama over vervreemding in een stedelijke samenleving bevat elementen van de film noir, de western en horrorfilms. Het maakte van Robert de Niro een ster en vestigde de naam van Martin Scorsese als belangrijk regisseur.

Travis Bickle (De Niro), Vietnamveteraan, paranoïde eenling en taxichauffeur, heeft geen vrienden. Hij beschouwt New York als 'een open riool', bevolkt door 'beesten' en 'uitschot' die uitgeroeid moeten worden. De Niro vereenzelvigt zich uitstekend met zijn moeilijke rol – zijn monoloog tegen een spiegel is een van de bekendste filmscènes uit de jaren '70. Bickle's dagboekaantekeningen – 'Luister, klootzakken, hier is iemand die het niet langer pikt' – maken het moeilijk voor het publiek om zich met hem te identificeren. Scorsese presenteert een apocalyptische kijk op de stad, met stoom die uit de straten omhoogstijgt, onophoudelijk verkeerslawaai en gillende sirenes, nog versterkt door de indringende muziek van Bernard Herrmann.

'Heb je het tegen mij?'

TRAVIS BICKLE TEGEN ZICHZELF IN EEN SPIEGEL

'In elke straat, in iedere stad, is een "niemand" die ervan droomt een "iemand" te worden...'
De slogan van de film beschrijft de persoon die door Robert De Niro wordt gespeeld.

JODIE FOSTER

Jodie Foster (geboren in 1962) bleek als de jonge prostituee in *Taxi Driver* een van de meest getalenteerde kindsterren te zijn. Door deze film kwam ze direct in de schijnwerpers te staan; John Hinkley jr., die president Reagan neerschoot, weet zijn daad aan zijn obsessie voor Foster in die rol. Dit wierp een schaduw over haar carrière, tot ze Oscars won voor haar rollen in *The Accused* (1988) en *The Silence of the Lambs* (1991). In 1991 maakte ze haar regiedebuut met *Little Man Tate*, waarna ze met succes regie en acteren met elkaar zou afwisselen.

CREDITS

studio	Columbia
productie	Bill/Phillips Production, Italo-Judeo Production
scenario	Paul Schrader
camera	Michael Chapman
muziek	Bernard Herrmann
filmprijs	Cannes, Beste Film

Annie Hall | Woody Allen | 1977

Tot *Annie Hall* werd Woody Allen beschouwd als een regisseur van comedy's die niet meer waren dan een aantal achter elkaar geplaatste revuesketches. Met deze 'nerveuze romance' won hij vier Oscars, verdiende hij een fortuin en werd hij een cultregisseur.

Het script, over de knipperlichtrelatie tussen Alvy Singer (Woody Allen), een televisie- en nachtclubkomiek, en aankomend zangeres Annie Hall (Diane Keaton), is semi-autobiografisch, gebaseerd op de relatie ze met elkaar in het echte leven hadden (Keatons echte naam is Diane Hall en haar bijnaam is Annie). In de film begint hun vriendschap tijdens een indoortenniswedstrijd die Annie wint, waarna de joodse Alvy Annie's protestantse familie ontmoet. De aan New York verknochte Alvy volgt Annie

Filmaffiche, *1977*

vervolgens naar het 'relaxte' Californië. Allen en Keaton beelden een intelligent, eigentijds paar uit met humor, wanhoop en onderdrukte woede. Een hoogtepunt uit de film is de zichzelf spelende mediagoeroe Marshall McLuhan, die plotseling verschijnt om te weerleggen wat iemand, in de rij voor een Bergman-film, over hem te zeggen heeft. Keatons uniseks kostuum, met wijde broek, wit overhemd, zwart vest, sjaal, stropdas en vilthoed, had grote invloed op wat de goedgeklede, feministische vrouw aan het eind van de jaren '70 zou dragen.

Diane Keaton (Annie) en Woody Allen (Alvy) op het balkon van Annie's appartement; wat ze denken, vaak in tegenspraak met wat ze zeggen, is te zien in de ondertitels.

CREDITS	
studio	United Artists
producenten	Jack Rollins, Charles H. Joffe
scenario	Woody Allen, Marshall Brickman
camera	Gordon Willis
filmprijzen	Oscars: Beste Film, Beste Actrice (Diane Keaton), Beste Regisseur, Beste Scenario

Star Wars | George Lucas | 1977

In *Star Wars* wordt een jonge man, Luke Skywalker, door het lot aangewezen het verzet te leiden tegen het Galactische rijk. George Lucas' fantasy-film veranderde voor altijd de manier waarop films worden gemarket.

Chewbacca (**Peter Mayhew**), *Luke (Mark Hamill), Master Kenobi (Alec Guinness) en Han Solo (Harrison Ford) stijgen op om prinses Leia te redden uit de klauwen van Darth Vader, de leider van het Galactische rijk.*

Lucas modelleerde zijn universum naar de zaterdagse actieseries waar hij als kind zo van had genoten. Maar hij 'leende' ook elementen uit de samurai-film van Kurosawa, *The Hidden Fortress*. De structuur van *Star Wars* had genoeg inhoud om boeiend te zijn voor jongeren – zonder het verhaal over goed en kwaad ingewikkelder te maken dan nodig is. Er werden zelfs twee vervolgfilms gemaakt en, 20 jaar later, drie 'prequels'. Deze onverwachte hit (een sciencefictionfilm werd in die tijd niet beschouwd als een potentieel kassucces) veranderde de filmindustrie; een nieuw tijdperk brak aan, met films speciaal gericht op een jong publiek, die in zoveel mogelijk bioscopen tegelijkertijd

werden uitgebracht, met merchandising en grote reclamebudgetten. Lucas zelf werd miljardair en richtte Industrial Light & Magic op, het toonaangevende bedrijf op het gebied van special effects.

CREDITS	
studio	20th Century Fox
productie	Lucasfilm
producent	Gary Kurtz, George Lucas
scenario	George Lucas
camera	Gilbert Taylor
filmprijzen	Oscars: Beste Art Direction (John Barry, Norman Reynolds, Leslie Dilley, Roger Christian), Beste Kostuum-ontwerp (John Mollo), Beste Effecten, Beste Filmmontage (Paul Hirsch, Marcia Lucas, Richard Chew), Beste Muziek (John Williams), Beste Geluid

DE OPKOMST VAN HET KASSUCCES

Het woord 'kassucces' verwijst zowel naar een met een groot budget gemaakte Hollywoodfilm als naar een film die alle bezoekersrecords heeft gebroken, zoals *Jaws* (1975), de eerste film die in Amerika 100 miljoen dollar heeft opgebracht. Deze film luidde de 'tijd van de grote kassuccessen' in waarin *Star Wars* het grootste kassucces van de jaren '70 werd. De kassuccessen van eind jaren '70, begin jaren '80 waren voornamelijk fantasyfilms, zoals *E.T.* (1982) en *Back to the Future* (1985), terwijl die van de jaren '90, zoals *Terminator 2* (1991) en *The Matrix* (1999) veel gewelddadiger waren.

Darth Vader werd voor het eerst gespeeld *in* Star
Wars *(1977) door de Britse acteur David Prowse, met de
stem van James Earl Jones als voice-over. In de loop
van de serie ontwikkelt Darth Vader zich van een
archetypische schurk tot een meer complex karakter.*

Die Ehe der Maria Braun | Rainer Werner Fassbinder | 1978

Fassbinders grootste internationale kassucces is een film over het Duitse 'Wirtsschaftswunder' in de jaren '50, maar ook een dramatisch en subtiel portret van een onbuigzame vrouw.

Maria Braun (Hanna Schygulla) leeft tijdens de oorlog in Berlijn terwijl haar man Hermann (Klaus Löwitsch) aan het oostfront vecht. Als hij terugkomt wordt hij gearresteerd voor de moord op Bill (Greg Eagles), een zwarte soldaat die bevriend was geraakt met zijn vrouw. Maria legt het vervolgens aan met de industrieel Karl Oswald (Ivan Desny) en verwerft macht en rijkdom. *Die Ehe der Maria Braun* is de eerste film van een trilogie over vrouwen (*Lola*, 1981; *Veronika Voss*, 1982) die vechten om te overleven in het naoorlogse Duitsland. Het verhaal, een succesvolle combinatie van klassieke Hollywoodelementen en eigentijdse sociaal-politieke thema's, is gevuld met komische en soapachtige incidenten. De camera wordt effectief gebruikt om in lange bewegingen het spel van Schygulla vast te leggen, die hiermee een van haar beste films maakte, de dertiende voor Fassbinder.

Hanna Schygulla, *hier met Karl Oswald (Ivan Desny), speelt de verleidelijke, schaars geklede Maria Braun, een sterke vrouw die de mannen in haar leven uitbuit op zoek naar rijkdom in het naoorlogse Duitsland.*

CREDITS

productie	Albatros, Fengler, Autoren, Tango Film, Trio Film, WDR
producent	Michael Fengler
scenario	Peter Märthesheimer, Pea Fröhlich
camera	Michael Ballhaus
muziek	Peer Raben
filmprijs	Berlijn: Beste Actrice (Schygulla)

NIEUWE DUITSE CINEMA

Enkele van de eerste 'nieuwe' Duitse films die indruk maakten was Alexander Kluge's *Abschied von Gestern* en Volker Schlöndorff's *Der Junge Törless*, beide in 1966 gemaakt. De eerste speelt in de jaren '50, waarin een jong opstandig Oost-Duits meisje naar het westen vlucht, terwijl de laatste speelt in een semi-militaire kostschool voor opgroeiende nazi's.

Angela Winkler begroet Jürgen Prochnow (links) in *Die verlorene Ehre der Katharina Blum* (1975), Volker Schlöndorff en Margarethe von Trotte's statement over terrorisme.

The Deer Hunter | Michael Cimino | 1978

The Deer Hunter, **de eerste grote Amerikaanse speelfilm over de Vietnamoorlog, sleepte vijf Oscars in de wacht. Door deze film ontdekte Hollywood dat het publiek rijp was voor het accepteren van deze desastreuze oorlog als onderwerp voor een film. In de jaren daarna zouden dan ook nog vele films volgen.**

Hoewel een aantal scènes het conflict in Vietnam tot onderwerp heeft, is het centrale thema van deze film vriendschap en het psychologische en sociale effect dat de oorlog op een kleine gemeenschap heeft gehad – een industriestadje in Pennsylvania. De jacht- en drinkmaatjes Mike (Robert De Niro), Nick (Christopher Walken) en Stevie (John Savage) melden zich als vrijwilliger aan voor Vietnam, waardoor hun leven voor altijd getekend zal zijn. Stevie eindigt in een rolstoel, Nick schiet zichzelf door zijn hoofd en Mike leert de gevaren kennen van het macho-leven dat hij leidt. Regisseur Cimino heeft het geheel uitstekend onder controle – het huwelijk, de jacht en de scène waarin de Amerikaanse krijgsgevangenen door hun overmeesteraars gedwongen worden Russische roulette te spelen, als metafoor voor het futiele van de oorlog.

Mike (Robert De Niro)
jaagt voor het laatst in de bergen op herten voordat hij naar Vietnam gaat.

MERYL STREEP

Meryl Streep (geboren in 1949) is een van de weinige vrouwelijke sterren van tegenwoordig die zich kan meten met de groten uit het verleden, zoals Katharine Hepburn en Bette Davis. Haar kracht is haar veelzijdigheid en haar vermogen zich volledig in de rol in te leven. 12 keer is ze genomineerd geweest voor een Oscar; ze heeft er twee gewonnen: o.a. als Beste Actrice voor haar ontroerende rol in *Sophie's Choice* (1982). Op haar best is ze als ze een complexe rijpe vrouw moet spelen, zoals in *The Hours* (2002).

CREDITS

productie	EMI, Universal
producent	Michael Cimino, Barry Spikings, Michael Deeley, John Peverall
scenario	Michael Cimino, Doric Wachburn, Louis Garfinkle, Quinn K. Redeker
camera	Vilmos Zsigmond
muziek	Stanley Myers
filmprijzen	Oscars: Beste Film, Beste Regisseur, Beste Mannelijke Bijrol (Christopher Walken), Beste Filmmontage (Peter Zinner), Beste Geluid (C. Darin Knight, William L. McCoughey, Richard Portman, Aaron Rochin)

E.T. The Extra-Terrestrial | Steven Spielberg | 1982

E.T.: The Extra-Terrestrial, een van de weinige films die zowel door kinderen als hun ouders werd gewaardeerd, is nog altijd de meest geliefde film van Steven Spielberg, en waarschijnlijk ook zijn meest oprechte.

Nadat we kennis hebben gemaakt met een typisch middenklassegezin uit een Californische voorstad, het soort gezin waarin Spielberg zelf is opgegroeid, zien we hoe de jonge Elliot (Henry Thomas) een nieuw vriendje krijgt: een bruin, klein, waggelend wezen met vier elastische ledematen, een intrekbare nek en ogen zo groot als koplampen. E.T. is in feite het huisdier van het gezin, maar wel een huisdier met bovennatuurlijke krachten: telepathie en telekinese. Hoewel het niet allemaal even logisch is (E.T. kan een interstellair communicatiemiddel bouwen maar lijkt tegen aardbewoners niets te zeggen te hebben), is het vanuit het gezichtspunt van het kind een emotionele film. E.T. doorloopt in versneld tempo zijn levenscyclus, met Elliott als zijn beschermheer, leermeester en surrogaat-vader. De scènes waarin hij dood dreigt te gaan zijn hartverscheurend, maar door

De vliegende fiets als silhouet *voor de volle maan werd later het logo van Spielbergs Amblin Entertainment productiemaatschappij.*

de kracht van de liefde wordt E.T. gered, net op tijd voor de letterlijk 'verheffende' climax – en voltooit Elliott zelf zijn eigen emotionele opvoeding.

CREDITS	
studio	Universal
producent	Kathleen Kennedy, Steven Spielberg
scenario	Melissa Mathison
camera	Allen Daviau
filmprijzen	Oscars: Beste Geluidseffecten (Charles L. Campbell, Ben Burtt), Best Visuele Effecten (Carol Rambaldi, Dennis Muren, Kenneth Smith), Beste Muziek (John Williams), Beste Geluid (Robert Knudson, Robert Glass, Don Digirolamo, Gene S. Cantamessa), Beste Geluidsmontage (C. Campbell, B. Burtt)

'E.T. phone home': *de herhaalde poging van E.T. contact te maken met zijn familie; hier staan Elliott en zijn kwetsbare vriendje op het punt voor altijd te verdwijnen.*

Blade Runner | Ridley Scott | 1982

Blade Runner, gebaseerd op de roman *Do Androids Dream of Electric Sheep?* van Philp K. Dick, is een van de meest besproken en invloedrijkste sciencefictionfilm ooit gemaakt.

Harrison Ford speelt Deckard, een 'blade runner' die op zoek gaat naar vier 'replicants' – organische robots die zo levensecht zijn dat ze zich niet bewust zijn van het feit dat ze geen mensen zijn. Tijdens zijn zoektocht wordt Deckard verliefd op een andere replicant (Sean Young) en wordt zijn eigen menselijkheid ter discussie gesteld. Hoewel de plot dun is, is de film visueel zeer gelaagd; Scotts fantasie kende geen grenzen. De spectaculaire opnamen van de stad doen denken aan Fritz Langs *Metropolis*, terwijl de opnames op straatniveau een levendige indruk geven van het uit zijn verband gerukte sociale verkeer. *Blade Runner* was geen kassucces, maar een invloedrijke cultfilm. Het was een van de eerste films die opnieuw, in een alternatieve versie uitgebracht zou worden. Deze versie (1991) was korter dan het origineel, miste de lugubere voice-over en had een somberder einde. Bovendien werd de suggestie gewekt dat Deckard zelf een replicant zou zijn. Ironisch genoeg wordt hij hierdoor een stuk menselijker omdat hij uiteindelijk zijn verwantschap beseft met zijn androïde tegenstander (Rutger Hauer).

Deckard *(Harrison Ford) vecht tegen de dood in een scène waarin op briljante wijze elementen van de 21e-eeuwse sciencefictionfilm en de film noir-detectivefilm uit de jaren '40 met elkaar zijn gecombineerd.*

HARRISON FORD

Harrison Ford (geboren in 1942) speelde in vier van de succesvolste films aller tijden: als Han Solo in *Star Wars* (1977), *The Empire Strikes Back* (1980) en *Return of the Jedi* (1983), en als Indiana Jones in *Raiders of the Lost Ark* (1981). Dit succes was ontegenzeggelijk te danken aan de films zelf, maar ook aan Fords vermogen een plausibele held neer te zetten, ook als het verhaal onwaarschijnlijk is. Behalve in fantasyfilms als *Indiana Jones*, speelde hij in *Witness* (1985), *Regarding Henry* (1991) en *The Fugitive* (1993), waarmee hij bewees dat hij ook een karakter met meer diepte kon spelen. Ook had hij succes in komedies als *Working Girl* (1988) en *Sabrina* (1995). Het is moeilijk voor te stellen dat hij in het begin van de jaren 1970 een carrière als timmerman nastreefde, tot George Lucas, voor wie hij een kleine rol had gedaan in *American Graffitti* (1973), hem een rol aanbood in *Star Wars*.

CREDITS

productie	Ladd Company
producent	Michael Deeley
scenario	Hampton Fancher, David Webb Peoples
camera	Jordan Cronenweth

Paris, Texas | Wim Wenders | 1984

De titel van de film suggereert een ontmoeting tussen de oude en de nieuwe wereld; *Paris, Texas* **verbindt elementen van zowel klassieke Hollywoodfilms als Europese filmhuisfilms in deze succesvolle samenwerking tussen de Duitse regisseur Wim Wenders en de Amerikaanse schrijver Sam Shepard.**

Wenders gebruikte het uitgestrekte Amerikaanse landschap – zowel het stedelijke als het landelijke – als decor voor zijn verhaal over Travis, zijn eenzame en spoorloos verdwenen hoofdrolspeler. Dit briljant door Harry Dean Stanton neergezette karakter, dat we aan het begin in de woestijn van Texas zien rondlopen, zal de eerste 20 minuten van de film geen woord uitbrengen. Noch hij noch zijn omgeving weet waar hij vandaan komt of waar hij naartoe gaat. Langzamerhand wordt duidelijk dat hij zijn zoon Hunter (Hunter Carson) wil zien die hij jaren geleden bij zijn broer Walt (Dean Stockwell) heeft achtergelaten en dat hij op zoek is naar zijn Franse vrouw Jane (Nastassja Kinski), in de hoop, tevergeefs, de draad van hun leven weer op te pakken. Hij vindt zijn zoon en vrouw maar zal hen uiteindelijk weer verliezen. Wenders laat ons, met behulp van de prachtige muziek van Ry Coooder en het uitstekende camerawerk van Robby Müller, een wereld zien waarin communicatie tussen mensen moeilijk, maar niet onmogelijk is.

Een vermagerde en *ongeschoren Travis (Harry Dean Stanton) zwerft doelloos door de Texaanse woestijn.*

CREDITS	
productie	Road Movies/ Argos
producent	Don Guest, Anatole Dauman
scenario	Sam Shepard
camera	Robby Müller
muziek	Ry Cooder
filmprijs	Cannes: Beste Film

Jane (Nastassja Kinski), *achter een doorkijkspiegel, luistert naar Travis (Harry Dean Stanton), als hij praat over hun gezamenlijke verleden.*

Heimat | Edgar Reitz | 1984, 1992, 2005

Edgar Reitz' *Heimat* bestaat uit drie series van in totaal 30 films met een totale lengte van 42 uur. Het is een onderhoudende, aangrijpende en opvallende soapopera, gefilmd deels in kleur, deels in zwart-wit. Het vertelt de geschiedenis van Duitsland vanaf 1919 tot heden, gezien door de ogen van gewone mensen.

Deel I, *Eine Deutsche Chronik*, beschrijft het leven in een fictief Duits dorp in de Hunsrück. Het centrale karakter is Maria (Marita Breuer), die trouwt met een lid van de familie Simon. Deel II, *Chronik einer Jugend*, speelt zich af rond een groep jonge mensen in het München van de jaren '60; onder hen is Hermann (Henry Arnold), de zoon van Maria, die componist wil worden. Deel III, *Chronik einer Zeitenwende*, begint met de val van de Berlijnse Muur in 1989, als Hermann, een internationaal gerespecteerd dirigent, naar de Hunsrück terugkeert met zijn geliefde Clarissa (Salome Kammer). Met name fascinerend is het beeld dat

Hänschen *(Alexander Scholz), een eenogige jongen, richt op een gevangene in een concentratiekamp als een nazibewaker hem uitlegt hoe hij met een geweer moet omgaan – een huiveringwekkend moment in deel III.*

CREDITS

productie	Edgar Reitz/WDR/SFB
producent	Edgar Reitz
scenario	Edgar Reitz, Peter Steinbach
camera	Gernot Roll, Gerard Vandenborgh, Christian Reisz
muziek	Nikos Mamangakis

In deel III speelt Heiko Senst (midden) Tobi, een jonge bouwvakker uit Oost-Duitsland.

wordt gegeven van de nazitijd, en de manier waarop de film een uitleg geeft over het feit dat Hitlers ideologie ogenschijnlijk normale burgers kon aanspreken.

Come and See | Elem Klimov | 1985

Deze aangrijpende film, de laatste die door Elem Klimov werd geregisseerd, vertelt het verhaal van de oorlog in Wit-Rusland in 1943, gezien door de ogen van een 16-jarige jongen wiens familie door de nazi's is uitgemoord.

De kijker wordt uitgenodigd de tiener Florya (Alexei Kravchenko) te 'komen zien' die in zijn eentje, geweer in zijn hand, getuige is van een aantal door de nazi's begane wreedheden en zich vervolgens aansluit bij een groep partizanen. Tot de onvergetelijke beelden behoren de tocht door een moeras op weg naar een kampement met klagende vrouwen en de zoektocht naar voedsel, met een op dat van Hitler lijkend dood hoofd. Het gevoel van ontregeling wordt nog vergroot door de muziek, met name als het gehoor van Florya tijdens het bombardement van een dorpje wordt beschadigd. In tegenstelling tot traditionele oorlogsfilms kent *Come and See* – of *Idi i Smotri*, de oorspronkelijke Russische titel, geen heroïsche catharsis of narratieve symmetrie. In plaats daarvan legt Klimovs apocalyptische film de nadruk op de vernietiging van een jong leven en de gruwelijkheden van de oorlog.

Alexei Kravchenko *speelt Florya, een jonge jongen getekend door zijn nachtmerrieachtige ervaringen in de oorlog, onder meer de ontdekking dat zijn dorp en zijn familie door de nazi's zijn vernietigd.*

CREDITS

productie	Byelarusfilm/Mosfilm
scenario	Ales Adamovich, Klimov gebaseerd op het werk van Adamovich
muziek	Oleg Yanchenko
camera	Alexei Rodionov
filmprijs	Moskou Internationaal Filmfestival: Gouden Prijs

Een groep partizanen *boezemt hun nieuwe rekruut, Florya, angst in door een pistool op hem te richten, terwijl ze tegelijkertijd poseren voor een foto.*

Blue Velvet | David Lynch | 1986

David Lynch' radicale fabel was een van de invloedrijkste films van de jaren '80. Het is een satire op de zelfgenoegzaamheid van het leven in een klein Amerikaans stadje, maar ook een overtuigende parabel over het kwaad en de op de meest onverwachte plaatsen opduikende corruptie.

Blue Velvet opent met droomachtige beelden van Amerika: schitterende huizen met witte houten hekken en perfect gemaaide grasvelden. Een man stort neer terwijl hij zijn grasveld besproeit en de camera laat een zwerm insecten zien tussen de grasprieten. Even later vindt een student (Kyle MacLachlan) een afgesneden oor in het grasveld waarna hij en zijn vriendin (Laura Dern) het mysterie proberen te ontrafelen; hierdoor komen ze in contact met een femme fatale (Isabella Rossellini) en een sadistische schurk (Dennis Hopper). 'Ben jij een detective of ben je pervers?' vraagt Dern haar vriendje op een bepaald moment. Het antwoord is dat zowel hij als de regisseur en het publiek elementen van beide bezitten. De film speelt zich af in een niet precies gedefinieerde tijd, met Bobby Vintons hit uit 1963 als titelsong.

Gangster Dennis Hopper *snuift gas op door een op een insect lijkend masker en dwingt Isabella Rossellini – een nachtclubzangeres, bekend als The Blue Lady – seks met hem te hebben.*

Kyle MacLachlan, een van David Lynch' favoriete acteurs, is Jeffrey Beaumont die, tijdens zijn onderzoek, soms een voyeur moet spelen.

'Zie je die klok daar aan de muur? Binnen vijf minuten zul je ontdekken wat ik je zojuist heb verteld. '

JEFFREY BEAUMONT

CREDITS	
productie	De Laurentiis Entertainment Group
producent	Richard Roth
muziek	Angelo Badalamenti, David Lynch
scenario	David Lynch
camera	Frederick Elmes

Shoah | Claude Lanzmann | 1985

Lanzmanns monumentale documentaire over de vernietiging van de Europese joden door de nazi's is zowel een eerbetoon aan de doden als een waarschuwing. Hoewel de film begint met de uitspraak dat 'dit een niet na te vertellen verhaal is', slaagt hij erin, zo goed als mogelijk, het onbeschrijfelijke te beschrijven.

CREDITS

productie	Les Films Aleph, Historia
camera	Dominique Chapuis, Jimmy Glasberg, William Lubtchansky
filmprijs	Berlijn: Caligari-prijs

In *Shoah* halen overlevenden van de Duitse concentratiekampen (Treblinka, Auschwitz, enzovoort), Poolse omwonenden – die geen enkele moeite doen hun verleden of antisemitisme te verbergen – en een aantal 'voormalige' nazi's

herinneringen op aan de holocaust. Ze onthullen de wreedheden en de minutieuze planning van de 'Endlösung'. De nachtmerrieachtige omstandigheden in het ghetto van Warschau worden beschreven en huiveringwekkende verhalen worden verteld. Lanzmann besteedde 10 jaar aan het filmen en het maken van de documentaire, die op basis van 350 uur film is samengesteld. Hij maakte geen gebruik van archiefbeelden, waardoor het algemene beeld nog krachtiger werd.

Een ooggetuige *komt met de trein in Treblinka aan, een van de velen die de tragedie van de* Shoah *(Hebreeuws voor 'catastrofale gebeurtenis') in de herinnering roepen.*

A Room with a View | James Ivory | 1985

A Room with a View, de eerste (en beste) van de drie filmbewerkingen van romans van E.M. Forster door James Ivory, producent Ismail Merchant en scenarioschrijver Ruth Prawer Jhabvala, beeldt perfect Fosters taal uit.

De ontmoeting tussen Ivory en Forster had grote gevolgen. Ivory zou Forsters romans *A Room with a View*, *Maurice* (1987) en *Howard's End* (1991) tot film bewerken. In *A Room with a View* wordt de beschermd opgevoede Lucy (Helena Bonham Carter), op vakantie in Florence met haar

chaperone Charlotte (Maggie Smith), gekust door de bohemien George (Julian Sands). Terug in Engeland lijkt ze te kiezen voor de saaie Cecil Vyse (Daniel Day-Lewis) hoewel ze van George houdt. Ivory laat mooi het contrast zien tussen het 'ongetemde' landschap van Italië, dat bijdraagt aan Lucy's seksuele bewustwording, en het dempende effect van het Engelse platteland.

Lucy Honeychurch *(Helena Bonham Carter) raakt in een weiland even buiten Florence in de ban van Italië en valt voor George Emerson (Julian Sands).*

CREDITS

productie	Merchant-Ivory, Goldcrest
producent	Ismail Merchant
scenario	Ruth Prawer Jhabvala naar de roman van E.M. Forster
camera	Tony Pierce-Roberts
filmprijzen	Oscars: Beste Aangepaste scenario, Beste Art Direction (Gianni Quaranta, Brian Ackland-Snow, Brian Savegar, Elio Altramura), Beste Kostuumontwerp (Jenny Beavan, John Bright)

Women on the Verge of a Nervous Breakdown | Pedro Almodóvar | 1988

Hoewel Pedro Almodóvar al zeven speelfilms op zijn naam had staan, brak hij pas met deze anarchistische klucht internationaal door. In 1989 was het de meest succesvolle buitenlandse film in Noord-Amerika en het was de meest succesvolle film ooit in Spanje.

Pepa – een schitterende rol van Carmen Maura – is een wispelturige en aantrekkelijke televisieactrice die zwanger is van Iván (Fernando Guillén), haar getrouwde minnaar. Zich niet bewust van haar situatie verlaat hij haar plotseling en laat slechts een bericht achter op haar antwoordapparaat. Als ze er niet in slaagt contact met hem te krijgen wordt Pepa steeds hysterischer en komt ze in een aantal bizarre en surrealistische situaties terecht. Net als in de beste kluchten worden de irrationele gebeurtenissen bijeengehouden door een bepaalde, zeer grappige logica, en spelen de meeste scènes zich af op slechts één locatie – Pepa's mooie penthouse in Madrid dat overbevolkt raakt door excentrieke, wanhopige vrouwen. Onder hen is Ivans verwarde vrouw Lucía (Julieta Serrano), die wraak wil nemen op haar echtgenoot, en Pepa's beste vriendin Candela, die verliefd geworden is op een terrorist. Ook verschijnt op het toneel de jonge, brildragende Antonio Banderas als Carlos, Ivans 20 jaar oude zoon. Onder de komische gebeurtenissen ligt de feministische boodschap verborgen dat alle vrouwen genoeg hebben van het kinderlijke egoïsme van de mannen met wie ze omgaan. Het publiek echter werd voornamelijk aangetrokken door Almodóvars humor en zijn visuele stijl die beïnvloed was door de Hollywoodfilms uit de jaren '50.

Lucía (Julieta Serrano), *vastbesloten haar ontrouwe echtgenoot te doden, zwaait met twee pistolen in het appartement van 'die andere vrouw'.*

Spaans filmaffiche, *1988*

CREDITS	
productie	Rank, El Deseo, Laurenfilm, Orion
producent	Pedro Almodóvar
scenario	Pedro Almodóvar
camera	José Luis Alcaine
muziek	Bernardo Bonezzi

Cinema Paradiso | Giuseppe Tornatore | 1989

Deze hartverwarmende, nostalgische film beschrijft de verleiding van de cinema en de ondergang van de ouderwetse bioscoop door de ogen van een kind. *Cinema Paradiso* is een van de populairste Italiaanse films van de laatste decennia, zowel buiten als binnen Italië.

Het verhaal, verteld in flashbacks, gaat over Salvatore (Salvatore Cascio), een jongen die samen met zijn verbitterde moeder in een klein, door de oorlog geteisterd Siciliaans dorpje woont en die de misère van het dagelijkse leven ontvlucht in de Nuovo Cinema Paradiso, de plaatselijke bioscoop. De filmoperateur Alfredo (Philippe Noiret) wordt al snel zijn vriend en leraar. Als Alfredo door een brand blind wordt legt hij de jongen uit hoe hij zijn werk kan overnemen. Later moedigt hij hem echter aan het dorp te verlaten. In zijn tienerjaren wordt Salvatore verliefd op de dochter van een bankier, Elena (Agnese Nano), en hij wint haar liefde door Alfredo's advies te volgen en iedere nacht voor haar raam te gaan staan. Jaren later, als Salvatore (Jacques Perrin) een succesvol filmmaker is geworden, bekijkt hij een door Alfredo nagelaten montage van alle kussen uit alle films die ooit in de Paradiso zijn vertoond – scènes die op last van de priester (Leopoldo Trieste) van Salvatores dorp uit de films waren gesneden. *Cinema Paradiso* laat, ondersteund door Ennio Morricones schitterende muziek, zien hoe persoonlijk iemands ervaringen met film kunnen zijn.

Salvatore *(Salvatore Cascio als de jonge jongen) leert van Alfredo (Philippe Noiret) hoe hij een filmprojector moet bedienen.*

Alfredo, *de vaderfiguur, fietst met Salvatore, het kind, over een weggetje in een Siciliaans dorp.*

CREDITS

productie	Cristaldifilm, Ariane, RAI, TF1
producenten	Franco Cristaldi, Giovanna Romagnoli
scenario	Giuseppe Tornatore
camera	Blasco Giurato
muziek	Ennio Morricone
filmprijzen	Cannes: Speciale Juryprijs; Oscar: Beste Niet-Engelstalige Film

Do the Right Thing | Spike Lee | 1989

Spike Lee's derde speelfilm, een hoogtepunt in de Amerikaanse onafhankelijke cinema en ongetwijfeld de belangrijkste Afro-Amerikaanse film uit de geschiedenis, is een provocerend werk over raciale spanningen in Brooklyn, New York, tegen het einde van de 20e eeuw.

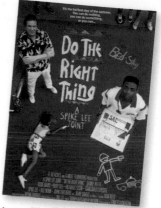

Filmaffiche, *1989*

Tijdens een warme zomerdag volgen we Mookie, een pizzabezorger gespeeld door Lee zelf, lopend door de buurt waar hij woont. Tijdens die wandeling komen we verschillende zwarte en Spaanstalige jongeren tegen, zoals Radio Raheem (Bill Nunn) en Buggin' Out (Giancarlo Esposito), hun oudere broers (Ossie Davis en Ruby Dee) en Mookies baas van de pizzeria, Sal (Danny Aiello) en zijn zoons, de racistische Pino (John Turturro) en de kleurenblinde Vito (Richard Edson). De in vette, zeer verzadigde kleuren gefilmde film, gevuld met hiphopmuziek (o.a. het nummer 'Fight the Power' van de band Public Enemy), is zeer energiek en heeft een duidelijke boodschap. Lee confronteert ons met de houding van racisten en vergroot de spanningen uit in een moreel twijfelachtige climax over het geweld dat de politie kan gebruiken. Hoewel de film door sommigen opruiend werd gevonden, had hij een groot succes.

Bill Nunn als Radio Raheem, *een rustig, ontspannen karakter, op straat in Brooklyn; zijn gettoblaster is zijn visitekaartje.*

CREDITS	
productie	40 Acres/Mule Filmworks
producent	John Kilik, Spike Lee, Monty Ross
scenario	Spike Lee
camera	Ernest R. Dickerson

Raise the Red Lantern | Zhang Yimou | 1991

Raise the Red Lantern, een van de eerste Chinese films die wereldwijd werd uitgebracht, was een groot succes. Dit was niet alleen te danken aan het aangrijpende verhaal, de exotische decors en de prachtige beelden, maar ook aan het uitstekende spel van Gong Li, de muze van regisseur Zhang Yimou.

Gong Li speelt Songlian, de knappe nieuwe bruid van een feodale patriarch. Hier zit ze in haar slaapkamer, in de gloed van de rode lantarens die daar hangen, terwijl ze wacht op haar echtgenoot.

CREDITS

productie	Century Communications, Era International, China Film, Salon Films
producenten	Chiu Fu-Sheng, Hou Xiaoxian, Zhang Wenze
scenario	Ni Zhen gebaseerd op *Een schare vrouwen en concubines* van Su Tong
camera	Zhao Fei, Yang Lun

In het China van de jaren '20 van de vorige eeuw wordt Songlian (Gong Li) de vierde vrouw van meester Chen (Jingwu Ma), een rijke en machtige landeigenaar. Het is de traditie van de patriarch om rode lantarens op te hangen buiten het huis van de vrouw met wie hij de komende nacht door zal brengen. Het grootste deel van de film speelt zich af in een klein gedeelte van het wooncomplex waar de vier vrouwen elkaar beconcurreren om de gunsten van hun meester. De relaties tussen de vrouwen worden gekenmerkt door intriges en samenzweringen, en de jonge Songlian leert al snel dat ze moet vechten voor haar status in de huishouding. Het huis is ingedeeld naar de seizoenen van het jaar; de interieurs van de vier appartementen zijn geschilderd in fel rode, oranje en gele tinten. De Chinese overheid verbood de film omdat de autoriteiten beseften dat onder het oppervlak van het verhaal kritiek werd geuit op een autoritaire regering, verbeeld door de meester die het individu, hier vertegenwoordigd door Songlian, geen enkele vrijheid toestond.

Unforgiven | Clint Eastwood | 1992

Unforgiven, de film waarmee Eastwood na 40 jaar acteren een Oscar voor Beste Regisseur won, is een boeiende western, het genre waarmee Eastwood naam heeft gemaakt. Door terug te keren naar de morele en thematische wortels van dit genre heeft deze gelauwerde acteur de western nieuw leven ingeblazen.

Bill Munny *(Clint Eastwood) wordt gekweld door herinneringen aan zijn vroegere misdaden, maar als de sheriff zijn vriend Ned doodt, vergeet hij zijn wroeging en komt de killer weer in hem naar boven.*

Unforgiven, opgedragen 'aan Sergio en Don', de regisseurs van lowbudgetwesterns Sergio Leone en Don Siegel, Eastwoods belangrijkste leermeesters, is misschien nog wel meer verschuldigd aan John Ford. Als Little Bill Daggett (Gene Hackman), een dictatoriale sheriff van een klein grensplaatsje, geen recht doet aan een prostituee wier gezicht door twee klanten behoorlijk is verminkt, huurt de hoerenmadam Bill Munny (Eastwood) in, een voormalige huurmoordenaar, die nu een boerenbedrijf heeft, om de schuldigen te vermoorden. Hij gaat samen met zijn oude partner Ned Logan (Morgan Freeman) en de jonge Schofield Kid (Jaimz Woolvett) op pad om met ze af te rekenen. De film laat niet alleen de donkere kant van de mythen van het oude westen zien, maar confronteert ons ook met het effect dat geweld heeft op zowel degene die het toepast als degene die het moet ondergaan. Voor Eastwood zijn er geen helden omdat ook goede mensen in staat zijn tot geweld. Hij ontneemt ons onze illusies over het heldendom door ons de pijn en de gruwel van het geweld te laten zien. Volgens Eastwood is *Unforgiven* 'alles wat ik over de western heb te zeggen en geeft het mijn zorgen weer over wat wapenbezit teweeg kan brengen.'

CREDITS

studio	Warner Bros.
producent	Clint Eastwood
scenario	David Webb Peoples
camera	Jack N. Green
art direction	Janice Blackie-Goodine, Henry Bumstead
filmprijzen	Oscars: Beste Film, Beste Regisseur, Beste Mannelijke Bijrol (Gene Hackman), Beste Filmmontage (Joel Cox)

Reservoir Dogs | Quentin Tarantino | 1992

Voor velen is Quentin Tarantino de meest veelbelovende en interessantste Amerikaanse regisseur die in de jaren '90 van de vorige eeuw naar voren kwam. *Reservoir Dogs*, dat al alle typische Tarantino-elementen bevatte, was zijn grote doorbraak.

De film, die midden in een mislukte diamantroof begint, bestaat uit een aantal hoofdstukken waarin de afzonderlijke gangsters worden voorgesteld. Tarantino is duidelijk beïnvloed door andere films waarin roofovervallen voorkomen - Stanley Kubricks *The Killing*, Ringo Lams *City on Fire* en de onderwereld van Jean-Pierre Melville. De film eindigt met geweld omdat de verschillende partijen het er niet over eens kunnen worden wat er mis ging bij de overval en wiens schuld het was. Door Tarantino's profane, met populair taalgebruik doorspekte dialogen krijgen de karakters iets ironisch – deze zware jongens praten niet als gangsters maar als mensen die geobsedeerd zijn door films. Door de enorme hoeveelheid geweld kan de emotionele pijn van deze mensen echter makkelijk over het hoofd worden gezien.

Steve Buscemi *(op de grond) als mr. Pink en Harvey Keitel als Larry Dimmick alias mr. White, tijdens het vuurgevecht in het pakhuis.*

Filmaffiche, *1992*

CREDITS	
productie	Live Entertainment/Dog Eat Dog
producent	Lawrence Bender
scenario	Quentin Tarantino
camera	Andrzej Sekula

Trois Couleurs: Bleu, Blanc et Rouge | Kryztof Kieslowski | 1993, 1994

De kleuren in de trilogie, het laatste werk van deze Poolse regisseur, verwijzen naar de kleuren van de Franse vlag, terwijl de thema's verbonden zijn met de slogan van de Franse Revolutie: 'Vrijheid, gelijkheid, broederschap.' De drie films bieden sensuele, emotionele en spirituele ervaringen die zelden op die manier in hedendaagse films worden getoond.

In Rouge, *over broederschap en platonische liefde, poseert Valentine (Irène Jacob) voor een affiche dat het thema van de film, eenzaamheid, visueel uitbeeldt.*

De trilogie gaat over mensen die gescheiden leven van degenen van wie ze houden. Iedere film heeft een andere toon: meditatief drama (*Bleu*), sociale comedy (*Blanc*) en symbolische mysterie-romance (*Rouge*). In *Bleu* probeert Julie (Juliette Binoche) zich, na de dood van haar man en dochter door een auto-ongeluk, van alles te bevrijden dat haar aan het verleden herinnert. In *Blanc* keert de Poolse kapper Karol (Zbigniew Zamachowski) naar zijn vaderland terug om wraak te nemen op de vrouw die hem ooit heeft afgewezen. In *Rouge* krijgt Valentine (Irène Jacob), een fotomodel, een relatie met de oudere, cynische rechter Joseph Kern (Jean-Louis Trintignant). Kieslowski's stijlvolle beelden en zijn keuze van locaties maken hem tot een van de beste regisseurs van Europa.

In Bleu, Kieslowski's film *over de imperfectie van de menselijke vrijheid, denkt Julie (Juliette Binoche) na over haar vergeefse zoektocht naar de vrijheid.*

CREDITS

productie	CED, Canal +, Eurimages, France 3 Cinéma, MK2, TOR, TSR
producent	Marin Karmitz
scenario	Agnieszka Holland, Slawomir Idziak, Kieslowski, Krzysztof Piesiewicz, Edward Zebrowski
camera	Slawomir Idziak (*Bleu*), Edward Klosinski (*Blanc*), Piotr Sobocinski (*Rouge*)
muziek	Zbigniew Preisner

Through the Olive Trees | Abbas Kiarostami | 1994

Hoewel Abbas Kiarostami al sinds 1974 speelfilms maakte, bracht *Through the Olive Trees (Zire darakhatan zeyton)* hem pas in de jaren '90 de erkenning als een van de leidende figuren achter het grote aantal kwaliteitsfilms uit Iran dat op internationale filmfestivals de prijzen in de wacht sleepte.

In 1992 maakte Kiarostami *And Life Goes On,* over een film die gemaakt werd over de overlevenden van een aardbeving in Iran. *Through the Olive Trees,* in hetzelfde gebied gefilmd, is een comedy over een regisseur die bezig is een film te maken. Het meest fascinerende hieraan is dat het publiek niet weet wat echt en wat fictie is. In de beroemde slotscène zien we de jongen die het meisje – de twee hoofdrolspelers die een 'echte' romance met elkaar hebben – in een extreem lang shot probeert te overreden met hem te trouwen. De film geeft zowel een goed inzicht in de manier waarop een film wordt gemaakt, als in maatschappelijke verhoudingen en menselijke relaties.

De vijftien jaar oude Tahereh Ladanian *speelt zichzelf; hier zien we haar op het balkon van het huis van haar grootmoeder terwijl ze luistert naar de liefdesverklaringen van Hossein Rezai (buiten beeld).*

CREDITS	
studio	Abbas Kiarostami productions, CiBy 2000, Farabi Cinema Foundation, Miramax
producent	Abbas Kiarostami
scenario	Abbas Kiarostami
camera	Hossein Djafarian, Farhad Saba

Four Weddings and a Funeral | Mike Newell | 1994

Na de hoogte- en dieptepunten in de jaren '70 en '80 betekende deze romantische comedy een keerpunt voor de Britse cinema. Bovendien maakte deze film Hugh Grant tot wereldster.

Het verhaal van de film ontspint zich rond vijf ceremoniën die zich binnen enkele maanden voltrekken. Op de eerste, een huwelijksfeest, verrast de zeer bescheiden Charles (Grant) zichzelf door te flirten met Carrie, een openhartige Amerikaanse (Andie MacDowell) die verloofd is met een andere man. Hun volgende ontmoetingen bewijzen echter dat 'echte liefde niet van een leien dakje gaat'. De film doet denken aan de comedy's uit de jaren '30 waarin een groep welgestelde en welgemanierde vrienden ogenschijnlijk onbekommerd door het leven gaat. Grant en scenarioschrijver Curtis werkten hierna nog samen in een aantal andere films, zoals *Notting Hill,* *Bridget Jones's Diary* en *Love Actually,* die alle zeer succesvol waren, zowel in Engeland als daarbuiten.

De altijd te laat komende *Charles (Hugh Grant) en zijn huisgenoot Scarlett (Charlotte Coleman) haasten zich naar de huwelijksvoltrekking van een vriend waar Charles getuige moet zijn.*

CREDITS	
productie	Channel Four/Polygram/Working Title
producenten	Tim Bevan, Richard Curtis, Eric Fellner, Duncan Kenworthy
scenario	Richard Curtis
camera	Michael Coulter

Toy Story | John Lasseter | 1995

Het idee dat een bepaalde filmstudio garant stond voor de kwaliteit en de kenmerken van een film werd al in de jaren '50 verlaten. *Toy Story* van Pixar was echter een uitzondering op deze regel. De Pixar-studio blies de animatiefilm nieuw leven in en ontwikkelde zich tot een waarborg voor kwaliteit.

CREDITS	
studio	Buena Vista/Walt Disney/Pixar
producenten	Bonnie Arnold, Ed Catmull, Ralph Guggenheim, Steve Jobs
scenario	Joss Whedon, Andrew Stanton, Joel Cohen en Alec Sokolow
filmprijs	Oscar: *Special achievement* (John Lasseter)

Toy Story was de eerste avondvullende animatiefilm die door Pixar, een pionier op het gebied van met computers gemaakte films, werd geproduceerd, en tevens de eerste die in de bioscoop werd gedraaid. De film, gebaseerd op een van de vroegere korte films van regisseur John Lasseter, gaat over het speelgoed in de kamer van Andy, een zes jaar oude jongen. Woody (met de stem van Tom Hanks), een cowboypop, is het favoriete speelgoed in die tijd – tot Andy een nieuwe Buzz Lightyear-pop (met de stem van Tim Allen) voor zijn verjaardag krijgt en hij niet meer naar Woody omkijkt. Gedreven door jaloezie probeert Woody zijn naïeve rivaal, die nog steeds denkt dat hij een echte

ruimtevaarder is, kwijt te raken. Lasseters computeranimaties zijn uitstekend geschikt voor een film als *Toy Story*. Ze zijn vloeiend en hebben een dynamiek die met oude animatietechnieken niet bereikt zou kunnen worden. Toch ligt Pixars kracht in de tekeningen en een goed verhaal, met frisse decors en onvergetelijke, originele karakters. Pixar ontwikkelde zich hierna tot een creatief en vruchtbaar bedrijf dat de ene na de andere succesfilm produceerde: *A Bug's Life* (1998), *Toy Story 2* (1999), *Monsters, Inc.* (2001), *Finding Nemo* (2003), *The Incredibles* (2004) en *Cars* (2006).

Cowboy Woody doet gemaakt vriendelijk tegen Buzz Lightyear, een extravagante actiefiguur gekleed in een ruimtepak en voorzien van allerlei gadgets; Woody voelt zich namelijk bedreigd door Buzz.

Fargo | Joel Coen | 1996

De broers Joel en Ethan Coen braken door met hun zesde film, *Fargo*, een intelligente thriller die zich afspeelt in Minnesota, 'het abstracte landschap van onze kindertijd – een kale, door de wind geteisterde toendra, een gebied dat, afgezien van de Ford-dealers en Hardee's-restaurants op Siberië lijkt.'

Filmaffiche, 1996

Jerry Lundegaard (William H. Macy), een wanhopige, in financiële moeilijkheden verkerende autodealer uit Minneapolis, huurt twee kidnappers, Carl Showalter en Gaear Grimsrud (Steve Buscemi en Peter Stormare), om zijn vrouw te ontvoeren opdat zijn rijke schoonvader Wade Gustafson (Harve Presnell) hem een grote som geld zal betalen. Het gaat echter mis als de kidnappers een politieman doden, een moord die de zeven maanden zwangere politiechef Marge Gunderson (Frances McDormand, Joel Coens vrouw) zal onderzoeken. Ondanks haar misselijkheid 's morgens leidt ze het onderzoek met verve. De rol van Marge, briljant gespeeld door McDormand, is waarschijnlijk de beste (en warmste) vrouwenrol ooit door de Coens geschreven. De film, schitterend geschoten tegen een besneeuwde achtergrond, gaat naadloos over van een film noir en een gewelddadig misdaaddrama in een

CREDITS	
productie	Polygram/Gramercy/Working Title
producent	Ethan Coen
scenario	Joel Coen, Ethan Coen
camera	Roger Deakins
muziek	Carter Burwell
filmprijzen	Cannes: Beste Regisseur; Oscars: Beste Actrice (Frances McDormand), Beste Scenario

geniale comedy. En de dialogen, die zo belangrijk zijn in het werk van de Coens, krijgen hier nog een extra dimensie door de 'yah-yah'-ritmes van het plaatselijke Minnesota-dialect.

Marge Gunderson *(Frances McDormand), hoofd van de politie, knielt in de sneeuw om de plaats van het misdrijf te onderzoeken waar een politieman is vermoord.*

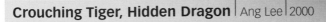

Crouching Tiger, Hidden Dragon | Ang Lee | 2000

Wuxia is een traditionele Chinese manier van verhalen vertellen, waarbij zwaardgevechten en oosterse vechtkunsten worden gecombineerd met taoïstische en boeddhistische filosofie. De belangrijkste exponent van deze stroming was de uit Hongkong afkomstige regisseur King Hu, aan wie Ang Lee deze romantische actiefilm heeft opgedragen. Het was de eerste Chinees gesproken film die wereldwijd een hit werd.

Ziyi Zhang als Jiao Long *strijdt tegelijkertijd met verschillende mannen; mede hierdoor dwingt ze respect af in de mannenwereld.*

Crouching Tiger, Hidden Dragon, een coproductie van het Japanse Sony en Columbia, mede gefinancierd door Chinezen en Europeanen, met een in Taiwan geboren, in Amerika wonende regisseur, en zowel Amerikaanse als Chinese scenarioschrijvers, kan beschouwd worden als een internationale film die niet alleen op Amerika is gericht – misschien een voorbode van wat ons nog te wachten staat. De film gaat over twee stellen, de jonge Jiao Long en Luo Xiao Hu (Ziyi Zhang en Chen Chang) en de oudere en wijzere Yu Shu Lien en Li Mu Bai (Michelle Yeoh en Yun-Fat Chow) die met elkaar strijden over de liefde, de plicht en het onbetaalbare zwaard het 'Groene Lot'. Voor het grote westerse publiek was dit de eerste kennismaking met de bovennatuurlijke zwaardvechters uit de cinema van Hongkong; de strijder springt niet alleen in de lucht maar vliegt ook over daken heen. Het hoogtepunt is een duel tussen Chow en Zhang, tussen rondzwaaiende bamboebomen, een scène die zowel dreigend als romantisch is. De choreografie was in handen van Yuen Wo Ping, de regisseur van kungfu-films die Ang Lee geholpen heeft zijn visie tot uitdrukking te brengen.

Filmaffiche, *2000*

CREDITS	
productie	Columbia Tristar
producenten	Li-Kong Hsu, William Kong, Ang Lee
scenario	Hui-Ling Wang, James Schamus, Kuo Jung Tsai
camera	Peter Pau

In the Mood for Love | Wong Kar Wai | 2000

In the Mood for Love (Fa yeung nin wa) van Wong Kar Wai, is een film over overspel en liefde, spelend in het Hongkong van de jaren '60, met Tony Leung en Maggie Cheung, twee van de grootste sterren van Azië, in de hoofdrollen.

Maggie Cheung *en Tony Leung spelen twee geliefden die hun passie voor elkaar proberen te onderdrukken. Christopher Doyle, Wongs favoriete cameraman, paste diepe kleuren rood, geel en bruin toe.*

Chow Mo-wan (Leung) and Su Li-zhen (Cheung) zijn buren. Ze worden verliefd op elkaar als ze samen proberen uit te vinden waarom hun respectievelijke partners zo weinig thuis zijn. Hun leven wordt door overspel geschonden: 'Als we datzelfde zouden doen, zou dat betekenen dat we geen haar beter zijn dan zij,' zegt Cheung. Merkwaardig is dat we in een film over overspel alleen de benadeelde partijen zien, en niet degenen die het overspel plegen. Wongs uitbeelding van het Hongkong uit de jaren '60 is zo overtuigend, dat het een complete verrassing is te merken dat de film volledig in Bangkok is opgenomen.

CREDITS	
productie	Block 2, Jet Tone, Paradis Films
producent	Wong Kar Wai
scenario	Wong Kar Wai
camera	Christopher Doyle, Mark Lee Ping-bin
muziek	Michael Galasso, Shigeru Umebayashi
ontwerp	William Chang

Traffic | Steven Soderbergh | 2000

Helena Ayala *(Catherine Zeta-Jones) en haar zoontje kijken vol ongeloof toe als haar man wordt gearresteerd op verdenking van het vervoeren van drugs.*

CREDITS	
productie	Entertainment/USA Films
producent	Philip Messina
scenario	Steven Gaghan
camera	Steven Soderbergh
filmprijzen	Oscars: Beste Mannelijke Bijrol (Benicio del Toro), Beste Regisseur (Steven Soderbergh), Beste Filmmontage (Stephen Mirrione), Beste Aangepaste Scenario (Stephen Gaghan).

In een tijd dat de Amerikaanse filmindustrie zich niet met de echte wereld en haar problemen bezighield, besloot Steven Soderbergh de uitdaging aan te gaan en de drugshandel in kaart te brengen.

In Washington komt Robert Wakefield (Michael Douglas), de adviseur van de president met betrekking tot drugszaken, met het plan een nieuwe 'war on drugs' te starten, zonder dat hij weet dat zijn dochter aan heroïne is verslaafd. In San Diego ziet Helena (Catherine Zeta-Jones) dat haar man Carlos (Steven Bauer) gearresteerd wordt voor het vervoeren van drugs. Ze realiseert zich echter dat de enige manier om haar huidige levensstandaard te behouden is zelf ook drugs te gaan vervoeren. Intussen zet politieagent Javier (Benicio Del Toro) uit Tijuana zijn leven op het spel door tegen zijn superieuren, die zelf drugs smokkelen, in te gaan. *Traffic* is een film die meerdere verhaallijnen gebruikt om de machteloosheid van het individu aan de orde te stellen.

Lord of the Rings | Peter Jackson | 2001, 2002, 2003

Deze in drie delen uitgebrachte bewerking van J.R.R. Tolkiens epos over het land Midden-Aarde was zowel qua kritieken als commercieel een enorm succes. Met behulp van met computers gemaakte special effects gaf Peter Jackson een nieuwe betekenis aan het epische verhaal. En wat betreft schaal en spektakel had het filmpubliek nog nooit zoiets gezien.

Ian McKellen *speelt Gandalf, de tovenaar die Frodo leidt in zijn queeste de duivelse ring te vernietigen; voor die rol werd McKellen genomineerd voor een Oscar.*

Jackson besloot de imaginaire wereld van Tolkien, bewoond door hobbits, elven en andere vreemde wezens, in zijn geboorteland Nieuw-Zeeland te verfilmen, omdat de natuur uitstekend aansloot op die van Midden-Aarde. Hij had geen tijd te verliezen – er waren veel bergen, rivieren en dalen waar hij doorheen moest trekken, legers moesten samengesteld worden en betoveringen moesten verbroken worden. Het verhaal begint als Frodo Baggings (Elijah Wood), een hobbit, een ring in zijn bezit krijgt die de drager ervan enorme macht geeft. Omdat de ring te gevaarlijk is vertrekt Frodo met zijn vriend Sam (Sean Astin) naar Mordor, de enige plaats waar de ring vernietigd kan worden. Deze in feite antifascistische allegorie (Tolkien schreef het verhaal tijdens en na de Tweede Wereldoorlog) diende een onwelkom militaristisch doel toen hij werd uitgebracht tijdens de Amerikaanse campagnes in Afghanistan en Irak. Toch blijft het een hommage aan de energie en wilskracht van gewone mensen die worden geconfronteerd met het kwaad van de absolute macht. Met de groteske, schizofrene Gollum creëerden Jackson en acteur Andy Serkis een met de computer gemaakt, maar toch menselijk karakter.

CREDITS

productie	Entertainment/New Line/Wingnut (Barrie M. Osborne, Peter Jackson, Fran Walsh)
producer	Grant Major
scenario	Peter Jackson en Fran Walsh
camera	Andrew Lesnie
filmprijzen	11 Oscars voor *The Return of the King*, inclusief Beste Regisseur (Peter Jackson), Beste Film (Barrie M. Osborne, Peter Jackson, Fran Walsh), Beste Art Direction (Grant Major, Dan Hennah, Alan Lee), Beste Kostuumontwerp (Ngila Dickson, Richard Taylor), Beste Filmmontage (Jamie Selkirk).

De hobbit Frodo *(Elijah Wood) is in het eerste deel,* The Fellowship of the Ring, *gebiologeerd door de macht van de ring.*

City of God | Fernando Meirelles | 2002

Dit aangrijpende verslag over opgroeiende jeugd in de sloppenwijken van het Braziliaanse Rio de Janeiro is zeer direct, met een cameravoering waar het publiek van duizelt.

CREDITS

studio	02/Video Filmes
producent	Andrea Barata Ribeiro
scenario	Bráulio Mantovani
camera	César Charlone

Met een groep jonge, niet-professionele spelers en een op feiten gebaseerd scenario laten Fernando Meirelles en Kátia Lund zien hoe in 15 jaar tijd (tussen eind jaren '60 en '80) de situatie in Cidade de Deus, een Braziliaanse sloppenwijk (*favela*), is verslechterd. In die tijd ontwikkelde de cocaïnehandel zich in Brazilië en werden de *favelas* de schuilplaatsen van de drugsbendes. Meirelles en Lund portretteren de kinderen die in deze gewelddadige omgeving opgroeien. Ze vervallen van kruimeldieven tot meedogenloze misdadigers. De verteller van de film, Rocket (Alexandre Rodrigues), een arme jongen, ontsnapt aan het bendeleven door zijn ongeschiktheid voor de misdaad en zijn passie voor fotografie. Zijn vroegere vriend Li'l Zé (Leandro Firmino), in de jaren '60 bekend als Li'l Dice (Douglas Silva), ontwikkelt zich tot een wrede, kille drugsbaron die later door Rocket, na zijn arrestatie, gefotografeerd zal worden.

Deze krachtige en snelle film spreekt de taal van de straat – in dat opzicht doet hij denken aan Martin Scorsese's *GoodFellas* en aan *The Matrix* van de broers Wachowski. De film laat op meesterlijke wijze het geweld in de stad en de chaotische combinatie van drugs, wapens en jongeren zien en portretteert met succes het verschrikkelijke leven in de *favelas*.

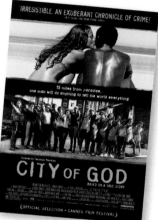

Filmaffiche, *2002*

Deze scène toont het geweld *in een* favela, *waar tienergangsters op straat worden achtervolgd door leden van een rivaliserende bende.*

Eternal Sunshine of the Spotless Mind | Michel Gondry | 2004

Eternal Sunshine of the Spotless Mind, de tweede succesvolle film van scenarioschrijver Charlie Kaufman (*Being John Malkovich, Adaptation*) en de inventieve Franse popvideoregisseur Michel Gondry, dompelt je onder in het onderbewustzijn en dwingt je na te denken over wat je ziet.

Joel (Jim Carrey) stapt in de verkeerde trein en komt Clementine (Kate Winslet) tegen. Hij is gereserveerd en conventioneel, zij is impulsief en extravert. Eerst is er aantrekking, vervolgens verdriet en zo veel pijn dat ze zich afvragen of ze elkaar wel ooit echt hebben gekend en hadden moeten leren kennen. Joel probeert vervolgens in deze romantische comedy over het uitwissen van herinneringen een methode te vinden om ieder spoor van haar uit zijn geest te wissen. Oorspronkelijke denkers kom je zelden tegen in de filmindustrie; Charlie Kaufman springt er wat dat betreft echt uit. Het thema van amnesie is al vaker gebruikt, en het idee van een bedrijf dat gespecialiseerd is in geheugenverlies – Lacuna, Inc. – doet denken aan de sciencefiction van Philip K. Dick. De film onderscheidt zich echter door de subjectieve stroom van lucide en onbewuste beelden – alsof de film zichzelf continu opnieuw aan het uitvinden is.

Clementine (Winslet) *met Joel (Carrey), die hun eerste afspraakje opnieuw beleeft; haar oranje geverfde haar geeft aan dat de scène een herinnering is.*

KATE WINSLET

Hoewel de Britse actrice Kate Winslet (geboren in 1975) vooral bekend is door haar rol als rijke Amerikaanse die verliefd is op de arme Leonardo DiCaprio in James Camerons kassucces *Titanic* (1997), had ze voor die tijd al naam gemaakt in Engelse films. Winslet speelde Marianne Dashwood in Ang Lee's *Sense and Sensibility* (1995), schitterde als Sue Bridehead in Michael Winterbottoms *Jude* (1996), en was een uitstekende Ophelia in Kenneth Branagh's *Hamlet* (1996). Haar eerste belangrijke rol speelde ze in Peter Jacksons *Heavenly Creatures* (1994).

CREDITS

productie	Focus Features/Anonymous Content/This is That
producenten	Anthony Bregman, Steve Golin
scenario	Charlie Kaufman
camera	Ellen Kuras
filmprijs	Oscar: Beste Scenario (Charlie Kaufman, Michel Gondry, Pierre Bismuth)

Naslag

In dit deel worden de feiten en statistieken op een rijtje gezet van de belangrijkste festivals ter wereld, inclusief de Academy Awards- of Oscaruitreikingen in de VS, de BAFTA-awards in Groot-Brittannië en de Gouden Palm op het meest prestigieuze filmfestival ter wereld – Cannes.

DE ACADEMY AWARDS

De Oscars zijn de bekendste filmprijzen ter wereld. De jaarlijkse uitreiking in Hollywood wordt door miljoenen over de hele wereld live bekeken. De Oscars hebben een enorme invloed op het commerciële succes van de betreffende films.

ACADEMY AWARD WINNAARS – BESTE FILM

Jaar	Film	Jaar	Film	Jaar	Film
1927/8	Wings	1954	On the Waterfront	1980	Ordinary People
1928/9	The Broadway Melody	1955	Marty	1981	Chariots of Fire
1929/30	All Quiet on the Western Front	1956	Around the World in 80 Days	1982	Gandhi
1930/1	Cimarron	1957	The Bridge on the River Kwai	1983	Terms of Endearment
1931/2	Grand Hotel	1958	Gigi	1984	Amadeus
1932/3	Cavalcade	1959	Ben-Hur	1985	Out of Africa
1934	It Happened One Night	1960	The Apartment	1986	Platoon
1935	Mutiny on the Bounty	1961	West Side Story	1987	The Last Emperor
1936	The Great Ziegfeld	1962	Lawrence of Arabia	1988	Rain Man
1937	The Life of Emile Zola	1963	Tom Jones	1989	Driving Miss Daisy
1938	You Can't Take It with You	1964	My Fair Lady	1990	Dances with Wolves
1939	Gone With the Wind	1965	The Sound of Music	1991	The Silence of the Lambs
1940	Rebecca	1966	A Man for All Seasons	1992	Unforgiven
1941	How Green Was My Valley	1967	In the Heat of the Night	1993	Schindler's List
1942	Mrs. Miniver	1968	Oliver!	1994	Forrest Gump
1943	Casablanca	1969	Midnight Cowboy	1995	Braveheart
1944	Going My Way	1970	Patton	1996	The English Patient
1945	The Lost Weekend	1971	The French Connection	1997	Titanic
1946	The Best Years of Our Lives	1972	The Godfather	1998	Shakespeare in Love
1947	Gentleman's Agreement	1973	The Sting	1999	American Beauty
1948	Hamlet	1974	The Godfather Part II	2000	Gladiator
1949	All the King's Men	1975	One Flew Over the Cuckoo's Nest	2001	A Beautiful Mind
1950	All About Eve	1976	Rocky	2002	Chicago
1951	An American in Paris	1977	Annie Hall	2003	Lord of the Rings: The Return of the King
1952	The Greatest Show on Earth	1978	The Deer Hunter	2004	Million Dollar Baby
1953	From Here to Eternity	1979	Kramer vs. Kramer	2005	Crash

FILMS MET MEESTE OSCARS

11 Oscars	Ben-Hur (1959), Titanic (1997), The Lord of the Rings: The Return of the King (2003)
10 Oscars	West Side Story (1961)
9 Oscars	Gigi (1958), The Last Emperor (1987), The English Patient (1996)
8 Oscars	Gone With the Wind (1939), From Here to Eternity (1953), On the Waterfront (1954), My Fair Lady (1964), Cabaret (1972), Gandhi (1982), Amadeus (1984)
7 Oscars	Going my Way (1944), The Best Years of Our Lives (1946), The Bridge on the River Kwai (1957), Lawrence of Arabia (1962), Patton (1970), The Sting (1973), Out of Africa (1985), Dances with Wolves (1990), Schindler's List (1993), Shakespeare in Love (1998)

ACADEMY AWARD WINNAARS – REGISSEURS

1927/8	Frank Borzage *Seventh Heaven*	**1968**	Carol Reed *Oliver!*
1928/9	Frank Lloyd *The Divine Lady*	**1969**	John Schlesinger *Midnight Cowboy*
1929/30	Lewis Milestone *All Quiet on the Western Front*	**1970**	Franklin J. Schaffner *Patton*
1930/1	Norman Taurog *Skippy*	**1971**	William Friedkin *The French Connection*
1931/2	Frank Borzage *Bad Girl*	**1972**	Bob Fosse *Cabaret*
1932/3	Frank Lloyd *Cavalcade*	**1973**	George Roy Hill *The Sting*
1934	Frank Capra *It Happened One Night*	**1974**	Francis Ford Coppola *The Godfather Part II*
1935	John Ford *The Informer*	**1975**	Milos Forman *One Flew Over the Cuckoo's Nest*
1936	Frank Capra *Mr. Deeds Goes to Town*	**1976**	John G. Avildsen *Rocky*
1937	Leo McCarey *The Awful Truth*	**1977**	Woody Allen *Annie Hall*
1938	Frank Capra *You Can't Take It with You*	**1978**	Michael Cimino *The Deer Hunter*
1939	Victor Fleming *Gone With the Wind*	**1979**	Robert Benton *Kramer vs. Kramer*
1940	John Ford *The Grapes of Wrath*	**1980**	Robert Redford *Ordinary People*
1941	John Ford *How Green Was My Valley*	**1981**	Warren Beatty *Reds*
1942	William Wyler *Mrs. Miniver*	**1982**	Richard Attenborough *Gandhi*
1943	Michael Curtiz *Casablanca*	**1983**	James L. Brooks *Terms of Endearment*
1944	Leo McCarey *Going My Way*	**1984**	Milos Forman *Amadeus*
1945	Billy Wilder *The Lost Weekend*	**1985**	Sydney Pollack *Out of Africa*
1946	William Wyler *The Best Years of Our Lives*	**1986**	Oliver Stone *Platoon*
1947	Elia Kazan *Gentleman's Agreement*	**1987**	Bernado Bertolucci *The Last Emperor*
1948	John Huston *The Treasure of the Sierra Madre*	**1988**	Barry Levinson *Rain Man*
1949	Joseph L. Mankiewicz *A Letter to Three Wives*	**1989**	Oliver Stone *Born on the Fourth of July*
1950	Joseph L. Mankiewicz *All About Eve*	**1990**	Kevin Costner *Dances with Wolves*
1951	George Stevens *A Place in the Sun*	**1991**	Jonathan Demme *The Silence of the Lambs*
1952	John Ford *The Quiet Man*	**1992**	Clint Eastwood *Unforgiven*
1953	Fred Zinnemann *From Here to Eternity*	**1993**	Steven Spielberg *Schindler's List*
1954	Elia Kazan *On the Waterfront*	**1994**	Robert Zemeckis *Forrest Gump*
1955	Delbert Mann *Marty*	**1995**	Mel Gibson *Braveheart*
1956	George Stevens *Giant*	**1996**	Anthony Minghella *The English Patient*
1957	David Lean *The Bridge on the River Kwai*	**1997**	James Cameron *Titanic*
1958	Vincente Minnelli *Gigi*	**1998**	Steven Spielberg *Saving Private Ryan*
1959	William Wyler *Ben-Hur*	**1999**	Sam Mendes *American Beauty*
1960	Billy Wilder *The Apartment*	**2000**	Steven Soderbergh *Traffic*
1961	Jerome Robbins, Robert Wise *West Side Story*	**2001**	Ron Howard *A Beautiful Mind*
1962	David Lean *Lawrence of Arabia*	**2002**	Roman Polanski *The Pianist*
1963	Tony Richardson *Tom Jones*	**2003**	Peter Jackson *Lord of the Rings: The Return of the King*
1964	George Cukor *My Fair Lady*		
1965	Robert Wise *The Sound of Music*	**2004**	Clint Eastwood *Million Dollar Baby*
1966	Fred Zinnemann *A Man for All Seasons*	**2005**	Ang Lee *Brokeback Mountain*
1967	Mike Nichols *The Graduate*		

ACTRICES MET MEESTE NOMINATIES

1	Meryl Streep (13)
2	Katharine Hepburn (12)
3	Bette Davis (10)
4	Geraldine Page (8)
5	Ingrid Bergman, Jane Fonda, Greer Garson (7)
6	Ellen Burstyn, Deborah Kerr, Jessica Lange, Vanessa Redgrave, Thelma Ritter, Norma Shearer, Maggie Smith, Sissy Spacek (6)

ACTEURS MET MEESTE NOMINATIES

1	Jack Nicholson (12)
2	Laurence Olivier (10)
3	Paul Newman, Spencer Tracy (9)
4	Marlon Brando, Jack Lemmon, Al Pacino (8)
5	Richard Burton, Dustin Hoffman, Peter O'Toole (7)
6	Michael Caine, Robert De Niro, Robert Duvall (6)

ACADEMY AWARD WINNAARS – BESTE ACTEUR

1927/8	Emil Jannings *The Last Command*	**1966**	Paul Scofield *A Man for All Seasons*
1928/9	Warner Baxter *In Old Arizona*	**1967**	Rod Steiger *In the Heat of the Night*
1929/30	George Arliss *Disraeli*	**1968**	Cliff Robertson *Charly*
1930/31	Lionel Barrymore *A Free Soul*	**1969**	John Wayne *True Grit*
1931/32	Wallace Beery *The Champ* Fredric March *Dr. Jekyll and Mr. Hyde* (dit jaar was de strijd onbeslist en werden er twee winnaars uitgeroepen)	**1970**	George C. Scott *Patton*
		1971	Gene Hackman *The French Connection*
		1972	Marlon Brando *The Godfather*
1932/3	Charles Laughton *The Private Life of Henry VIII*	**1973**	Jack Lemmon *Save the Tiger*
1934	Clark Gable *It Happened One Night*	**1974**	Art Carney *Harry and Tonto*
1935	Victor McLagen *The Informer*	**1975**	Jack Nicholson *One Flew Over the Cuckoo's Nest*
1936	Paul Muni *The Story of Louis Pasteur*	**1976**	Peter Finch *Network*
1937	Spencer Tracy *Captains Courageous*	**1977**	Richard Dreyfuss *The Goodbye Girl*
1938	Spencer Tracy *Boys Town*	**1978**	Jon Voight *Coming Home*
1939	Robert Donat *Goodbye Mr. Chips*	**1979**	Dustin Hoffman *Kramer vs. Kramer*
1940	James Stewart *The Philadelphia Story*	**1980**	Robert De Niro *Raging Bull*
1941	Gary Cooper *Sergeant York*	**1981**	Henry Fonda *On Golden Pond*
1942	James Cagney *Yankee Doodle Dandy*	**1982**	Ben Kingsley *Gandhi*
1943	Paul Lukas *Watch on the Rhine*	**1983**	Robert Duvall *Tender Mercies*
1944	Bing Crosby *Going My Way*	**1984**	F. Murray Abraham *Amadeus*
1945	Ray Milland *The Lost Weekend*	**1985**	William Hurt *Kiss of the Spider Woman*
1946	Fredric March *The Best Years of Our Lives*	**1986**	Paul Newman *The Color of Money*
1947	Ronald Colman *A Double Life*	**1987**	Michael Douglas *Wall Street*
1948	Lawrence Olivier *Hamlet*	**1988**	Dustin Hoffman *Rain Man*
1949	Broderick Crawford *All the King's Men*	**1989**	Daniel Day Lewis *My Left Foot*
1950	José Ferrer *Cyrano de Bergerac*	**1990**	Jeremy Irons *Reversal of Fortune*
1951	Humphrey Bogart *The African Queen*	**1991**	Anthony Hopkins *The Silence of the Lambs*
1952	Gary Cooper *High Noon*	**1992**	Al Pacino *Scent of a Woman*
1953	William Holden *Stalag 17*	**1993**	Tom Hanks *Philadelphia*
1954	Marlon Brando *On the Waterfront*	**1994**	Tom Hanks *Forrest Gump*
1955	Ernest Borgnine *Marty*	**1995**	Nicolas Cage *Leaving Las Vegas*
1956	Yul Brynner *The King and I*	**1996**	Geoffrey Rush *Shine*
1957	Alec Guinness *The Bridge on the River Kwai*	**1997**	Jack Nicholson *As Good As It Gets*
1958	David Niven *Separate Tables*	**1998**	Roberto Benigni *Life is Beautiful*
1959	Charlton Heston *Ben-Hur*	**1999**	Kevin Spacey *American Beauty*
1960	Burt Lancaster *Elmer Gantry*	**2000**	Russell Crowe *Gladiator*
1961	Maximilian Schell *Judgment at Nuremberg*	**2001**	Denzel Washington *Training Day*
1962	Gregory Peck *To Kill a Mockingbird*	**2002**	Adrien Brody *The Pianist*
1963	Sidney Poitier *Lilies of the Field*	**2003**	Sean Penn *Mystic River*
1964	Rex Harrison *My Fair Lady*	**2004**	Jamie Foxx *Ray*
1965	Lee Marvin *Cat Ballou*	**2005**	Phillip Seymour Hoffman *Capote*

ACADEMY AWARD WINNAARS – BESTE ACTRICE

1927/8	Janet Gaynor *Seventh Heaven*	**1936**	Luise Rainer *The Great Ziegfeld*
1928/9	Mary Pickford *Coquette*	**1937**	Luise Rainer *The Good Earth*
1929/30	Norma Shearer *The Divorcee*	**1938**	Bette Davis *Jezebel*
1930/1	Marie Dressler *Min and Bill*	**1939**	Vivien Leigh *Gone With the Wind*
1931/2	Helen Hayes *The Sin of Madelon Claudet*	**1940**	Ginger Rogers *Kitty Foyle*
1932/3	Katharine Hepburn *Morning Glory*	**1941**	Joan Fontaine *Suspicion*
1934	Claudette Colbert *It Happened One Night*	**1942**	Greer Garson *Mrs. Miniver*
1935	Bette Davis *Dangerous*	**1943**	Jennifer Jones *The Song of Bernadette*

ACADEMY AWARD WINNAARS – BESTE ACTRICE (vervolg)

1944	Ingrid Bergman *Gaslight*	1975	Louise Fletcher *One Flew Over the Cuckoo's Nest*
1945	Joan Crawford *Mildred Pierce*	1976	Faye Dunaway *Network*
1946	Olivia de Havilland *To Each His Own*	1977	Diane Keaton *Annie Hall*
1947	Loretta Young *The Farmer's Daughter*	1978	Jane Fonda *Coming Home*
1948	Jane Wyman *Johnny Belinda*	1979	Sally Field *Norma Rae*
1949	Olivia de Havilland *The Heiress*	1980	Sissy Spacek *Coal Miner's Daughter*
1950	Judy Holliday *Born Yesterday*	1981	Katharine Hepburn *On Golden Pond*
1951	Vivien Leigh *A Streetcar Named Desire*	1982	Meryl Streep *Sophie's Choice*
1952	Shirley Booth *Come Back Little Sheba*	1983	Shirley MacLaine *Terms of Endearment*
1953	Audrey Hepburn *Roman Holiday*	1984	Sally Field *Places in the Heart*
1954	Grace Kelly *The Country Girl*	1985	Geraldine Page *The Trip to Bountiful*
1955	Anna Magnani *The Rose Tattoo*	1986	Marlee Matlin *Children of a Lesser God*
1956	Ingrid Bergman *Anastasia*	1987	Cher *Moonstruck*
1957	Joanne Woodward *The Three Faces of Eve*	1988	Jodie Foster *The Accused*
1958	Susan Hayward *I Want to Live!*	1989	Jessica Tandy *Driving Miss Daisy*
1959	Simone Signoret *Room at the Top*	1990	Kathy Bates *Misery*
1960	Elizabeth Taylor *Butterfield 8*	1991	Jodie Foster *The Silence of the Lambs*
1961	Sophia Loren *Two Women (La Ciociara)*	1992	Emma Thompson *Howards End*
1962	Anne Bancroft *The Miracle Worker*	1993	Holly Hunter *The Piano*
1963	Patricia Neal *Hud*	1994	Jessica Lange *Blue Sky*
1964	Julie Andrews *Mary Poppins*	1995	Susan Sarandon *Dead Man Walking*
1965	Julie Christie *Darling*	1996	Frances McDormand *Fargo*
1966	Elizabeth Taylor *Who's Afraid of Virginia Woolf?*	1997	Helen Hunt *As Good As It Gets*
1967	Katharine Hepburn *Guess Who's Coming to Dinner*	1998	Gwyneth Paltrow *Shakespeare in Love*
1968	Katharine Hepburn *The Lion in Winter*	1999	Hilary Swank *Boys Don't Cry*
1969	Maggie Smith *The Prime of Miss Jean Brodie*	2000	Julia Roberts *Erin Brockovich*
1970	Glenda Jackson *Women in Love*	2001	Halle Berry *Monster's Ball*
1971	Jane Fonda *Klute*	2002	Nicole Kidman *The Hours*
1972	Liza Minnelli *Cabaret*	2003	Charlize Theron *Monster*
1973	Glenda Jackson *A Touch of Class*	2004	Hilary Swank *Million Dollar Baby*
1974	Ellen Burstyn *Alice Doesn't Live Here Anymore*	2005	Reese Witherspoon *Walk the Line*

DE BRITISH ACADEMY OF FILM AND TELEVISION AWARDS

Deze prijzen, bekend als de BAFTA's, werden in 1947 in Groot-Brittannië geïntroduceerd ter ere van internationale toneel- en filmsterren. De prijsuitreiking vond in het begin plaats in een hotelkamer bij Hyde Park, in Londen. Tegenwoordig behoren de BAFTA tot de meest begeerde prijzen in de filmindustrie.

BAFTA BESTE FILM

1948	The Best Years of Our Lives	1959	The Apartment	1968	A Man for All Seasons
1949	Hamlet	1960	Ben-Hur	1969	The Graduate
1950	Ladri di Biciclette	1961	The Apartment	1970	Midnight Cowboy
1951	All About Eve	1962	Ballad of a Soldier	1971	Butch Cassidy and the Sundance Kid
1952	La Ronde	1963	Lawrence of Arabia		
1953	The Sound Barrier	1964	Tom Jones	1972	Sunday, Bloody Sunday
1954	Jeux Interdits	1965	Dr. Strangelove or: How I Learned to Stop Worrying and Love the Bomb	1973	Cabaret
1955	The Wages of Fear			1974	Day for Night
1956	Richard III			1975	Lacombe Lucien
1957	Gervaise	1966	My Fair Lady	1976	Alice Doesn't Live Here Anymore
1958	The Bridge on the River Kwai	1967	Who's Afraid of Virginia Woolf?		

BAFTA BESTE FILM (vervolg)

1977	One Flew Over the Cuckoo's Nest	1987	A Room with a View	1998	The Full Monty
1978	Annie Hall	1988	Jean de Florette	1999	Shakespeare in Love
1979	Julia	1989	The Last Emperor	2000	American Beauty
1980	Manhattan	1990	Dead Poets Society	2001	Gladiator
1981	The Elephant Man	1991	GoodFellas	2002	The Lord of the Rings: The Fellowship of the Ring
1982	Chariots of Fire	1992	The Commitments		
1983	Gandhi	1993	Howards End	2003	The Pianist
1984	Educating Rita	1994	Schindler's List	2004	The Lord of the Rings: The Return of the King
1985	The Killing Fields	1995	Four Weddings and a Funeral		
1986	The Purple Rose of Cairo	1996	Sense and Sensibility	2005	The Aviator
		1997	The English Patient	2006	Brokeback Mountain

HET FILMFESTIVAL VAN CANNES

Sinds 1946 wordt elk jaar (afgezien van een aantal jaren toen er niet genoeg geld was) in het Franse Cannes een internationaal filmfestival gehouden. Het wordt bezocht door schrijvers, regisseurs en acteurs uit alle delen van de wereld. Dit glamoureuze festival verschaft een hoop publiciteit – en niet alleen voor de films. Van de prijzen die in Cannes door een jury van profesionele filmkenners worden uitgereikt is de *Palme d'Or* (Gouden Palm), de prijs voor de Beste Film, de meest waardevolle en invloedrijkste.

CANNES WINNAARS PALME D'OR

1955	*Marty* (Delbert Mann, VS)	1984	*Paris, Texas* (Wim Wenders, Duitsland)
1956	*Le Monde du Silence* (Jacques-Yves Cousteau en Louis Malle, Frankrijk)	1985	*When Father Was Away on Business* (Emir Kusturica, Joegoslavië)
1957	*Friendly Persuasion* (Willian Wyler, VS)	1986	*The Mission* (Roland Joffé, GB)
1958	*The Cranes Are Flying* (Mikhail Kalatozov, Sovjet-Unie)	1987	*Sous le Soleil de Satan* (Maurice Pialat, Frankrijk)
1959	*Orpheu Negro* (Marcel Camus, Frankrijk)	1988	*Pelle Erobreren* (Bille August, Denemarken)
1960	*La Dolce Vita* (Federico Fellini, Italië)	1989	*Sex, Lies & Videotape* (Steven Soderbergh, VS)
1961	Gezamenlijke winnaars: *Viridiana* (Luis Buñuel, Mexico) en *Une Aussi Longue Absence* (Henri Colpi, Frankrijk, Italië)	1990	*Wild at Heart* (David Lynch, VS)
		1991	*Barton Fink* (Ethan Coen en Joel Coen, VS)
		1992	*Den Goda Viljan* (Bille August, Zweden)
1962	*O Pagador de Promessas* (Anselmo Duarte, Portugal)	1993	Gezamenlijke winnaars: *Farewell My Concubine* (Chen Kaige, China) en *The Piano* (Jane Campion, Australië)
1963	*Il Leopardo* (Luchino Visconti, Italië)		
1975	*Chronique des Années de Braise* (Mohammed Lakhdar-Hamina, Algerije)	1994	*Pulp Fiction* (Quentin Tarantino, VS)
		1995	*Underground* (Emir Kusturica, Joegoslavië)
1976	*Taxi Driver* (Martin Scorsese, VS)	1996	*Secrets and Lies* (Mike Leigh, GB)
1977	*Padre Padrone* (Vittorio Taviani en Paolo Taviani, Italië)	1997	Gezamenlijke winnaars: *A Taste of Cherry* (Abbas Kiarostami, Iran) en *Unagi* (Imamura Shohei, Japan)
1978	*L'Albergo degli Zoccoli* (Ermanno Olmi, Italië)		
1979	Gezamenlijke winnaars: *Apocalypse Now* (Francis Ford Coppola, VS) en *Der Blechtrommel* (Völker Schlondorff, Duitsland)	1998	*Eternity and a Day* (Theo Angelopoulos, Griekenland)
		1999	*Rosetta* (Jean-Pierre en Luc Dardenne, Frankrijk)
1980	Gezamenlijke winnaars: *All That Jazz* (Bob Fosse, VS) en *Kagemusha* (Akira Kurosawa, Japan)	2000	*Dancer in the Dark* (Lars von Trier, Denemarken)
		2001	*La Stanza del Figlio* (Nanni Moretti, Italië)
1981	*Man of Iron* (Andrzej Wajda, Polen)	2002	*The Pianist* (Roman Polanski, Frankrijk)
1982	Gezamenlijke winnaars: *Missing* (Costa-Gavras, VS) en *Yol* (Yilmaz Guney, Turkije)	2003	*Elephant* (Gus Van Sant, VS)
		2004	*Fahrenheit 9/11* (Michael Moore, VS)
		2005	*L'Enfant* (Jean-Pierre en Luc Dardenne, België)
1983	*The Ballad of Narayama* (Imamura Shohei, Japan)	2006	*The Wind that Shakes the Barley* (Ken Loach, GB)

HET FILMFESTIVAL VAN VENETIË

Het oudste filmfestival ter wereld startte in 1932 als onderdeel van de 18e Biennale. De eerste tijd werd het festival niet ieder jaar gehouden en kende het ook niet ieder jaar prijzen toe. Tegenwoordig wordt de prijsuitreiking gehouden in het Lido di Venezia in Venetië. De belangrijkste prijs is de *Leone d'Oro*, of de Gouden Leeuw, die sinds 1947 jaarlijks wordt uitgereikt. Voor die tijd werden twee prijzen uitgereikt: voor Beste Italiaanse film en Beste Buitenlandse film.

WINNAARS GOUDEN LEEUW

1934 *Teresa Confalonieri* (Guido Brignone, Italië), *Man of Aran* (Robert Flaherty, GB)

1935 *L'asta Diva* (Carmine Gallone, Italië) *Anna Karenina* (Clarence Brown, VS)

1936 *Squadrone Bianco* (Augusto Genino, Italië) *The Emperor of California* (Luis Trenker)

1937 *Scipione l'Africano* (Carmine Gallone, Italië) *Un Carnet de Bal* (Julien Duvivier, Frankrijk)

1938 *Luciano Serra Pilota* (Goffredo Alessandrini, Italië) en *Olympia* (Leni Riefenstahl, Duitsland)

1940 *The Siege of Alcazar* (Augusto Genina, Italië) *Der Postmeister* (Gustav Ucicky, Duitsland)

1941 *La Corona di Ferro* (Alessandro Blasetti, Italië) *Ohm Krüger* (Hans Steinhoff, Duitsland)

1942 *Bengasi* (Augusto Genina, Italië) *Der Grosse König* (Veit Harlan, Duitsland)

1947 *Siréna* (Karel Steklý, Tsjechoslowakije) International Venice Award

1948 *Hamlet* (Laurence Olivier, GB) International Venice Award

1949 *Manon* (Henri-Georges Clouzon, Frankrijk)

1950 *Justice est Faite* (André Cayatte)

1951 *Rashomon* (Akira Kurosawa, Japan)

1952 *Jeux Interdits* (René Clément, Frankrijk)

1953 Gouden Leeuw niet uitgereikt

1954 *Romeo and Juliet* (Renato Castellani, Italië)

1955 *Ordet* (Carl Theodor Dreyer, Denemarken)

1956 Gouden Leeuw niet uitgereikt

1957 *Aparajito* (Satyajit Ray, India)

1958 *Muhomatsu, the Rikshaw Man* (Hiroshi Ingaki, Japan)

1959 *La Grande Guerra* (Mario Monicelli Italië), *Il Generalo dello Rovere* (Roberto Rossellini, Italië)

1960 *Le Passage du Rhin* (André Cayatte, Frankrijk)

1961 *L'Année Derniere à Marienbad* (Alain Resnais, Frankrijk)

1962 Gezamenlijke winnaars: *Cronaca Familiare* (Valerio Zurlini, Italië) *Ivanovo Detstvo* (Andrei Tarkovsky, Rusland)

1963 *Le Mani Sulla Città* (Francesco Rosi, Italië)

1964 *Red Desert* (Michelangelo Antonioni, Italië)

1965 *Vaghe Stelle dell'Orsa* (Luchino Visconti, Italië)

1966 *The Battle of Algiers* (Gillo Pontecorvo, Algeria)

1967 *Belle de Jour* (Luis Buñuel, Frankrijk)

1968 *Die Artisten in der Zirkuskuppel: Ratlos* (Alexander Kluge, Duitsland)

1980 Gezamenlijke winnaars: *Atlantic City* (Louis Malle, VS), *Gloria* (John Cassavetes, VS)

1981 *Die Bleierne Zeit (Marianne and Juliane)* (Margarethe von Trotte, Duitsland)

1982 *Der Stand der Dinge* (Wim Wenders, Duitsland)

1983 *Prénom Carmen* (Jean-Luc Godard, Frankrijk)

1984 *The Year of the Quiet Sun* (Krzysztof Zanussi, Polen)

1985 *Vagabond* (Agnès Varda, Frankrijk)

1986 *Le Rayon Vert* (Eric Rohmer, Frankrijk)

1987 *Au Revoir, Les Enfants* (Louis Malle, Frankrijk)

1988 *La Leggenda del Santo Bevitore* (Ermanno Olmi, Italië)

1989 *A City of Sadness* (Hou Hsiao-hsien, Taiwan)

1990 *Rosencrantz and Guildenstern are Dead* (Tom Stoppard, GB)

1991 *Urga* (Nikita Mikhalkov, Rusland)

1992 *The Story of Qui Ju* (Zhang Yimou, China)

1993 Gezamenlijke winnaars: *Short Cuts* (Robert Altman, VS), *Trois Couleurs: Bleu* (Kryzsztof Kieslowski, Frankrijk)

1994 Gezamenlijke winnaars *Vive L'Amour* (Tsai Ming-ling, Taiwan) *Before the Rain* (Milcho Manchevski, Macedonië)

1995 *Cyclo* (Anh Hung Tran, Vietnam)

1996 *Michael Collins* (Neil Jordan, GB)

1997 *Hana-Bi* (Kitano Takeshi, Japan)

1998 *Così ridevano* (Gianni Amelio, Italië)

1999 *Not One Less* (Zhang Yimou, China)

2000 *The Circle* (Jafar Panahi, Iran)

2001 *Monsoon Wedding* (Mira Nair, India)

2002 *The Magdalene Sisters* (Peter Mullan, GB)

2003 *The Return* (Andrei Zvyagintsev, Rusland)

2004 *Vera Drake* (Mike Leigh, GB)

2005 *Brokeback Mountain* (Ang Lee, VS)

DE DIRECTORS GUILD OF AMERICA

De Screen Directors Guild is in 1936 door 13 filmregisseurs opgericht. De huidige instelling komt voort uit een fusie met de Radio en Television Directors Guild. Behalve het beschermen van de artistieke en wettelijke rechten van regisseurs, kent de instelling ook prijzen toe. De winnaars van de DGA-prijzen zijn vaak dezelfden die later de Oscar van Beste Regisseur binnenslepen.

DGA-PRIJZEN VOOR UITSTEKENDE REGIE-PRESTATIES

1939	Joseph Mankiewicz *A Letter to Three Wives*	1978	Michael Cimino *The Deer Hunter*
1940	Robert Rossen *All the Kings Men*	1979	Robert Benton *Kramer vs. Kramer*
1950	Joseph Mankiewicz *All About Eve*	1980	Robert Redford *Ordinary People*
1951	George Stevens *A Place in the Sun*	1981	Warren Beatty *Reds*
1952	John Ford *The Quiet Man*	1982	Richard Attenborough *Gandhi*
1953	Fred Zinnemann *From Here to Eternity*	1983	James Brooks *Terms of Endearment*
1954	Elia Kazan *On the Waterfront*	1984	Milos Forman *Amadeus*
1955	Delbert Mann *Marty*	1985	Steven Spielberg *The Color Purple*
1956	George Stevens *Giant*	1986	Oliver Stone *Platoon*
1957	David Lean *The Bridge on the River Kwai*	1987	Bernado Bertolucci *The Last Emperor*
1958	Vincente Minnelli *Gigi*	1988	Barry Levinson *Rain Man*
1959	Willian Wyler *Ben-Hur*	1989	Oliver Stone *Born on the Fourth of July*
1960	Billy Wilder *The Apartment*	1990	Kevin Costner *Dances with Wolves*
1961	Robert Wise en Jerome Robbins *West Side Story*	1991	Jonathan Demme *The Silence of the Lambs*
1962	David Lean *Lawrence of Arabia*	1992	Clint Eastwood *Unforgiven*
1963	Tony Richardson *Tom Jones*	1993	Steven Spielberg *Schindler's List*
1964	George Cukor *My Fair Lady*	1994	Robert Zemeckis *Forrest Gump*
1965	Robert Wise *The Sound of Music*	1995	Ron Howard *Apollo 13*
1966	Fred Zinnemann *A Man for all Seasons*	1996	Anthony Minghella *The English Patient*
1967	Mike Nichols *The Graduate*	1997	James Cameron *Titanic*
1969	John Schlesinger *Midnight Cowboy*	1998	Steven Spielberg *Saving Private Ryan*
1970	Franklin J. Schaffner *Patton*	1999	Sam Mendes *American Beauty*
1971	William Friedkin *The French Connection*	2000	Ang Lee *Crouching Tiger, Hidden Dragon*
1972	Francis Ford Coppola *The Godfather*	2001	Ron Howard *A Beautiful Mind*
1973	George Roy Hill *The Sting*	2002	Rob Marshall *Chicago*
1974	Francis Ford Coppola *The Godfather Part II*	2003	Peter Jackson *The Lord of the Rings: The Return of the King*
1975	Milos Forman *One Flew over the Cuckoo's Nest*	2004	Clint Eastwood *Million Dollar Baby*
1976	John G. Avildsen *Rocky*	2005	Ang Lee *Brokeback Mountain*
1977	Woody Allen *Annie Hall*		

TOP TIEN VAN BFI-CRITICI

1	Citizen Kane
2	Vertigo
3	La Règle du Jeu
4	The Godfather en The Godfather Part II
5	Tokyo Story
6	2001: A Space Odyssey
7	Battleship Potemkin
8	Sunrise
9	8½
10 =	Singin' in the Rain
=	Our Daily Bread

TOP TIEN VAN BFI-REGISSEURS

1	Citizen Kane
2	The Godfather en The Godfather Part II
3	8½
4	Lawrence of Arabia
5	Dr. Strangelove
6	Ladri de Biciclette
7	Raging Bull
8	Vertigo
9 =	Rashomon
=	La Règle du Jeu
=	Seven Samurai

DE GOLDEN GLOBES

De Hollywood Foreign Press Association (HFPA) werd meer dan 60 jaar geleden opgericht door in Los Angeles werkende journalisten van buitenlandse bladen. Het doel van de prijzen is het erkennen van uitstekende prestaties op filmgebied. De organisatie reikt ook beurzen uit aan de filmmakers van de toekomst.

GOLDEN GLOBES

Jaar	Film	Jaar	Film	Jaar	Film
1944	The Song of Bernadette	1965	Becket	1986	Out Of Africa
1945	Going My Way	1966	Doctor Zhivago	1987	Platoon
1946	The Lost Weekend	1967	A Man for All Seasons	1988	The Last Emperor
1947	The Best Years of Our Lives	1968	In the Heat of the Night	1989	Rain Man
1948	Gentleman's Agreement	1969	The Lion in Winter	1990	Born on the Fourth of July
1949	The Treasure of Sierra Madre en Johnny Belinda	1970	Anne of the Thousand Days	1991	Dances with Wolves
		1971	Love Story	1992	Bugsy
1950	All the King's Men	1972	The French Connection	1993	Scent of a Woman
1951	Sunset Boulevard	1973	The Godfather	1994	Schindler's List
1952	A Place in the Sun	1974	The Exorcist	1995	Forrest Gump
1953	The Greatest Show on Earth	1975	Chinatown	1996	Sense and Sensibility
1955	On the Waterfront	1976	One Flew Over the Cuckoo's Nest	1997	The English Patient
1956	East of Eden			1998	Titanic
1957	Around the World in 80 Days	1977	Rocky	1999	Saving Private Ryan
1958	The Bridge on the River Kwai	1978	The Turning Point	2000	American Beauty
1959	The Defiant Ones	1979	Midnight Express	2001	Gladiator
1960	Ben Hur	1980	Kramer vs. Kramer	2002	A Beautiful Mind
1961	Spartacus	1981	Ordinary People	2003	The Hours
1962	The Guns of Navarone	1982	On Golden Pond	2004	The Lord of the Rings: The Return of the King
1963	Lawrence of Arabia en The Chapman Report	1983	E.T.: The Extra-Terrestrial		
		1984	Terms of Endearment	2005	The Aviator
1964	The Cardinal	1985	Amadeus	2006	Brokeback Mountain

KASSUCCESSEN VS

1	Titanic
2	Star Wars: Episode IV – A New Hope
3	Shrek 2
4	E.T.: The Extra-Terrestrial
5	Star Wars: Episode I – The Phantom Menace
6	Spider-Man
7	Star Wars: Episode III – Revenge of the Sith
8	The Lord of the Rings: The Return of the King
9	Spider-Man 2
10	The Passion of the Christ
11	Jurassic Park
12	The Lord of the Rings: The Two Towers
13	Finding Nemo
14	Forrest Gump
15	The Lion King
16	Harry Potter and the Sorcerer's Stone
17	The Lord of the Rings: The Fellowship of the Ring
18	Star Wars: Episode II – Attack of the Clones
19	Star Wars: Episode IV – Return of the Jedi
20	Independence Day

KASSUCCESSEN WERELDWIJD

1	Titanic
2	The Lord of the Rings: The Return of the King
3	Harry Potter en de Steen der Wijzen
4	Star Wars: Episode I – The Phantom Menace
5	The Lord of the Rings: The Two Towers
6	Jurassic Park
7	Harry Potter en de Vuurbeker
8	Shrek 2
9	Harry Potter en de Geheime Kamer
10	Finding Nemo
11	The Lord of the Rings: The Fellowship of the Ring
12	Star Wars: Episode III – Revenge of the Sith
13	Independence Day
14	Spider-Man
15	Star Wars
16	Harry Potter en de Gevangene van Azkaban
17	Spider-Man 2
18	The Lion King
19	E.T.: The Extra-Terrestrial
20	The Chronicles of Narnia: The Lion, the Witch and the Wardrobe

Verklarende woordenlijst

ABSTRACTE FILM Een film zonder verhaal, opgebouwd uit visuele elementen als kleur, vorm ritme en afmeting. De shots hangen met elkaar samen door herhaling en variatie.

ACTIE De beweging die plaatsvindt voor de camera, of een serie van handelingen als onderdeel van het verhaal van de film.

AMERICAN UNDERGROUND De wereld van films en filmmakers die qua producties en uitstraling afwijkt van de 'gewone' Hollywoodfilmindustie. De American underground, actief sinds de jaren '40, staat bekend om zijn inventieve manier van film maken en distribueren, meestel low budget zoals video en reclame via internet.

AUTEUR Met de 'auteur' van een film wordt meestal de regisseur bedoeld. Dit is de basis van de auteurtheorie, die voortkomt uit François Truffauts theorie van de *politique des auteurs* in *Cahiers du Cinéma* en die in de VS populair werd gemaakt door de criticus Andrew Sarris.

AVANT-GARDE Een overkoepelende term voor een groot aantal vormen van experimentele kunst. De avantgardefilm bloeide in de jaren '20 en '30 met name in Frankrijk, Duitsland en Rusland.

CINEMA DU LOOK Een groep laat 20e-eeuwse en vroeg 21e-eeuwse Franse regisseurs die buiten de gebaande paden filmt en wordt beïnvloed door de beelden van Music Television (MTV).

CINEMA VERITÉ Een manier van filmmaken (letterlijk: de ware cinema) die erop gericht is de waarheid te ontdekken door het opnemen van echte gebeurtenissen op een objectieve, onopgesmukte manier. Deze kwam voort uit de ideeën van de Russische theoreticus Dziga Vertov en werd in de praktijk gebracht in het werk van de Amerikaanse documentairemaker Robert Flaherty.

CINEMASCOPE Een beschermde naam voor een breedbeeld projectieproces ontwikkeld in 1953 dat bestaat uit een systeem met anamorfe lenzen op basis van een uitvinding van Henri Chretien.

COMPUTER-GENERATED IMAGERY (CGI) Beelden gemaakt op een computer, vaak gecombineerd met echte beelden.

DEEP FOCUS Techniek waarbij zowel objecten op de voorgrond als op de achtergrond scherp gesteld zijn. De hierbij gebruikte deep-focuslens is in de jaren '30 ontwikkeld.

DIGITALE EFFECTEN Speciale effecten gemaakt van op computers opgeslagen filmbeelden. Ze worden o.a. gebruikt voor het maken van scènes, het aanpassen van scènes of het maken van een verloop – morphing – het in elkaar overlopen van het ene wezen in het andere.

DIRECT CINEMA Sinds het eind van de jaren '50 de Amerikaanse benaming voor *cinema vérité*. Eerst bekend door het werk van Steven Leacock en Robert Drew als Living Cinema, werd het in de jaren '60 Direct Cinema door het werk van Albert Maysles en D.A. Pennebaker.

DIRECT FILM Een filmdistributiesysteem dat buiten de traditionele verkoopkanalen om loopt en het publiek via internet bereikt.

DIRECT SOUND Software die interacteert met de geluidskaart van een computer voor het maken van geluidseffecten en muziek.

DOLLY (OF DOLLIE) Een platform op wielen waarop een filmcamera is bevestigd om tracking shots te kunnen maken. Een dolly beweegt hydraulisch; soms zijn ze verrijdbaar via een spoor. 'Dolly in' betekent de camera naar het object toe bewegen; 'dolly out' betekent de camera van het object af bewegen.

DYNAMISCHE MONTAGE Het monteren van oncontroversiële filmbeelden tot een politiek geladen film. Deze manier van montage wordt vaak voor propagandafilms gebruikt.

GELUIDSEFFECTEN (SFX) Alle geluiden in een film die geen dialoog of muziek zijn.

ICONOGRAFIE De elementen van een film die verwijzen naar een bepaald type of genre film. Tot deze elementen behoren de plot, het onderwerp, de locaties en de stijl; door deze elementen samen onderscheidt een western zich bijvoorbeeld van een film noir of een sciencefictionfilm.

INTELLECTUELE MONTAGE Een vorm van montage waarbij in plaats van de traditionele continuïteit in ruimte en tijd gebruik wordt gemaakt van onverwachte, snelle beelden met een ongewoon tijdsverloop om speciale effecten te bereiken. Deze door de Russische regisseur Sergei Eisenstein toegepaste vorm van montage levert vaak schokkende beelden op.

MEDIUM LONG SHOT Een filmshot waarbij het belangrijkste object in het midden van de compositie wordt geplaatst, dus niet op de achtergrond en ook niet in de voorgrond. De hoek is breder dan bij een medium shot, maar minder breed als bij een long shot.

MISE-EN-SCÈNE Letterlijk het 'in scène zetten'. Deze term heeft betrekking op de plaats van de acteurs en de objecten binnen een filmbeeld. De mise-en-scène, ontleend aan het Franse theater, verwijst volgens sommige critici ook naar de toon en de door de filmmaker geschapen sfeer.

MODERNISME Een kunstrichting (eind 19e-20e eeuw) die wordt gekenmerkt door een grotere nadruk op de presentatie van het verhaal dan op de onderdelen van het verhaal. Vaak wordt deze term toegepast op recente films: deze films noemt men modernistisch vanwege het onderzoek naar gevoelens in plaats van het volgen van een plot.

MONTAGE Deze term verwijst naar het samenvoegen van twee filmbeelden om een nieuw beeld te creëren. Montage, ontleent aan het Franse woord voor samenvoegen, werd op bijzondere wijze toegepast door de Russische regisseur Sergei Eisenstein. Met name in de jaren '30 werden in Amerikaanse films kalenders gemonteerd om het verloop van de tijd aan te geven.

NEGATIEF BEELD Een negatieve opname in de fotografie of de filmkunst, of een onsympathieke voorstelling van een persoon of onderwerp.

PAINTED CELLS De afzonderlijke beelden van een traditionele animatiefilm. Beeldje voor beeldje werd door een tekenaar op papier en later acetaat (oorspronkelijk celluloid) aangebracht. Ieder beeld vertegenwoordigt een deel van de beweging van een bepaald karakter of groep van karakters; voor een enkele film worden er duizenden gemaakt.

PAN Pan, een samentrekking van het woord 'panoramisch', is de benaming voor de beweging van een vaste camera van één deel van de scène naar een ander.

POSTMODERNISME Een kunstrichting (eind 20e eeuw) die zich bezighoudt met de non-lineaire, niet-traditionele en zelfreflectieve aspecten van de kunsten. Postmoderne films maken vaak gebruik van niet-filmische vormen, zoals computerkunst en literatuur.

PRODUCTION CODE Een door de Amerikaanse filmstudio's in de jaren '30 ingevoerde standaard voor moreel hoogstaande films van goede smaak. De code is in 1966 herzien en sinds 1968 kent men een vorm van filmkeuring.

RAPID CUTTING Het monteren van een groot aantal korte filmshots, vaak om een verhoogd gevoel van opwinding of gevaar te creëren. Een voorbeeld hiervan is de moordscène in *Psycho* (1960) van Hitchcock.

REVERSE SLOW MOTION Een filmisch effect waarbij de film in versneld tempo achterstevoren wordt afgespeeld. Hierdoor ziet het publiek de handelingen zich in een langzaam tempo achterstevoren afspelen.

REVERSE TRACKING SHOTS Een trucage waarbij de film achterstevoren wordt gedraaid in de op een dolly gemonteerde camera, die achter-, voorwaarts of in en uit de scène beweegt.

SENSURROUND De naam van een speciaal effect ontwikkeld door Universal in 1974, om de illusie van trillingen en bevingen tijdens het kijken naar een film te verhogen.

SHOCK CUTS Het samenvoegen van een aantal totaal verschillende beelden om een gevoel van verrassing of angst op te wekken. Deze techniek werd o.a. gebruikt in *Un Chien Andalou* en *2001: A Space Odyssey*.

SHOT Eén enkele handeling die is gefilmd of lijkt te zijn gefilmd in een enkele take, met één camera. Een groot aantal shots bereikt nooit de bioscoop: een scène wordt vaak met meerdere camera's tegelijk opgenomen, waarna de regisseur en editor beslissen welke opnames de beste zijn.

SLOW MOTION Een filmisch effect waarbij een bepaalde handeling zich langzamer lijkt af te spelen dan in de werkelijkheid. Dit effect wordt gecreëerd door de film in een versneld tempo door de camera te halen. Als de film op een normaal tempo wordt gedraaid zien we de gebeurtenissen zich op een lager tempo dan normaal afspelen.

SPECIALE EFFECTEN (SFX) Visuele en mechanische effecten die gebruikt worden om een speciale illusie te creëren.

STOP MOTION Een techniek waarbij de illusie van beweging wordt gecreëerd bij levenloze objecten. Dit effect wordt bereikt door levenloze objecten beeldje voor beeldje aan te passen. Als deze gemanipuleerde beelden achter elkaar worden gezet ontstaat het effect van beweging.

STORYBOARD Opeenvolgende schetsen en foto's die het verloop van een film aangeven. Ze worden gebruikt bij het plannen van de verschillend scènes.

STRUCTURALISME Een manier voor het analyseren van films door het bestuderen van los van elkaar staande beelden. Angst kan bijvoorbeeld uitgedrukt worden door twee beelden na elkaar op te nemen van ogenschijnlijk niet met elkaar verbonden personen.

SUPERIMPOSITION Het plaatsen van een beeld of tekst over een bestaand beeld heen. Wordt o.a. voor ondertitels gebruikt.

SURREALISME Een 20e-eeuwse kunsttheorie over de door vrije associaties gekenmerkte bewustzijnstoestand van de droom. Surrealistische films zijn gebaseerd op fantasie en zijn vaak samengesteld uit series ogenschijnlijk niet met elkaar verband houdende beelden.

TAKE Een ononderbroken opname, opgenomen met een camera. Vaak worden tegelijkertijd meerdere opnames van dezelfde actie gemaakt.

TECHNICOLOR Een filmkleurproces ontwikkeld door Herbert Kalmus en Daniel Comstock tijdens de Eerste Wereldoorlog en gepatenteerd in 1922. Dit oorspronkelijk tweekleurenproces werd in 1932 uitgebreid tot een driekleurenproces; het werd toegepast in films als *Gone With the Wind* (1939).

THREE-STRIP TECHNICOLOR Dit proces, ontwikkeld in 1932, is een vervolg op het oorspronkelijke tweekleuren technicolorproces dat gebruikmaakt van een aangepaste camera en drie filmstroken in rood, blauw en groen voor het krijgen van meer realistische kleuren op het scherm.

TILT Omhoog of neergaande verticale camerabeweging waarbij de hele camerabody meebeweegt.

TRACKING SHOT Een opname gemaakt met een camera op een dolly of rails waarmee de acteur of de actie wordt gevolgd.

TRIPLE SCREEN Een monitor gebruikt bij het monteren en snijden met behulp van een computer van videobeelden.

VISTAVISION Een projectiesysteem ontwikkeld door Paramount Pictures in de jaren '50 waarbij het beeld wordt gecreëerd door de techniek van optische reductie van een groot negatief beeld naar het standaard beeldformaat.

VISUAL FORMALITY De ordelijke plaatsing van spelers en decors binnen het filmbeeld om de film een 'nette' uitstraling te geven. Vaak bedoeld als contrast met de wereld van de karakters in de film, bijvoorbeeld in *Ran* (1985) waar op deze manier de wanorde wordt gemaskeerd.

Register

Verantwoording

De Kobal Collection dankt haar bestaan aan de visie, de moed, het talent en de energie van de mannen en vrouwen die de filmindustrie hebben opgezet. Wij verzamelen, beheren, organiseren het materiaal en maken het publi-citeitsmateriaal verschaft door de filmmaatschappijen, ter promotie van hun films en sterren, toegankelijk. Het materiaal in dit boek is afkomstig van de volgende bedrijven en organisaties. Wij verontschuldigen ons bij voorbaat voor eventuele onbedoelde omissies en zullen er alles aan doen dit in toekomstige edities recht te zetten.

Al het beeldmateriaal is afkomstig van de Kobal Collection, met uitzondering van de volgende illustraties:

Afkortingen:
o=onder r=rechts; l=links; m=midden; b=boven; u=uiterst boven

I MGM; 2-3 20th Century Fox; 4 Columbia/A.L. ('Whitey' Schafer); 5 Aquarius Library: Walt Disney; 6-7 RKO; 8 Paramount; 8-9u MGM; 8-9o Miramax/Universal; 10 MGM; 12 Hal Roach; 12-13 Beijing New Pictures/Elite; 13 Walt Disney/Walden; 14-15 UA/Charles Chaplin; 16m Lumière, 16ol Photo12.com:-ARJ; 17u America; 17o Melies; 18 Lasky Prods.; 19u Fox; 19o DK; 20l Paramount; 20r United Artists; 21no credit; 22u DK; 22o DK; 23 MGM; 24 United Artists; 25m Nero; 25o MGM; 26ul Corbis: Bettmann; 27 MGM; 28 MGM; 29 RKO; 30 VOG/Sigma/Raymond Voinquel; 31 Mosfilm; 32u Universal; 32ol Getty Images: A. E. French/Hulton Archive; 33 MGM; 34 MGM; 35u Columbia; 35m DK, 35o Pioneer Pictures; 36 MGM; 37 Crown Film Unit; 38 RKO; 39 Superstock; 40u Warner Bros.; 40o Rank; 41Columbia/Bob Coburn; 42 RKO George Hurrell; 43 America; 44 United Artists; 45ur Getty Images: J. R. Eyerman//Time Life Pictures; 45o United Artists, 46u Gulu, 46r Getty Images: J. R. Eyerman/Time Life Pictures; 47u 20th Century Fox; 47o 20th Century Fox; 48 Warner Bros. 49u United Artists; 49o Columbia/Horizon; 50 Columbia; 51u Warner Bros.; 51o Columbia; 52-53 Columbia/Irving Lippman; 54 United Artists; 55u Mirisch/7 Arts/UA; 55o Mirisch/UA; 56 20th Century Fox; 57u America; 57o Embassy; 58 Woodfall; 59u Eon/Danjaq/UA; 59o Eon/Danjaq/UA, 60u MGM/Hemmings/Veruschka, 61 Anouchka/Orsay/Sami Frey or Jean Claude Briarly?, 62 Debra Hill; 63 Universal, 64 United Artists; 64u 65 Columbia; 65 Zoetrope/UA; 66 Warner Bros; 67u Warner Bros.; 67o Warner Bros.; 68 Paramount; 69u Paramount; 69o UA/Fantasy Films; 70 United Artists; 71u Universal/Embassy; 71oLadd Co/WB; 72 Lucasfilm/Paramount; 73 Carolco; 74 Paramount; 75ul Corbis. Keith Dannemiller; 75o Constellation/Cargo/Alive; 76 Paramount/Phill Caruso; 77 Castle Rock/Michael Weinstein; 78u Lazenne/Canal+/La Sept, 78o Working Title/Polygram; 78-79 20th Century Fox/Paramount/Merie W Wallace; 79 Zentropa; 80-81 Polygram; 82 20th Century Fox; 82-83 Pathe/Sony Classics; 83ul SuperStock: age fotostock; 84 Anhelo/IFC; 85u Focus Features; 85o Basic/Media Asia; 86 Aquarius Library: Warner Bros.; 87 Lion's Gate; 88-89 Dreamworks/Paramount; 90 America; 92 Samuel Bronston; 93 DK Images: Courtesy of the Museum of the Moving Image, London; 94-95u Corbis: Douglas Kirkland; 95ol Getty Images: Piotr Malecki; 96u MGM; 96o Archer Street/Delux/Lion's Gate Jaap Buitendijk; 97u Warner Bros.; 97o Lucasfilm/Paramount; 98u Universal; 98o Miramax/Universal/Laurie Sparham; 99 New Line Bob Marshak; 100 20th Century Fox; 101Dreamworks/Kelvin Jones; 100-101 Warner Bros./Blid Alabirk; 102u,m New Line; 102o 20th Century Fox; 103 MGM; 104ul Rex Features: Universal/Everett; 104-105 Universal/Wingnut; 105 20th Century Fox; 106-107 Warner Bros. 108u Charles Chaplin; 108o Corbis: Jim Sugar; 109ur Rex Features: Jonathan Player; 109o Corbis: Jim Ruymen/Reuters; 110-111o Corbis: Vincent Kessler/Reuters; 111u Corbis: Fred Prouser/Reuters; 112-113 Paramount; 114 Paramount; 116 Warner Bros.; 117u 20th Century Fox; 117 m Lucasfilm/Paramount; 117o Paramount; 118 MGM; 119u Aquarius Library: Walt Disney 119o Dreamworks/Aardman Animations; 120 Sony Classics; 121u Touhoku Shinsha; 121o Dreamworks; 122 Cinegraphic Paris; 123u Warner Bros.; 123o Fox 2000/Suzanne Tenner; 124u Sennett; 124o First National; 125 Hal Roach; 126u Hal Roach/UA; 126o United Artists; 127u MGM; 127o MGM; 128u Universal; 128o Miramax/Universal/Alex Bailey; 129u Handmade; 129o Prods Artistes Associés/Da Ma; 130 Pioneer Pictures; 131u Working Title; 131o Renn/France 2/D.A./Degeto; 132u Allied Artists; 132o Spinal Tap Prods; 133 20th Century Fox/Takashi Seida; 134 Gainsborough 135u Paramount; 135o YUFKU; 136 Leacock/Pennebaker; 136-137 CNC/ Canal+; 137 Alliance Atlantis/Dog Eat Dog; 138 20th Century Fox; 139u 20th Century Fox/Toho; 139o MGM; 140l RKO; 140r Paramount; 141u Monarchy/Regency; 141o Universal; 142u Warner Bros.; 142o Warner/First National; 143u Filmel/CICC/Fida; 143o Universal; 144 Bandai Visual; 144-145 Warner Bros.; 145 Miramax/Buena Vista; 146 Universal; 147u Universal; 147oRKO; 148 Kadokawa Shoten; 149u Golden Harvest; 149o Warner Bros /Concord; 150 Cineguild/Rank; 151u Killer Films; 151m RKO; 151oWarner Bros.; 152 MGM; 153u Warner Bros.; 153o MGM; 154 MGM; 155u MGM; 155m 20th Century Fox; 155o Warner Bros.; 156u Paramount; 156o 20th Century Fox/Sue Adler; 157Miramax/David James; 158u Nero; 159u Walt Disney; 159o ICAIC; 160 20th Century Fox; 161u Allied Artists; 161o 20th Century Fox; 162u Paramount; 162o Toho/Columbia TriStar; 163Dreamworks/Paramount; 164u Universal; 164o Universal; 165 Lucasfilm/Paramount, 166u Columbia 166o Universal; 167u Universal/Jasin Boland; 167o Universal; 168-169 MGM, 170 Maya Deren; 171u Paramount; 171o Pathé; 172u United Artists; 172o Assoc R&R/Paramount; 173u Warner Bros./Murray Close; 173o Dreamworks/David James; 174 Edison; 174-175 United Artists; 175 United Artists; 176n PEA; 176B Stanley Kramer/UA; 177u Orion; 177o Focus Features; 178-179 Yash Raj Films; 180 FJ Deseo/Miguel Bracho; 182u Mij Film Co/BAC Films; 182mDaiei-Kyoto/Brandon; 182oJet Tone; 183u Films Cisse/Govt of Mali; 183o Focus/Film4/Senator; 184 Duo/Arte France; 185u Moviworld/RKO/Dzmed Sparov?; 185u Les Films Terre Africaine; 186u Lumen/Lama Prods; 186o Bac Films; 187u Makmalbaf Films; 187o Mk2/Makmalbaf; 188 Zespol Filmowy Kadr; 189u Film Polski; 189m Hungarofilm; 189o Hungarofilm, 190 Mafilm/Studio Objectiv; 190-191Czech TV/Total Helpart/Martin Spelda; 191 Portobello/Sverak; 192 CIBY; 193u 20th Century Fox; 193o Giney/Cactus Film; 195 YUFKU-Kino-Ukraine/Amkino; 196u Lenfilm; 196-197 Forahim/Hermitage Bridge Studio; 197 Mosfilm; 198 MGM; 199u Svensk Filmindustri; 199o Europa Film; 200 Villealfa Productions; 201u Betzer-Panorama Film/Danish Filminst; 201o Bulbul Films/3IT/Talk Aavatamet; 202 UFA; 203 UFA, 204 Seitz/Bioskop/Hallelujah; 205n Road Movies/Argos Films/WDR; 205o X Filme/WDR/arte/Band Sparov?; 206u Gaumont; 206o Films Häklln/Paris Film; 208u UGC; 208o Fat Free Ltd/Miramax/David Appleby; 208-209 Spectra/Gray/Alterdel/Centaure; 209o Canal+/UGC/Wellspring Media; 210 Itala Film Torino; 211u 211o FC Rome/PECF Paris; 212u RAI/BibiFilm; 212m RAI/BibiFilm; 212o Melampo Cinematografica/Sergio Strizzi; 213 Hepworth; 214u Korda/UA; 214o 20th Century Fox/Allied Stars/ Enigma; 215n Tiger Aspect Pictures/Giles Keyte; 215o Figment/Noel Gay/Channel 4; 216u Film 59; 216o Epoca/Talia/Selenia/Films Corona; 217 Elias Querejeta Prod.; 218u Canal+/Filmanova/Lucky Red/Teresa Isasi; 218o Trueba/Lola Films/Animatografo; 219u Zentropa Ent/GER/Mikado Films; 219o Madragoa/Gemini/Light Night; 220-221 Canal+/Miramax; 221u Victorious Films; 221o Alliance/Ego Film; 222u America; 222o ICAIC; 223 Arau/Cinevista/Aviacsa; 224 Copacabana Films; 225 Glauber Rocha/Mapa; 226u Videofilmes/Mact Prod./Paula Prandini; 226o Guacamole Films/OK Films; 227u Film Four/South Fork/Senator Film; 227o Tucan Prod./Studio Canal+; 228u Warner Bros ; 228o Bazmark Films/20th Century Fox/Sue Adler; 229u M and A Film Corp.; 229o Miramax/Dimension Films/Penny Tweedie; 230 Guangxi Films; 231u Xi'an Film Studio; 231o Lian Bang; 232 Golden Harvest; 233u Yang & His Gang; 233o Atom Films/Omega/Pony Canyon Inc.; 234-235 China Film Group Corp./Bai Xiao Yan; 236u Toho; 236o Kinugasa Prod.; 237 Daiei; 238u Itami; 238o Omega; 239 Akira; 240 Taehung Pictures; 241u Egg Films/Show East; 241o LJ Films/Cineclick Asia; 242 Mehboob Prods.; 243u Priya; 243o United Artists; 244 Miraai/Jane Balfour; 245u Kaleidoscope/Arrow; 245o Excel Entertainment; 246-247 Touchstone; 248 Paramount; 250t Gemini Films/Canal+; 250o Warner Bros; 251u Orion; 251o BBC Films/Dreamworks/Clive Coote; 252u El Deseo/Renn/France 2; 252o Kaktus/Tesauro; 253u

Spelling Films International; 253o USA Films/Mark Tillie; 254u Sogetel/Le Films Alain Sarde; 254o Memorial; 255u New Line G. Lefkowitz; 255o Theo Angelopoulos; 256u Interopa/Cineriz/Paris; 256o CCC/CIPI/MGM; 257u DiNovi/Columbia/Joseph Lederer; 257o Columbia/Goldcrest; 258u Svensk Filminstitut/Gaumont/Tobis; 258o Cinematograph AB Sweden/Cinema 5; 259u MGM; 259o Renn/A2/Rai-2; 260t Warner Bros; 260o Hachette Premiere/Kushner-Locke Co/Severine Brigeot; 261u Columbia/Tri-Star; 261o Columbia; 262u Columbia; 262o Paramount; 263u UGC/Roger Corbeau; 263o Embassy Pictures; 264u MGM; 264o MGM; 265u Films 59/Alatriste/Uninci; 265o Paris Film/Five Film; 266u Warner Bros.; 266o Touchstone; 267u 20th Century Fox/Paramount/Merie W. Wallace; 267o Jan Chapman Prods/Ciby 2000; 268u US War Department; 268m Columbia; 268o Columbia; 269 Cine Alliance/Pathé; 270t Columbia; 270o Paris Film Production/Panitalia; 271u United Artists; 271o First National/Charles Chaplin; 272u Tomson Films/China Film/Beijing; 272o Beijing Film Studio/H. Hattori; 273u United Artists; 273o Tobis; 274u Filmsonor/Mirkine; 274o Films André Paulvé; 275u Touchstone/Universal/Melinda Sue Gordon; 275o 20th Century Fox; 276u Paramount; 276o Zoetrope/United Artists; 277u AIP; 277o Polygram/Universal; 278u 20th Century Fox; 278o Dimension/Miramax; 279u 20th Century Fox; 279o Anhelo Prod/IFC Films; 280u Warner Bros.; 280o MGM/Frank Grimes; 281t Warner Bros.; 281o 20th Century Fox; 282u Paramount; 282o Paramount; 283u Orion/Ken Regan; 283o Parc Film/Madeleine Films; 284u United Artists; 284m Universal; 284o Paramount; 285 Dear Film; 286u MGM; 286ol 20th Century Fox; 286or MGM; 287u Yufku-Kino-Ukrain/Amkino; 287o Dreyer/Tobis/Klangfilm; 288u Warner Bros./Merie W. Wallace; 288m Warner Bros.; 288o Warner Bros./Merie W. Wallace; 289u United Artists; 289o Paramount; 290u Goskino; 290o Mosfilm; 291t Goskino; 291o Sovkino; 292u Tango; 292m Filmverlag Der Autoren; 292o Geria/Bavaria/Soc. Fr-De Prod.; 293u Ponti-De Laurentiis; 293o Cineriz; 294u New Line; 294o Flaherty Productions; 295u MGM; 295o MGM; 296 Warner Bros.; 297u Saul Zaentz Company; 297o United Artists; 298u BBC/Buena Vista International; 298o Lorimar; 299 Forrester-Parant; 300u De Laurentiis/Beauregard; 300o Chaumiane/Filmstudio; 301 Alta Vista; 302u Wark Producing Company; 302o UA/Art Cinema; 303u Svensk Filmindustri/AB Filmteknik; 303o Wega Film; 304u National General/Cinema Centre; 304o Warner Bros.; 305u Herzog/Filmverlag Der Autoren/ZDF; 305o Gaumont; 306o Paramount; 307u Universal; 307o Universal; 308u MGM; 308o Dreamworks/Universal/Eli Reed; 309 Shochiku; 310u MGM; 310o Warner Bros.; 311t Nikkatsu Corp.; 311o Columbia/Merchant Ivory/Derrick Santini; 312u Wingnut/Universal; 312o Wingnut/New Line/Pierre Vinet; 313u MTI/Orion; 313o Mafilm/Hunnia Studio; 314u UGC/Studio Canal+; 314o Columbia/Tri-Star; 315u Sputnik Oy; 315o Warner Bros.; 316u United Artists; 316o MK2/Abbas Kiarostami Prod.; 317u Zespol; 317o Sideral/Tor Studios/Canal+; 318ol Warner Bros.; 318or Bryna/Universal; 319u Daiei; 319m Herald Ace/Nippon/Greenwich; 319o Toho; 320u Nero; 320o UFA; 321t Columbia; 321o MGM; 322u Good Machine; 322o Focus Features; 323u Universal/David Lee; 323o Warner Bros.; 324u Ciby 2000; 324o Prod Eur Assoc/Gonzalez/Constantin; 325u Woodfall/Kestrel; 325o Associated British; 326u Paramount; 326ol MGM/C.S.Bull; 326or Paramount; 327u Lucasfilm/Coppola Co./Universal; 327o Lucas Film Ltd; 328u 20th Century Fox Merrick Morton; 328o Paramount; 329u AFI/Libra; 329m 20th Century Fox; 329o 20th Century Fox; 330u Ealing; 330o Viking/Europa/Smart Egg/New Realm; 331t New Line/Merie W. Wallace; 331o Nouvelles Editions/MK2/Stella/NEF; 332u Columbia/Robert Coburn; 332m Columbia; 332o Samuel Goldwyn/RKO; 333u Allied Artists; 333o De Laurentiis; 334u Argos; 334o OGC/Studios Jenner/Play Art/La Cyme; 335u Dreamworks/Lorey Sebastian; 335m Globo Films; 335o Focus Features; 336u United Artists; 336o Paramount/Miramax/Phil Bray; 337 MGM; 338u Shochiku; 338o Dog Eat Dog/Miramax; 339u UFA; 339o Fox Films; 340u Warner Bros; 340o Madragoa/Gemini/Light Night; 341t Gamma/Florida/Oska; 341o Sacha Gordine Productions; 342u Argos Films/Oshima Prod.; 342o Shochiku; 343u Sofar Films; 343o Nero; 344u Dovzhenko Films; 344o Cinergi Pictures; 345u Artistes Associés/PEA; 345o Arco/Lux; 346u Anglo-EMI/Rapid/Terra; 346o MGM; 347u Bavaria/Radiant; 347o Focus Features/Studio Canal/Guy Ferrandis; 348u Anglo Amalgamated; 348o Korda; 349u Rank; 349o British National; 350u Columbia; 350o Mezhrabpomfilm/Moscow; 351 Republic; 352u Devki Chitra; 352o Columbia; 353u Réalisations D'Art

Cinematographique; 353o Paris Film; 354u Argos/Como/Pathé/Daiei; 354o Woodfall; 355u NSDAP; 355o CNC/France 2 Cinema/Studio Canal+; 356u Copacabana Films; 356o Casey Prods/Eldorado Films; 357u Films Du Losange; 357o Films Du Losange/La Sept Cinema; 358u Berit Films; 358o Tevere/UGC; 359u Red Dog/Cinecom; 359o United Artists; 360 Columbia/Phillip Caruso; 361t Warner Bros.; 361o Universal/Phillip Caruso; 362u 20th Century Fox/Bob Penn; 362o MGM/UA; 363u Les Films Terre Africaine; 363o 20th Century Fox/Marvel/Attila Dory; 364u Universal; 364o Universal; 365 MGM; 366 Universal/Amblin/Murray Close; 367u Universal/David James; 367o Castle Rock/Warner Bros/Ralph Nelson Jr.; 368u Paramount; 368o MGM; 369u Paramount; 369o Warner Bros./Sidney Baldwin; 370u Universal; 370o MGM; 371t MGM; 371o Paramount; 372u Mafilm/Mokep/ZDF; 372o Miramax/Buena Vista/Linda R. Chen; 373u Mosfilm; 373o Mosfilm; 374u CADV/Discina; 374o Columbia; 375u Anglo Enterprise/Vineyard; 375m Anglo Enterprise/Vineyard; 375o Les Films Du Carrosse; 376u New Line; 376o Films A2/Cine Tamaris; 377u VUFKU; 378u Samuel Goldwyn/RKO; 378o Jacques-Louis Nounez/Gaumont; 379u Alfa; 379o Titanus/20th Century Fox; 380u Zentropa Ent./Rolf Konow; 380o Films Du Losange/Groupe X/Gaumont; 381t Warner Bros.; 381o Warner Bros; 382u Picnic/BEF/Australian Film Commission; 382o 20th Century Fox/Universal/Stephen Vaughan; 383u Columbia; 383o Universal; 384u Paramount; 384o Samuel Goldwyn; 385u Road Movie Prods.; 385ol Universal; 385or Universal; 386u. 20th Century Fox; 386o. Paramount; 387u Paramount; 387o Paramount; 388 United Artists; 389u Columbia/Block 2/Jet Tone Films/Wing Shya; 389o Block 2; 390u Paramount/Touchstone/Stephen Vaughan; 390o Universal; 391t Samuel Goldwyn/RKO; 391o Warner Bros.; 392u Medusa/Phillipe Antonello; 392o 20th Century Fox/Dreamworks/Zade Rosenthal; 393u Beijing New Picture/Elite Group; 393o Magna/20th Century Fox; 394-395 RKO; 396 Columbia/Sony/Chan Kam Chuen; 398u Epic; 398ol Epic; 398orAmerica; 399u Decla-Bioscop; 399o Decla-Bioscop; 400u Prana-Film; 400o Flaherty; 401t Goskino; 401o Goskino; 402 Ufa; 403 SGF/Gaumont; 404u Bunuel-Dali; 404o Société Générale des Films; 405 Universal; 406u Paramount; 406o Ufa 407 Charles Chaplin/United Artists; 408 Warner Bros.; 409 Paramount; 410 RKO; 411 Gaumont-Franco-Film-Aubert; 412 Aquarius Library: Walt Disney; 413u Olympia/Tobis 413o Les Nouvelles Editions Francaises; 414 Selznick International; 415 MGM; 416 Columbia; 417 20th Century Fox; 418 RKO; 419 Warner Bros./Fist National; 420 RKO/Goldwyn; 421 UA/Romaine; 422 Two Cities; 423 Warner Bros.; 424-425 Warner Bros.; 426 ICI; 427 Pathe; 428 Archers/Independent/Rank; 429 RKO/Liberty; 430u PDS; 430o Excelsa/Mayer-Burstyn; 431 Universal; 432 Ealing; 433 London Films; 434 Andre Paulvé/Films du Palais Royal; 435 Daiei; 436 MGM; 437 Shockiku; 438 Columbia; 439 Universal; 440 Warner Bros.; 441 Govt of West Bengal; 442 United Artists; 443 Svensk Filmindustri; 444 Paramount; 445 Film Polski; 446u; 447l United Artists; 447r 20th Century Fox; 448 Credit-Aquarius; 449 Raima-Pathé/Gray Film; 450 Woodfall; 451t Cine del Duca/PCE/Lyre; 451o Terra/Tamara/Cormora; 452 Columbia/Horizon; 453 Hawk Films/Columbia; 454 Casbah/Igor; 455mr Singalonga Productions Ltd; 455o 20th Century Fox; 456u Mosfilm; 456o Factory Films; 457 WB/Tatira-Hiller/7 Arts; 458 WB/7Arts; 458o Columbia; 459 Mars/Marianne/Maran; 460 Paramount; 461 Werner Herzog; 462u Paramount/ABC; 462o Oshima/Argos; 463 Columbia; 464 United Artists/Rollins-Joffe; 465 Lucas Film Ltd; 466-467 Lucas Film Ltd; 468 Trio/Albatros/WDR; 469 EMI/Universal; 470 Universal; 471tWarner Bros.; 471oLucasfilm/Paramount; 472 Road Movies/Argos; 473 Edgar Reitz/WDR/SFB; 474 Mosfilm; 475 De Laurentiis; 476u Films Aleph/Historia; 476o Merchant-Ivory; 477 El Desea-Lauren; 478 Cristaldi/Ariane/Rai; 479 Universal; 480 Era International; 481 Warner Bros.; 482 Live Entertainment/Dog Eat Dog; 483 Canal+/Mk2/CED/France 3/Cab/Tor; 484u Farabi/Kiarostami/Miramax; 484o Polygram/Woeking Title/Channel 4; 485 Aquarius Library: Buena Vista/Walt Disney; 486 Working Title/Polygram; 487 Columbia/Sony; 488u Block2/Jet Tone/Paradise Films; 488o Bedford Falls/Initial/USA Films; 489 New Line/Wing Nut/Saul Zaentz/Pierre Vinet; 490 Globo Films/Buena Vista; 491 Focus Features